GRAMATICA HISTORICA ESPAÑOLA

EDITORIAL CATÓLICA TOLEDANA - JUAN LABRADOR, 6 - TELEF. 1517

VICENTE GARCIA DE DIEGO

DE LA REAL ACADEMIA ESPAÑOLA

GRAMATICA HISTORICA ESPAÑOLA

EDITORIAL GREDOS

Benito Gutiérrez, 27 - Apartado 8.021

MADRID

PRÓLOGO

Los trabajos lingüísticos sobre la historia del español han sido posibles gracias a las luces del maestro de todos los romanistas españoles, D. Ramón Menéndez Pidal, que en dos obras fundamentales, su Manual de Gramática Histórica y su libro de Orígenes del Español ha aclarado los puntos esenciales de la historia de nuestro idioma.

Deber de todos sus discípulos es continuar esta magna empresa, nunca acabada, aportando cada uno su esfuerzo para fijar bien con nuevos datos aspectos que esperan esclarecimientos definitivos.

Este libro nuestro no quiere ser mas que una modesta contribución en esta empresa de detallar los caminos menos señalados, que tienen también importancia junto a los caminos reales de la lengua.

En la Fonética he procurado complicar un poco los casos para no dar una idea falsa de la realidad con leyes inexactas por demasiado sencillas.

Tal vez agradaría a los alumnos que, sacrificando la complejidad de la lengua a la simplicidad de las leyes fonéticas, se prescindiese de la masa de formas que no siguen fielmente la ley sencilla que formulamos. Así podríamos dejar al margen voces como camba, lomba, viejo, ruejo, lueñe, luejo, congoja, rebojo, plegar, plomo, plaza, plañir, fleco, flama y tantas otras.

Tal vez agradaría a los alumnos que diésemos sólo una forma modelo como representante de cada voz latina, prescindiendo de todas las formas discordantes. Era desde luego más cómodo citar una sola forma de ventilare eventilare que imponer el estudio de tanta variante como beldar, bieldar, bendrar, abeldar, albeldar, abieldar, arbelar, aberlar, ablentar, ablendar, alventar, aulentar, cada una con su ley fonética o analógica particular.

Hemos pensado que en la fonética no pueden simplificarse las leyes, dejando inexplicadas formas de nuestro diccionario; ya que

el castellano es un complejo dialectal, en que, si el elemento prin-
cipal fué el habla de la capital burgalesa, también en él entraron
elementos de su zona norte y de Santander y de las zonas laterales
y del centro y sur de España, como era lógico en una expansión
en que no se sentían como dialectales y extrañas muchas formas.

Yo he creído que en una Gramática Histórica no debía dejar de
recogerse esta variedad formal de los dialectos internos en que se ha
movido el castellano. En una gramática propiamente castellana no
hay necesidad de aducir las formas de los dialectos caracterizados,
como el gallego o el asturiano, el catalán o el aragonés, pero sí de
los dialectos absorbidos por el castellano cuyas voces perduran y
son por tanto patrimonio de la lengua castellana.

La topografía lingüística es complicada y para el que ha de
estudiarla acaso es útil un croquis simplificador; pero al moverse en
la realidad se ve pronto cuánto tiene de engañosa esa sencillez que
no nos aclara la variedad de cuanto va surgiendo en nuestro estudio.
No sólo no he querido simplicar en falso, sino que quedo descontento
de no hacer mas que iniciar este afán de variedad, que los alumnos
deben completar, para ir teniendo una idea aproximada de la com-
plicada realidad que es una lengua.

En el estado actual de los estudios lingüísticos no pueden que-
dar reducidos a notas generales y breves los hechos que no sean de
la llamada fonética normal, no sólo porque estos hechos llamados
esporádicos afectan a numerosos casos, sino también porque obedecen
a leyes mentales, tan importantes como las leyes mentales y fisio-
lógicas de la llamada evolución regular de la lengua. No puede
resaltarse el estudio fonético regular ni irregular sin que se les dé
parecida importancia a otros aspectos de la evolución de la lengua.

No sólo hay que destacar tanto como los valores fonéticos los
llamados elementos perturbadores, sino que hay que separarlos. No
pueden entrar los ejemplos de la analogía en el campo de la fonética,
porque son dos mundos distintos.

INTRODUCCION

1. Elementos del Español.—1. **El latín.**—El español es en su fondo el latín impuesto por la conquista y la colonización romana, que eliminó las lenguas peninsulares, aumentado y renovado luego en el curso de los siglos por los latinismos de los cultos.

La romanización comprende dos períodos. España empezó a ser lentamente romanizada desde los tiempos de Sertorio, que fundó unos Estudios en Huesca. En esta primera romanización desde 218 a. de J. C. hasta Augusto los soldados y colonos romanos hablaban un latín poli-dialectal. La lengua latina no había sufrido aún los grandes cambios fonéticos y léxicos que luego experimentó desde los comienzos del Imperio. El sardo y el español son las dos lenguas que tienen más caracteres de este primer período, como el dativo *illi*, en vez del vulgar *illui*, y muchas palabras substituídas por otras en el latín de las demás provincias, como *comedere* en vez del vulgar *manducare*.

Desde Augusto se crea en toda la Romania un latín relativamente uniforme, contribuyendo a ello la influencia del elemento oficial, la difusión de la cultura común en las escuelas y la gran comunicación que establecieron las milicias, los colonos y el comercio. Este latín general del Imperio hizo desaparecer muchas particularidades del antiguo latín español, introduciendo los nuevos modos de pronunciación romana y otras modalidades de la lengua que se hicieron generales. Sólo en el Norte como

elementos incorporados al vasco quedaban restos de la
pronunciación primera del latín, como *pike* 'la pez' en
vez de la general *pece*.

El latín hablado de la conquista y colonización era
naturalmente el latín vulgar; pero en éste, como en toda
lengua vulgar, había formas dobles y voces cultas, como
tabula al lado de *triblum*, *spiculum* 'espliego' al lado de
speclum 'espejo'. Así el gallego *chousa* acusa el clásico
c l a u s a y no el vulgar c l u s a, como el ant. *chouvir*
prueba c l a u d e r e y no c l o d e r e. El cast. *silbar* acusa
el clásico s i b i l a r e, mientras *chillar* denuncia el vulgar
s i b l a r e. El vulgar romance *frego* viene del clásico
f r ĭ c o y el común *friego* viene del latín vulgar f r ĕ c o.

En distintas épocas del español las clases latinizantes
ejercieron luego una acción sobre la lengua, introduciendo
formas de los diccionarios latinos, que al principio son
peculiares de una clase y son miradas como cultismos afec-
tados, pero que lentamente se vulgarizan, desterrando las
formas vulgares. Estas voces han sido aceptadas en una
supuesta pronunciación clásica y sólo en contados casos
han sufrido alguna deformación en la lengua corriente.

2. **Las lenguas prelatinas.** — Es de creer que en el
avasallamiento de las hablas hispánicas por el latín sobre-
vivían algunas voces indígenas célticas o ibéricas, supervivencia facilitada por la perduración del vascuence. Como
tales se admiten *nava, vega, azcona, balsa, turón, narria,
gorra, becerro, barranco, izquierda, cerro, pizarra, zurriaga,
bizarro, cirigaña, abarca, baluce, socarrar, cencerro, man-
dria, laya, muga, páramo, sarna, sapo*, y bastantes otras.
Algunas de ellas son acaso románicas, pero probablemente son vascas otras voces del castellano, como *amurcar*
de *murukatu burukatu*.

De origen céltico son otras palabras, algunas de las cuales se incorporaron al latín desde distintos lugares, como *carro, lanza, braga, cerveza, gordo, camisa, arroyo, caballo, cambiar, losa, camino, legua, toca, sabueso, berro, aloa, palafrén, banasta, taladro, jabón.*

3. **El griego.**—Las voces griegas patrimoniales (no del tecnicismo helenizante posterior) se han aceptado en tiempos muy diferentes y por distintos caminos. Un buen número venían incorporadas al latín: *canasto, bote, cara, garojo, carta, cuévano, palabra, cadera, gruta, cedra, golpe, cámbaro, greda, piedra, torno, tomillo, goldre, plato, huérfano, púrpura, yeso, órgano, tío, limosna, lego, escuela, bodega, cuerda, codeso, jenabe, pasmo, gobernar, bautizar, cima* y *quima.* Algunas vienen del francés, como *paje,* y otras del árabe, como *altramuz.*

4. **Las lenguas germánicas.**—En contraste con la rareza de elementos góticos, suevos o vándalos peninsulares, como *triscar* y *tascar,* el español ofrece, como otras románicas, un caudal considerable de germanismos francos, lombardos, borgoñeses, alemanes, etc., incorporados unos en el latín imperial y otros introducidos en el español por otras lenguas románicas, especialmente el francés y el italiano. Son voces militares las unas, como *guerra, yelmo, dardo, brida, estribo, espuela, estoque, sable, alabarda, heraldo, mariscal, arenga, bando, grupo, tregua, burgo, espiar, esgrimir, guardar, aguaitar.* Otras representan seres o actos naturales, como *garañón, ganso, esparavel, fango, tramar, crujir.* Otras son de distintos aspectos de la cultura, como *feudo, alodio, ropa, halda, filtro, toalla, guante, loba, charpa, venda, guirnalda, rueca, frasco, robar, agasajar, guarnecer, rostir, escanciar, raspar.* Otras expresan caracteres, como *rico, blanco, listo, fresco.*

5.   **El árabe.**—Por una relación de varios siglos que creó en parte de las poblaciones un verdadero bilingüismo, el árabe ha dejado un número considerable de voces, unas propias y otras griegas o latinas deformadas. Unas son voces militares, como *zaga, alcaide, alférez, adalid, rebato, algara, adarve, almena, atalaya, aljaba, adarga.* Otras son de cosas naturales, como *acelga, azafrán, arroz, alfalfa, algarroba, altramuz, aceituna, alubia, acerola.* De diversos objetos, como *almirez, jarra, alcuza, almohada, alfombra.* Otras son de distintos aspectos de su cultura: de medidas, como *arroba, quintal, azumbre, fanega, cahiz, almud*; de comercio, como *almacén, alhóndiga, almoneda, aduana, zoco*; de agricultura, como *noria, acequia, aljibe*; de diversos oficios, como *albañil, albéitar, alfayate, alarife, alfarero, zaguán, azotea, alcantarilla, alcoba, alacena.*

6.   **El francés.**—Las relaciones sociales de los reinos del norte durante la Reconquista y las continuas relaciones de la cultura han aportado al español un número considerable de galicismos, unos antiguos, como *sargento, paje, manjar, trinchar, jaula, jardín, bajel*, y otros posteriores, como *hotel, corsé.*

7.   **El italiano.**—Unas voces proceden de las relaciones directas con Italia y otras son debidas a la difusión general de la cultura bajo algunos aspectos, especialmente del arte. Hay algunas voces militares, como *escopeta, baqueta, centinela, alerta*; marítimas, como *fragata, galeaza, piloto*; de diversas artes, como *piano, soneto, terceto, escorzo, boceto.*

8.   **El catalán.**—Son de este origen *clavel, porche, seo, nao, borraja, capicúa*, y del valenciano, *paella.* Podrían ser catalanas voces de posible procedencia provenzal, como *viaje, monje, menje.*

9. **El gallego-portugués.**—Proceden de este origen unas pocas voces, como *vigía*, *sarao*, *morriña*, *corpiño*, *muiñeira*. Otras aducidas son muy dudosas, como *arisco*, que procede probablemente de *ferus*; *macho*, que es probablemente mera acepción concreta de *macho* de m a s c u l u.

10. **Otros dialectos.**—El diccionario español contiene un número considerable de provincialismos, generalizados o considerados como regionales, que se toman como voces castellanas, si no contradicen a la fonética, y que en buen número se consideran como castellanas aun contradiciéndola. Así *enjuto*, *fruto* son voces de zonas donde se da el trato *ct* > *t*; *plomo*, *clavija*, *flama*, de dialectos que conservaban estos grupos iniciales.

11. **Las lenguas americanas.**—Un mundo de seres nuevos de la fauna y de la flora y de productos y utensilios distintos tenía que ser recogido por los colonizadores. De estas lenguas proceden *cóndor*, *alpaca*, *vicuña*, *colibrí*, *guacamayo*, *tiburón*, *tomate*, *cacahuete*, *cacao*, *papa*, *canoa*, *jícara*, *petaca*, *petate*, *enaguas*, *pampa*, *sabana*, *huracán*, *cacique*, *caníbal*.

2. **El castellano.**—Alfonso el Sabio consideraba como modelo o «metro» de la lengua castellana el habla de Toledo. Y esta habla no era en su fondo toledana, sino el burgalés, llevado por los ejércitos castellanos a la reconquista de esta ciudad en 1085, e impuesto allí, desalojando el habla mozárabe, tan diferente *(meu fill[o]*, *lahtaira* 'lechera', *plantain* 'llantén', *uello* 'ojo', *fauche* 'hoz').

Y sin embargo tenía razón para ponderar la perfección del habla de su corte, que, siendo en su orígen burgalesa, iba adquiriendo en Toledo pulimento y soltura, hasta

poderse llamar nuevo patrón del habla castellana. El fondo
burgalés llevado a Toledo recibía una colaboración literaria en el palacio toledano del Rey Sabio, forja del
castellano, donde la tímida lengua privada se hacía oficial
a impulso del monarca y de sus colaboradores.

Por la generalidad el castellano ha sido considerado
como el habla de Castilla la Vieja, entendiendo por tal
las actuales provincias de Santander, Burgos, Logroño,
Soria, Segovia y Avila. Pero esta región lingüísticamente
era un complejo de dialectos muy diferentes, pues Logroño
y Soria tenían hablas semejantes al navarro-aragonés y
Segovia y Avila tendrían hablas de transición con las de
Extremadura y Castilla la Nueva.

Los técnicos dudan si el castellano se formó en la
primitiva Castilla o Cantabria o en la capital de Burgos;
y probablemente estas encontradas opiniones son en parte
ciertas. Muchos rasgos eran comunes y otros se habían
desarrollado en Cantabria o Castilla primitiva y otros en
Burgos. Burgos lo que hizo fué unificar algunas variantes
y acelerar la evolución, dándole una modalidad definitiva,
que se impuso por las virtudes vitales del habla y por el
prestigio de la corte burgalesa. Así se constituye el nuevo
castellano reforjado en Burgos, que llega a ser tipo del
español, vertido pronto sobre gran parte de España y
luego sobre América. Esta es la lengua que define con
admirable precisión M. P. en *Oríg.*, 99, 4: «El castellano
común es el hablado principalmente en la región central
y representado por los documentos procedentes de Burgos,
de Cardeña y de Covarrubias; es el lenguaje de la región
que, sobre todo a partir de la segunda mitad del siglo x,
fué centro político y social del gran condado constituído
por obra de Fernán González, y foco de creación, o al

menos de irradiación, de las principales modalidades
lingüísticas».

Naturalmente el castellano no fué exclusivamente el
dialecto de la región central de Burgos, pues muchos de
sus rasgos eran los mismos de zonas importantes de la
Cantabria y del oriente de Palencia. Con ellas formaría
uno de los treinta dialectos que empezaban a tener perso-
nalidad en la Península cuando la invasión árabe de 711
los fué ahogando y dislocando lentamente.

La región de Burgos, la que luego fué capital del gran
condado, no pertenecía a la primitiva Castilla, pues en la
distribución prerromana era el país de los Turmogos al
sur de Cantabria y en la división romana pertenecía a la
provincia Cartaginense y luego en la división religiosa
pertenecía a la diócesis de Osma. Burgos, invadida y con-
quistada en 884 por el conde de la Castilla cántabra Diego
Rodríguez, entró así a formar parte de la Castilla ampliada.
La primitiva Castilla, la que tenía por capital a Amaya,
ciudad principal de la Cantabria en 574, fué repoblada
en 860 por el conde Rodrigo. Por la ampliación del condado de éste se había formado el condado de Castilla,
que todavía era reducido, según recordaba el Poema de
Fernán González: «Estonçe era Castiella un pequeño rincón, / era de Castellanos Montes d'Oca mojón / e de la
otra parte Fituero, en fondón», los montes de Oca a 70
kilómetros al sureste de Amaya y Fituero, Hitero del
Castillo, a 45 kilómetros al sur. Castilla venía así a coin-
cidir en parte con la primitiva Cantabria, que llegaba por
el este a Somorrostro de Bilbao. Esta Castilla primitiva
comprendía Campó, la Montaña hasta Somorrostro de
Bilbao y por el sur la Bureba.

Pero la lengua de la Cantabria en algunos caracteres

fundamentales ni era conforme con el habla llamada castellana ni era uniforme. Aun después de establecerse la
capitalidad de Castilla en Burgos vemos que la primitiva
Castilla la Vieja o primitiva Cantabria conservaba rasgos
muy distintos del burgalés central y del castellano resul-
tante; M. P., *Oríg.*, 99, cita algunos de estos rasgos acu-
sados en los documentos de esta región, como la persistencia de *-eiro*, *Tobeira*, en el siglo XI, cuando en Burgos
se había hecho desde mucho antes *-ero;* la persistencia
de *-iello*, cuando en Burgos se decía *-illo;* la diptongación
de *o* ante yod en *cuejan* en un documento de Pancorbo
(rasgo que perdura en r o t u l u *ruejo,* c o l l i g i t *cueje* y
l o l i u *luejo,* frente al burgalés central *ojo, hoja, coge*); el
oscurecimiento de *o* final en *u*, como en Galicia y Asturias
y en el vasco; el retraso en la fijación del diptongo *ue*, que
vacila con *uo, ua,* la conservación de *mb, lomba,* los dativos del pronombre *li, lis,* en vez del burgalés central *le,*
les. En la misma Cantabria no existía una unidad de lengua. En la actualidad persiste en Santander una variedad
en rasgos capitales. Buscando al trato de *ct* los ejemplos
s e c t o r i u 'reja del arado', l e c t u 'suelo del carro' y
c o l l e c t a 'cosecha', vemos que conserva *t* en la forma
seturio, lleto y *cogeta* en el Valle de Pas, desde el naci-
miento del río hasta Piélagos, y en Camales, rasgo esencial
que une esta zona con la España oriental o tarraconense,
frente a las formas *sechurio, llecho* y *cogecha* de las otras
zonas. La voz *nuétega* 'lechuza' nos prueba que n o c t e
era *nuete* en algunas zonas montañesas.

Santander era y es zona de *ll*, c u s c u l i u *cascullo* y
c a r i l i u *garullo* (frente al *coscojo* y *garojo* del burgalés
central), así como m a l l e u *mallo* y m a l l e a r e *mallar*
(frente a *majar* del sur). Conoce m i t u l u *amalluela*

(frente a *almeja* del sur). Conserva c i n g u l u *cenllo* y *cello* y m a s c u l u *mallo* (frente al burgalés *cincho* y *macho*). Reduce *lm* a *m*, u l m u *omo* (como el riojano c u l m u *como escomar* frente al burgalés *olmo*).

Parte de la Montaña tenía una diptongación de la *e* cerrada, como en Francia, por ejemplo en el sufijo - e t u -*iedo* de *Periedo*, *Ucieda*, etc.

La misma provincia de Burgos en su parte oriental se enlazaba, como Soria, con el navarro-aragonés. Aunque 'las Glosas de Silos' ofrezcan acaso algún rasgo riojano personal, por la relación con S. Millán, debemos pensar que en conjunto sus caracteres representarían el habla local. Conservaban igual que *Camberos* la forma *cambas* 'muslos' escrito *çampas*, con el grupo *mb;* conservaban el grupo inicial con *l*, *aflaret* 'hallare', *aplekan* 'llegan'; ofrecían el trato *li > ll*, *taillato* 'tajado', *ct > it*, *fruito*, *aduitos*, *sc > iš*, *naišeren*, escrito *naisceren;* conservaban *lt*, *altros* 'otros', daban *ult > uit*, *scuita* 'escucha', diptongaban ante yod y ofrecían el trato s t i > *š*, d e p o s t e a *depuiša*, escrito *depuisca* El caso más oscuro es el de la palatalización de *li* y *cl*, pues los documentos no aseguran del todo si es central, o lateral *ll*.

El Glosario de Silos de París ofrece *relias*, que probablemente representa *rellas*, y en documentos de Coruña del Conde de Burgos hay *Spelia*, que no sabemos si representa *Espella* o el actual *Espeja*. En el Becerro de Cardeña se ofrecen *Canalelia* y *Orbanelia*, que deben representar una *ž*, como la representa *gg* en *Oter de Aggos*.

Eran naturales las diferencias lingüísticas de la provincia de Burgos, porque ha sido el resultado de un complejo de pueblos y de hablas distintas. Frente a la zona central de los turmogos, los autrigones de la Bureba entre

2

Montes de Oca y el Ebro constituyeron una entidad muy
diferente, y los documentos medievales ofrecen rasgos
diferenciales, como la *u* final de *sotu*, el grupo *mb*, el
artículo *lo*, usado a veces para el femenino, *lu nuceda*, un
gran uso de i n t r o *tro* 'hasta' tan frecuente en la gran
zona oriental, y los diminutivos en *eco, uco, Peñueco*, etc.
Aun en la actualidad persisten rasgos que distinguen esta
región del centro y sur burgalés. La cuenca burgalesa
del Ebro conserva el grupo *mb, sambugas* y *jambuas*
'samugas'. Belorao y Briviesca estaban dentro del área de
acción del vascuence de la Sierra de la Demanda, que
en la vertiente riojana tenía gran vitalidad. Las montañas
de Juarros ofrecían una toponimia vasca, como *Urrezti
Urrez*, y un romance vasconizado. Villarcayo estaba influído por el montañés de Campó y por el vasco. Es
posible que no lleguemos a precisar geográficamente los
dialectos diferentes que surgían en las zonas de Santander, Burgos y Logroño; pero es evidente que en ellas
había dialectos de *uello*, de *uejo* y de *ojo;* de *fuella*, de
folla, de *hueja* y de *hoja;* de *nuete*, de *nueche* y de *noche;*
de *palomba* y de *paloma;* de *plegar* y de *llegar*.

La lengua que se forja en la capital de Burgos en los
siglos x y xi evoluciona con un sentido de claridad, seguridad y expeditiva rapidez, que no muestran los dialectos
fronterizos. Del habla de la Castilla primitiva del norte
aceptan, entre otros rasgos, para la *f* latina la pronunciación aspirada que ellos no tenían, y que comprendía
antes las Vascongadas, Santander y el oriente extremo de
Asturias y la zona norte de Burgos con la zona noroeste
de la Rioja. Burgos capital rechaza la conservación del
grupo *mb*, conservado en la Montaña y en su misma
provincia en las proximidades del Ebro. Rechaza la *u*

final de la Montaña y de la zona burgalesa del Ebro.
Rechaza la diptongación ante yod, que hacían en Pancorbo en *cuejo*, donde seguramente se decía *muejo* 'mojo'
y *uejo* 'ojo' y *hueja* 'hoja', como ocurría en parte de
Santander, donde una zona occidental decía *nueche* y las
zonas del Miera y del Pas decían *nuete*, admitiendo el
burgalés por excepción casos sueltos como *ruejo*. Consolida rasgos comunes con los dialectos del norte que
en ellos estaban en pugna con otros. Así generaliza el
trato *ct > ch* de la mayor parte de la Cantabria frente
al trato *ct > t* del oriente de Santander desde la cuenca
del Pas, sin más que alguna intromisión suelta, como
enjuto, frente a *ensucho*, que hoy vive en Santander en la
cuenca del Saja y en Palencia en el alto Pisuerga. Así
consolida la palatal central *cl > j* y *li > j*, de la zona
central burgalesa y de parte de la Cantabria y noroeste
de la Rioja, c a r y l i u *garojo*, r e g u l a *reja*, frente al
garullo del valle de Pas y de Campó en Santander y de
Soria, el *mallo* de las vertientes de la divisoria de Palencia y Santander y de su misma provincia y frente a la
rella 'reja' del Glosario de Silos.

Burgos, capital y contornos, acelera la reducción en *e*
del diptongo *ei*, que siguieron usando en el siglo xi las
hablas limítrofes; reduce el diptongo *ie* de *viéspera* y
aviespa, que aun dentro de la misma provincia se sigue
hoy usando.

Muy distinta del burgalés es el habla de la Rioja hasta
el siglo x, que debemos considerar representada en las
Glosas de S. Millán. Es posible pensar en alguna influencia
personal de monjes navarros, pero lo más probable es
que en conjunto representasen el habla local. El riojano
discrepaba en caracteres esenciales del burgalés: conser-

vaba los grupos *fl, cl, pl, flama, plegar,* y el grupo *gl,
glera;* hacía *sc* > *iš, aixada, naišeren, ct* > *it, dereito,
cl* > *ll, espillu* 'espejo', y no tenía aún definitivamente
aceptada la sonorización de *t.* El habla local riojana
aparece dominada por el castellano en las obras de Gonzalo de Berceo. Incorporada la Rioja a Castilla tres veces
(1076-1109, 1135-1162 y por último en 1176), la invasión
del habla burgalesa fué considerable. Berceo, que vivió
hasta 1268, fluctúa en el bilingüismo riojano y burgalés
y usa *clamar* y *llamar, plorar* y *llorar,* el riojano *fruito*
escrito *fructo* y el burgalés *frucho,* el riojano *vendegar*
y el burgalés *vengar.* Prefiere Berceo el burgalés *aguijada*
al riojano *aguillada* y *aguja* al riojano *agulla, mijero* al
riojano *millero, esso* al riojano *eišo* y *hallar* al riojano
aflar. En general la masa de la lengua de Berceo es ya
burgalesa y no riojana. Prefiere en cambio Berceo el
riojano *iello, Forniellos* 'Hornillos', *flama* a *llama, glera*
al burgalés *lera,* y el arcaico *omne* al burgalés *ombre.* Aun
hoy tiene la Rioja *tapabullero* 'agujero', zonas de *li* > *ll*
c a r y l i u *garrulla,* diptongación ante yod, l o l i u *luejo,*
conservación de *ns, ansa,* y trato diferente en el grupo
sc > *j, ajada.*

El burgalés en el siglo xi no había llegado aún a resolver
alguna vacilación entre ciertos fenómenos. La tendencia
a perder toda *e* final ya la mantenía, *verd,* ya la contenía,
buscando en casos convenientes la vocal de apoyo, *verde.*
Pero en conjunto la fijación de los principales cambios
queda consumada en el habla de la corte burgalesa en el
siglo xi. Las virtudes de claridad y regularidad de esta
lengua maravillosa no necesitaban mas que el contacto
con las hablas limítrofes, indecisas y variables, para im-
ponerse sobre éstas. La preponderancia militar y política

de Castilla hizo pronto llevar en un paseo triunfal la
lengua de la corte de Burgos hacia los territorios próximos
a partir de la segunda mitad del siglo xi. Cuando en el
siglo xiii Alfonso el Sabio ve instalada en Toledo el habla
burgalesa, ésta había desplazado las hablas laterales de
Burgos y estaba suplantando todas las supervivencias mozárabes. Frente a la lengua unida del pueblo victorioso
los restos de los dialectos románicos del sur no podían
ofrecer resistencia y eran sustituídos en todas las formas
de equivalencia clara. Las voces del tipo de *fillo, muller,
farina*, y *noite* o *nueite* de los mozárabes toledanos eran
sustituídas instantáneamente por *hijo, mužer, harina* y
noche. Las hablas de zonas mozárabes sólo mantenían e
imponían al castellano las voces que eran de difícil sustitución por carencia de sus correspondientes castellanas,
que en parte venían aceptándose desde los primitivos con-
tactos de las guerras y de las emigraciones, y que signi-
ficaban adquisiciones del castellano y no suplantación de
éste. Fué para el castellano esta suplantación de las lenguas
moribundas del sur una lucha fácil, pero una lucha, ya
que no puede pensarse en una total desaparición de los
dialectos románicos de la España árabe en el momento
de la reconquista local. Ni en la misma conquista de
Granada a fines del siglo xv puede admitirse que el pueblo
hubiera perdido del todo su habla mozárabe, ya que nos
constan voces probativas, como *escaleira* y *çapatair*, preciosa lengua, que hubiera podido ser recogida, si los
criterios lingüísticos del humanismo de la época hubieran
permitido valorar esta preciosa y última supervivencia de
un interesante dialecto español, que hoy nos daría la
clave de importantes problemas.

    3. **El castellano vulgar.**—Es el conjunto de fenóme-

nos que discrepan de la lengua literaria común considerada en la escritura y en la pronunciación enfática. Como
en las demás lenguas vulgares estos fenómenos se hallan
principalmente, pero no privativamente, en el vulgo: unos
son rústicos, otros populares, otros familiares, algunos de
la conversación descuidada de las personas aun las más
cultas, y muchos de carácter local, que, aunque trans-
ciendan a la escritura, no son admitidos en la lengua
común. Los vulgarismos unos son innovaciones, como *si
tendría*, *tú amastes*, otros arcaismos fonéticos, *aviespa*,
ensugar, morfológicos, *trujo, conozgo*, léxicos, *ero, arlotón*,
o sintácticos, *la mi pobre:* unas veces son desviaciones de
formas regulares, *agudillas* por *abubillas* u p u p a , otras
la desviación es el cultismo y la forma etimológica la
vulgar, *cerrojo* vulgar *verrojo* v e r u c l u : formas parale-
las, *haiga, caiga, perta, renta, jurco, jabón*, una queda
relegada a la lengua vulgar mientras la otra se considera
como correcta: formas normales de evolución divergente,
mesmo mismo, butre buitre, se han distribuído entre ambas
lenguas. No hay estudio completo de los vulgarismos,
pero los más salientes son: **fonéticos**, conversión de *b, v,
w* en *g, gomitar, güevo, agüelo;* elisión de *t > d*, intervocálicas, *soldao, majá, ganaero, sentío, to, pue;* elisión de
r, pa, quies, quiá, cualquiá, miá, juá, tuviá; elisión de *d*
final, *verdá, salú, paré;* reducción de *pt, ct* a *t, efeto, reto,
acetar;* de *gn* a *n, malino;* metátesis de *r, trempano,
cabresto, probe, drento;* disimilación de *r-r, pelegrino;*
desviaciones analógicas de palabras, *almuérzago* por *al-
muérdago, cabañera* por *cadañera*, de prefijos, *alvertir,
espital, bubilla, royo;* **morfológicos**, variantes de género,
la claz, la maíz, la vinagre, la reuma, la color, la color;
alteraciones analógicas en la flexión, *sos* por *os (se) mos*

por *nos (me), amemos* perfecto *(amé), hiciendo, pusiendo (hice, puse), corriba, sentiba (amaba, iba), quedrá (podrá), tú amastes (amas, amabas,* etc.), *marcharáis (marchais, marchárais);* **léxicos,** términos que se van olvidando en la lengua culta, *mercar, malrotar,* o que siendo clásicos han sido del todo olvidados, *estonces, dende, agora, cogecha, arlotón, ero, mueso,* etc.: las palabras en una época vulgares pueden pasar, generalmente por su empleo poético, a tener la acepción más extremadamente culta, como *erguir, raudo, escanciar* [1], *henchir* [2], *lóbrego* [3]; **sintácticos,** *la escribí, acabar a limpiar, la su hija, una poca de sal, sé dónde se vive, más mayor, saldré de que amanezca, no me se marchará, me dé una limosna, creemos de llegar pronto, nos dieron la noticia por entrar* [en cuanto entramos], *en verle nos saldremos* [en cuanto le veamos], etc., etc.

---

[1] En el Quijote lo pone Cervantes en boca de Sancho, II. 65: *escanciano* en Berceo, *S. Millán,* 248: en Villarcayo (Burgos) *escanciar* es echar el vino o la comida contenida en una vasija, *escanciador* el que en los juegos rurales va sirviendo el vino.

[2] «*Henchir* parece feo y grosero vocablo», Valdés, *Diálogo,* p. 87.

[3] «*Lóbrego* por *triste* es vocablo muy vulgar: no se usa entre gente de corte», ib., p. 89.

FONÉTICA

4. Fonemas.—Son fonemas los sonidos fundamentales, y sonidos los distintos matices de cada fonema.

1. **Vocales.**—Son cinco: *a, e, i, o, u*.

La *a* es el fonema vocal más abierto, de timbre medio, ni agudo ni grave (1.800 vibraciones).

La *e* es de abertura media, de posición prepalatal y predorsal, de timbre agudo (3.600 vibraciones).

La *i* es de abertura menor, de posición prepalatal y predorsal, de timbre el más agudo (7.200 vibraciones).

La *o* es de abertura media, de posición velar sobre la base de la lengua, y labial, de timbre grave (900 vibraciones).

La *u* es de abertura menor, de posición velar sobre la base de la lengua, y labial, de timbre el más grave (450 vibraciones).

Las diez vocales latinas, cinco breves y cinco largas, se redujeron a siete en el latín vulgar

$$\breve{a}\ \bar{a} > a,\ \breve{e} > \text{ę},\ \bar{e}\ \breve{i} > \text{ę},\ \bar{i} > i,\ \breve{o} > \text{ǫ},\ \bar{o}\ \breve{u} > \text{ǫ},\ \bar{u} > u$$

resultando *a* indiferente, ę abierta, ę cerrada, *i* indiferente, ǫ abierta, ǫ cerrada y *u* indiferente.

El diptongo *ae* se hizo ę y *oe* se hizo ę.

En sílaba átona se confundieron en una *e* la *e* abierta y cerrada y en una *o* la *o* abierta y cerrada; la *e* de sĕcare y saeculare y la de sēcuru, plĭcare y poenitere; la *o* de cŏllocare y nŭmerare y la de nominare y sŭperbia.

La posición no influía en la pronunciación y así la breve seguía breve ante dos consonantes, como cĕrvus, cŏrvus, y la larga seguía larga ante vocal, como dīe, grūem. La vocal podía venir alargada desde el latín por compensación de una consonante perdida en la pronunciación, como īnsula, mēnsis, spōnsus, īnfans. En distintos casos el latín español discrepa en el vocalismo del latín literario, como nudus, divergente de nodus, de nouedos; Octubris (CIL, 2959), ustiu por ostiu, plŏvet, ŏvu, colŏbra, lĭnteu, cĕrciu por circiu, stĭva por stīva. Hay vacilaciones que responden a vacilaciones latinas. *Esplego* no procede de spīculu, que dió *espligo*, sino de speculu de speca. Hay zonas españolas de cunīculu y de cunīculu, de spīculu o speculu y de spīculu. Las inscripciones vulgares acusan la confusión de ĭ breve con la e (femena, genetor, emperio, fecet, leges), y de ŭ breve con la o (optomo, auncolo). Sólo el vasco románico alcanza en algunas vóces la pronunciación clásica de ĭ y de ŭ, como pice *pike*, y caepulla *kipula*. La u final que aparece en toda la zona cantábrica (Galicia, Asturias y Santander) frente a la o castellana ha hecho pensar si estos dialectos conservaban en posición final la distinción clásica de ō y ŭ; M. P., *Oríg.*, 35, defiende la distinción por el gran número de formas documentales con u hasta el siglo xi. Esta u final debe considerarse no original latina, sino oscurecida de la o cerrada final del latín, que conocieron los demás dialectos españoles. El sardo, que mantenía la distinción clásica de ĭ ŭ, la mantenía en toda posición, mŭsca *musca* y solŭ *solu*; mientras la zona cantábrica toda ŭ no final la ha hecho o, mŭsca *mosca*. El can-

tábrico *solu* procede pues de *solo* por un oscurecimiento
secundario, aunque antiguo, que alcanza a los casos con *o*
original, *temu, digu*. Este oscurecimiento alcanzaba a la
zona donde se forjó el castellano primitivo y los documentos hasta el siglo xiii ofrecen frecuentes casos de *u*
final, en gran parte atribuíbles a la obsesión latinizante,
pero en parte debidos a este oscurecimiento popular.
La *y* se labializaba exageradamente hasta *u* en la lengua
vulgar (murta, berulla, suriacus en las inscripciones). El español *codeso* parte de cutissus.

2. **Semiconsonantes y semivocales.**—La yod es una
y implosiva o semiconsonante cuando precede a una
vocal, como en *miedo*, y es una yod explosiva o semivocal
cuando sigue a una vocal, como en *seis, rey*. En el latín
vulgar adquiere gran desarrollo la yod semiconsonante
por convertirse en ella la *i* silábica anterior (ve-ni-o
hecho ve-nio) y aun la *e* (tinea non tinia, solea
non solia, en el Appendix Probi). El español añade
un caso notable de yod semiconsonante con la diptongación de *e* en *ie* (*noviembre*). La yod semivocal o implosiva existía desde el latín antiguo en los diptongos con *i*
(*deico, foideratei*). La yod semivocal o implosiva se ha
producido en español por diptongación de dos vocales
latinas (la-icu *lai-go* > *lego*), por atracción de la yod
semiconsonante de la sílaba siguiente (area *aira*, vindemia *vindeima*, sapiam *saipam*), por vocalización
de una consonante (lacte *laite*, vulture *buitre*), o por
encuentro con una vocal siguiente que antes estaba separada por una consonante (regina *reina*, sartagine
sartaine). La yod es uno de los elementos capitales de la
evolución fonética del español. El wau es una *u* implosiva o semiconsonante cuando precede a una vocal, como

en *equa,* y es una u̯ explosiva o semivocal cuando sigue
a una vocal, como en *causa.* El wau implosivo o semiconsonante existía ya en latín (e q u a, s u a v i s). Se
perdía en el latín vulgar no siendo ante *a* (k e m por
q u e m). El wau explosivo o semivocal existía en el latín
antiguo y clásico en los diptongos con *u* (a u r u m, d e u -
c o). El español ha aumentado los casos del wau con el
diptongo *ue* por diptongación de *o* (*ciruela*), con la atracción de un wau semiconsonante de la sílaba siguiente
(v i d u a *viuda*) y con la vocalización de una consonante
(s a l t u *sauto*). Aunque menos que la yod, el wau ha
influído en los cambios fonéticos.

3.   **Consonantes.**—Por el lugar de la articulación las
consonantes son:

Bilabiales: *p, b, v, m:* sa*p*o, *b*aca, *v*aca, *m*ano, tu*m*ba.

Labiodentales: *f*ama, ri*f*a.

Interdentales: *z, c̣:* *z*ona, ca*z*a, ha*c*er.

Dentales: *t, d:* *t*aza, ga*t*o, *d*aga, na*d*a.

Alveolares: *s, l, n:* *s*apo, ca*s*a, *l*ago, sa*l*a, *n*oche,
ma*n*o.

Prepalatales: *ch, ll, ñ:* *ch*ato, no*ch*e, *ll*ave, ca*ll*e,
*ñ*udo, ni*ñ*o.

Velares: *c, k, q, g:* *c*arro, bo*c*a, *g*ala, rie*g*o.

Faucales o laríngeas: *j* y *h* aspirada, *j*arro, y anda-
luza *h*arina.

Por el modo de la articulación las consonantes son:

Oclusivas: *p, b, t, d, c, k, q, g:* ro*p*a, *b*ala, ma*t*a,
*d*ueño, *c*asa, *qu*eso, *g*ato.

Africadas (con oclusión seguida de fricación): *ch, y,*
no*ch*e, *y*unta, *y*elo.

Fricativas: *f, c, z, w:* *f*ama, *c*ena, ha*c*er, po*z*o, *h*ueso
(*w*eso).

Vibrantes: *r, rr:* ca*r*a, ca*rr*o.

Laterales: *l, ll:* *l*ana, pe*l*o, *ll*ano, ma*ll*a.

Nasales: *m, n, ñ:* *m*ata, *n*oche, pa*ñ*o.

For la falta o presencia de vibración de las cuerdas vocales son:

Sordas: *p, t, c, k, q, ch, y, ǵ, j, s, c̓, z:* *r*o*p*a, nie*t*o, pe*c*a, *q*ueso, no*ch*e, *y*elo, re*g*ir, mu*j*er, *s*alto, ro*s*a, ha*c*er, lo*z*a.

Sonoras: *b, d, g, r, rr, l, ll, m, n, ñ:* *b*eso, *d*ote, *g*ato, *c*ara, ca*rr*o, *l*ana, *ll*ama, *m*ano, *n*ovia, ca*ñ*o.

B V. En la lengua actual es oclusiva bilabial sonora cuando va inicial, *b*aca, *v*ago, o después de algunas consonantes, com*b*ate, con*v*ite, des*v*án. Es fricativa cuando va entre vocales, ro*b*o, nue*v*o. Agrupada con *l, r* es vacilante en algunas regiones e individuos, ta*b*la, ca*b*ra. En el latín imperial la *b* intervocálica empezó a confundirse con la *v*, hallándose en las inscripciones i u u e n t e y f o b e a. Ante algunas consonantes se puede ensordecer, a*b*solver, o*b*tener, como en latín nu*p*si y en el ant. ore*b*ce, ore*p*ce. La lengua antigua hacía también como ahora oclusiva la *b* inicial, pero también la intervocálica procedente de *p*, sa*b*er, distinguiéndola de la fricativa procedente de *b*, que escribía con *v, u*, ca*v*allo ca*u*allo, hasta que en el siglo xvi la oclusiva intervocálica procedente de *p* se hizo fricativa, pronunciándose na*b*o, lo*b*o y sa*b*er igual que ro*b*o y llo*v*er, mientras que. el español araucano distingue na*p*ur 'nabos' de ca*hu*allo 'caballo'. En el *Arte* del Dr. Busto de 1533 se dice que los burgaleses confundían ya la *b* y la *v*.

C K Q. Es oclusiva sorda velar ante *o u*, *c*ojo, *c*umbre, es intermedia entre velar y postpalatal ante *a*, *c*asa, y es postpalatal ante *e i*, *q*ueja, *q*uilo.

Ç Z. En la lengua actual es fricativa interdental sorda y se pronuncia asomando la punta de la lengua entre los dientes. Sólo se hace sonora ante consonante sonora, como en lezna, hazlo. La lengua antigua distinguía la ç sorda de la z sonora, hasta que en la segunda mitad del siglo xvi empiezan a confundirse y en el xvii se confundieron en el sonido sordo actual. La *c z* sonora intervocálica la conservan los judíos de oriente y algunos pueblos de Cáceres.

CH. Es una africada sorda prepalatal articulada junto a los alvéolos con un momento de oclusión seguido de una distensión fricativa.

D. Inicial es oclusiva dental sonora, *d*ote, lo mismo que tras *l n*, cal*d*o, tien*d*a, y en la pronunciación atenta tras *r*, car*d*o. Intervocálica es fricativa, ca*d*ena, pudiendo relajarse en algunas terminaciones como -a*d*o, y hasta perderse en otras en la lengua vulgar de algunas regiones. Andalucía y Asturias tienden a elidir la *d* intervocálica, *caena*, y el vulgo de Castilla la elimina en voces muy usadas, *na*, *peazo*, *toavía*. Final de sílaba puede quedar como *đ* fricativa, a*d*mirar, o ensordecerse hasta confundirse con la *z* actual, azmirar. Final de palabra hay una pronunciación conservadora, deci*d*, verda*d*, otra relajada hasta perder la perceptibilidad, *decí*, *verdá*, y otra de ensordecimiento hasta confundirse con *z*, deciz, verdaz.

F. Es una fricativa labiodental sorda.

G. Es oclusiva sorda en posición inicial y precedida de *n*, *g*ana, ven*g*o, siendo velar ante *o u*, *g*ota, *g*usto, entre velar y postpalatal ante *a*, *g*ato, y postpalatal ante *e i*, *g*uerra, *g*uiso.

Ǵ J. En la lengua actual es una fricativa faucal sorda, con choque postvelar ante *e*, *i* (genio, *j*ibia) y velar o uvular ante *o u* (*j*ota, *j*ulio). En el latín imperial la *g* oclusiva velar o postpalatal ante *e i* se fué haciendo prepalatal hasta hacerse fricativa, pronunciándose *ǧelu* en vez de *guelu*, relajándose hasta desaparecer a veces intervocálica en el latín vulgar, *ro*(*g*)*itus*.

En la lengua antigua era fricativa prepalatal sonora, distinta de otra fricativa prepalatal sorda, que se escribía con *x*: gui*x*ada, di*x*o. Como testimonio del valor postpalatal de la *j* antigua cita M. P., 35 bis 3, el español araucano acu*ch*a 'aguja', pero han quedado también restos en España, como m i t u l u mo*ch*o 'almeja' en Santander, r o t u l u ru*ch*o 'ruejo' en Segovia, r o t u l a r e arro*ch*arse 'atreverse' en Salamanca.

En el siglo xvi se retrae la articulación de *x*, y en vez de la prepalatal de di*x*o y gui*x*ada se pronunció la actual *j* faucal, di*j*o y qui*j*ada, y a principios del xvii era ya general esta pronunciación para la de ho*j*a y *j*arro.

H. La *h* aspirada procedente de *f* se conserva hasta el siglo xvi, y hoy perdura, ya como aspiración, ya confundida con la *j* faucal, en el oriente de Asturias y Santander, en Salamanca, Extremadura, Andalucía y América.

L. Es lateral alveolar sonora y se produce aplicando los bordes de la lengua a los molares y dejando escapar el aire por un lado con la lengua por interceptar la salida el ápice. Hay una *l* velar, que se produce con la lengua cóncava, posición que produce una resonancia velar, como ocurre ante una consonante velar, pa*l*co, sa*l*go. En la lengua antigua había *l* velar ante otras consonantes, como en sa*l*to. Esta *l* velar pudo pasar a *u*, a*l*tro, a*u*tro, *otro*. Hay una *l* dental ante consonante dental, ti*l*de; otra interdental ante interdental, du*l*ce.

LL. Es una prepalatal lateral sonora en que el aire

se arroja por un lado de la lengua apoyando la punta de la lengua en los incisivos inferiores y el dorso en el paladar anterior.

N. Es nasal sonora con un punto variable de oclusión oral. Hay una *n* velar ante consonante velar, ma*n*co, ma*n*ga, mo*n*ja; una postpalatal ante postpalatal, tra*n*quilo; una prepalatal ante prepalatal, a*n*cha; una dental ante dental, ma*n*to, mu*n*do; una labiodental ante labiodental, ni*n*fa, y una *n* interdental ante interde*n*tal, pi*n*za.

Ñ. Es una prepalatal nasal sonora, que se produce apoyando la punta de la lengua en los incisivos inferiores y el dorso en el paladar anterior, expulsando el aire en parte por las fosas nasales.

R. La pronunciación española más corriente es la vibrante sonora. Se produce aplicando los bordes de la lengua a los alvéolos de las muelas y la punta de la lengua a la parte superior de los alvéolos de los dientes, dejando pasar el aire con una o repetidas sacudidas al retirar de su débil contacto la punta de la lengua. Es la *r* sencilla de una sacudida, ca*r*a, y la *rr* doble de dos a seis sacudidas, ca*rr*o, escrita sencilla inicial, *r*ata, y tras *l n r*, ma*l*rotar, en*r*edar, Is*r*ael. Hay muchas variedades de la *r*, ya regionales, ya dependientes de su posición en la palabra, en que la vibración desaparece y se hace fricativa, pudiendo llegar a desaparecer su sonoridad y hacerse sorda.

S. En la lengua actual se distingue una *s* apical alveolar del norte de España y una *s* predorsal dentoalveolar del sur, y de América. La *s* actual es sorda, y únicamente es sonora ante consonante sonora, como en i*s*la, a*s*no, de*s*de, de*s*ván, se*s*go. La lengua antigua tuvo *s* sonora intervocálica, que escribía con *s*, ro*s*a, ca*s*i, y

una sorda, que escribía con *ss*, pa*ss*o, fue*ss*e. A fines del
siglo xvi se produce la confusión por ensordecimiento de
la *s* sonora. La antigua *s* sonora intervocálica la conservan los judíos de Oriente, distinguiéndola de la sorda
de pa*ss*o y grue*ss*o.

Y y̌. Es una fricativa prepalatal sonora originada por
el aire que roza en un canal estrecho formado por el dorso
de la lengua contra el paladar, *y*erba. La estrechez del
canal se exagera a veces en posición inicial o tras una
oclusiva y entonces el canal se cierra produciéndose una
africada *ŷ* tras una oclusiva de la sílaba anterior y ante la
posición inicial, sub*ŷ*ugo, *ŷ*ugo. Tras una consonante en
la misma sílaba el canal se ensancha y la *y* es más breve,
m*i*edo, t*i*erra. La *y̌* puede modificarse y acercarse a la *ž*
que tenía la antigua *g j* española hasta el siglo xvi y que
conservan varios dialectos. Es conocida en Andalucía y
en algunos países de América.

W. Es una fricativa labio-velar sonora, como *w*erto
'huerto'. Exagerando la estrechez dorsal contra el velo
puede llegar a la oclusión de la *g*, *gü*erto, y exagerando
la aproximación de los labios hasta la oclusión puede
producirse una *b*, *bu*erto.

5. 1. **El acento.**—El acento latino era regulado por
la cuantidad de la penúltima sílaba. Si ésta era larga, en
ella caía el acento, como en *debēre;* y si era breve la
penúltima, el acento caía en la antepenúltima, como en
fábŭla. El español se ha limitado a conservar el acento
como lo tenían las palabras latinas, acentuando *perdiz* en
la *i* simplemente porque así se acentuaba el latín *perdīce*,
y *cálce* o *cáuce* en la *a*, porque así se hacía en el latín
cálĭce. La intensidad del acento ha obrado gradualmente
en las distintas regiones de la Península. En la zona vasca

la nulidad del acento ha permitido la conservación de las vocales átonas interiores, protónica, como v i n d i c a r e *mendekatu*, y postónica, como c i m i c e *chimicha*. La zona riojana próxima las mantenía de un modo semejante; v i n d i c a r e *vendegar*. El burgalés del norte *Caderechas* c a t a r a c t a s revela un acento menor que el aragonés *Cadreita*. El pirenaico prueba su acento débil: c i v i t a t e *Chivitat*, g a l l i c u *Gállego*, S a b i n i a n i c u *Sabiñánigo*, v u l t u r i n u *boldorino*, frente al aragonés *botrino*.

2. **Traslaciones del acento.**—La causa principal de las traslaciones del acento es la analogía.

1.º La analogía de palabras en serie hizo cambiar la acentuación de M e r c ú r i en *M é r c o r i s *miércoles* según M a r t i s, J o v i s, V é n e r i s: en los verbos *ama-bámos, amabádes, amasémos, amasédes* se cambiaron en *amábamos*, etc. por analogía de las demás personas: el clásico etimológico *ímpio* siguió luego la acentuación de *pío*. La analogía de los sufijos perturba la acentuación: según -ĭ l e *(fácil, útil,* etc.) se han acentuado *sútil* s u b-t ī l e contra el correcto y clásico *sutíl, imbécil* contra su etimología i m b e c ī l e: según -ī l e *(civil, viril,* etc.) se han acentuado *reptíl* r e p t ĭ l e, pero clásico *réptil, pensíl* p e n s ĭ l e, pero clásico *pénsil,* ant. *inutíl,* Santillana, página 274, frente al moderno etimológico *útil;* según *papíro,* etc. se acentuó el ant. *satíro,* Santillana, p. 134, frente al correcto moderno *sátiro;* al contrario el clásico *zafíro* lo acentúan muchos *záfiro* y el cultismo *papíro* es acentuado por el vulgo *pápiro,* y *vampíro vámpiro* por algunos poetas: -ĭ c u *igo (albérchigo)* sirvió de tipo a *vértigo* y al vulgar *méndigo,* -ŭ l u *(capítulo, rótulo,* etc.) ha servido de tipo a *médula* m e d u l l a contra el vulgar *meollo* y clásico *medúla;* según *azor, pescador,* etc. de

3

-tŏre -ōre se han acentuado *estentór* y *condór* contra
el uso clásico y la etimología: según *manzana, villano,* etc.
se acentuó *platáno* y *diafáno* en la poesía antigua: según
-*ero* -ariu se ha acentuado *can cerbéro* cerbĕru: el
clásico *cércen* se pronuncia hoy *cercén* según *desdén, vaivén:*
como nuestra lengua tiene nombres latinos en *ia* y griegos
en *ía,* sin que aparezca siempre clara la procedencia
inmediata, de aquí que es constante la competencia y
confusión de ambos sufijos; *ambrosia* y alguna vez *harmo-
nia* se encuentran en la época clásica, en la cual se pronunciaba etimológicamente *nigromancía, quiromancía* y
demás nombres análogos, *bigamía, poligamía,* etc.; los
compuestos de *logia* acentúan la *i,* pero no *antilogia,
perisologia; antinomia* se usa con la acentuación latina o
griega; en numerosos nombres técnicos modernos hay
oposición, como *hidrofobia, epidemia, difteria* y *antropo-
fagía, hidropesía,* etc.: la Academia acentúa *demagogia* y
pedagogía.

2.º En los nombres extraños, especialmente en los
propios de personas y lugares, la ignorancia de su prosodia
es causa de la irregularidad de la acentuación, tendiéndose en las latinas y griegas a las formas esdrújulas por
ser abundantes: *Eufrátes* es la acentuación común de la
lengua antigua y clásica, bien que Ercilla, 27, ya dice
«Y la corriente de Eufrates famoso»: *Annibál, Asdrubál,
Amilcár* y *Tubál* es la acentuación analógica común antigua y clásica frente a la legítima posterior *Aníbal,* etc.:
Jupitér en rima con *ofender* en Santillana, p. 208; *Dálila*
predomina en los poetas antiguos y clásicos sobre *Dalíla:
Penelópe* y *Rodópe* es la antigua acentuación común:
Areopágo clásico según la etimología A r e u s p a g u s,
mientras el moderno *Areópago* conforme a A r e o p ă g u s:

Arquimédes, Diomédes, etc. es la acentuación clásica etimológica, que hoy se conserva en *Nicomédes,* frente a *Arquímedes: Catúlo* y *Tibúlo* es la acentuación clásica, con la cual alterna a partir de Quevedo *Cátulo* y *Tíbulo; Damócles* es grave contra *Sófocles, Empédocles: Láquesis* solo raras veces se halla como grave: el clásico *Palémon* suele hacerse hoy agudo: esdrújulo se pronuncia generalmente *Sardanápalo* frente a la acentuación grave de los clásicos: los clásicos *Amadís, Belianís* se emplean con frecuencia como graves: varía el uso en los poetas antiguos y clásicos de *Néstor* y *Nestór, Pórsena* y *Porséna, Eurídice* y *Euridíce, Cáucaso* y *Caucáso, Dário* y *Darío, Calíope* y *Caliópe, Borístenes* y *Boristénes, Bréda* y *Bredá, Pisístrato* y *Pisistráto, Heródoto* y *Herodóto, Melpómene* y *Melpoméne, Polímnia* y *Polimnía, Prosérpina* y *Proserpína, Príamo* y *Priámo, Sísifo* y *Sisífo, Arístides* y *Aristídes, Efeso* y *Eféso,* y de los comunes *atmósfera atmosféra, cíclope ciclópe, cónclave concláve, fárrago farrágo, metamórfosis metamorfósis, númida numída, poliglóto polígloto, pentecóstes* y *pentecostés,* y como hoy *hégira* y *hegíra, pábilo* y *pabílo: ójala* y *ojalá* varía en la lengua clásica y en la actual: *zénit* y *nádir* es una mala acentuación que algunos emplean frente a la clásica y etimológica *zenit, nadír: caós* rimando con *Dios* en Santillana, p. 189 y *mana* con *castellana,* p. 268: los compuestos griegos de *grama,* siempre graves, se han usado como esdrújulos durante parte del siglo pasado, y así se usan entre el vulgo, que acentúa también *kilólitro,* etc.: *diócesis* es grave en los clásicos: *interválo* ha vuelto en nuestros días a recuperar la acentuación clásica etimológica: la Academia acentúa *crisólito* contra *aerolíto.*

3.º Las atracciones del acento por diptongación son

frecuentes en la lengua moderna con relación a la clásica:
en ésta no formaban generalmente diptongo *aríete, Ilíada,
Milcíades, etíope, Calíope, zodíaco.*

3. **El acento y el número.**—El acento no varía con
el número, ya que, con excepción de rarísimos nombres
neutros en consonante, no variaba en latín entre el acusativo de singular y de plural: solamente se altera en
algunos cultismos tomados del nominativo, como *carácter,
júnior, prefácio, régimen, cráter,* cuyos plurales se han
acentuado como en latín *caractéres, junióres, prefaciónes,
regímenes* y *cratéres,* éste último junto al más usado *crá-
teres,* y *especímen,* que, haciendo un plural castellano en
la forma, *especímenes,* ha tomado la acentuación del plural
latino s p e c i m ĭ n a .

4. **Acentuación de los compuestos.**—Las palabras
compuestas en la pronunciación más corriente llevan un
solo acento, que va en la segunda parte, como *pundonor,
camposanto,* menos los adverbios en *mente,* que lo llevan
en la primera, como *bárbaramente;* a veces los compuestos
admiten en el elemento átono un acento secundario por
atracción del simple, como *guardiacivíl* o *guárdiacivíl,
décimoséptimo,* etc.: *todavía* admite libremente uno o dos
acentos. Los compuestos latinos y griegos lo llevan como
en su origen, ya en el primero, ya en el segundo, aten-
diendo a reglas prosódicas especiales, como *carnívoro,
noctívago, geógrafo, kilómetro, omnipotente, epigrama:* pero
en los verbos latinos se ha tendido desde los orígenes a
acentuar por atracción del simple el segundo elemento,
como *recíto, complíco* en vez de *récito, cómplico.*

5. **Vacilaciones de la proclisis.**—1.º Algunas veces
en las palabras de doble oficio (adverbios que pueden ser
preposiciones o conjunciones) las formas tónicas han in-

fluído sobre las átonas y recíprocamente; así el adverbio
tónico «aún no ha venido» puede pronunciarse también
átono «aun no ha venido» por analogía de la conjunción
«aun viéndolo, no lo cree»; *según* lleva siempre acento
como preposición por analogía de su pronunciación como
adverbio: de estas influencias recíprocas nacieron las antiguas vacilaciones de *commo cuemo;* «Cuemo la uña de
la carne» *Cid,* 2642, por analogía de «Cuemo osas fablar?
3328, «Duen Nunno» por atracción de *duenno.*

2.º Los posesivos adjetivos podían ser tónicos o átonos en la antigua lengua: «El jueves cenarás por la *tu*
mortal ira» Hita, 1167: en la lengua clásica no faltan
ejemplos de posesivos tónicos y subtónicos: «Ponían sobre
su boca las manos» León; con este valor se conserva aún
en algunas regiones de Castilla, por ejemplo en Burgos.

3.º Los enclíticos que al unirse al verbo forman una
palabra esdrújula o sobreesdrújula tienden a desarrollar
un acento en las pausas (fin de frase, de verso o de
hemistiquio): «Antojándoselé que con porfía» Castellanos,
Riv. p. 91; «buscándolé: colé»; en las pausas en la pronunciación usual decimos igualmente, *queriéndoló, temíalé.*

4.º Las proclíticas se convierten en tónicas cuando
se pronuncian solas o cuando van en fin de una frase
rítmica: a) En poesía se hacen a veces tónicas las proclíticas en fin de verso: «Ni la fortuna me faltó, sin cuyo
/ favor en el estado y patrimonio» Valbuena, *Bernardo,* 1,
«Son tan veloces, que aunqué / huyendo vamos agora»
Calderón, *El purgatorio,* II, 7, «Necesito hablar y aunqué
/ tarde pienso que llegué» *Los empeños,* II, 7, «Yo por mis
manos, porqué / no quedara satisfecho» *Los tres prodigios,*
I, 2, «De aquí está mi casa, y pórque / tanta deuda satis-
faga» Zamora, *Mazariegos,* I, 21, «El águila quándo su

nido forneçe» Mena, *Laberinto*, 241, acentuación imitada
por los poetas modernistas: «Vagaba yo una noche,
meditando / por los jardines del alcázar, cuando». «Me
diste medios pára / realizar mi quimera» «El agua es guzla
dónde / Dios sus misterios canta» Villaespesa, *El alcázar
de las perlas*. b) En la pronunciación usual ante una
pausa, por ejemplo cuando queda suspenso el sentido, se
pronuncian *cónque, pórque, áunque*, etc.; «Cónque... a
callar».

6. **Pausas de acento o de pie** son las que se hacen
para descansar después de cada palabra tónica; «Conesto
/ andaba / tansolícito / ytancontento / queseleolvidaba
/ lapesadumbre / delcamino». Como las pausas están en
relación con el acento, no puede haber pausa después de
las palabras átonas, las cuales se unirán a la palabra
tónica; «Encuantoloscabreros»: tras un acento atenuado la
pausa será secundaria; «Losdosescuderos / queno-habían-
llegado»: tras un acento normal la pausa será regular con
importancia correspondiente a la del acento; «Pensativo
/ iba / donQuijote».

7. **Pausas de sentido** son las que sirven para indicar
una relación en la frase; pueden ser *oracionales, anafóricas*
y *enfáticas*. a) Las pausas *oracionales* separan oraciones,
ya vayan o no marcadas con signos de relación, y también
palabras que tienen el sentido de una oración; «Pregun-
tóles la ventera / que para qué le pedían aquellas cosas»
Quij. I, 27. b) Las pausas *anafóricas* generalmente se
hacen después de algunas palabras que van en los comienzos de la frase para llamar la atención sobre éstas, rela-
cionándolas con lo anterior: ya es un demostrativo; «Pero
a esto / se puede responder» *Quij*. I, 38; ya es el personaje
o cosa que viene figurando en la narración; «Los pesca-

dores / estaban admirados mirando aquellas dos figuras»
Quij. II, 29; ya es un elemento cualquiera que implícita
o explícitamente se relaciona con lo anterior; «Desta manera / se apaciguó aquella máquina de pendencias» *Quij.*
I, 45. Otras veces la pausa sirve para relacionar un
elemento nominal o el mismo verbo con lo siguiente;
«Ley es / la recta razón de mandar y prohibir». c) Pausas
enfáticas son las que se hacen tras elementos que van en
los comienzos de la frase no relacionados con lo anterior
para llamar la atención sobre ellos: tal ocurre tras los
sujetos de las definiciones; «El triángulo / consta de tres
ángulos»: tras el primer elemento de las oraciones que
indican distribución o contraposición; «Ellos / riéndose
y nosotros / sufriendo por ellos»; de las sentencias y
refranes; «En abril / aguas mil»: y de cualquiera otra que
tenga carácter enfático; «La mujer honesta / es premio
del marido».

6. **Grafías.**—La ortografía española no ha llegado a
su admirable equilibrio de fonetismo y tradición y a su
admirable sencillez y fijeza sino después de vicisitudes
seculares.

1. **Período inicial de tanteo.**—Hasta el siglo xiii el
intento de representar los sonidos que el romance había
creado o que había confundido con relación al abecedario
latino no es mas que un tanteo inseguro. Las transcrip-
ciones más frecuentes son: *ie: ie*, v*ie*rnes, *e*, v*e*rnes, *i*,
t*i*mpo; *ue: ue*, sp*ue*ras, *o*, b*o*no, *u*, p*u*sto; *y: i y*, *i*erba,
*y*erba, *g*, *g*egoa, ma*g*ore; *b v:* le*b*antai, sal*b*os, *b*e*b*etura
y v*e*vetura; *c z: z*, *z*ierta, *ç*, a*ç*equia, *c*, ar*ie*ncos, *cc*,
ma*cc*anares, *sz*, peda*sz*o, *zc*, aran*zc*adas, *sc*, ma*sc*anares;
ž: i, vi*e*io, *g*, Feno*g*ar, *gg*, Na*gg*ara, *j*, pumar*e*jo, *gi*,
valle*gi*o, *ij*, valle*ij*o, *gh*, Na*gh*ara, *ih*, conce*ih*o, *z*, Na-

zara, *ch*, cone*ch*os. Aquí se ofrece el grave problema de
si *li* era grafía latinizante no sólo de *ll* sino también
de ž, *Orbanelia*. Otra grafía oscura es *lg*: *Vielga*, que
no se sabe si corresponde a *ll* o a ž; *ch*: *g*, Fonte te*g*a,
gg, pe*gg*are, *ih*, pei*h*e, *chi*, fre*chi*a, *ch*, no*ch*es, y es
posible que en algún caso sea este fonema el representado
por *ct*, fe*ct*os; *ñ*: *ni*, vi*ni*as, *in*, entrai*n*a, *nj*, tama*nj*o,
ng, casta*ng*o, *ing*, sei*ng*nale, *gn*, esta*gn*o, *ygn*, dey*gn*an,
nn, se*nn*or, *inn*, imprei*nn*aret, *ñ*, cañas; *ll*: *li*, fi*li*o, *lg*,
va*lg*e, *l*, *l*anos, i*ll*, tai*ll*atu, *lli*, to*lli*ot, *ll*, *ll*ano; š: *x*,
di*x*o, i*x*, coi*x*o, *sc*, es*c*ieret, *sç*, *Sç*imeno, *isc*, elei*sc*o, *ss*,
adu*ss*o, *s*, *S*emeno, *ys*, ro*ys*o, *iss*, *C*aissar, *ch*, *Ch*emenez.

2. **Fijación de algunos signos.** —Desde los tiempos
de San Fernando y de Alfonso el Sabio los textos literarios
imponen cierta unificación de la ortografía, desde entonces sólo excepcionalmente quebrantada en algunas letras.
Las grafías *ñ*, *ll* y *ch*, sustituyen desde entonces a los
demás sistemas de transcripción. La ž se representa sólo
con *i*, sustituída después definitivamente por *j* en el
siglo xiv. El sonido sonoro y sordo de la fricativa interdental se procuró representarlo respectivamente por *z*,
ve*z*ino, y *ç*, lan*ç*a. La *h* latina, muda, se omite normalmente, *ombre*, o se pone como índice etimológico. La *g*
y la *j* continúan como signos equívocos, mu*g*er y mu*j*er.
En otros casos las confusiones fueron frecuentes. *X* repre-
sentaba un sonido más fuerte que el de *j*, *g*, distinguién-
dose en su uso, *dixo*, *traxe*, *exido*, *baxar;* a causa de la
semejanza de pronunciación hay antiguas confusiones con
estas letras, *muxer*, *tejer*, sobre todo en posición inicial,
jarro, *xarro*, las cuales aumentan en la segunda mitad del
siglo xvi, generalizándose por completo a principios del
siguiente. Ante *p*, *b*, lo mismo que en latín, vacilaba en

los primeros tiempos la ortografía *m*, *n:* ante *b* predomina extraordinariamente *n; enbiar, lunbre;* ante *p* el
uso es muy irregular; *compeçar, campo,* junto a *alinpiar,
conpeçar:* en la época clásica, persistiendo la vacilación,
domina *m*, que es la que los gramáticos admitían: ante *m*
escribían algunos, Herrera constantemente, *m*, como *im-
menso, immortal. Qu* era normal en los casos etimológicos
ante *a*, q*ual*, q*uanto*, q*uando*, bien que se halla a veces
por confusión en algún caso antietimológico, *blanquo.*
R fuerte se escribía ordinariamente sencilla en posición
inicial, pero doble precedida de *n*, *l*, *An*rr*ique*, *on*rra*; en
la escritura preclásica es frecuente *rr* inicial, rr*egno* r*egno*,
cuya vacilación se extiende en los primeros documentos
a la *rr* intervocálica, como *a*rancar según r*ama*, y a la *r*,
como *vuest*rra. La *s* fuerte se escribía doble entre vocales,
passo, amasse, esso, con grandes vacilaciones, *amase,
fiziese, paso;* inicial se escribía comúnmente sencilla,
señor, rara vez doble, *sseñor:* después de consonante era
más frecuente doble que sencilla, *consseio* o *conseio*. La *s*
alta era primitivamente la minúscula inicial y medial,
s baja la mayúscula inicial y la minúscula final; en los
manuscritos del Arcipreste de Hita alternan las dos eses
en posición medial, pero sobre todo al fin de palabra.
S líquida se encuentra en distintos cultismos, s*píritu*,
s*tola*, s*cita*, en los cuales, lo mismo en la época antigua
que clásica, unas veces se contaba la *e* y otras no. *T* final
alternaba con *d* antes de la época clásica, para representar el sonido de *d* africada, *bonda*t, y también *mercet*,
*segun*t: más rara es la transcripción por *z*, *liz*, confusión
que trae como recíproca la de *Pelaye*t, *juet*. En vez de *u*
se escribía con frecuencia *v* al principio de dicción, v*no*,
v*ntar*, lo mismo en la época primitiva que en la clásica.

Y era corriente, formara o no diptongo, después de otra vocal, *cuydado, treynta:* era frecuente en posición inicial, y*nfante,* y*gual,* y como primera de un diptongo, *syempre,* pero en los textos preclásicos abunda en cualquier otro caso, *rryco, myo,* etc. Las aspiradas *ch, ph, th, rh,* tan frecuentes en la escritura cultista, Ch*risto,* ph*ilosopho,* th*esoro,* r*hetórica,* eran simples signos etimológicos, muchas veces empleados sin acierto, sobre todo en la primitiva escritura, *pocha, archa.* La duplicación de *f* en palabras compuestas era frecuente en toda esta época, *offreçer, affecto.*

3. **Período de confusión.**—El principio de este período varía para algunas letras: para unas comienza en la primera mitad del siglo XVI y para otras en la segunda: la plenitud y generalización de las confusiones puede sin embargo localizarse en la primera mitad del siglo XVII. Los gramáticos sin norte fijo formulan reglas para todos los gustos, unas fundadas en la ortografía latina y otras en el uso de la época clásica anterior, mientras el público letrado o inculto, con un abecedario lleno ya de signos equívocos, incurre en la mayor confusión: la misma imprenta, cuando no copia servilmente la ortografía de las obras del siglo XVI, ofrece semejantes vacilaciones.

4. **Período académico.**—Se inicia con las reformas ortográficas que desde su fundación fué proponiendo la Academia. El primer sistema ortográfico lo formuló en los preámbulos del primer tomo del Diccionario (1726-1736): proclama en ellos como criterio fundamental de la ortografía la etimología: proscribe el uso de la *ç,* formulando la regla hoy existente sobre el uso de *c* y *z: u* y *v* deben emplearse como vocal la primera y la segunda como consonante, *tuvo* y no *tuuo: y* se empleará como

consonante, pero como vocal en las palabras griegas,
symbolo, mysterio, y cuando va al fin de diptongo en los
nombres, *estoy, ayre: b* y *v* según la etimología, empleán-
dose *b* cuando procede de *b* o *p, amaba, caber,* cuando
se dude de la etimología, *boda,* y cuando la siga *l* o *r,
amable, bruto,* y *v* cuando proceda de *v, vivir: g* se
usará en las palabras que la tengan en su origen, *genio,* y
en las que tienen *hie, geroglífico,* y en los demás casos *j,
mujer,* pero se empleará *x* cuando proceda de *s, xabón,
xeringa: c* y *q* se usarán según su etimología, *qual, qües-
tión,* pero *cuajo, cuenta: g* o *h* ante *u* en diptongo según
su origen, *agüero, pingüe,* pero *hueco, huebra:* se conservan *ch, ph, th, choro,* ph*ilósopho,* th*esoro: ss* se empleará
en los compuestos que reúnan estas letras, *dissolver,* en
los superlativos, *malíssimo,* y en el imperfecto de subjuntivo, *amasse.* Como tratado aparte publicó la Academia
su Ortografía en 1741, y sucesivamente diversas ediciones,
la 2.ª en 1754, la 3.ª en 1763, la 4.ª en 1770, la 5.ª en
1775, la 6.ª en 1779, la 7.ª en 1792, la 8.ª en 1815 y
la 9.ª en 1820: en 1884 empezó la serie del *Prontuario de
Ortografía,* y a partir de 1870 incluyó en la *Gramática* la
Ortografía como parte de ella. En las primeras ediciones
se ratifica substancialmente el sistema de 1726. En la 3.ª
se suprimió *ss.* En la 6.ª se aconseja que se sustituya
la *ch* velar, escribiendo *coro,* q*uerubín* y no *choro, che-
rubín,* conservándose sólo en algún nombre consagrado,
como *Christo,* y que se reemplace la *ph,* escribiendo *filó-
sofo,* con excepción de algunos propios o facultativos que
el uso general conserva, *Pharaón:* en los compuestos debe
conservarse *r* simple, *prorogar, maniroto: s* líquida debe
excusarse en nombres castellanos, *estímulo* y no s*tímulo:
x* se conserva en palabras que tienen *x* en su origen,

dixe, traxe, cuando procede de *s, xabón, inxerir* y en
posición final, *relox: z* solo se usa en algunas palabras,
como *zelo, zéfiro:* la *ss* de los superlativos, imperfectos
de subjuntivo y demás palabras sueltas debe simplificarse,
escribiendo *amantísimo, amase.* En la 4.ª edición del Diccionario (1803) se altera en algunos puntos la ortografía
hasta entonces seguida: se hacen letras aparte *ch* y *ll:* se
sustituye en absoluto *ch* por *c* o *q, C*risto, q*uimera,* y *ph*
por *f,* f*ilósofo.*

5. La **ortografía moderna** es fundamentalmente etimológica, pudiendo reducirse sus reglas a ésta: «Se escri-
birá cada palabra conforme a la ortografía de la lengua
de que procede». Sin embargo se aparta de la etimología
en algunos puntos: 1.º Por simplificación las letras aspiradas se han sustituído *ph* por *f,* f*ilósofo, ch* por *c* o *q,*
c*oro, th* por *t,* t*esoro,* y *rh* por *r,* r*etórica:* y *se ha*
reemplazado por *i,* s*ímbolo: q* por *c* ante *ua,* q u a l e
c*ual.* 2.º Por desconocerse su etimología en el momento
de la reforma ortográfica, influyendo en algún caso la
tradición, se escriben algunas palabras en desacuerdo con
su origen: por ejemplo con *h* h*enchir* i m p l e r e ; con
b a*bogado* a d v o c a t u, b*uitre* v u l t u r e , b*asura* v e r-
s u r a , b*arrer* v e r r e r e , b*oda* v o t a, b*odigo* v o t i v u,
b*arbecho* v e r v a c t u, b*ermejo* v e r m i c u l u, b*ochorno*
v u l t u r n u; con *v* m*aravilla* m i r a b i l i a, y los propios
*A*vila y *Se*villa, *R*ivero, *R*ivadavia r i p a; con *g* c*oger*
*collier c o l l i g e r e . 3.º Por el uso se escriben con *s*
las palabras vulgares compuestas de *ex, esforzar, escardar,*
etc. 4.º Por la pronunciación se escribe *h* en los casos
de *ie, ue* inicial y de *ue* precedida de vocal sin que
tuvieran esta letra en su origen, como h*ueso (osario),*
h*uérfano (orfanato),* h*uevo (óvulo), a*ldehuela, hielo, etc.:
hay *b* en vez de *v* ante *ue* en a*buelo* a v i o l u.

EVOLUCIÓN FONÉTICA

VOCALES

7. **Vocales tónicas.**—Se han conservado las vocales tónicas, menos ẹ ọ abiertas, que han diptongado, ẹ en *ie* y ọ en *ue*, como mĕtu *miedo*, rŏta *rueda*: *a:* c a p r a *cabra*, c a p u t *cabo*, p r a t u *prado*; ẹ: tĕrra *tierra*, cĕrvu *ciervo*, c a e c u *ciego*; ẹ: m o n ē t a *moneda*, rēte *red*, pĭlu *pelo*, p o e n a *pena*; ī: s p ī c a *espiga*, fīlu *hilo*, vīta *vida*; ọ: mŏla *muela*, nŏvu *nuevo*, hŏrtu *huerto*; ọ: tōtu *todo*, lŭpu *lobo*, gŭtta *gota*; *u:* m ū t u *mudo*, f ū m u *humo*, s c ū t u *escudo*. El diptongo *ie* de *e* se ha fundido en *i* ante *ll* en -ĕllu -*iello* -*illo*, y en v e s p a *aviespa avispa*, etc. ante *s*; y en stĕrile sant. *estiel* sor. *estil*. La yod ha impedido la diptongación de *e* en pĕctus *pecho*, lĕctu *lecho*, despĕctu *despecho*, p r o f ĕ c t u *provecho*, vĕnio *vengo*, tĕneo *tengo*, tĕxit *teje*, sĕx *seis*, catalĕctu *cadalecho*, pĕctine *peine*, confĕctat *cohecha*, iĕctat *echa*; ẹ abierta ha diptongado a pesar de yod en vĕtulu *viejo*. No prueba la influencia de yod s p e c u l u *espejo*, porque el latín español conoció los tipos s p ī c u l u y s p ē c u l u, ni la prueba r e g u l a *reja*, porque r e g u l a en el latín clásico tenía ē. Ha impedido la diptongación la yod de sĕdeat *sea*, frente a *siega* de las Glosas de Silos; la de vĕnio *vengo*, tĕneo *tengo*, frente a *viengo*, *tiengo* del aragonés; la de lĕctu *lecho* y pĕctus *pecho*, frente al catalán *lieit* mod. *llit*, *pieit* mod. *pit;* ẹ ha diptongado,

como en zonas francesas, en algunas zonas del norte de
Castilla, especialmente en Santander, *Periedo*. El cast.
tieso de tēnsu frente al normal *teso* debe explicarse por
influjo de tĕndo. El castellano más extendido *mielga*
es analógico frente al vulgar y etimológico *melga* de
mēlica mēdica. Con *i* larga clásica hay que suponer
una *e* breve en linteu *lienzo* y en nive *nieve*, y una *i*
breve en stīpa *esteva*. En *o* hay vacilaciones de diptongación que remontan a una vacilación latina. *Monte* no
procede de monte sino del latín vulgar munte. *Res-*
pondo procede del vulgar respundo y el provincial
respuendo del clásico respŏndo, lo mismo que *escondo*
del vulgar ascundo frente al provincial *escuendo* del
clásico abscŏndo. En cambio remontan al latín clásico *fuente*, *puente* y el ant. *fruente*. *Mastuerzo* no viene
de nasturtiu sino de *nastŏrtiu con superviven-
cia etimológica de nasum tŏrqueo; *o* durante varios
siglos conoció una diptongación vacilante *oͅo*, *uo*, que en
Burgos se hizo definitivamente *ue* en el siglo xi. El segundo elemento llegaba a veces hasta *a*, y en varias zonas
aparecen ejemplos sueltos de *fuante, quantra*. Algunos
ejemplos de falta de diptongación pueden ser dialectales,
como el toledano *obos* del siglo xiii contrapuesto al burgalés *uevos* opus; *o* abierta ha diptongado a pesar de
yod en rotulu *ruejo* y longe *lueñe*. El caso de *sueño*
no puede aducirse, porque puede proceder de somnu.
Borobia *Burueba Bureba* no diptonga sino por inversión de * *Boroiba*. El texto académico del Fuero Juzgo
conoce *uejo* 'ojo', *nueche, cuecho, mueyo* 'moyo'. Además
de la zona de *ruejo* en Castilla hay una zona del norte de
Burgos que conoce *cueje* y una zona riojana de loliu
luejo, y el sant. noctua *nuétiga*, que supone nocte

nuete. En las Glosas de Silos hay diptongación ante yod en p o s t e a *puiša* escrito *puisca;* en Berceo hay d o c t u *duecho*. Las zonas del sur y del oriente diptongaban a pesar de yod y el catalán por causa de la yod: cat. n o c t e *nueit nit*, f o l i a *fueilla fulla*, o c u l u *ueill ull*, c o l l i g i t *cueill cull:* arag. *uello, pueyo, cuello*. La yod impidió la diptongación de *ǫ* en el burgalés central en las voces ŏculu *ojo*, fŏlia *hoja*, inŏdiu *enojo*, cŏlligit *coge*, pŏdiu *poyo*, mŏdiu *moyo*, fŏvea *hoya*, ŏcto *ocho*, nŏcte *noche*, cŏctu *cocho*, despŏliat *despoja*, mŏliat *moja*. Pero dentro de la zona de *j* había una zona que diptongaba *ǫ* ante yod, y de esta zona procede el actual r o t u l u *ruejo*, que ha desalojado al burgalés central **rojo*, y de ella procede c o l l i g i t *cueje*, que perdura en Santander y en el norte de Burgos, y l o l i u *luejo*, mantenido en la zona occidental de la Rioja, y v e r s a o c u l u *bizuejo* 'bisojo'; *ǫ* se ha tratado como abierta en algún caso: ōvu *huevo*, c o l u b r a *culuebra*, * f e r r u m i n e ant. *herruembre*, * a c i d u m i n e *aciduembre acigüembre* (Burgos). Por la imela voces mozárabes ofrecen *e* en vez de *a*, como a c e r e *al-erce* frente al cast. *arce azre*.

8. **Vocales átonas.**—Las vocales átonas fueron lentamente oscureciéndose, variando las etapas según las consonantes. La *r* y la *l* especialmente favorecieron la pérdida en posición anterior, como el latín *virdis, caldus*, y en posición posterior, como s u p e r a r e **soprare sobrar*, p o p u l u **poplo pueblo*. Pero en la mayoría de los casos las vocales átonas subsistían hasta que se consumó la sonorización de las consonantes sordas y la pérdida de *d*. Las vocales átonas están defendidas en muchos casos en que esta vocal es tónica en un primitivo, como c o r o n a r e

coronar, o en otras formas de la conjugación, como o b-
t u r a r e *atorar* y no *atrar por las formas fuertes como
atora.

9. **Iniciales.**—La vocal inicial no silábica y la silábica
de voces bisílabas se conserva: *A:* b a l l i s t a *ballesta,*
m a m m i l l a *mamella. E:* s e c u r u *seguro,* m ĭ n u t u
menudo. I: l ī m i t a r e *lindar,* r ī p a r i a *ribera. O:*
*d o m i n i a r e *domeñar,* s ŭ p e r b i a *soberbia. U:* n ū-
b i l a t u *nublado,* d ū r i t i a *dureza.* Unicamente ante *r*
de la sílaba siguiente está la vocal en peligro de perderse;
v o r a g i n e *braña breña,* *g a l l e l l u (g a l l a) *garietlo
grillo 'tallo' (gall. *grelo),* t h e r i a c a *triaga, Ferrando*
Villez Frandovinez, d i r e c t u ant. *drecho.* El gallego
muestra más vivamente esta tendencia; v i r i l i a *brillas,*
c o r o n a *croa,* m a r i t i m a *brétema,* p e r a d *para pra.*
La vocal inicial silábica tiende a perderse; se conserva,
si se siente como prefijo. La *a* de *asentar, allegar* no se
pierde porque se siente como elemento de composición
de *sentar* y *llegar.* La *e* y la *o* se conservan cuando se
confunden con el prefijo *a:* e n e c a r e *anegar,* o b t u r a-
r e *atorar,* e v e n t i l a r e *ablentar,* g e m e l l a r e *emellar*
amellar (frente a *mellar),* o con el prefijo *en:* e x a m e n
ejambre enjambre, f i s c i l l a *ecella encella.* La vocal átona
inicial silábica tiende a perderse en las voces trisílabas y
cuadrisílabas. Esto se debe en parte a fonética sintáctica
por la contracción de la vocal inicial con la vocal final
del artículo *la* o de las preposiciones, pero también se
debe a la debilidad de la vocal silábica en las voces
polisilábicas. La ley de conservación de la vocal inicial
silábica no es admisible como norma general. Una voz
como e b r i a c a *ebriaga* no tiene consistencia: o pierde
su *e, briaga* 'cuerda de los botos de vino' o para soste-

nerse la *e* tiene que asimilarse al prefijo *en, embriago, -a.*
Alguna forma con conservación, como *ejemplo,* ha de considerarse como no general. *A:* a m u r c a *morca,* a n a -
t i c u l a *nadija lavija* 'hierro de la piedra del molino',
a x u n g i a sor. *jonje* 'savia del pino', *a c e p t o r a r i u
acetrero cetrero, * f a s c i n a *hacina* and. *cina,* a q u i l i a
guija, a q u i l i n e a *aguileña guileña,* a p o p o r e *abobra
bobra,* germ. a l i s n a *lesna,* ár. a l i a r *aliara llara,*
a s y l u sant. *sel,* a b y s s u sant. *aviso viso,* *a s c i a t a
ajada jada, a s c i o l a *azuela zuela,* a c u c u l a *(a)gujeta,*
a p r i c u *(a)brigada,* a p o s t e m a *postema,* a d a m a n t e
diamante, a p o t h e c a *bodega,* a t t o n i t u *tonto.* Aun
en voces cultas: a n a t o m i a *notomía,* a b r o t a n u *bró-
tano,* a c c e s i o n e *ceción.* En la toponimia A r u n d a
Ronda. Es rara la pérdida en voces bisílabas: a m o r
amor mor. La *a* secundaria se ha perdido en *a e r a m ~ ~
n e *lambreño* 'largo y delgado', u p u p a *abubilla* alg.
bubilla, y en *aquellotro quillotro* antiguo y vul *E:*
e p i t h e m a *bizma,* g e m e l l i c i u *emellizo nellizo,*
e r r a t i v u *radío,* a e r u g i n e *roña,* e b r i a *briaga
braga 'cuerda', e l e e m o s y n a *limosna,* micranea
migraña, f e l l a r i a *helera lera,* ferra e *errain raña
en Toledo, *rain* en Álava, e x s u c t a r al. y rioj. *jutar,*
e x a m i n a r e *ejambrar jambrar* 'e brar', e x a l b i -
c a r e *ejalbegar jalbegar,* e s o c e co *izoqui,* sant. *zan-
cones,* in a n t e *enantar nantar* e sicia *esicha chicha,*
h e p a t i c u ant. *pátigo,* e c a e ant. *cris,* epitaphiu
pitafio, en hora buena nor la, en el artículo, i l l o s
elos los, i l l a *ela la* y mbres propios, *Emerita
Mérida, A e m i l i a n i an. Sobre todo se pierde *e* ante
c: s c e p t r u *ecetro* scintilla *ecentella centella,*
e q u i f e r u s *eceb* ra, s c a e n a *ecena cena,* s c i s s a

4

ecisa sisa, *scissicu *cisco*, scipione *cepión*, scisione
ant. *cición*, scirru *cirro*, sciática *ciática*, sciente
ciente. *I:* No se ha perdido la *i* amenazada de hibernu
ivierno y menos confundida la *i* con el prefijo *in, invierno*.
En voces cultas imaginare vulg. *maginar*. *O:* obryzu
bricho, obryzicare *briscar*, olla *ollar* y *llar* 'cadena
del hogar', octavu *ochavo chavo*, autumnu *otoño*
toño, *Otero de ajos Oterdajos Tardajos, Otero del Cuende*
Tardelcuende. En el aragonés *melico* se ha perdido la *o*
de ŭmbilicu o la *e* de ĭmbilicu.

10. Protónicas.—Se conserva la *a:* calamellu *ca-*
ramillo. Sólo peligra después de *r:* paralysi *perlesía*.
Las demás vocales tienden a perderse. *E:* semĭcoctu
sancocho, mauricellu *morcillo*, *aprensĭcare
priscar, *adunĭcare *aungar*, *semiusticare *cha-*
n̄scar, limĭtare *lindar*, vindĭcare *vengar*. *O:*
ro orare *robrar*, laborare *labrar*, rotulare *rol-*
dar, eculare *seglar*. A este caso se reduce la pérdida
en la oclisis de la *o* que era final cuando las voces
eran tón s, *sant, don*, illorum *lur*, etc. La toponimia
ofrece con estos de final hecha protónica, *Cam(po)-*
redondo, Ote dajos. *U:* consŭtura *costura*. Hay vacilación en r itari *remedar* y *rendar*, antenatu
antenado y *anda lnado;* en cupiditia *cobdicia codi-*
cia se perdió la pr ica antes que la *d* intervocálica, al
contrario de lo qu urrió en *cupiditia *cobicia*.
De dos o tres protón se pierde sólo la inmediata al
acento: *amicitate ad*, recuperare *recobrar*.
Las excepciones que se como singularitate
señardad, con supuesta pé de la primera y tercera
protónica no son probativas, la base latina tiene
sólo dos protónicas, singlar ue y se perdió sólo la

postónica inmediata al acento. Como el vasco, que conserva las vocales átonas interiores (v i n d i c a r e *mendekatu,* p a s t i n a c a *pastanaga)*, el riojano las mantenía mejor que el burgalés y hoy conserva v i n d i c a r e *vendegar.*

11. Postónicas. – En latín clásico había casos de pérdida de la vocal postónica: *lamna, soldus, caldus, domnus.* En latín vulgar abundaban los casos tras *l, r, s: soldus, calmus, colpus, virdis, lardus, ermus.* No es verdadera pérdida de la postónica la del suf. - c l u primitivo, que perdura en las inscripciones vulgares: *masclus, specla.* La pérdida de la vocal postónica en general fué posterior a la sonorización de las consonantes sordas: s e m i t a *sémeda senda*, g a l l i c u *gállego galgo.* También fué posterior a la pérdida de *d* intervocálica: n i t i d u **nídido nidio.* De las vocales postónicas se conserva sólo la *A:* p e l ă g u *piélago,* c a n t ă r u *cántaro,* r a p h ă n u *rábano,* t y m p ă n u *témpano,* a s p a r ă g u *espárrago,* a n ă t e *ánade,* c a m m ă r u *cámbaro,* s c a n d ă l a *cándalo,* c a c - c ă b u arag. *cácabo*, cast. *cárcavo.* No importa que sea la *a* secundaria, ya en latín, como p a s s a r e por p a s s e r e, ya en romance: *s u b t u l u *sótano,* c a p s u l a *cáchara,* f u r f u r e *fárfara -illa* (Ciudad Real), m u r e c a e c u l u *murciégalo,* p o c u l u *búcaro,* p a m p i n u *pámpano,* ga- l l u l a *gállara,* *c i c e r e *chícharo,* *m e t u l u *médano,* l u c e r n u l a *luciérnaga,* c o p h i n u *cuévano,* c o r r u g u *cuérrago,* v e s p u l a *aviéspara,* m e s p i l u *niésparo,* c a u - p u l u *cópano,* l a m i n a ast. *llábana,* h o r t u l u *Huértalo,* *o r c u l u *Huércalo.* Unicamente la *a* postónica peligra antes o después de *r:* ár. á d a r a *adra,* p a r a m u *páramo parmo* en Burgos, (comp. a s p a r a g u *espargo* en parte de Portugal, c a n t a r u gall. *cantro*), prerrom. g a n d u l a *gándara gandra granda,* g a l l u l a *gállara*

port. *galra garla*, y alguna vez tras *l*, p e l a g u *piélago*
pielgo en Asturias, c a l a m u ast. *garbu*. El cast. *cedra*
procede probablemente de c i t e r a, pero no es imposible
que derive de c i t h a r a, como el ár. a d d a r a k a *adarga*.
Algunos casos de postónica *e o* son casos de *a: víbora*
conservó la postónica en la forma *víbara* v i p e r a, que
conocen varios dialectos; *níspero* y *níspora* la han mantenido por intermedio de *niésparo* m e s p i l u, vivo en
varias regiones. Las demás vocales se pierden: *E:* s a l ĭ c e
salce, p i p e r e *pebre,* a m ĭ t e s *andes,* l i m ĭ t e *linde,*
c o m ĭ t e *conde,* c o r t ĭ c e *corche* -o, t e n e r u *tierno,*
l i t t e r a *letra,* v e n d ĭ t a *venta,* t r i t ĭ c u *trigo,* p o-
t u e r ĭ t i s ant. *podierdes.* La pérdida de *e* postónica se
retrasó tanto en algunas zonas, sobre todo ante *d*, que
dió tiempo a que se perdiera la *e* final, como h o s p ĭ t e
huésped, c a e s p ĭ t e *césped.* Desde luego la pérdida de
la postónica fué en general posterior a la sonorización de
las consonantes sordas (c o l l o c o *cuelgo*), aunque hay
casos de pérdida anterior a la sonorización (* r e n d i t a
renta, v e n d i t a *venta,* p e r d i t a *perta* en Soria). Hay
casos en que la pérdida y la sonorización se alcanzan en
distintas zonas (* r e n i c u *renco* y *rengo,* * v e r s i c u
biesgo y *bizco*). Se ha mantenido la *e* postónica en a f r ĭ-
c u *ábrego,* l u b r ĭ c u *lóbrego.* En *trébede* más que conservación ha de verse una rehabilitación sobre la forma
trebde. La forma de Ciudad Real *tebles* supone *trebes
con pérdida de *d* o *treldes* de otras regiones. *O:* r o b o r e
robre roble, e p i s c o p u *obispo,* o p o p o r e *abobra,* m e-
r ŭ l a *mirlo,* s u l p h ŭ r e *azufre.* Hay algunos casos de
conservación en voces semicultas: f u r f u r e ant. *fórfolas*
'caspa'. Pero hay también zonas en que se mantienen
ciertas terminaciones, como p e r d i t a *pérdida,* v e n-

d i t a *véndida*, *m u n d i d a (según *límpida*) *móndida*.
Por desaparición previa de *d* no pudo perderse en t e p i d u
tibio, s u c i d u *sucio*, p u t i d u *pudio*, frente a *putdo*.

12. Finales.—*A* se conserva: m u s c a *mosca*, f o l i a
hoja. Sólo entre los mozárabes, al parecer por arabismo,
se daban casos de *a* perdida: s t u p p a *uxtup*, c a m i s i a
camich. El catalán sólo pierde la *a* al hacerse *o* en nombres que han cambiado el género, como c y m a *cimo
cim. *E:* La verdadera ley del castellano era perder toda *e*
final, y por eso debemos considerar, no como *e* latina,
sino como nueva vocal de apoyo los casos modernos de *e*:
r: a e r *air* 'aire', *tovier* 'tuviere'; *t: siet*; *ch: noch, lech*;
b: sab, quesab; *v: nuev, nuef, niev nief, nav naf*; *j: dix*
'dije', *adux* 'aduje'; *z: crez* 'crece'; *ñ: lueñe* y *luen*;
ll: calle y *cal, valle* y *val, fuelle* y *fuell* (en América *fuey*);
ss: amás y *amasse, mies* y *miesse*; *nt: mont, puent, infant*
infán, fuent; *nd: cuend cuen, grand, end, allend, dond*;
nc: alcanz; *rt: part, fuert, art*; *rd: verd*; *st: est, huest,*
fuist; *lc: dulz, salz, calz*; *rc: arz*; *nc: entonz, alcanz.*
Esta pérdida de *e* apenas tuvo tiempo de consumarse,
porque aún en el siglo x se resistía, y frente a *end* se
encuentra *mese;* y, cuando parecía acusarse la tendencia
a la pérdida total, la estorban los casos de la *e* de apoyo
que imponía la necesidad o la claridad, como *hueste, siete,*
los plurales, como *calles, grandes*, y la analogía verbal,
como *tuviere, fuese.* Los préstamos del árabe acusan esta
tendencia a la *e* paragógica: *azote, alfayate, adobe, arre-
cife, zumaque, alarde.* Hoy *E* se pierde tras *D N L R S*
C = Z. D procedente de *t:* r e t e *red*, l i t e *lid*, b o n i -
t a t e *bondad*, s a l u t e *salud*, p l o r a t e *llorad. N:* p a n e
pan, r a t i o n e *razón.* En la conjugación *viene, tiene* analógicas han vencido a las etimológicas antiguas *vien, tien.*

L: sale *sal*, crudele *cruel*; pero *él sale* analógico.
R: dolore *dolor*, mare *mar*, plorare *llorar*. En la
conjugación las formas analógicas, *quiere, quisiere* han
vencido a las etimológicas antiguas, que viven en varias
regiones y dialectos y persisten en *cualquier, doquier*. En
pare, mare vulgares ha influído el doblete *padre, madre*.
S: messe *mies*, mense *messe mes*. Hoy tienen uso
algunas formas con *e*, como *miese*. *C = Z:* luce *luz*,
pace *paz*; pero *él luce* analógico, *pertenece* frente al
ant. *pertenez*. Es nueva vocal de apoyo la *e* que hoy aparece al fin de un grupo de consonantes; *monte* del ant.
mont, este del ant. *est, grande* del ant. *grand, miente*
'mente' del ant. *mient* (ant. *buenamient* 'buenamente'),
fuente del ant. *fuent, ende* del ant. *end, onde* del ant. *ond,*
delante del ant. *delant, salce* del ant. *salz* (mod. *saz*), *calce*
del ant. *calz* (mod. *caz y claz*), y con vocal obligada de
apoyo *liebre, fiebre, padre, madre, cofradre,* y por este
cofrade, endeble. Falta la *e* en *om* del ant. *omne* y *alún*
de Alava, de *alumne.* Lo es igualmente la *e* tras *ss: amase*
y *miese* junto a *mies.* También lo es la que aparece después
de una semivocal mas consonante: *peine, sauce, cauce,*
aire, fraile. Tras *c* ha vacilado la lengua entre la pérdida
y la vocal de apoyo, *hace* y *haz* de fasce, *pez* y *pece,*
coz y *coce, duz* y *duce* 'dulce' formas con *e* en Nebrija y
en el extremeño y salmantino. En *doce* y *trece* la *e* es
vocal de apoyo por las formas anteriores *dodze* y *tredze.*
Es vocal de apoyo la *e* de *valle, calle, muelle,* la de *noche*
y *leche,* la de *dije, buje,* frace *herraje* 'junto a *herraj*',
la de *lueñe,* la de *siete,* la de *boje* de *boj* buxu y la de
nueve, grave, nieve. En los deverbativos en *e* esta se
perdía, *envasar envás,* *trojar troj, bojar boj,* pero unas
veces como vocal de apoyo y en todos los casos por el

juego con los deverbativos en *o*, *mojo* y *moje*, se ha
impuesto *e*, *enjuague*, *pase*, *arranque*, *plante*, rara vez en
competencia con las formas sin *e*, *envase* y *envás*. La ley
de la apócope de los pronombres enclíticos prueba que
toda *e* final se perdía en un tiempo: *diol*, *tornós*, *firiom*,
diot, *nol*, *nos* por *no se*, *quel*, *luegol*, luego reintegrados
por analogía de los pronombres tónicos y proclíticos.
O se conserva: l a c ŭ *lago*, t a u r ŭ *toro*, m u t ŭ *mudo*,
p l o r o *lloro*. Hay regiones de pérdida de *o*, con pérdida
absoluta o con imposición de una *e* de apoyo. Una gran
zona pirenaica, parte de Aragón y Cataluña perdían la *o*
final. En los múltiples dialectos del sur se acusa la pérdida
de *o* final, bien sea por arabismo, bien sea por propia
tendencia [1]. M. P., *Oríg.*, 36, atribuye la pérdida en
Aragón a la influencia catalana o bearnesa. La zona
pirenaica denuncia la eliminación: C a m p u f r a n c u
Canfrán, *Beasque* en Francia y *Benasque* en Huesca. En
los dialectos del sur hay abundantes ejemplos de pérdida
en los documentos: l u p u *lop*, a l b u c i u *abuch*, s a-
b u c u *sabuc*, c a l l u *call*, m a r r u b i u *marroy*, g y p s u
algeps y de este el cast. *aljez*, p r a e c o q u u *barcoc* y
de este el cast. *albaricoque*, f u r n a r i u *fornair*, etc.
La toponimia denuncia muchos casos: m o n t e r u b e u
Monroy en Cáceres, a r e n e t u *Arnit*, l a u s i e t u *Lau-
chit*, c a n n e t u *Canit* y f r a x i n e t u *Fregenit* en Granada. Algunos casos son aragonesismos y catalanismos:

---

[1] M. P., *Oríg.*, 36, admite que «aún pudiera ser que esta pérdida
de la *o* final fuese no mozárabe, sino sólo propia de los hispanismos
adoptados en el árabe peninsular». Es de creer sin embargo que esta
pérdida era también propia de ciertos dialectos mozárabes, tan concor-
des en otros rasgos con el catalán, en el cual no puede soñarse en una
influencia árabe.

a c r i f y l o n *crébol,* c l a v e l l u *clavel.* M. P., *Oríg.*, 36,
admite que «el grandísimo uso que musulmanes y mozá-
rabes hacían de los diminutivos *-iel -uel* trajo que tales
terminaciones con *o* perdida se propagasen entre los cristianos del Norte durante los primeros siglos hasta el x,
en los cuales el mozarabismo fué influyente». La historia
de *o* final perdida tras otras consonantes es clara en el
sur, en los Pirineos, a s i n e l l u *Anet,* y en Cataluña y
Aragón, m o n t e c l a u s u *Monclús,* pero oscura en otras
zonas centrales. La zona de pérdida tras *l* debía de ser
mucho más extensa que las de pérdida tras otras consonantes. Es impresionante la extensión en el diminutivo
-e l l u. M. P., *Oríg.*, 36, recuerda nombres en *iel* de Andalucía, Murcia y Valencia (s a l t e l l u *Sotiel* en Huelva,
p l a n e l l u *Plañel* en Albacete, c a p i t e l l u *Caudiel* en
Castellón) y además *Montiel* en la Mancha, *Tramacastiel*
en Teruel, *Muriel* en Guadalajara, Soria y Valladolid,
Valdelubiel l u p e l l u en Soria, *Cardiel* en Huesca, b a l-
n e l l u *Baniel* en Burgos y Soria, *Buniel* en Burgos y
Albuniel en Jaén, p i n e l l u *Piñel* en Valladolid, *Pinel*
en Lugo, p i n u s i c c u *Pinseque* en Zaragoza, *Alpanseque*
en Soria, y muchos de toponimia menor, *Pradiel,* etc.
Con razón pondera que en la Edad Media había otros
nombres que el castellano ha restaurado luego: *Castriel*
en Palencia hoy *Castrillo, Cubiel* hoy *Cubillo, Xaramiel*
en Burgos hoy *Jaramillo, Barbadiel* hoy *Barbadillo, Bus-
tiel* hoy *Bustillo.* De l i m i t e l l u hoy *lendel* en varias
zonas y *andel* en Avila por *el landel,* y de c a c c a b e-
l l u *coscobil.* Coincidente con -e l l u es el diminutivo
-o l u, b a l n e o l u *Buñuel* en Tudela de Navarra. Ha
habido otras zonas vacilantes donde se pierde *o* sólo en
ciertos casos, como en zonas de Aragón y Navarra tras

n l: plan, fil. El caso del asturiano -i n u -*in* es cho-
cante, porque conserva la *o* tras *n*; y debe interpretarse
el diminutivo en -*in* como juego analógico con el aumentativo en -*on.* El castellano conoce v e r v e c i n u
barquín. Se acusa una pérdida de *o* tras una palatal en
el ant. g e n u c u l u *hinoj,* b u x u *boj,* y h o r o l o g i u
reloj. Parece una ·e de apoyo la del sor. *jonje* de *ajonjo*
a x u n g i a. También se ha perdido tras *z* en s o l a c i u
solaz y p r e t i u *prez.* En Córdoba existe *m e r g u l u
(m e r g a) *biérgol,* en Santander a s y l u *sel.* En algunos
casos la *o* final de palabra no se ha perdido como final
sino como protónica por ser proclítica la palabra: d o m n u
D i d a c u *don Diego.* Así ha ocurrido en *san, un, algún,
cab, buen, mal, cien, primer, tercer, postrer.* Es una vocal
de apoyo la de *cabe* preposición. En algunas voces, sobre
todo nombres propios, no ha sido *o* la perdida, sino *i* o *e*
de su genitivo o vocativo, como D i d a c i *Diaz.* Así ha
ocurrido en *Martín,* s a n c t i F a c u n d i *Sahagún,* etc.

13. **Grupos vocálicos.** — 1. **Latinos.** — *AU* se hace *o:*
a u r u *oro,* t a u r u *toro,* c a u t u *coto,* a u r a *ora,* c a u s a
cosa, c a u l e *col,* a u t u m n u *otoño,* cuando no venía
reducido a *a,* como en a s c u l t a t *ascucha.* La reducción
parcial la conocía el latín. El hiperurbanismo p l o d e r e >
p l a u d e r e prueba la conciencia de la reducción. Las
formas románicas acusan en el latín los tipos p o p e r e
y o r i c l a, que denuncia el Appendix Probi. F o c e s
por f a u c e s consta ya en S. Isidoro. El diptongo del
germ. *raupa* persitía en el siglo XI. *AI* se hace *e:* l a i c u
lego, a m a i *amé,* ibérico v a i c a *vega.*

2. **Grupos romances.** — Pueden tratarse de cuatro
modos: 1.º Conservando el hiato: a) en el grupo tónico
de vocales diferentes fuertes, como f o e d u *feo,* c a d e r e

caer, r o d e r e *roer,* p e i o r e *peor,* l e g a l e *leal,* r e-
g a l e *real;* pero aquí es posible el diptongo oscureciendo
la vocal más oscura, por ejemplo *e* final tras fuerte tónica,
-a t i s -*aes* -*ais,* b o v e *buey, cai, trai* vulgares por *cae,
trae,* y es posible la debilitación de *e* tónica ante *a* final
sin deshacer el hiato, como -e b a m *ía, temí-a,* y en lo
antiguo a veces deshaciéndolo, como -*iá,* -*temiá:* b) en
el grupo de vocal fuerte con débil tónica, como r a d i c e
raíz, p a l u d e *paúl,* f i d o *fío,* r i d e r e *reír,* a u d i r e
oír, p a r a d i s u *paraíso,* si bien aquí la dislocación del
acento lleva a la diptongación, como i u d e x *júez juéz,*
r e g i n a *reína réina,* v a g i n a *vaína váina,* a d h u c *aún*
y vulgar *áun:* c) en el grupo de débil seguida de débil
tónica se conserva el hiato en f u g e r e *hoir huir,* pero
aquí es más obvia la diptongación, porque no hay que
trasladar el acento, sino extenderlo a las dos vocales,
como r u g i t u *ru-ido ruido:* d) en el grupo de débil seguida de fuerte tónica persiste el hiato, como c r u d e l e
cru-el: e) en el grupo de débil tónica seguida de fuerte
persiste el hiato, como r i v u *río,* f i d o *fío.* 2.° Formando diptongo: a) vocal fuerte tónica seguida de débil
forma diptongo; *oi,* formado por atracción de *i* siguiente
se ha hecho *ue,* como a u g u r i u **agoiro agüero,* m u r i a
*moira muera, c o r i u **coiro cuero* y el suf. -t o r i u
-*doiro* -*duero* -*dero: eu* en *beudo bebdo* b i b i t u se ha
resuelto en *e-o, beodo:* b) el grupo átono final de *e* seguida de *a, o* forma diptongo debilitándose la primera
vocal, como t e p ĭ d u *tibio,* t u r b ĭ d u *turbio,* l i t ĭ g a t
lidia: c) en el grupo de dos débiles en que lleva el acento
la primera es precisa la dislocación de éste para el diptongo,
como v i d u a *víuda viúda.* 3.° Reduciendo el grupo a
una vocal por contracción de ambas o por elisión de la

más oscura: *ai* se reduce a *e*, ya proceda *i* de la sílaba
siguiente, como -a r i u **airo -ero*, b a s i u **baiso beso*,
ya de la vocalización de una consonante, como l a c t e
*laite leche, t a x u **taiso tejo*, ya haya resultado el diptongo de la elisión de la consonante intervocálica, como
f a r r a g i n e **farrain herrén: au* se reduce a *o*, t r a d u-
c e r e **traucir trocir*, ya proceda *u* de la sílaba siguiente,
como s a p u i **saupi sope* mod. *supe*, ya de la vocalización de *l*, como s a l t u **sauto soto*, f a l c e **fauce hoz;*
pero no se reduce generalmente el tardío procedente de
la vocalización de una agrupada secundaria, como c a l i c e
cauce, s a l i c e *sauce*, c a p i t a l e *cabdal* mod. *caudal*, ni
el de la voz semiculta *auto*, frente a *** f r a b i c a *frauga
froga:* dos iguales se reducen a una, como v i d e r e *veer
ver*, (los compuestos *pre- pro-* aún no han hecho la contracción), s e d e r e *seer ser*, s u b u m b r a *soombra sombra*, f i d e *fee fe*, ***i m p e d e s c e r e *empeezer empecer*,
m e d i e t a t e *meetad metad:* pero persisten en l e g e r e
leer y se disimilan a veces *ee* en posición final, como
-e t i s *-eis*, r e g e *rey*, l e g e *ley*, y aun en posición interior, como f i d e l e *fiel*, m e d i e t a t e *meetad meitad*
mod. *mitad* (por contracción de *ee* el vulgar *metad*).

    3. **Los casos de hiato,** considerándolos sólo dentro
de nuestro idioma, y reuniendo los de origen latino y
romance y los cultismos y formas vulgares, pueden reducirse a las cinco leyes siguientes: 1.ª Dos vocales átonas,
sean fuertes o débiles, formaban diptongo en la lengua
clásica, como *oi-dor (o-ir)*, *cria-dor (cri-ar)*, *reu-nir (re-
uno)*, *fia-reis (fi-ar)*, *cruel-dad (cru-el)*, *rea-lidad (re-al)*,
hui-remos (hu-ir), *Saa-vedra*, *cree-rás (cre-er)*, *poe-sía
(po-eta)*, *moha-trero (mo-hatra)*, *dan-doos:* si el grupo era
de dos fuertes había una debilitación fonética que a veces

trascendía a la escritura, como *trairá*, Herrera, eleg. V,
trairemos, Osuna, *Abecedario*, 2, *cairíamos*, Guevara, *Menosprecio*, pról., debilitación perpetuada en *traidor* del
ant. *traedor*, *Alexandre*, 2329, t r a d ǐ t o r e : las excepciones obedecían a ser el hiato reciente, como *tra-ición*,
menos en el grupo de débil más fuerte en cultismos, en
los que a veces se hacían dos sílabas, como *pi-edad:* en la
lengua preclásica la atonía no era causa obligada de
diptongación, pudiendo contarse el grupo lo mismo que
tónico, como *cri-ador*, *fe-aldad*, *pi-edad:* en la época moderna se someten en general a la misma ley los grupos
átonos que los tónicos, no diferenciándose *cru-eldad* de
cru-el, *cri-ador* de *cri-ar*, etc., salvo en contados casos,
como *pai-sano (pa-ís)*, *rai-gón (ra-íz)*, si bien los poetas,
unos utilizando la pronunciación vulgar y otros por ten-
dencias clasicistas, prodigan el diptongo en los grupos
átonos. 2.ª Vocal fuerte tónica mas débil forman diptongo en todas las épocas, como *rau-do*, *lai-co*, etc.: en
casos recientes perduró algún tiempo el hiato, como en
re-y, *le-y*, *gre-y*, que alternaban con las formas de diptongo en la poesía del siglo XIII: *heró-ico* se sostiene por
el recuerdo de *héro-e* frente a *estoico*, etc.

4. **Vacilaciones de la diptongación.**–1.ª Vocal débil
mas fuerte tónica en la lengua antigua y clásica formaban
dos sílabas en las palabras y combinaciones menos vulgares, y una en las palabras y combinaciones comunes.
Así en Berceo *visi-ón* frente a *entençión*, *ocasión*, *ración;*
las vacilaciones son frecuentes, como *oraçi-ón oración*,
Glori-osa Gloriosa, *christi-ano christiano*, *asi-ano asiano*,
abundando el hiato en los poetas más cultos. En la lengua
clásica se observa generalmente esta distinción. Conservan
el hiato generalmente los adjetivos en *ual*, como *casu-al*,

actu-al, mensu-al, espiritu-al; los verbos en *uar,* como
gradu-ar, continu-ar, insinu-ar, habitu-ar; los adjetivos en
uoso, como *suntu-oso, monstru-oso;* los adjetivos en *ioso,*
iado de nombres en *ía,* como *vali-oso, cuanti-oso, har-*
moni-oso, demasi-ado; los verbos en *iar* de nombres en
ía, ío, como *hasti-ar, roci-ar;* las combinaciones *ua, ia, io*
en el interior de la palabra, como *su-ave, adu-ana, persu-*
ade, Edu-ardo, Di-ana, ti-ara, di-adema, di-ácono, di-
álogo, Guadi-ana, mani-obra, Ari-osto, idi-oma; y éstas
mismas en nombres propios de poco uso y en general en
palabras consideradas como cultas, por ejemplo *Litu-ania,*
Janu-ario, carru-aje, meridi-ano: formaban ordinariamente
diptongo los derivados de formas con diptongo, como
los en *ioso, iado* de nombres en *ia, io,* por ejemplo *envi-*
dioso, odioso, ansioso, y los verbos en *iar* de nombres en
ia, io, como *ansiar, odiar, envidiar;* los nombres corrientes
en *ión,* como *atención, región, unción,* pero no los cultos
y propios, como *tali-ón, Escipi-ón, Endimi-ón:* los pretéritos en *ió,* y los grupos *ie, ue* desarrollados de *e, o,*
como *riego, sueño,* pero no los originales de voces extrañas,
como *Dani-el, Vi-ena, Su-ecia, Fru-ela, Su-ero,* variando
en los de origen latino, *audi-encia, cli-ente, qui-eto quieto,*
y en los producidos por agrupación, como *fi-el fiel, cru-el.*
Muchos vacilaban por obedecer a diversas leyes, como los
de procedencia en *ano,* que siguiendo el diptongo del
primitivo hacían *asiano, siliciano, asturiano, Octaviano,*
Aureliano, y como nombres cultos tendrían al hiato, *Aureli-*
ano, Graci-ano, persi-ano, etc.; los comparativos en *ior*
formaban diptongo o dos sílabas, *inferior inferi-or;* los en
ioso, iado procedentes de *ia, io* se confundían frecuentemente con los de *ía, ío,* como *invidi-oso* en vez de *invi-*
dioso, odi-oso en vez de *odioso, ingeni-oso* en vez de

ingenioso; los en *iar* por analogía de *hasti-ar, li-ar* resolvían a veces el diptongo del primitivo, haciendo *fastidi-ar,
odi-ar, cambi-ar,* y lo mismo en sus derivados, *vari-able.*
En la lengua moderna se ha conservado en general el
diptongo, prevaleciendo además en muchos casos de hiato
de la lengua clásica: todos los adjetivos en *ual,* como
virtual, sexual; de los verbos en *uar* conservan el hiato
algunos, como *exceptu-ar, conceptu-ar, desvirtu-ar,* pero en
general domina el diptongo, como *continuar, habituar,
graduar,* variando en *actuar, insinuar;* se conserva en los
adjetivos en *uoso,* como *virtuoso,* si bien hay tendencia
al diptongo en algunos, como *acuoso, sinuoso;* en los
verbos en *iar* de *ío, ía,* no obstante la tendencia al diptongo en la pronunciación vulgar, *hastiar,* lo normal es el
hiato, *hasti-ar;* en *ie, ue* conservan el hiato *cli-ente, cru-el,*
pero no *fiel, quieto,* etc.; en los demás casos es lo general
el diptongo, como *Daniel, tiara, maniobra, suave,* etc.
2.ª Débil tónica con débil formaba generalmente dos
sílabas en los casos de hiato reciente y en las palabras y
combinaciones menos vulgares, y una en las palabras y
combinaciones comunes: por ser de hiato reciente pro-
nunciaban generalmente los poetas clásicos *fi-ucia, ju-icio,
ru-ido* y menos veces *fiucia, juicio, ruido;* contaban de
ordinario por dos sílabas los grupos de los cultismos y
nombres extraños, como *ru-ina, di-urno, circu-ito, genu-
ino, ori-undo, Du-ilio, Alcu-ino* y de los verbos en *-uir:*
formaban diptongo las palabras más usuales, como *fui,
triunfo* (poco frecuente *tri-unfo); buitre, cuido* era la pronunciación ordinaria, no obstante ofrecer grupos romance,
siendo muy raros *bú-itre, cú-ido; ví-uda* y *viuda.* La lengua
moderna conserva algún caso de hiato, como *jesu-ita* y
los verbos en *-uir,* usando en los demás casos el diptongo;

como *ruido, ruiua, oriundo, gratuito,* etc. 3.ª Vocal tónica
precedida o seguida de vocal fuerte forman dos sílabas,
como *habí-a, ra-íz, ca-ído, mí-o, la-úd, cre-o, ca-e, re-al,
so-ez,* si bien son frecuentes los casos de diptongo. En el
caso de débil tónica precedida de fuerte átona ha habido
diversas traslaciones de acento para el diptongo, como
los ya citados *réina, váina* y los vulgares *réuma* (también
clásico), *cáido,* etc.: los clásicos *vizca-ino, reta-hila* vacilan en la lengua actual, en la que es corriente pronunciar
Lainez, Froila, Troilo, que en la época clásica se pronun-
ciaban sin diptongo. En el caso de débil tónica seguida
de fuerte átona la lengua moderna ha hecho diptongo en
varias formas que la lengua clásica mantenía generalmente
con valor de dos sílabas, como los nombres en -*íaco (elegíaco, austrí-aco, egipcí-aco, zodí-aco), arí-ete, etí-ope, Hexí-
odo: ía, ío,* sobre todo finales de palabra en el interior
del verso, formaban frecuentemente diptongo en la antigua poesía popular y en los poetas clásicos de la escuela
italiana, como *habiá, querriá, teniás, oián, Mariá, diá,
abadiá, tió, soliámos, guiár:* los grupos tónicos de dos
fuertes se hallan con alguna frecuencia reducidos a diptongo en la lengua clásica, como *áhora, sarao, caos, veó,
creó, peor, cáer, tráemos, seá, pelear, veamos,* etc. y aun
el grupo de fuerte seguida de diptongo, como *seais, traeis,*
tendencia que conserva hoy la lengua familiar: en el
imperativo con el enclítico *os* era normal el diptongo
hasta principios del siglo xix en las tres combinaciones
aos, eos, ios, como *marchaos, volveos, partĭos,* y aun en los
verbos en *ear* en grupo de tres el triptongo, como *apeaos,*
cuya reducción, si es corriente en la lengua moderna
familiar, es excepcional ya en poesía.

CONSONANTES

14. Consonantes iniciales.—Las consonantes iniciales oclusivas, nasales y líquidas se conservan generalmente: *P*: palu *palo*, portu *puerto*. En zonas mozárabes quedaron casos de sonorización, como *pŭlus pŭlvus *bolisa* 'pavesa', poculu *búcaro*, pastinaca *biznaga*, pandura *bandurria*, particella *barchilla*, papavera *babaura ababol*, pagu *bago* (Salamanca), persicu *albérchigo* (*bresquilla* en Alicante). *C*: carru *carro*, corvu *cuervo*, cupa *cuba*. Sonorizada aparece en el latín vulgar en gattu *gato*, gammaru *gámbaro*, gorytu *goldre*. Se ha sonorizado en cavea *gabia*, colaphu ant. *golpo golpe*. En caia domina *c* en la mitad occidental de España, *caya, cayado, cacha*, y *g* en la oriental, *gaya gayata*. El riojano, influído por el vasco, hace cuculione *gudujon*, cosse *gusera*. *T*: terra *tierra*, turre *torre*, timere *temer*. *D*: dare *dar*, digitu *dedo*, domnu *dueño*. *B*: bonu *bueno*, bucca *boca*, bibere *beber*. *V*: Aunque se mantenía antes distinta de *b*, ha llegado a identificarse con ella, aunque la escritura oficial ha procurado mantener la *v* etimológica. Se ha escrito *b* mal en verrere *barrer*, versura *basura*, vissinu *bejín*, vermiculu *bermejo*, vota *boda*, votivu *bodigo*. *G*: gaudiu *gozo*, gutta *gota*, gula *gola*. *D*: digitu *dedo*, damnu *daño*, domnu *dueño*. *M*: manu *mano*, minus *menos*, morsu *mueso*. *N*: natare *nadar*, nebula *niebla*, novu *nuevo*. *L*: lacu *lago*, ligare *liar*, lupu *lobo*. *R*: ramu *ramo*, ridere

reír, r o t a *rueda*. *H* no sonaba ya en latín, según prueban las omisiones de las inscripciones (o n o r a v i t,
a b i t a t i o n e s) y los casos falsos (h a b u n d a n s, h o r-
n a t u s). En las continuas se han producido cambios
importantes. *F* se hizo una aspiración en las zonas en
contacto con el vasco. Las primeras zonas de aspiración
serían una gran parte de la Rioja Alta y en Burgos, Belorao,
Briviesca y Villarcayo, y una parte de Santander, que la
irradió pronto hasta parte de Asturias tras Rivadesella. La
capital de Burgos con los restantes partidos era zona de *f*,
como lo era el resto de España. Aceptada la aspiración
en la corte de Burgos, se propagó como uno de los rasgos
típicos del castellano en la prodigiosa expansión de este
dialecto. Hoy se conserva la aspiración en gran parte de
Andalucía, Extremadura y las zonas próximas de Toledo,
Avila y Salamanca, y, convertida en *j*, perdura en Santander y en el extremo oriental de Asturias. La pérdida
de la aspiración se inicia pronto, pero con timidez. M. P.,
Oríg., 41, cita f o r m a c e u *Ormaza* del siglo XI, lo que
prueba un principio de inestabilidad de la aspirada, que
en la región citada puede darse por consumada en el
siglo XV, pero que no se propagó ampliamente por otras
provincias hasta el siglo XVI. A partir del siglo XVI la
aspiración se fué perdiendo en el burgalés, y ha sido
eliminada en la lengua oficial. La lengua oficial sin embargo ha admitido algunos casos de *j*, como f a m e l i c u
jamelgo, jolgorio y *juerga* de *holgar* *f o l l i c a r e*, *jumera*
de *humo* f u m u, *jopo* de *hopo*. La lengua oficial ha mantenido en la escritura como *h* muda sólo la que fué *h*
aspirada, pero por ignorancia etimológica la ha perdido en
algunos casos, como *f i r m e l l a *armilla*, *f a c i a r i a
acera, *f a c i a r i u *acerico*. Fuera de las zonas indicadas

5

el resto de la Península conservaba la *f* latina (Cataluña, Aragón, Navarra y parte de la Rioja, Soria y parte de Burgos, Galicia y Asturias hasta las cercanías de Ribadesella y la España central y meridional hasta la expansión del castellano. A estas zonas de *f* corresponden términos que el castellano oficial ha aceptado, como f o e d u *feo* (*feda visu* en las Glosas de Silos), f i d e l e *fiel,* f u n d u *fondo,* f u s c i n a *forcina,* *f a l l i t u *falto, falda* (junto a *halda*), f u r f u r e *fárfara -illa* en Ciudad Real. Otros casos de *f* son extranjerismos, como el italianismo *fachada* y *facha.* Ante *ue* se conserva la aspirada como *j* en la lengua vulgar de las regiones castellanas, que han perdido en otros casos la aspiración, como f u i t *jué,* *f o r t i a *juerza,* como en el ant. f o c u *huego;* pero la lengua culta ha repuesto la *f, fue, fuerza, fuente, fuego, fuelle.* Ante *ie* la lengua vulgar de algunas regiones mantiene la aspiración en f e r r u *jierro;* pero la lengua oficial ha restaurado la *f* en f e r u *fiero,* como en *fierro* de algunas zonas, mientras ha perdido la aspiración en f e l l e *hiel,* f e r r u *hierro.* En las voces árabes de *h* aspirada ésta a veces se interpretó por *f,* lo que acusa en algunas regiones del sur una desviación inicial *f > h.* Así *hatto* se hizo *fatta* y *herr* se hizo *farro.* Es oscura la localización del trato *f > h* que acusa f r a c e *harrache.*

Algunas zonas del sur trataron como *b* o *p* la *f* inicial, como f a e c i n u *al-pechin, pechin* (Guadalajara) y *bejina* y probablemente *pecina. I G'* se conservaban siempre con valor de consonante *ž,* confundida a veces con la semi-consonante *y: A:* i a m *ya,* i a c e t *yace,* I a c o b e *Yagüe. E:* g e l u *yelo,* g e n e r u *yerno,* g e m m a *yema,* g e-m i t u ant. *yendo,* g e n t e ant. *yent,* g y p s u *yeso. U:* i u g u *yugo,* i u n g i t *yuñe* (*yunce* analógico), i u n c t a

yunta, i u n c u *yunco.* Ante vocal átona se mantenía
también, y sólo se ha perdido tardíamente (ant. *ienero,
iemellizo, iermano,* G e n n a d i u s ant. *Iannadius,* G e l-
v i r a ant. *Yelvira, Elvira*). Debemos suponer general la
conservación: i i n i p e r u *yeniebro,* i e n u a r i u *yenero,*
g e n e s t a *yeniesta,* g e l a r e *yelar,* g i n g i v a *yencía,*
i e c t a r e *yechar,* g e n u c u l u *yenojo.* La confusión de
la consonante *g, i* con la semiconsonante *y* era recíproca.
El latín **et* por *est* daba *ye* escrito *get* en las Glosas de
San Millán. Luego por el juego de *ie* tónica y *e* átona
que vemos en la conjugación, *riego, regar,* se hizo *echar*
por *yechar,* y *helar* por *yelar,* y por el juego de primitivos
fuertes y derivados débiles, *tierra, terreno,* se hizo *hermano*
en vez de *yermano, enero* en vez de *yenero,* como ocurrió
interior en *arenzada* de *arienzada* de *arienzo.* Hay algún
ejemplo antiguo de eliminación de *ie* por *e,* como *Enes-
tares, Enebral* en documentos de los siglos xi y xii. En
las regiones del sur hubo grandes zonas de *y* semiconsonante: *yunco, Yunquera, yenesta,* i e n u a r i u *yenair,
yunta, yuncia, yunio, yulio.* En el norte la zona central
de Burgos había convertido la *ž* en *y* generalmente:
yenero, yunta. Las hablas periféricas de estas zonas la
mantienen con valor de consonante ante toda vocal, lo
mismo tónica que átona: i u n c t a *junta,* i u g u *jugo,*
i u n g i t *juñe* (o *junce*) en el norte de Burgos y en la
Rioja (i e c t a t *geitat* en las Glosas de San Millán). En
Santander *juncir,* g e n i s t a *genesta,* i u n c t a *junta.* En
Vasconia hay una zona de consonante: g e n i s t a *txemizta.*
En León i u g u *jugo,* g e l u *gelo gelada,* i e n u a r i u
jinero, g e n i s t a *geniesta Genestosa.* En gallego-portugués
es prepalatal: g e l a t a *šiada,* g e n i s t a *šiesta,* g e n u-
c u l u *šionllo,* escrita generalmente *g* o *j.* En Navarra

y Aragón con valor de consonante prepalatal *š* o *ch*:
g e r m a n u *chermán*, g y p s u *cheso*, gelu *chelo*, g e n t e
chen, g e n u c u l u *chenullo*, g e n i s t a *chinesta*, i e c t a r e
chitar, i e n t a r e *chintar*, i i n i p e r u *chinebro*. Frente a
la ley de *yugo* y *yunta* aparecen más voces en el castellano común con valor de *j*: *joven, junco, junta, justo,*
juez, juicio, judío, jugar, jamás, tónicas y átonas, lo que
hace pensar o bien que no partieron estas voces de la
estrecha zona en que nacieron *yugo* y *yunta*, sino del
norte de Burgos, de Santander o de la Rioja, o que los
casos de *j* pertenecían a una lengua más culta. La pérdida
de la consonante aparece en algunos ejemplos, como
i u n g e r e *uncir*, junto a *yuncir*, acaso influído, como
uñir, por *unir*. La forma *ugo* parece resultado de fonética
sintáctica (*el yugo*, que ha dado *el llugo* en Soria y Burgos
y finalmente *ell ugo, el ugo*). La forma leonesa que suele
citarse i a c e r e *azer* no es probativa, porque procede de
a d i a c e r e y n o d e i a c e r e, como el antiguo burgalés
ayacer, y la *i* es intervocálica, como en el leonés a d i u-
t a r e *audar*. *Ubio* no debe venir de iugu sino de e x s u-
b i g a r e *enjubiar, ensubiar, ensobear*, y de ahí el deverbativo *subio, sobeo*; *subio* dió *ubio* por fonética sintáctica:
los(s)ubios. No es inicial sino intervocálica en los compuestos que la pierden: S a n c t i G e r v a s i *Santervás*,
S a n c t i G e o r g i *Santiurde*, S a n c t i I u s t i *Santiuste*,
v a l l e i u n c a r i a *Vallunquera*, v a l l e d e i u n q u e l l u
Valdunquillo, v a l l e d e i u n c e l l u *Valdunciel*. Ć: c e r v u
ciervo, c e n a *cena*, c i p p u *cepo*. Se palatalizaba sobre
todo en las zonas del sur: c e n t u *chento*, c i c u t a
chicuta, c e r v u *chervo*, c i c e r *chíchere*, admitido en el
cast. *chícharo*. Pero la palatalización en *ch* no es sólo de
zonas mozárabes. La zona vasca da c i m i c e *chimica*

chimicha. El pirenaico ofrece c i v i t a t e *Chivitat*. Aunque alterada su localización, se ve una competencia de
formas dialectales: c i m i c e *cince* y *chinche*, s c h i s m a
cisma y *chisma* (*chisme* no es de s c h i s m a, sino deverbativo de *chismar*). S se conserva: s a l t u *soto*, s e m i-
n a r e *sembrar*, germ. s a m b u k *samugas*, s e r p e *serpa*,
s u l c u *surco*, s e n s u *seso*, s e r o t i n u *serondo*, s a g m a
salma, s i l i q u a *saruga*. Se ha palatalizado en *j* en
s u l c u *jurco*, s e m e *jeme*, s i l i q u a *jaruga*, s e r p e
jerpa, s i n a p e *jenabe jenable*, s u c t a r e *joto* 'ternero',
s e r i c a *jerga*, s e r b a *serba jerba*, s e p i a *jibia*, s a-
p o n e *jabón*, germ. s a m b u k *jamugas*, s i l y b u *sil-
guero jilguero*, s a r c u l u *sacho* zam. *jacho*, s a r m e n t u
arag. *jarmiento*, s e m e n arag. *jambre*. La antigua *j* ha
podido llegar a *ch*: *s e r p e a al. *chirpia*, s i n c e r u
salm. *chancero*, s u l c u *chorco*, s e p i a *chipirón*, s u p-
p u t a r e *chapodar*. El vasco hace s a r m e n t u *chirmendu*,
chardina. La *ch* de *chotar* procede de *x*, de e x s u c t a r e,
lo mismo que la del pal. *jutar* por *ejutar* y del cast.
enjutar. El aragonés conoce S a l o n e *Jalón*, y Burgos
conoce C a s t r u S i g e r i c i *Castro Seriz Castrojeriz*. Las
regiones del sur palatalizaban especialmente: s a l i c e
šalich, s a b u c u *šabuco*, s e c a r e *šegar*, y hoy perduran
ejemplos en la toponimia: S a r a m b a *Jarama*, S a e t a-
b i s *Játiva*, S u c r o *Júcar*. De estas regiones el castellano
ha tomado s a t u r e i a *ajedrea*. Pero en todas las regiones
españolas se han producido ejemplos independientes:
s a l t a r e *joutar* y *choutar* en Galicia y *jotar* y *jota* en
Aragón de *sotar* y *sota* de las Glosas de Silos. En gallego
ha tenido gran vitalidad el cambio: s i l v a *jeva*, s a l v i a
jarja, s a b u l u *jabre*. En el pirenaico francés y español
y en el aranés se da la *s* palatalizada, que llega hasta *ch:*

s u d a r e *šudá chudá,* s e x *šeis cheis,* s o b r i n u *šurín churín,* s e x a g i n t a *šišanta chichanta.* Se ha hecho *c z* en s o c c u *zueco,* s y m p o n i a *zampoña,* s u i l e *zolle,* s e r b a *zurba,* s i l i q u a *ciruga* en Logroño, s e r a r e *cerrar,* s a b u r r a *zahorra,* s u f f u n d a r e *zahondar,* s e-p e l i r e *zabullir,* fuera de los casos de asimilación (s i c-c i n a *cecina,* s i c c i a l e *cecial,* s u b p u t e a r e *zapuzar,* s u c i d u *sucio zucio,* s e t a c e u *cedazo).* En s a r c u l u *sacho zacho* se ve la influencia de (a)*zada.*

15. Consonantes intervocálicas.–1. Las consonan-tes sordas intervocálicas se sonorizan. La sonorización fué más rápida en León y más lenta en el castellano y en el aragonés. Los dialectos mozárabes, sorprendidos en el proceso de sonorización, vacilaban entre las formas anti-guas y las nuevas [1]. El vasco y el pirenaico conservaron las sordas. Los ejemplos de otras zonas de Aragón, como *sete, paretes, reteles, lopo, forato, fematero,* no son pro-bativos, porque parten de una consonante final, *set, paret, ret, lop, forat, femat.* De las zonas de conservación de la sorda proceden algunas palabras castellanas, como p a-p a v e r a (a)*mapola,* frente a *ababol,* p a p a v e r i n a mozár. *paperina* cast. *pamplina* dial. *pamprina.* Las leyes de las consonantes intervocálicas se vieron frustradas cuando habían dejado de ser intervocálicas en el momento de su aplicación. Así las sordas no se sonorizaron al agru-parse prematuramente por pérdida de la vocal postónica o pretónica: *a m i c i t a t e *amistad,* c o m p u t u *cuento,* e p i s c o p u *obispo,* p o l i p u *pulpo,* h o s p i t a l e *hostal,*

---

[1] M. P., *Oríg.,* 46, considera como cultismos los casos de con-sonante sorda, creyendo que la sonorización estaba cumplida en la lengua hablada.

legalitate *lealtad*, *volvicare *volcar*, *quassicare *cascar*, masticare *mascar*. La tendencia espo-
rádica a la sonorización se descubre desde el latín, paga-
tus, imudavit en los primeros siglos; pero en el
siglo viii no se había consumado del todo, y aun luego la
obsesión latinizante mantenía el resistente arcaísmo de
las sordas en la escritura y aun en el habla. No son propiamente intervocálicas las iniciales de un simple que
entra en composición cuando esta composición es sentida,
como refacere *rehacer*, recaptare *recatar recatón*
(frente a *regatar regatón*), repudiare *repoyar* (frente
a *rebojo*). No son propiamente intervocálicas las sordas
precedidas de un diptongo con wau final, que para este
efecto tiene valor de consonante, impidiendo la sonorización: cautu *coto*, autumnu *otoño*, fautu *hoto*,
paucu *poco*, auca *oca*, céltico Auca *Oca*, Cauca
Coca. El digtongo secundario *au ai* sólo impide la sonorización de *p*: sapui *saupi *supe*, capui *caupi *cupe*,
sapiam *saipa* *sepa. *T* se sonoriza en *d*: latus *lado*,
errativu *radío*, moneta *moneda*, mataxa *madeja*,
rota *rueda*, invitus ant. *amidos*, totu *todo*, metu
miedo, vita *vida*, vite *vid*, amites *andes andas*,
mutu *mudo*, rotundu *redondo*, pratu *prado*, spatula *espádola *espalda*, putere ant. *pudir*, -atu -*ado*,
barbatu *barbado*, -itu -*ido*, auditu *oído*, rugitu
ruido, -utu -*udo*, minutu *menudo*, cornutu *cornudo*, -ate -*ad*, bonitate *bonedade *bondad*, -ute
-*ud*, salute *salud*, -etu -*edo*, roboretu *robledo*.
P se sonoriza en *b*: decipere ant. *decebir*, recipere
recibir, sapere *saber*, tepidu *tibio*, piper *prebe*,
apopore *abobra*, rapu *rabo*, lupu *lobo*, cepulla
cebolla, apicula *abeja*, superbu *soberbio*, tripede

trébede, c r e p a r e *crebar quebrar*, v a p o r e vulg. *pavor*,
p r o p i n q u u ant. *probinco*, r e p u g n a r e *reboñar*,
*e x s a p i d u *enjabio* en Guadalajara, r a p i d u **rábedo
raudo*. Por sentirse un compuesto de *re* no se trata como
intervocálica en *repoyar repuchar* de r e p u d i a r e frente al
fonético *rebujar*. *C = K = Q* se sonoriza en *g:* m a c u -
l a r e *magular*, a e q u a r e sant. *iguar* ant. cast. *eguar*,
m i c a *miga*, f o r m i c a *hormiga*, f o c u *fuego*, l a i c u
lego, l a c t u c a *lechuga*, a p o t h e c a *bodega*, c i c o n i a
cigüeña, s e c u r u *seguro*, c a e c u *ciego*, a m i c u *amigo*,
s e c a r e *segar*, p i c a r e *pegar*, p l i c a r e *llegar*, v i n -
d i c a r e *vendegar vengar*, c o m m u n i c a r e **comunegar
comulgar*, p a n i f i c a r e **panibegar paniguado*, s a n c -
t i f i c a r e **santibegar santiguar*. La eliminación de las
sordas se da en voces muy usadas en la conversación
familiar. *T:* p i t a c i u *pedazo piazo*, n a t u *nada na*,
*p o t e t *puede pue*, y en el castellano corriente en el
sufijo *-ado*. La lengua vulgar y muchas zonas eliminan
la *d* de *-ada -ido*. Abundan los ejemplos dialectales de
pérdida: c o t u r n i c e *codorniz corniz*, a c e t a r i a *acede-
ra acerón* (si no viene de a c e d a r i a), s c u t e l l a *escudillar
escullar*. En la mitad inferior de España la tendencia es
más marcada: s e t a *sea*, f o e t o r e *jeor*, c a t e n a *caena*,
p u t a r e *poar*. Asturias y Santander van más avanzados
que el castellano central: c a t e n a *caena*, r o t a *rodeño
rueño*, *Oviedo Uvieu*. *C* se pierde en la lengua vulgar
ante *u* en a c u c u l a *aguja auja*, y ante *i* en a q u i -
l e a t a *aguijada aijada*. Hay zonas donde se pierde en
otras voces, como *n u c a l e *nogal noal* en Logroño,
Soria y Segovia, e r u c a *oruga orua* en el norte de Burgos, c u c u l i o n e *cogujón cujón* en Guadalajara.

    2. Las oclusivas sonoras se conservan en general me-

nos la *d*. La *B* se conserva como *b* o como *v*: b i b e r e
beber, p r o b a r e *probar*, hibernu *ivierno*. Por disimilación se ha perdido ante *u* en t r i b u t u *treudo*, viburnu
piorno, subumbrare *sombrar,* subundare *sondar;* pero
vacila en z a b u r r a *zaborra zaorra zorra. Sabuco* junto a
saúco puede ser un ejemplo de esta vacilación; pero puede
ser un derivado de s a m b u c u. *V* se conserva: *p l o -
v e r e *llover,* c a v a r e *cavar,* vivere *vivir,* n o v a *nueva,*
n o v e m *nueve,* c a v u rioj. *cavo* 'madriguera'. Se perdía
generalmente *v* por disimilación ante la *u* de la terminación en el mismo latín, *flaus, rius, boum* 'de los bueyes'
y continuó perdiéndola el romance: r i v u *río,* y el sufijo
-ivu: a e s t i v u *estío,* d o n a t i v u *donadío,* v a c i v u
vacío, e r r a t i v u *radío,* imprivu *emprío*. El castellano
ha prodigado *-ío: regadío, labrantío, posío*. En el femenino
el resultado fonético debió ser *vaciva,* como g i n g i v a
enciva; pero influyó el masculino y se perdió también la *v*
en el femenino, *encia,* *l i x i v a *lejía*. En el singular
pudo influir el plural y distintos casos; así o v u no se
hizo *ou* por o v i y o v a. El genitivo latino b o u m
influyó para crear casos sin *v,* como b o e b o e s y de
este el español *buey bues* (luego *bueyes* por *buey*), sin que
buey pueda contraponerse a *nueve,* que es el único fonético. Se ha perdido *v* en m o v i b i l e *moeble mueble,*
F l a v i n u *Laín*. *D* se pierde: *a r i d a l e *areal erial,*
a d a e q u a r e ant. *aiguar eguar,* s e d i l i a ant. *sija cija,*
t a e d a *tea,* a l a u d a *aloa,* nidu ant. *nío,* p e d e *pie,*
t r i d e n t e *trente,* *i m p e d i s c e r e *empecer,* r a d e r e
raer, s e d e r e *ser,* c r e d e r e *creer,* v i d e r e *veer ver,*
r i d e r e *reir,* r a d i c e *raíz,* m e d u l l a *meollo,* p a r a -
d y s u *paraíso,* l a u d a r e *loar,* *a d u n i c a r e antiguo
aungar, t r a d u c e r e ant. *trocir,* *m e d i c a m e n ant.

meegambre, a d o l e s c e r e _adonecer aunecer,_ m a l e d i c t u
ant. _maleito,_ l i m p i d u _limpio,_ t u r b i d u _turbio,_ r o s -
c i d u s _rucio,_ p u t i d u _pudio,_ F o n t e p u t i d a _Ampu-
dia,_ R i v u C a n d i d u _Rucandio._ No es que se conserve
en v a d u _vado,_ n u d u (n o d u) _nudo,_ c r u d u _crudo,_
n u d u _desnudo,_ n i d u _nido,_ formas que pierden su _d_
en la lengua antigua y vulgar, sino que se ha restaurado
en la lengua culta por mala asimilación al caso de _salao,_
menúo y _dormío_ con _t_ original. _Sudar_ frente al vulgar
suar es un latinismo médico. La _d_ se ha mantenido en
zonas laterales en algunas palabras: _teda_ en Soria, _aloda_
en Palencia, c a u d a ant. _coda._ En c a d a v e r _calabre,_
m e d i c a _mielga_ hay que partir de otras formas latinas
con _l,_ c a l a v e r, m e l i c a. _D_ se perdió cuando el
sufijo -_ido_ conservaba aún su vocal postónica: s u c i d u
*_súcedo sucio._ Los documentos del siglo x acusan la
conservación D i d a c i _Didaz,_ actual _Díaz,_ F r i g i d a s
Fredas actual _Frías._ -G se conserva en p l a g a _llaga,_
l e g u m e n _legumbre,_ n e g a r e _negar,_ n a v i g a r e _na-_
vegar, f u s t i g a r e _hostigar,_ a g u s t u _agosto,_ a u g u r i u
agüero. Se pierde en r u m i g a r e _rumiar,_ *s u b i g a r e
sobear, l i g a r e _liar,_ f u m i g a r e _humear,_ l i t i g a r e
lidiar, l e g a l e _leal,_ r e g a l e _real,_ C a l a g u r r i s _Ca-_
lahorra, M a g o n e _Mahón,_ Villa g o t t o r u m _Villaotoro_
Villatoro. En la terminación -_go_ se hacía _v_ la _g_ en la
primitiva Castilla, como hoy en el riojano y aragonés
(_yubo_): así _pavo_ en un documento de Villadiego de 1144.
(D. L. 38).

3. Las continuas se conservan en general, menos _i g._
_I G_ se han conservado entre las vocales _A-A:_ c a i a
cayado gayata; a d i a c e r e ant. _ayacer_ (frente al leonés
azer que la pierde). _A-O:_ m a i u _mayo._ _E-U:_ i e i u n a r e

ayunar. Se ha perdido entre otras vocales: *A-E*: magĭstru
maestro, sagĭtta *saeta*, magĭs *maes mais* mod. *mas*,
en el suf. -agĭne, sartagĭne *sartén*, plantagĭne
llantén; venía perdida desde el latín en los numerales:
veinte, treinta. *A-I:* vagīna *vaina*, *anteaginare
antainar*, agina *aína.* *E-A:* meiare *mear*, Ceia *Cea*
en León. *E-E:* sĭgĭllu *sello*, contĭgescere *contecer*,
porrĭgere *purrir*, rigescere *arrecir*, afflĭgere
ant. *afreir*, collĭgere *coger*, vĭgĭlare *velar*, rege
rei, grege *grey*, Regimundu *Raimundo*, Segĭsa-
mone *Sasamón*, Castru Sĭgerici *Castrojeriz*, Vĭ-
gĭla *Veila Vela.* *E-I:* regīna *reina.* *E-O:* peiore
peor. *I-E:* fullīgĭne *hollín.* *O-E:* cogĭtare *cuidar.*
O-I: rugītu *ruido*, rugīre ant. *ruir.* La zona española
de máxima conservación corresponde a Cataluña, *llegir,
regina, sageta;* la de menor resistencia y pérdida más
antigua corresponde a Burgos; en su parte oriental y en
Soria la pérdida es más moderna y por eso ferragine
no ha tenido tiempo de reducir su diptongo, *herrain.* El
riojano conserva *plantaina* como el aragonés. Al occidente
de Burgos va acentuándose la resistencia. El gallego hace
tegula 'sartén' *tegella *tigela*, vigilare *vigiar*,
y en general -ge del suf. -gine (fuligine *fluge*,
plantagine *chantage*) frente a *leer, vaiña*, etc. El castellano ha tomado del catalán *borraja* y *traginar.* Ć se ha
conservado como *c*: vicinu *vecino.* La lengua antigua
y clásica escribía *z*, facere *hazer*, que sólo se conserva
hoy al quedar final, pice *pez.* Se palataliza en *ch* en
palabras sueltas, sobre todo de las zonas mozárabes:
cimice *chinche*, *ciceru (cicer) *chícharo*, faece
alpiche, faecinu *alpechín*, calicellu *cauchil*, ma-
trice *almatriche*, frace *herrache herraje herraj*, y

caca frace *cagarrache*, caca acinu *cagachín*, bi-
chera 'mujer ajustada para algún trabajo' cast. *vecera*,
según la fonética mozárabe, que hacía carice *carriche*,
nucella *nuchiella*, monticellu *montichel*, *Valdeno-
ches* nuces (Guadalajara), *Villafeliche* (Zaragoza). En
Alava hay acetaria *achitabla*. *S* se conserva: casa
casa, causa *cosa*. Ante *i* hay cierta propensión a la
palatalización: resina *rechina* en Ciudad Real, antiguo
vigitar y *registir*. *F* se convirtió en *v b*: profectu *provecho*, malefacere ant. *malvar*, *affullare *abollar*,
aurifice *orébece*, bifera *bébera* (*bebra breva*), de-
fensa *devesa*, cophinu *cuévano*, defolliare (follis)
sant. *debojar *desbojar*, raphanu *rábano*, *malefici-
tate *malevestad* ant. *malvestad*, malu foliu salm.
marabajo, Stephanu *Esteban*, Trifiniu *Treviño*,
-ficare -begar: santificare *santivegar* (luego *san-
tiugar santiguar*). En algunos compuestos por sentirse
como inicial se hizo *h*, que pudo perderse: *dehesa*, frente
al gall. *debesa*, *defoliare (follis) *desollar*, frente
al gall. *debullar*, que la trata como intervocálica, *affullare sant. *ajollar ahollar*, malu foliu *marahojo
marojo melojo*, *refilare *rehilar rielar rilar*. De la
onomatopeya bof buf se han formado *boheña bohena*
'embutido de bofes' y *buhardilla*, y por otro lado el rioj.
bobarril 'buhardilla' y el burg. *baburril*.

4.   Las nasales y líquidas se conservan: *M:* ramu
ramo, timore *temor*, fumu *humo*. *N:* manu *mano*,
cena *cena*, luna *luna*. *L:* palu *palo*, caelu *cielo*,
tela *tela*. *R:* tauru *toro*, pira *pera*, feru *fiero*. *L* se
ha convertido en *r* en siliqua sant. *saluga*, general
geruga, *jaruga*, etc. Se ha convertido en *n* en melan-
cholia rioj. *encolía* cast. *encono*. *R* se ha duplicado en

v a r u *varo barro*, c a r a a d *carra* 'hacia', * c a r i c e u
carrizo, * c a r o n e a *carroña*, v e r u i n a *barrena*.

16. Consonantes finales.–1. Finales latinas.–*M* se
perdía en latín en la pronunciación y no ha dejado rastro
en romance: i a m *ya*, h o m i n e m *hombre*, p l o r a b a m
lloraba. Sólo ha quedado en los proclíticos, por no ser
final, con valor de *n*: c u m *con*, t a m *tan*, q u a m *cuan*,
q u e m *quien*, a l i q u e m *alguien*. *N* se ha perdido: n o n
no, e n *he*, y ha quedado en los proclíticos por no ser
final: i n *en*. Si el tipo *nombre* no procede de * n o m i n e,
hay que admitir la metatesis de *n* en los neutros, n o m e n
nomne. *C* se ha perdido: i l l i c *allí*, n e c *ni*, s i c *sí*,
d i c *di*. Pasan a interiores las consonantes latinas *L R*
en voces no monosilábicas. *L:* s i m u l ant. *semble*, i n
s i m u l ant. *ensemble*. En *hiel* y *miel* hay conservación
por ser monosilábicas. *R:* i n t e r *entre*, s e m p e r *siem-*
pre, q u a t t u o r *cuatro*, u b e r *ubre*, p i p e r *pebre*. En
azufre y *roble* no se sabe si proceden de los acusativos
vulgares s u l p h u r e m r o b o r e m o de los clásicos
s u l p h u r y r o b u r. Se conservan sólo las consonantes
latinas *r* en c o r *cuer* como monosílabo y *s* en cualquier
caso: m i n u s *menos*, D e u s *Dios*, s e r v o s *siervos*,
p l o r a s *lloras*, p l o r a m u s *lloramos*. El ant. l a t u s
lados se ha hecho *lado* por creerse plural. La *s* se oscu-
recía en latín, c a r u, p o m p e i a n u en las inscripciones,
y se ha oscurecido en distintos romances, aunque el ser
característica del plural de los nombres y de tres personas
del verbo ha influído en su conservación. La *s* final de
palabra como de sílaba sufre crisis de oscurecimiento en
ciertas épocas y países, como en el francés del siglo xiii
y en el catalán del xiv y en el actual andaluz.

2. Finales romances.–Quedan finales romances: *D:*

salud, pared, lid. Se pierde en la pronunciación vulgar,
salú, paré. Se ha perdido a veces: Sancti Auditi
ant. *Santoid* mod. *Santuí. N: herrén, pan, razón. R:
mujer, comer. L: trébol, mal, sol. S: mes, mies, montes,
sigues. Z* signo de *ć: diez, cruz, solaz. J: reloj, troj,
herraj, boj.* No es propiamente castellana *vivac.* La pérdida general de *e* final dejaba como finales otras consonantes romances. *C: achac, duc. Ch: noch, lech. X: dix* 'dije'
box actual *j. LL: mill, piell, call, ell. C = Z* se ha
ensordecido al hacerse final: pace *paz,* luce *luz.* Lo
mismo que la *s,* con la que se confunde, en algunas
regiones de Andalucía y América se aspira (*luh, cruh,
narih*) o se suprime (*lu, cru, narí*). La *s* final en andaluz
unas veces se resuelve en una aspiración: *loh toroh,* y
otras en un oscurecimiento o supresión, *lo toro.* La *c>ch*
mozárabe se ha tratado como *j* en frace mozár. **herrach* cast. *herraj herraje.* La *ñ* se hizo pronto *n: desdeñar
desdén, lueñe* ant. *luen.* La *ll* se redujo a *l:* ille *ell el,
piel, mil, cal, clavel.* La *ss* se redujo a *s: mies.*

17.   **Consonantes dobles.**—Las dobles mudas se sim-
plifican. *PP:* cuppa *copa,* stuppa *estopa,* puppe
popa, drappu *trapo,* cippu *cepo. TT:* gutta *gota,*
sagitta *saeta,* littera *letra,* vitta *beta,* mittere
meter, cattu *gato,* battere *batir,* gutture sant.
gotre. En la preposición árabe *hatta* la *tt* disilábica se hizo
dt, adta azta y el mod. *hasta. CC:* saccu *saco,* muccu
moco, bucca *boca,* siccu *seco,* vacca *vaca,* pec-
catu *pecado. BB:* abbate *abad. DD:* inaddere
añadir. Las demás varían. *RR* se hace fuerte y prolon-
gada: turre *torre,* ferru *hierro,* verrere *barrer.*
MM se simplifica: mamma *mama,* flamma *llama,*
gemma *yema,* summu *somo,* communia *comuña.*

Ya en latín hay la reducción m a m i l l a de m a m m a.
NN da *ñ:* p a n n u *paño,* a n n u *año,* c a n n a *caña,*
c a n n a b u *cáñamo,* p i n n a *peña,* e v a n n a r e *albañar*
'cribar', i n n u b i l a r e *añublar,* i n n o d a r e *añudar,*
s u b s a n n a r e *sosañar,* g r u n n i r e *gruñir,* i n n u t r i t u
salm. *añudrido.* En algunas regiones el grupo aún disilábico, como en la zona mozárabe, se hizo *nd,* como
p i n n u l a *péndola (peñola),* *a n n u s c u *andosco,* célt.
a r a p e n n e ant. *arapende.* El gallego ha simplificado
simplemente *nn* (p a n n u *pano,* a n n u *ano). LL* da *ll:*
v i l l u *vello,* c o l l u *cuello,* f o l l e *fuelle,* v a l l e *valle,*
c e l l a *cilla,* p u l l u *pollo,* m o l l e *muelle,* m a m i l l a
mamella, i m p e l l e r e *empellón,* m o l l i r e *mullir,*
s c i n t i l l a *centella,* f i s c i l l a *encella,* y el suf. -e l l u:
c u l t e l l u *cuchillo,* c a s t e l l u *castillo.* En algunas regiones el grupo aún disilábico se hizo *ld,* como c e l l a
celda, r e b e l l e *rebelde,* b u l l a r i u *buldero,* l i b e l l u
libeldo. SS se reduce unisilábica a *s:* r e m i s s a *remesa,*
f o s s a ant. *huessa huesa,* s e s s u *sieso,* v e s s i c a ant.
y vulg. *besiga,* a b y s s u ant. *abisso abiso,* f r e s s a r e
ant. *fressar fresar,* a s s a r e *asar,* s u b a s s a r e manch.
somasar, b a s s u mozár. *basso.* En distintas palabras se
ha reducido a la palatal *j* probablemente por confusión
con *cs* y *ps:* v e s s i c a *vejiga,* b a s s u *bajo* [1], c e s s a t
ceja, r e c e s s u *recejo.* Ha podido llegar la antigua palatal
a *ch:* *b a s s u *bacho* en Guadalajara, v e s s i c a *vechiga*
en Aragón. Es raro s e s s u *sepsu* **sieuso sielso.*

  18. **Grupos iniciales.**—1. Los grupos de consonante
y *r* se conservan: p r a t u *prado,* b r a c a *braga,* tri-

---

[1] M. L. W., supone *b a s s i a r e *bajar* y deverbativo *bajo,* pero
no es imposible que b a s s u, reducido por confusión a *b a c s u,
haya dado *bajo.*

bulu *trillo*, dracone *dragón*, credere *creer*, granu
grano, fronte *frente*, *frustularia *fruslera*. Un
caso perturbador es la metátesis de *r:* crepare *crebar*
quebrar. Por disimilación se ha perdido *r* en tremulare
tremblar *temblar*. Por anaptisis se ha deshecho el grupo
en trabella *taravilla*. La excepción más importante se
da en el grupo *cr*, que sonoriza *c*: crypta *gruta*, crasu
graso, crep(i)ta *grieta* ant. *crieta*, germ. kratten
gratar 'raspar', creta *greda*. En crassu *graso* ha podido además influir la atracción de grossu *grueso*. Las
otras hablas españolas ofrecen el mismo fenómeno: gall.
crate *grade*, arag. crocu *groc*. Aunque en menos
casos se da la misma sonorización de la sorda en el grupo
pr: prunu *bruno*, pravu *bravo*.

2. Los grupos de consonante y *l* se palatalizan en el
noroeste. *Fl, Cl* y *Pl* se hacen *ll ḷ* en la zona de Burgos
y parte de la Rioja, en Santander, Asturias oriental y
central y en casi todo el leonés, como flamma *llama*,
clamare *llamar*, clavicula *llavija*, clausa *llosa*,
clave *llave*, plangere ant. *llañer*, plorare *llorar*,
plantare ant. *llantar*, plantagine *llantén*, planu
llano, plenu *lleno*, plaga *llaga*. Estos grupos *fl, cl*
y *pl* dan *ch ĉ* en Galicia, occidente de León y Asturias,
comprendidas Luarca, Belmonte y Lena: flamma *chama*,
clamare *chamar*, plorare *chorar*, plaga *chaga*. El
santanderino clausa *josa* procede de *yosa* por yeísmo
de *llosa*, como *jienda* procede de *yelda* de levitare.
Estos grupos *fl, cl, pl* se conservaron en la mayor parte
de España desde parte de la Rioja y desde Silos [1] de

---

[1] Las Glosas de Silos acusan *clamare, aplicare* y *aflare* y las Glosas
de San Millán y Berceo *plus*.

Burgos al Mediterráneo y en la gran zona del sur: Flamm-
mula ant. *Flambla* en Guadalajara. De estas zonas proceden flamma *flama*, floccu *fleco*, flore *flor*,
plangere *plañir*, plumbu *plomo*, platea *plaza*,
placere *placer*, y placuit *plugo*, placitu *plazo*,
*plactu *pleito*, y probablemente *planta* y *pluma*, clavicula *clavija*, malamente considerados como cultismos.
El vasco convierte *pl* en *l*: plantare *landatu*, planu
lau, pluma *luma*, planca *langa*. Esta ley alcanza al
burgalés de Briviesca plantagine *landel*. El grupo *fl*
ofrece la reducción a *l* en flaccidu *lacio*, germ.
flautjan *lozano*, flammula *Lambra*, Flavinu
Laíno, como en flore vasc. *lore*, flamma *lama*. Las
formas asturianas Flaviana *Laviana*, Flacciana
Laciana tienen *ll* en la lengua oral, que puede proceder
de *l* o de *fl*. El santanderino conoce Flammula:
Llambla. GL da *l* en gran parte de León y Castilla
*glutare (glus) leon. *loar* 'engrudar', gladiu sant.
layo 'dolor', glarea *lera*, glande *lande*, glandula
landra (*landre* cruce de *landra* y *lande*), glattire *latir*,
globelu *lovillo* (*l)ovillo*, glire *lirón*. Da *ll* en zonas
del norte, donde *l* se hace *ll*, como glarea *llera*,
glande *llande*. Se conserva en aragonés y en riojano:
glarea *glera*, gladiu *aglayarse*. BL se reduce a *l* en
*blatella (blatta) *ladilla*, *blastimare (blas-
phemare) *lastimar*.

   3. El grupo inicial de *s* mas consonante antepuso
desde el latín *i e*, tratada como *e* en español; *es* silábica
se ha conservado (menos en el caso *sc'*): speculu
espejo, scamnu *escaño*, storea *estera*. SC' se trató
como interior por tener la *s* una vocal implícita: scep-
tru *cetro*. La reducción s c > *c* siguió en cualquier

6

tiempo: s c a e n a *ecena cena*, s c i s m a *cisma*. En las zonas de *sc > cs > iš* se produjo el mismo cambio en posición inicial: *jisma*. Ha llegado a *ch* en s c i s m a r e *chismar* (postverbal *chisme*).

19. Grupos interiores latinos.—1. **Muda y l.**—No debemos considerar como grupos romances, sino como latinos, el de *CL*, *TL*, *GL* de o r i c l a *oreja*, v e t l u v e c l u *viejo*, t r i b l a *trilla*, ya que, de haber sido la agrupación romance, el resultado hubiera sido **oregla*, **vieldo*. El Appendix Probi censura s p e c l u m, o r i c l a por vulgares, pero eran viejos en el latín, y censura v e c l u s por v e t u l u s, que era una asimilación a -c l u s del caso raro -t l u s. Podemos decir que en el latín de la Romania era forma de los cultos s a e c u l u m frente a s p e c l u m, pero lo que no es admisible es llamar agrupación romance a la de s p e c l u m y t r i b l a, ya que esta agrupación se daba en el período latino. Si citamos en las etimologías a u r i c u l a, t e g u l a, v e t u l u es por la comodidad de referirlas a las formas de los diccionarios. El castellano no tomó todos los grupos latinos. Por ejemplo no tomó b a c l u m citado en el App. Probi, que hubiera dado **bajo*, sino el culto b a c u l u m, que dió *blago*, ni tomó s t a b l u m, que hubiera dado **estallo*, sino el culto s t a b u l u m, que dió *establo*, ni c a p i c l u m, que hubiera dado **cabejo*, sino c a p i - t u l u m, que dió *cabildo;* pero sí tomó s p e c l u m, o c l u s, m a s c l u s, etc. De r e g l a hizo *reja*, y de r e g u l a hizo *regla*. Algunas veces compitieron el tipo vulgar y el culto; *escamujar* viene de c a p u t m u t l a r e y *remoldar* de r e m u t i l a r e. *CL*, *TL*, *GL* dieron una *j* prepalatal, hecha luego faucal. *CL:* m a c u l a t a *majada*, o r i c l a *oreja*, s e r u c u l u *serojo*, **voluculu*

borujo, *r e s t u c u l u *restojo* (Segovia) *rastrojo*, o c u l u
ojo, s p e c u l u *espejo*, l e n t i c u l a *lenteja*, c u n i c u l u
conejo, p a n u c u l a *panoja*, *f a r i c u l a *harija*, *facula*
sant. *aja* (y *laja* de *la aja*). La antigua palatal *j* ha perdurado convertida en *ch* en algunas voces, como p a-
n u c u l a *panocha*, de *panoša*, antecedente de *panoja*,
c a t u l u *cacho*. En el burgalés s o c c u l u *zocha* la *ch*
puede proceder de *š* o venir directamente de - c l u por
ir precedido de consonante. *TL* desde el latín se confunde con el más usual *cl* y da luego *j:* v e c l u (vetulu)
viejo, r o t u l u *ruejo*, *a r r o t u l a r e *arrojar*, m i t u l u
almeja, *m u t u l o n e *mojón*, m u t u l u sant. *mujo*, c a-
p u t m u t i l a r e *escamujar*. La antigua palatal *j* llegó
a veces a confundirse con *ch;* c a t u l u *cacho* (si no viene
de c a t t u l u s), m u t i l u *mocho*, *escamujar* *escamochar*
(si no viene de m u l t i t u s de los Glosarios), m i t u l u
mocho 'almeja' en Santander, r o t u l u *rucho* 'ruejo' en
Segovia, *a r r o t u l a r e *arrocharse* 'arrojarse, atreverse'
en Salamanca, y acaso p a t u l u *pachón*. *GL* da *j* prepalatal hecha luego faucal: r e g u l a *reja*, t e g u l a *teja*,
c o a g u l u *cuajo*. Las zonas de *ž j* procedente de los
grupos *cl, gl, tl* debieron ser en un principio reducidas
y probablemente inconexas, limitadas en Asturias y León
a las vertientes de la Cordillera cantábrica y en Castilla
a unos focos de Palencia y de la región central y occidental de Burgos. Debían ser zonas de *ll* Santander, la
Rioja, Soria y los partidos del este y del sur de Burgos.
Fuera de esta zona central de parte de Asturias, de León y
de Burgos, la gran masa de los dialectos españoles ofrecían
la palatal lateral. Lo mismo que en las hablas bien conservadas, como el gallego, el catalán y el aragonés, dominaba
la *ll*, que hoy sólo descubrimos en raros supervivientes.

Burgos se delimita mal en sus zonas de *ž j* y en las de *ll*
por la incertidumbre de la grafía *li*: En el Becerro de Cardeña junto a *Valleggo* se aduce *Canalelia*, que representan
Vallejo y *Canaleja*. Pero en la provincia acusan los documentos formas indudables de *ll*, *Malladones*, *Golpellar*,
de los distintos partidos del este y del sur. Silos ofrece
f e n u c u l u *Fenollare*. Lo mismo que en el caso de *li*
la *j* en oleadas sucesivas fué invadiendo los territorios
de *ll* e *y* con la expansión del castellano. Silos, que
hacía *rella* y *Fenollare* acusa ya en el siglo XII *Spega*.
Los ejemplos mozárabes con *š* se interpretan como cas-
tellanismos, pero es posible que hubiera algunas zonas
de palatal central frente a la *ll* de la mayoría de los
dialectos. Fuera de esta zona primitiva estos grupos daban
ll o *y*. El vasco daba r e g u l a *errellea*, s p i c u l u *espillu*. El santanderino oriental daba *ll* como el vasco y
hoy conserva v i t u l u *vello*, m i t u l u *amella*, c e r v i -
c u l a *cervilla*. El riojano central y oriental daba *ll* y hoy
conserva a c u c u l a *agullero*. El mismo burgalés de Silos
tenía *ll* y en su Glosario se acusa r e g u l a *relia = rella*
frente al burgalés central *reja*. De las zonas de *ll* procede
cierto número de palabras castellanas, como m a c u l a
malla, *trimaculu *trasmallo*, s e g u t i l u *segullo*,
r o t u l u *rollo*, s p e c u l a r i and. *aspillar*. *PL* da *ch*:
c a p u l a *cacha*, y acaso p o p u l u *pocho chopo*. En re-
stipula *restrojo* es dudoso si la *j* procede del grupo latino
pl o de una confusión latina con *-clu*. El gall. *restrebo*
de suyo asegura la existencia de *re-stipula*. En zonas laterales y del norte da *ll*: s c o p u l u *escollo* 'escobajo y
escollo', c o p u l a *colla*. *BL* produce *ll ḷ:* t r i b u l u
trillo, i n s u b u l u *enjullo*, s i b i l a r e *chillar*, subilare
sant. *sullar*. El Appendix Probi censura t a b l a por t a-

bula y tribla por tribula. El latín español no recogió el latín tabla sino tabula, pero sí recogió tribla. *FL* da *ll:* sulfflare *sollar* sant. *sullar,* afflare *hablar.* En las Glosas de San Millán hay afflare *aflare* con conservación del grupo, propia del riojano. Procedente de *nfl* ha dado *fr* en confluentes *Cofrentes* (Badajoz) y por etimología popular *Picofrentes* en Soria. El cast. *soplar* es de sufflare influído por *implar* implare. El avilés *resoldar* viene del leonés *resolgar,* que es *resollar* influído por *holgar.* En algún caso el grupo de consonante mas *l* sonoriza la sorda: duplare *doblar,* eclesia *iglesia* y conserva la sonora: oblata *oblada,* alavés *olada.*

2. **Muda y r.**—El grupo de consonante mas *r* tiene distinto trato según la distinta silabificación. Unisilábicas, la sorda se trata como intervocálica, sonorizándose: putre *podre,* pe-tra *piedra,* pa-tre *padre,* vi-treu *vidrio,* la-trone *ladrón,* Pe-tru *Pedro,* la-crima *lágrima,* consa-crare *consagrar,* ma-cru *magro,* ca-pra *cabra,* a-pricu *abrigo,* y la sonora se conserva: ni-gru *negro,* inte-grare ant. *entergar entregar,* qua-dru *cuadro,* fe-bruariu *febrero.* En el grupo *fr* se hace *b* la *f,* africu *ábrego.* Disilábicas, la oclusiva sorda se vocaliza en *i:* mat-re *maire mare,* pat-re *paire pare,* lat-rone arag. *lairon,* pet-ra *peirón* en Guadalajara, *Peralta* en documentos de la Bureba, *Pira de Asno,* Pet-ru *Peiro Pero,,* lac-rima *lárima.* La oclusiva sonora final de sílaba se ensordece y se vocaliza también en *i:* quad-ra(g)inta *cuarenta,* quad-ru *cuairón,* cathed-ra *cadeira cadera,* integ-ru *entero,* pig-ritia *pereza,* (no hace falta suponer con Tuttle *pigiritia *pereza*), ag-ru *ero.* El vasco

hace m a t - r e *mai. CR* disilábica vocalizó *c* en *i* en
f a c e r e *f a k - r e **faire (fere* en las Glosas de San
Millán) *har-é,* d i c e r e *d i k - r e *diir dir-é,* d u c e r e
*d u k - r e *duir ant. *adur-é.*

3. **Oclusiva mas oclusiva.**—*CT* vocalizó primero en
toda la Península *c* en *i:* en las Glosas de San Millán
i e c t a t *geitat,* y en las Glosas de Silos s t r i c t a *streita,*
a d d u c t o s *aduitos.* Esta *y* ha perdurado al perderse
la *t* en grupo de tres consonantes: p e c t i n a r e *peinar.*
En el castellano de Burgos y en la mitad del asturiano la
y palatalizó la *t,* haciendo *ych* y finalmente *ch,* con-
virtiéndose la *y* explícita de la sílaba anterior en la *y*
implícita de la palatal: o c t o *ocho,* o c t u b r e *ochubre,*
n o c t e *noche,* p e c t u s *pecho,* *filictu *helecho,* pro-
f e c t u *provecho,* d i r e c t u *derecho,* v e r b a c t u *barbe-*
cho, factu *hecho,* lectu *lecho,* tectu *techo,* l a c t u c a
lechuga, a d d u c t u ant. *aducho,* a f f r a c t u *afrecho,*
f r a c t a *frecha,* a r r e c t u *arrecho,* i e c t a r e *echar,*
p a c t a r e *pechar,* f r u c t i f i c a r e ant. *fruchiguar,*
c a t h a r a c t a s *Caderechas.* El grupo *ct* hecho *yt* después de *i* funde con la vocal *i* la *y* procedente de *c,*
no pudiendo palatalizarse la *t:* f ī c t u *hito,* d ī c t a *dita,*
f r ī c t u *frito,* a f l ī c t o s *aflitos* en las Glosas de Silos.
Dicho tiene la *ch* de d ĭ c t u *decho* antiguo y la *i* normal
del verbo. Pero en algunas zonas en que hoy domina
la *ch* castellana se mantenía *t* intacta. El santanderino
en parte mantenía *t* y hoy conserva s e c t o r i u *seturio*
'reja del arado' frente a *sechurio;* c o l l e c t a *cogeta* frente a *cogecha,* p e c t u s *peto* frente a *pecho,* n o c t u a
nuétiga y *nueta* en Palencia, que supone *nuete frente a
n o c h e . De esta zona santanderina de *t* procede el cast.
enjuto, ensuto frente a otra zona santanderina de *ch,* que

usa *ensucho.* Hay *enjutar* y *jutar* (Palencia) y *chotar* de
e x s u c t a r e. La zona de *t* debía abarcar una parte del
norte de Palencia y del norte de Burgos. Los documentos
de Oña descubren *Cadrectas* por *Cadrechas* c a t h a r a c t a
y *fruta.* Burgos desde Silos hacia oriente ofrecía también
t: fruito, estreito, adduitos, i e c t a r e *ietare* en las Glosas
de Silos. Estas Glosas de Silos ofrecen c o l l e c t u r a
collitura 119 con *t* intacta, como la actual *cogeta* de
Santander, que representa un antiguo **colleta* influído
por *coger.* Todo Soria fué hasta el avance del burgalés
zona de *t.* El Fuero de Medinaceli ofrece p e c t e t *peyte*
y i e c t a r e *itare.* En este fenómeno va unido a Aragón.
P l a c (i) t u *pleito* se ha formado, por este trato y por el
de *pl,* al oriente de Burgos. El leonés oriental desarrolló
ch, como el burgalés, en Palencia y en parte de León.
Parte del asturiano central ofrece el estado *ich, peicho,*
y parte de la zona mozárabe ofrecía *cht, truchta truhta,*
mientras en otras zonas se ofrecía *t* intacta, *leite.* Fuera
de las voces indudablemente cultas, como *efecto,* hay
algunas que procedían de las zonas de *t,* como *fruto,* que
es vulgar en la forma *fruito* en las Glosas de Silos y como
otubre, que eliminó al burgalés *ochubre.* El canario ofrece
peta 'pecho abultado' y *conduto* 'conducho'. *P T* se
reduce a *tt > t:* s a e p t u *seto,* s e p t e m *siete,* r a p t u
rato, r u p t u *roto,* n e p t a (n e p t i s) *nieta,* c a p t a r e
catar, a p t a r e *atar,* i n c e p t a r e *encetar,* b a p t i d i a r e
batear; aun en voces tardías, r e c e p t a *receta.* Se ha
reducido a *bt > ut* en b a p t i d i a r e *babtizare* en las
Glosas de Silos, 28, *bautizar,* c a p t i v u *cautivo.* En i n-
c e p t a r e *encetar* la *n* no es fonética, sino traída de
comenzar al tipo fonético *encetar.* *B T* se había reducido
a *pt,* asimilándose, como ésta, en *tt* y reduciéndose a

t: s u b t u s *soto*, s u b t i l e *sutil*. Las inscripciones latinas acusan el estado de asimilación *pt*: o p s e q u i u m ,
o p t i n e r e . Así el cast. *atorar* no remonta a o b t u r a r e
sino a o p t u r a r e del CIL, 5439.

    4. Oclusiva mas s.—*PS* había iniciado desde el latín
la asimilación en *ss*. El castellano siguió esta ley, convirtiendo luego *ss* en *s:* i p s e *esse ese*, m e d i p s u ant.
misso, g y p s u *yesso yeso*, c a p s a *casa* (en algunas acep-
ciones) *caseta*, s c r i p s i t ant. *escriso,* c a p s u *Quessada
Quesada*. Agrupada se redujo a *s* en * d e p s i c a r e *descar
desco* 'artesa' en Asturias y Santander. Después de *a* hay
un caso general de *ps* convertido en *cs* en c a p s a
* c a c s a *caisa*. La *i* palataliza la *s* y es absorbida por
ella, caja. La *i* entra a formar diptongo con la vocal
anterior e influye también para palatalizar la *s,* convirtiéndola en *j* prepalatal hecha luego faucal: c a p s a
quejo quijada, cajillas 'mandíbula'. La antigua *j* prepalatal puede llegar a convertirse en *ch*: c a p s u l a *cacharita*
'vaina de legumbres', b a r b a c a p s u *barbicacho*. En
los casos en que las consonantes *p* y *s* se distinguían
ps vocalizó en *u* la primera: c a p s a *caussa caùseta,*
g y p s u *yeuso yelso,* como en el prov. h a p s u *aus* y
m e d i p s u *meceus*. Pero en la gran zona oriental de la
Península a partir de San Millán y de Silos tras otras
vocales *ps* se confundió con *cs, x,* vocalizando *c* en *i,*
como en el aragonés i p s a *iša* o *icha*. En las Glosas de
San Millán i l l e i p s u *eleisco,* grafía de *eleišo* (como en
l a x e s *laices* 'dejes') y en las Glosas de Silos *eleiso,* con
el mismo trato *ps > cs > iš* de Aragón y Cataluña: i p s e
eix. No es imposible que *ps* se hubiera reducido a *ss* y
en ese estado se hubiera confundido con *cs,* como ha
ocurrido en b a s s u cat. *baix* cast. *bajo* y en v e s s i c a

cat. *veixiga* cast. *vejiga;* (un caso de reacción de *ss* > *ps* es el de s e s s u *siesso* > **siepso* > *sielso*, comparable al de g y p s u **yeuso yelso*); pero es preferible la explicación de M. L., *Gram.*, 458, de que *ps* pasó por confusión a *cs;* es decir que, aun en el caso de que las formas con palatal hubieran tenido un intermedio *ss, issa*, el estado inmediato sería *cs* > *is*, cat. *eixa*, arag. *iša icha. BS* venía desde el latín asimilado a *ps:* l a p s u s junto al raro *labsus.* Como en el caso *ps,* este grupo se ha confundido con *cs,* a b s i n t h i u *ajenjo,* frente al trato directo de *ps* de *asenjo. CS = X* vocaliza *c* en *i* y palataliza la *s* convertida en *j* prepalatal, luego faucal: a x e *eje,* l a - x a r e ant. *laišar* (escrito *laiscar* en las Glosas de Silos), *lejar,* t a x u *tejo,* m a t a x a *madeja,* c o x a *cuja,* p y x e *buxe buje,* m y x a *majuela* sant. *mijueto,* y el prefijo *ex-,* como e x a m e n *ejambre enjambre,* e x e m p l u *ejemplo.* La antigua prepalatal ha llegado a *ch* en c o x a *a cucho.* Si queda *is* final de sílaba, no se llega a la palatalización de *s:* f r a x i n u **fraisno fresno,* s e x *seis.* Es raro el ant. *frisuelo* junto a *frijuela* de Salamanca del lat. ** f r i - x e o l u .* El burgalés *esambre* y *ensambre* ha confundido la antigua *j* con *s.*

5. **Líquida o nasal mas consonante.** – Como el vasco, que sonoriza las sordas tras *l r m n* (s u l c u *surgo,* i u n c u *yungo,* f r o n t e *boronde)* y el pirenaico (t a l p a *tauba,* f o n t e *fuande,* s o r t e *suarde,* i u n c u *chungo),* ha habido zonas españolas que han conocido este fenómeno. El riojano conoce *argadro,* que supone *lagardo* l a c a r t u, y en el partido de Briviesca (Burgos) hay zonas de *landel* p l a n t a g i n e . De zonas del sur el castellano ha recogido a m u r c a *morga murga.* Hay que recordar las vacilaciones de C i n g a C i n c a , C o r t u b a C o r d u b a , I l e r t a

Ilerda, Olertula Olerdula, M. P., *Oríg.*, 308.
Otros ejemplos con sonorización de los diplomas medievales son poco convincentes, porque proceden de escribas
latinados que conjugan mal su latín y su romance y sonorizan caprichosamente las sordas y ensordecen caprichosamente las sonoras originales. Los grupos de consonante
sorda tras *r n* se conservan: arcu *arco*, sorte *suerte*,
morte *muerte*, urtica *ortiga*, fonte *fuente*, iuncu
junco, truncu *tronco*, planta *llanta*. *LT* tras *e i o*
ya se conserva: soltu *suelto*, voltu *vuelto*, *Villalta*,
Peralta, ya se vocaliza *l* en *u*: talpa *(taupa) topo*,
altu *oto (Montoto, Vallota, Grijota, Colloto, Villaauta,
Villota, Ribota)*, saltu *soto*, saltare *sotar*. Esta *l* con
valor velar vaciló con la *u* y pudo conservarse, como
alto, que no es cultismo. Tras *u* se vocaliza *l* en *i* en
culter rioj. *cuitre*, multu *muito* en las Glosas de San
Millán, auscultare *scuitare* en las de Silos. La *y*
puede palatalizar la *t*, haciéndola *ch*: multu *mucho*,
auscultare *escuchar*, cultellu *cuchillo*, cultu *cucho*, pultes *puches*. M. P. *Oríg.*, 21 piensa que, aparte
de la distinta tendencia regional (*lt* al oriente de Burgos
y *ut* a occidente), hay una doble tendencia interior entre
lt culta y *ut* vulgar, como lo prueban dos pueblos
contiguos de Villarcayo (Burgos), *Villalta* y *Villota*. Se
conserva la *t* intacta en el gallego y en el asturiano hasta
el bajo Nalón, multu *muito*, cultu *cuito*, donde empieza la *ch* de *mucho*, *cucho*. Silos en Burgos hacía
muito y *escuitare*, lo mismo que el aragonés, *muito*, *ascui-
tar*, *cuitiello*, frente al pirenaico de la vertiente española,
que conserva el grupo sonorizado, saltellu *saldiecho*,
altariu *aldero*, vulturinu *buldorino*. *LB*, *LV* se
conserva en salvu *salvo*, calvu *calvo*, malva *malva*,

pulvu *polvo*, silva *selva*, ecclesia alba *Grijalba,*
Montalbo, Fontalba, Torralba, Peñalba. Se vocaliza *l* en *u*,
contrayéndose con la vocal, fulvu *overo*, ulva *ova*,
balbu *bobo*, salvu sant. *sobo*, pulvu sant. *espovear*
espavear povisa, turre alba *Torroba*, monte albo
Montobo en Oviedo, Calvos *Cobos* en Palencia, Burgos
y Segovia, albariu *Oberuela* en Valladolid, pinna
alba ant. *Penna Ova.* Los dialectos del sur conocen
albuciu *abuch.* LM se conservó en la zona central de
Burgos: ulmu *olmo*, culmu *colmo.* Pero se vocalizaba
en la zona santanderina y burgalesa donde el castellano
se inició y en las zonas laterales de Asturias y de oriente:
palma ast. *pama*, ulmariu ast. *omero*, ulmetus ant.
Omedo Omedal, culmu rioj. *como* y *escomar*, *pulmone
burg. del norte *pumón.* LN en unas zonas ha perdido *l*
sin afectar a la vocal: balneu *baño*, balnellu *Baniel*
en Soria, balneolu *Bañuelos* en Guadalajara y Burgos.
En otras zonas la *l* se hace *u* y ésta afecta a la vocal
anterior: Balnellu *Bauniello *Bonillo* en Albacete, *Bu-*
niel en Burgos, *Albuñel* en Jaén, Balneolu *Buñuel* en
Navarra. LC con *c* velar se conserva: calcare *calcar*,
sulcu *sulco* (Santander, León y parte de América).
Puede convertirse *l* en *r*: surco y jurco y chorco. Puede
vocalizarse la *l* y desaparecer: sulcare *sucar* en Santander (si no es por disimilación eliminatoria de *surcar*).
LG' vocaliza *l* en *u* y la suprime: exmulgere *esmucir.*
LC' ya se ha conservado, culcitra *colcedra*, ya más
frecuentemente ha vocalizado *l* en *u*: calce *cauce *coz*,
falce *hoz*, dulce *duz*, ya se ha perdido *l*: culcitra
cocedra. En zonas mozárabes *c* se hizo *ch*: falcellu
fauchel. LS vocaliza *l* en *u*: insulsu *ensoso soso*,
pulsu *poso.* LD ya se ha conservado: soldu *sueldo*,

c a l d u *caldo,* *r e e s c a l d a r e *rescaldar,* ya se ha vocalizado *l* en *u:* *r e e x c a l d a r e **rescodar.* Un cruce
de *rescaldo* y *rescodo es *rescoldo.* La asimilación *ld > ll*
se da en s o l d a t a ant. *sollada,* E r m e g i l d u *Armillo,*
F r o n i l d e *Fronille. R* mas consonante oclusiva, nasal
o líquida en general se conserva: p o r t a *puerta,* c h o r d a
cuerda, f o r m i c a *hormiga,* f u r n u *horno,* v i r g a *verga.*
En el grupo *rv* ante *u* venía iniciada desde el latín la
reducción a *ru:* c e r v u *Villacieros,* e r v u *eru yero.*
S e r v u dió *siervo* y no *siero por influjo de s e r v a
sierva. RT se conserva: *s p a r t i n e a *esparteña,* p o r t u
puerto, c u r t a r e *cortar,* c e r t u *cierto.* El vasco conoce
la sonorización, lo mismo que el pirenaico *s p a r t i n e a
espardeña extendido por la zona del catalán hasta Alicante.
RS venía desde el latín asimilándose: u r s u *osso oso,*
v e r s u *viesso.* Las inscripciones prodigan s u s u m. El
romance ha confirmado la asimilación: c u r s u *coso,*
v e r s u ant. *vieso,* m o r s u *mueso,* v e r s u r a *basura,*
t r a n v e r s u *travieso,* a v e r s a t u ant. *avessado,* d e o r-
s u m *yuso,* *v e r s i c u *bizco bizgo.* En algunos casos
persistió mucho tiempo el grupo: p e r s i c u *persco prisco,*
mientras se había reducido en otras zonas, *p e s s e c o,
péssego y *piesco.* Hay vacilaciones entre la conservación
de *s* y la palatalización: a v e r s u *abesedo* y *abijedo* en
el leonés. *RC* se conserva: m e r c e d e *merced.* En zonas
mozárabes se convirtió *c* en *ch:* *m a r c i d i t a r e *marchitar. RG'* se convierte en *rz:* s p a r g e r e *esparcer-cir,*
t e r g e r e ant. *terzer,* e x t e r g e r e *estarcir,* *e r g e r e
(e r i g e r e) *ercer,* a r g i l l a *arcilla,* m a r g i n e rioj.
marcen márcena, *a r g i n e (a r g e r a g g e r) *arcen,* a r-
g e r e ant. *arce,* b u r g e n s e ant. *burzés.* En Aragón
a r g e n t u *arzinto vivo;* en otras zonas B e r g i d u *Bierzo,*

Vergegiu *Berceo*. La *g* se ha confundido con la *i* del diptongo *ie* en a r g e n t u *arient* entre los mozárabes, a r g e n t e u *arienzo*, a r g e n t e a t a *arienzada*, (luego por el juego de *e* átona y *ie* tónica *arenzada* y finalmente por influjo de *n aranzada*), a r g e n t a r i u **Arientero Arintero* en León. *MB* en la zona donde el castellano se inició se conservaba: l u m b u *lombo* en los documentos de Oña. Los partidos del norte de Burgos conocen aún l a m b e r e *lambión*, s a m b o k s *(s)ambugas*. Lo mismo que el santanderino, el alavés, el navarro y el riojano, *lamber*, ant. *Camberos*, y el burgalés oriental, *cambas campas* 'muslos' en las Glosas de Silos 139, de conformidad con el gallego, el asturiano y el leonés. Es en el partido de Burgos donde se extendió la asimilación *mm > m*: *lomo*, *(s)amugas*, p a l u m b u *palomo*, como en algunas zonas mozárabes, p l u m b u *plomo*, y en el catalán y aragonés, *cama* 'pierna'. *MN* da *ñ*: l a m n a *laña,* d o m n u *dueño*, a u t u m n u *otoño*, d a m n a r e *dañar,* s c a m n u *escaño*. *ND* se conserva: f u n d a *honda,* m u n d u *mondo*, t e n d a *tienda*, f u n d e r e *hundir,* v e n d e r e *vender,* q u a n d o *cuando*. La asimilación *nd > nn > n*, tan viva en Cataluña, en el Pirineo y en Aragón, aparece como tendencia tímida en algunos ejemplos de Burgos, Santander y Soria, como *quanno quano*. *NF* tiende a reducirse a *f* desde el mismo latín, y se comporta de dos modos, como la *f* simple, reduciéndose a *v b* si se sintió como intervocálica, c o n f i n i u *Coveña* (Madrid), y reduciéndose a *h* si se sintió como inicial, c o n f o r t a r e *cohortar*, c o n f u n d e r e *confonder cohonder,* c o n f i n i u *Cohiño* (Santander). *NS* desde el latín inicia la asimilación a *ss, cossul*. Las inscripciones acusan -e s i s por -e n s i s, m e s u r a por m e n s u r a). En

español se hace s, p e n s a r e *pesar,* *p e n s i c a r e
pessegar ant. *pesgar,* t e n s i o n e *tesón,* t e n s u *tieso,*
a n s a *asa,* p a n s a *pasa,* d e f e n s a *dehesa.* El riojano
y el aragonés mantienen el grupo en *ansa* y *pansa.* El
cast. *remanso* conservó la *n* por *remaner* frente a *remasa-
jas. NC'* se conserva: v i n c e r e *vencer,* u n c i a *onza.*
Los dialectos mozárabes convertían *c* en *ch*: c o n c i l i u
conchel. NG tras el acento da *ñ:* i u n g i t *yuñe,* f r a n g i t
frañe, c i n g i t *ciñe,* r i n g i t *riñe,* t a n g i t *tañe,* f i n g i t
hiñe, a f f r i n g i t *afriñe,* p l a n g i t ant. *llañe,* l o n g e
lueñe. Antes del acento da *nz:* *s i n g e l l u *sencillo,*
g i n g i v a *encía,* i u n g e r e *yuncir,* f r a n g e r e ant.
-franzer, r i n g e l l a *rencilla.* Aquí entraría *c i n g i t u
cencido sencido, si se acepta esta etimología. M. P., que
había aceptado esta explicación en su *Manual,* 47, 2, b
hasta la cuarta edición, la rechaza en *Oríg.,* 49, por dejar
inexplicada la alternativa *rencilla* y *reñilla.* Cabe sin embargo explicarla por la analogía de *reñir.* En *reñir* en vez
de **renzer,* como en *frañer* en vez de *franzer, yuñir* en
vez de *yuncir, tañer* en vez de *tancer, heñir* en vez de
**hencer, ceñir* en vez de *cencer y *plañir* en vez de **plancer,*
es fácil ver una unificación que parte de las formas fuertes, *riñe, frañe,* etc., así como en *yunce* por *yuñe* y en
france por *frañe* hay una unificación que parte de las
formas débiles, *yuncía, yuncir,* etc. Ante yod la *g* se
funde con ella y desaparece: a r g e n t e u *arienzo,* q u i n -
g e n t o s *quinientos,* p u n g e n t e *puniente.* Esta yod que
ha absorbido la *g* puede palatalizar la *n* quedando absorbida en la *ñ:* ant. *quiñentos, puñente.*

6. **Continua mas consonante.**—*SC'* da *c* o *z* por asimilación: f a s c i a *haza,* *f a s c i n a *hacina,* *a s c i a t a
azada, asciola *azuela,* fiscilla **ecella encella,* f a s c e

haz, pisces *peces*, damascena *amacena*, miscere
mecer, pascere *pacer*, roscidare *rociar*. La zona
de *z* era parte de Santander, Burgos, el occidente de la
Rioja y el oriente del leonés. El resto de España hizo
sc > cs > iš y en algunas zonas finalmente *š: aišada*,
peiš(e). Las Glosas de Silos acusan nascerint *naiseren*,
con la inversión *sc > cs > is* de la gran zona oriental,
*obveterescitu *obetereiscitu*. En tiempo de Nebrija
el toledano usaba *faisa*. Los documentos toledanos del
siglo XIII acusan la pronunciación burgalesa de *c* confundida con *s*: descendit *desende*. Los dialectos mozárabes ofrecían una palatal en *crešer* y *mešer*; pero esto
no prueba con seguridad una evolución directa de *sc*,
porque hubiera sido lo mismo por intermedio de *c*. El
castellano oficial ha tomado de las zonas de *š peje*, *pijota*,
mejer, *faja*, *fajo*, *fajina* y vascella *vajilla*. GM vocaliza la *g* en *u* velar en unos casos. Esta *u* velar se ha
convertido en *l* en pegma *pelma*, sagma *salma jalma*. En otros se ha reducido el grupo a *m*: stigmare
estemar, pegma ant. *pemazo*. GN vocaliza la *g* en *y*:
pignora ant. *peindra* (luego *pendra prenda*), pignus
ant. *peinos*, tĭgna *teina tena* 'cobertizo', stagnare
ant. *restainar*. La *y* puede llegar a palatalizar la *n*, quedando un tiempo ante *ñ*: signale *seingnale*, esto es,
seiñale en las Glosas de San Millán, o embebida en la *ñ*:
tĭgna *tiña*, lĭgna *leña*, sĭgna *seña*, pĭgnus *peños*,
pugnu *puño*, impregnare *empreñar*, stagnu *es-
taño*, dedĭgnare *desdeñar*, stagnare *restañar*, cognominare ant. *coñombrar*, repugnare *reboñar*,
tam magnu *tamaño*, cognatu *cuñado*, cognoscere
ant. *coñocer*. A veces la *y* es absorbida por la vocal, no
pudiendo palatalizar la *n*: se ha creído que son semi-

cultos dīgnu *dino,* sīgnu *sino,* pero es imposible considerar como semiculto a tīgna *tina tinado.*

20. Grupo de tres consonantes. — 1. El latín había simplificado algunos grupos: farctus fartus, torctus tortus, quinctus quintus. El español siguió reduciéndolos: cinctu *cinto,* sanctu *santo,* *finctoriu *hintero* 'amasadera', *impincta (impingo) *empenta,* campsare *cansar.* Así pudo reducirse *x* anteconsonántica a *s:* dextera *diestra,* sexta *siesta,* mixta *mesta.*

2. Se conservan las tres consonantes si la primera es nasal o *s* y la última *r:* nostru *nuestro,* magistru *maestro,* membru *miembro,* intrare *entrar.* El grupo *str* se redujo a *ss s* en mostrare ant. *mossar* y en magistru *maesso,* nostru *nuesso,* y vostru *vuesso* implícitas en *usía* de *vuessa señoría,* y en el ant. *uced usarced* de *vuessa merced.*

3. Los demás grupos varían. *MPL* da *nch:* amplu *ancho,* comparado con el arag. *amplo.* Es dudoso si *henchir* viene de implere o de *hincho* impleo, si *ancho* viene de *amplu* o de *ampliu.* El aragonés y el riojano dan implere *emplir (implire* en las Glosas de San Millán). El burgalés conoce implere *implar* con la conjugación de *inflar.* El gallego tiene dos verbos *encher* e *inzar* del verbo implere. *NCL* convirtió *cl* en *ch:* conchula *concha,* trunculu *troncho,* *mancula (de macula + mancus) *mancha. NTL* convirtió el raro *tl* en el corriente *cl* y lo convirtió luego en *ch:* canthulu *cancho,* *rehinnitulare *relinchar. NGL* generalmente convirtió el grupo *gl* de la sílaba siguiente en una palatal. En el burgalés central la palatal llegó a hacerse *ch:* cingula *cincha cencha,* cingulu

cincho zuncho. En otras zonas la palatal se confundió con
la *j*, hecha luego faucal: s p o n g u l a *esponša esponja*.
En otras zonas la prepalatal contaminó la *n* anterior,
convirtiéndola en *ñ*: u n g u l a *uña*, s i n g u l o s *seños*,
s p o n g u l a *espuña*, c i n g u l u *ceño,* s i n g u l a r i t a t e
señardad, r i v i a n g u l u *Riaño.* En otras zonas, como
el norte de Burgos, Santander, Asturias y Galicia la palatal fué lateral: sant. *espunlla*, s i n g u l a *cinlla cilla* 'vez',
c i n g u l u *cenllo cello*, gall. u n g u l a *unlla*, s i n g u l o s
senllos. En algún lugar la palatal se confundió con *z*:
s p o n g u l a *espuncia esponza,* si no viene de s p o n g i a.
En otros lugares la palatal se confundió con *d*: s i n g u l o s
sendos, c o i u n g u l a *coyunda,* s p o n g u l a *espundia* y
tal vez *a x u n g u l a *enjundia.* El aragonés y el catalán,
como las zonas del sur, conservaban el grupo: *cingla,
ungla.* El salmantino *jingra* acusa una agrupación romance o un aragonesismo. *NDL* da en unas zonas *ñ*: s c a n-
d u l a *escaña* (como ocurre en el grupo *ngl*, u n g u l a
uña) y en otras zonas da n l l > *ll*: s c a n d u l a *escanlla
escalla* (como ocurre en el grupo *ngl*, sant. s p o n g u l a
espunlla y s i n g u l a *cinlla cilla*). M. P., 72, 5, cita
escaña escalla como palabra difícil, dudando si es diver-
gencia fonética o equivalencia acústica de *ll* y *ñ*. Es
dudoso si *escanda* es regresión de s c a n d u l a, como
quiere M. P., 72, 5, o es evolución fonética de *ndl*, como
ocurre en el grupo *ngl* con s i n g u l o s *sendos*, c o i u n-
g u l a *coyunda,* s p o n g u l a *espundia*, y c i n g u l a *cen-
dea.* No sigue *escaña escalla* la evolución de *almendra*
porque la agrupación es latina, s c a n d l a, mientras que
la agrupación de *glandla landre y *amendla almendra es
romance. *NDL* se convierte en *ndr* y finalmente en *ntr*
en c o r i a n d r u *culantro. NCS* redujo el grupo *CS = X*

7

a una palatal en el ant. cinxit *cinxo*, tinxit *tinxo*, *tanxit *tanxo*, anxiare sant. *anjear*. *LCL* convirtió *cl* en *ch*, perdiendo luego la *l*: calculu *cacho*. *LTR* ha vocalizado *l* en *u* en cultru *cutral*, *acutrar* 'dar segunda reja'. *RCL* convirtió *cl* en *ch*: cicercula *cicercha*, circulu *cercha*, *supercula *sobercha so- brecha*. Eliminó la *r* en sarculu *sacho*, marculu *macho* 'martillo'. *SPL* ha convertido en *ch* el grupo *pl* en crispulu gall. *crecho*. *SCL* convirtió *cl* en *ch*, perdiendo luego la *s*: masculu *macho*, acisculu *aciche*. El santanderino convierte el grupo en *ll*, per- diendo la *s*: masculu *mallo* 'el maslo de la cola'. *STL* cambió el raro *tl* en el común *cl* y lo convirtió luego en *ch*, perdiendo la *s*: pestulu *pecho* 'cerrojo', assula *astla *ascla ha conservado el grupo *scl* en el rioj. *ascla*, como toda la España oriental. *CCL* dió *ch*: socculu *zocho*. *FFL* se ha convertido en *ll*: suf- flare *sollar*, afflare *hallar*. El aragonés conserva el grupo: *soflar*.

21. **Grupos finales.**—*X* vocalizó como intervocálica la *k*: sex *seis*, vix *veiz = veis* en las Glosas de San Millán. El diptongo *ei* de *veis* se redujo a *e* en el ant. *abés*. La pérdida general de *e* final dejaba como finales otros grupos: *nt: mont, fuent, puent; nd: dond, cuend; lz: dulz, calz, salz; ld: humild; rz: arz; rt: fuert, part, art, cort; st: huest, venist*.

22. **Consonantes con yod.**—1. **Yod latina.**—*IN* da *ñ* en *derruinare ant. *derroñar (Derroñadas)*. *IL* da *ll*: suile *zolle *azolle*. *LI* se hizo *j* prepalatal luego faucal: aliubi ant. *ajubre*, virilia *verija*, meliore *mejor*, caryliu *garojo*, aquilia *guija*, doliu *dojo dujo*, soleatu sant. *sojado*, palea *paja*, folia *hoja*,

filiu *hijo*, ervilia *arveja*, gurguliu *gorgojo*, malu
foliu *marojo*, *sumerguliu *somormujo*, muliere
mujer, cilia *ceja*, similiare *semejar*, aquileata
aguijada, mortualia *mortaja*, sponsalia *esposajas*,
sedilia ant. *seija sija*, cubilia *cobija*, y los topónimos
Aurelia *Oreja*, Aureliana *Orejana*. El mismo resultado dió *lli*: alliu *ajo*, *galleu *gajo*, en grupo
secundario colli(g)ere *coger*, y en fonética sintáctica
illi *ĭllu gelo*. La antigua prepalatal se ha mantenido
en algunas palabras, convertida en *ch*, como serralia
acerrachos en el Valle de Tobalina de Burgos de *cerraša*,
antecedente de *cerraja* planta, en Santander en caryliu
garucho y en el norte de Madrid en *calucho*, ambos de
carošo, antecedente de *carojo garojo*. No sabemos si está
en este caso cochleare *cuchara* o si tiene *ch* por tener
li precedida de consonante o por influencia de *cuchillo*.
La *ž j* procedente de *li* es probable que en los comienzos
fuera *ll, muller*; pero en las zonas donde *cl gl tl* daban *j*
el caso de *li* se asimiló a él. Lo mismo que en estos
grupos, *li* acabó por dar una prepalatal central, *ž* o *š*
en las dos vertientes de la Cordillera Cantábrica y en
Castilla, en parte de Palencia y en la región central y
occidental de Burgos en contraste con la *ll* de Santander
y de Vizcaya, de la Rioja y Soria, y de los partidos orien-
tales y del sur de Burgos. El vasco ofrece *ll*: cusculiu
kuskuillo, curculiu *korkoillo*, malleare *mallatu*. El
santanderino tiene aún cusculiu *cascullo*, caryliu
caloyo garuyo, malleu *mallo* y malleare *mallar*.
En Soria el Burgo de Osma conserva *garullo*. Los documentos medievales son inseguros, porque es dudoso si las
grafías con *li, Spelia, Gulpeliares*, quieren representar
una *ž, Speža, Gulpežares* o una *ll*. Por otra parte la

difusión del burgalés central fué tan rápida que en el
siglo XII Silos ofrece en sus documentos *destaia*, *maiuelo*
en contraste con sus formas propias con *ll*, *filla*, como
Fenollare luego *Hinojar*. De las zonas de *ll* procede cierto
número de palabras como *piliare *pillar*, mala folia
barfolla, soleatu *sollado*, monilia *manilla* 'pulsera'.
Ni̧ da *ñ*: vinea *viña*, tinea *tiña*, moneo *muño*,
communia *comuña*, aranea *araña*, pinea *piña*,
staminea *estameña*, dominiare *domeñar*, extraneu
extraño, miniu *miñón*, Hispania *España*, trifiniu
Treviño, confiniu *Cohiño Coveña*, Flavinia *Leveña*.
En veneo y teneo la *n* permaneció intacta por las
otras personas. El grupo tras *o* invierte la yod y a la vez
palataliza la *n*: ciconia *cicoiña *cigüeña*, risoneu
*risoiño *risueño*, verecunnia *vergoina* en las Glosas de
Silos, *vergoña*. Mi̧ se conserva, vindemia *vendimia*,
o se invierte, vindemia *vendeima vendema*. Alguna
vez el caso raro mi̧ se ha confundido con el caso frecuente ni̧: cremia *greña* 'gavilla'. *RI* invierte el grupo:
glarea *laira *lera*, area *aira *era*, variu *vairo *vero*,
muria *moira *muera*. La consonante anterior o un diptongo anterior impide la inversión: Monte aureu
Montorio, fonte aurea *Hontoria*, vitreu *vidrio*. Di̧
da *y*: mediu ant. *meyo*, badiu *bayo*, diaria *hiera*
por *yera*, podiu *poyo*, radiu *rayo*, modiu *moyo*,
trimodia *tramoya*, repudiu ant. *repoyo*, carydiu
sant. *caroyo*, oboedientia ant. *obeyanza*. Esta *y* interior tiende a eliminarse tras *e i*: medietate *meyedad
ant. *meedad*, perfidia *porfía*, fastidiu *hastío*, ho-
die *hoye oe hoy*, sedeam *seya sea*, videam *veya
vea*, taediu *teo enteoso*, mediu ant. *meyo meo*, prae-
sidia *presea*, quottidianu *cutiano*, -idiare -*ear*,

y en la toponimia, m e d i a n a *Meana* en Burgos. La
zona de relajación mayor corresponde a Burgos y va conservándose y hasta reforzándose hacia oriente y hacia
occidente. El vasc. *railla* 'raja' y *arrallatu* 'rajar' son
meras reacciones del yeísmo por *arrayatu*, del lat. r a-
d i a r e, y no como supone M. L., 7001 del lat. r a d u-
l a r e. *Di* da *j* prepalatal hecha luego fauèal en i n o d i u
enojo, r e p u d i u *rebojo*, p o d i a r e *pujar empujar*, diur-
n a l e *jornal*. La forma s e d e a m u s *segamus* de las
Glosas de San Millán corresponde a *sejamus*. En gallego
hay *s u f f o d i a r e *sofojar*, s e d e a m *seja*, *i n t a e-
d i a r e port. *entejar*, D i o m e d i a n a ast. *Jomezana*.
Puede la *j* prepalatal llegar a *ch*: r a d i a *racha rachisol*,
*a s s e d i a r e *asechar*, r e p u d i a r e *repuchar*, *r o d i a r e
rochar rocho 'rozo, campo rozado' en Cuenca, *f o d i a r e
*bochar boche tol. *bache* 'hoyo'. M. L., 7071 refiere el
gall. *rachar* 'rajar' a r a s c l a r e, que fonéticamente es
correcto, pero no hay motivo para separarlo de *rajar*. El
catalán conserva la prepalatal - i d i a r e -*ešar*. El aragonés propende también a la conservación, m e d i a n a
mejana. De las zonas laterales del burgalés proceden los
verbos en *ejar*, de - i d i a r e, como *manejar*. Otras veces
ha dado *ç z*: *r a d i a *raza*, b a d i u *bazo*, g a u d i u *gozo*,
*f o d i a r e *hozar*, *r o d i a r e *rozar*, si no procede de
*r u p t i a r e, como admite M. P., 53, 4, 2. *Di* precedido de consonante da *z* ant. *ç*: *e m o r d i u *almuerzo*,
v e r e c u n d i a *vergüenza*, f r o n d i a *fronza*, hordeolu
orzuelo, g r a n d i a *granza*, v i r d e a *berza*. M. P., 53, 3
aduce además A l d e g u n d i a *Aldonza*, *Hinnegundia
ant. *Enneguenza*. Se conservaba *di* en v e r e c u n d i a
vergundian 'se avergüenzan' de las Glosas de San Millán.
Ha dado *ch* en *f r o n d i a l e s ant. *Fronchales* mod.

Bronchales. Dió una consonante ž, que convirtió en ñ̃
la *n* anterior, en *perpendiu *perpiaño.* *Pi* tuvo una
metátesis temprana en capiat *caipa *quepa,* sapiat
*saipa *sepa.* Si hubo transposición, fué más tardía en
mancipiu *mancebo.* No ha habido transposición en
sepia *jibia.* *Bi* en unas zonas se ha conservado: rubeu
rubio, pluvia *lluvia,* rabie *rabia,* *noviu *novio,*
cavea *cavia *gavia,* labiu *labio,* *anteobviare
antuviar, *gubbeu *(gubbus) *agobiar,* *leviànu *liviano,* *Segovia, Cavia* (Burgos), *Borobia* (Agreda, Soria). El
pirenaico conserva *fovia,* como el vasco *obia.* En una
zona noroeste se invierte a veces: gall. *noivo, choiva,*
roibo, raiba. Supone una antigua inversión Borobia
Boroiba Burueba de Burgos. En otras zonas bi̯ ha dado
y: rubeu *ruyo *royo,* fovea *hoya *fuyo* en el F. Juzgo,
ed. Acad., p. 145, gavia *gayón* en el Alexandre, 2115,
*anteobviare *antuyar* en el Voc. de Palencia, ha-
beam *haya,* *gubbeu *(gubbus)* sant. *auyar,* caveola
Cayuela en Burgos, Covianca *Coyanca* en León. Un
grupo secundario ha dado también *y* en verbu *vierbo*
yerbo, vespa *viespa *yespa,* verme *vierme *yerme.* Se
ha producido a veces *j* prepalatal hecha luego faucal:
bubia *boja,* tibia *tija,* *leviariu *ligero,* alleviare
alijar. Son galicismos el ant. *sage* y *sargentes.* El catalán
hace š: pluvia *plutja.* El asturiano hace *antuxiar.* No
se sabe si es de fovea o de *fodiare el tol. *juche* y
el cast. *boche, -o, bochuelo.* La localización de cada uno
de los tratos es difícil por el predominio eliminatorio de
algunas formas. Zonas de *ruyo* de Burgos ofrecen hoy la
forma *rubio,* ant. *Cuevas Ruyas.* M. P., *Oríg.,* 48, observa
que domina en la toponimia *royo* en Aragón, Rioja, Burgos y Soria, mientras que domina *rubio* en Santander,

reino de León, Segovia, Cuenca y Toledo. *Rojo* puede
derivar fonéticamente tanto de *rŭsseu* como de *rŭbeu*.
Gi̥ da *y*: fagea *haya*, exagiu *ensayo*, fugiam *huya*,
Tugia *Toya*, Legione ant. *Leyone*. Esta *y* tiende
a eliminarse tras *e i*: corrigia *correya correa*, pu-
legiu *poleo*, *fastigiale *hastial*, Legione ant.
Leyone León. Precedida de consonante ha dado *z* en
spongia *esponza* y ha dado *j* en axungia *ajonjo*
sor. *jonje*. *Gi̥* tiende a invertir la *i* a la sílaba anterior:
basiu *baiso beso*, segusiu *sabueso*, lausia *losa*.
Cuando no se invierte, el grupo *si* da *j*: segusiu *sa-
bejo*, phaseolu *frijuelo*, *laesiare *lijar*, lausia
laja (con reducción del diptongo *Loja* en Granada y
con conservación *Laujar* en Almería), sub eclesiola
Sogrijuela, eclesia alba *Grijalva*, eclesia alta
Grijota. El gallego palataliza *s* después de la inversión
is: basiu *beijo*. La palatal *j* ha llegado a *ch* en car-
baseu *carbacho*. *Ci̥* da *ç* y luego *z:* focacea *hogaza*, vicia *veza*, ericiu *erizo*, minacia *menaza*,
pellicea *pelliza*, setaceu *cedazo*, coriacea *coraza*,
cappaceu *capazo*, furnaceu *hornazo*. Lo mismo da
que vaya precedido el grupo de consonante: *arcione
arzón, lancea *lanza*, calcea *calza,* urceu *orza*,
cerciu *cierzo*, post cocceu *pescuezo*, Porcianu
arag. *Loporzano*. No por evolución fonética, sino por
confusión con el sufijo *-acho* se ha hecho *hornacho* de
hornazo y *capacho* de *capazo*. *Ti̥* a partir del siglo II
convirtió la oclusiva en africada semejante a *ts*, y al fin
en romance da *ç*, convertida luego en *z:* vitiu *vezo*,
matea *maza*, platea *plaza*, lautea *loza*, ratione
razón, malitia *maleza*, tristitia *tristeza*, acutiare
aguzar, puteu *pozo*, titione *tizón*, capitiu *cabezo*,

potione ant. *pozón*, *tritiare *trizar*. En general
da también *ç* y luego *z* aunque vaya precedido de consonante: mattiana *mazana manzana*, *frictiare
frezar, *tractiare *trazar*, *strictiare *estrizar entrizar*, collacteu *collazo*, *coctiare dial. *cozar*. Se
dan sin embargo algunos casos vacilantes. *NTi̯* ha seguido la ley general en antea *anza*, *anzes* en las
Glosas de Silos con terminación analógica: *puntiare
(punctus) *punzar*, lenteu *lienzo*, argenteu *arienzo*,
Quintianu arag. *Quinzano* y el suf. -antea *-anza*,
-entea *enza*, sementia *simienza* (Guadalajara); pero
ha dado *nch* en *puntiare *punchar*, y *pintiare
pinchar, y en grupo secundario en Sancti Adriani
Sanchidrián. *RTi̯* sigue la regla general en martiu
marzo, fortia *fuerza*, scorteu *escuerzo*, *confortiu
cogüerzo. Lo mismo hace el grupo *rpti̯:* *excarptiare
escarzar. *PTi̯* sigue la regla general de *ç z* en captiare
cazar, *reexcreptiare ant. *rescriezo resquicio* y el
sor. *recliz* por *recriz* de *rescrezar*, *ruptiare *rozar*
(si no procede de *rodiare), dies aegyptiacus
aciago. En distinta zona ha dado *j:* *accreptiare
ant. *agrijar agrija* 'grieta' (si no ha influído hendija).
En la zona oriental la palatal llega a africada: *excrep-
tiare cat. *escletxar escletxa*. Es dudoso si *escarchar* viene
de *esclechar* o de *exquartiare*. *STi̯* sigue la evolución
de *sc*. En el burgalés y zonas próximas se produce *ç (c z):*
ustiu *uzo*, (Ucero, *antozano*), gurgustiu *gorgozada*,
comestione *comezón*, musteu sor. *amuzado*. El judío
español conoce angustia *angucia*. Las demás zonas
españolas dan una palatal, que a veces llega hasta *ch*,
pasando algunas veces a la lengua común: bestia *bicha*,
musteu *mucho*, angustia ant. *angoja (congoja)*,

*quaestiare *quejar*. En zonas en parte coincidentes con las de *sc > j* se da *j* o *ch*: ustiu *ujo*, Ujo en Asturias, ante ustiu ast. *antoxana*; gall. usteolu *ichó*, christianu *creschao*, Sebastianu *Savaschao*, comestione *comichón*. RQI convierte en *ch* el grupo *qui*: *torquiare *torchar torcho tocho*.

2. **Consonantes con yod romance.**—*AIN* se ha conservado en sartagine *sartaina*, plantagine arag. y rioj. *plantaina*, ferragine *herrain*; se ha reducido la yod sin cambio en la *a* ni en la *n* en *sartana*, propagine *probana*, voragine *brana*; la yod ha palatalizado simplemente la *n* en *sartaña, herrañes, raña, probaña, braña*; la yod se ha combinado con la *a* anterior haciendo *e* en *sartén, herrén, probena*, y *brena*; y a la vez se ha combinado con la vocal y ha palatalizado la *n* en *probeña, breña*. *OIN* ha hecho que la yod palatalice la *n* en aerugine *eroina roña*. *LI* ha dado *ll* en levo *lievo llevo*, levitu *liebdo lleudo*. *BI* ha dado *y* entre los judíos: verbu *vierbo yerbo*, verme *vierme yerme*, y en Alava vespa *viespa yespa*.

23. **Consonantes con wau.**—*QUA* inicial se mantiene tónico: quattuor *cuatro*, quadru *cuadro*, quale *cual*, coagulu *cuajo*, quantu *cuanto*; pero pierde el wau si es átono: *quassicare *cascar*, quattuordecim *catorce*, quassare *casar*, qualitate *calidad*, qualania *calaña*, aunque por influjo de *cuatro* hay *cuarenta* y *cuaresma*, vacilando quasi, como tónico *cuasi* y como átono *casi*. No inicial se conserva sea tónico o átono: adaequare *aiguar eguar*, aqua *agua*, equa *yegua*, antiqua *antigua*, aequale *igual*; o se pierde: nunquam ant. *nunqua* mod. *nunca*, torquatiu *torcazo torcaz*, squama *escama*. En algunos dialectos se

da la inversión del wau en sílaba final: a q u a gall. *auga*. Esta inversión se cumplió en s i l i q u a **saleuga saluga*, *jaruga*, etc. *QUO* se mantuvo tónico: q u o m o d o ant. *cuomo* y por confusión con el diptongo *ue* dominante *cuemo* y por el juego *ue* y *o* de tónica y proclítica *como*. Atono perdió el wau: a l i q u o d *algo*, s e q u o *sigo*, a n t i q u u *antigo* (luego *antiguo* por *antigua*). *QUE QUI* perdía desde el latín el wau y no tiene presencia en romance: q u i d *que,* q u e m *quien,* a q u i l a *águila,* q u a e r e r e *querer,* s e q u e r e *seguir,* c o q u e r e c o c e r e *cocer.* *DUA* ha sufrido la inversión del wau en v i d u a *viuda*. La *u* anteconsonántica se ha hecho en ciertas zonas *l,* v i d u a *viuda bilda,* como en el caso *cibdad cildad, recabdar recaldar. NUA* ha perdido el wau: i e n u a r i u *ienero enero. BRUA:* f e b r u a r i u *hebrero febrero. TUE:* b a t t u e r e *batir.*

24. **Grupos romances de consonantes.**—En algunos casos la condición de latino o romance de un grupo sólo la apreciamos por el resultado fonético. El español *tilde* viene de t i t u l u y no del tipo t e t l u del CIL, 5627, que hubiera dado *tejo. Espliego* supone **espeglo* y el culto s p i c u l u, como *baglo* supone b a c u l u. *Tabla* supone t a b u l a frente a t r i l l o que supone t r i b l u.

25. **Grupos iniciales romances.**—El grupo romance inicial más importante es el de oclusiva y *r. CR* se trata como el latino, pudiendo sonorizarse la *c:* c a r m i n a r e **cramar gramar,* q u i r i t a r e **critar gritar,* lo mismo que el grupo latino c r e p i t a *grieta. PR* puede sonorizar su *p:* p o r c i n u **procino brocino,* lo mismo que el grupo latino p r a v u *bravo,* y p r u n e u *bruño. DR* se conserva **directiare* ant. *drezar.*

26. **Grupos interiores romances.**—Algunos grupos

evolucionan como sus iguales latinos, pero otros siguen distinta evolución.

1. **Consonante mas** *l.* – Evoluciona la consonante como intervocálica con algunos cambios. *C'L* se convierte en *gl*, que puede metatizarse, si es que no ha llegado a la agrupación ya en el estado *gl* por sonorización anterior a la pérdida de la vocal postónica: macula **magla mangla,* miraculu *miraglo milagro,* saeculu *siglo,* periculu *periglo peligro,* spiculu **espeglo esplego espliego,* sicula **segla selga* y mozár. *acelga.* *G'L* se conserva: regula *regla.* Ha pasado *l* a *r* en ligula *legra* por disimilación. Los ejemplos citados en el grupo *c'l* es posible que correspondan a esta agrupación romance *g'l.* *P'L* se reduce a *bl:* copula *cobla,* populu *pueblo.* El grupo *bl* puede pasar a *br: cobra.* El grupo *bl* se ha reducido a *l* en populu *pola puela polación* de la zona norte. *T'L,* considerándose en distinta sílaba la *t* final de sílaba, se ha hecho *d,* y se ha asimilado al caso de *dl,* invirtiendo luego las consonantes: saltu longu *Sot(o) Luengo *Sodluengo Solduengo* y *Solluengo.* *D'L* procedente de *d'l* o de *t'l* latinos se conservaba: Theodila ant. *Tiodla.* Pero pronto se invirtió el grupo: spatula *espalda,* remutilare *remoldar,* capitulu *cabildo,* anethulu *aneldo eneldo,* foliatile *hojalde,* titulare *tildar,* rotulare *roldar,* Villa Theodila *Villatuelda* (Burgos). En algún caso *ld* se ha hecho *nd: rolda ronda.* Es posible que *escamondar* no venga de mundare sino de caput mutilare por **escamoldar.* Otras veces el grupo *dl* se ha hecho *dr:* alaudula **alodra alondra* con la *n* de *calandria,* foliatile **hojadre* con la *l* de *hojalde* y acaso calathulu *colodro.* *B'L* se conserva: tabula

tabla, nebula *niebla*, ebulu ant. *hiebla*, mobile *moble*, movibile *moeble mueble*, nubilu *nublo*, stabulu *establo*, fabulare *hablar*. Se ha invertido el grupo en sibilare *silvar*, tubula *tolva*. En la zona norte se reduce a *l* en fabulare *falar*. El grupo *bl* se hace *br* en algunas zonas: stabulu *estrabo estrabil*, ebulu ant. *Hiebla Hiebra*. *B'L* procedente de *p'l* latina vocaliza *b* en *u* en *papilella (papilio) *paulilla polilla*. Se ha conservado el grupo en caput levare ant. *cablevar*. *M'L* se conserva hasta el siglo xi en algunas palabras: Flammula *Flamla;* pero pronto o intercala una *b* o se invierte. Intercala una *b* en similare *semblar*, simile *semble*, tremulare *tremblar temblar*, cumulare sant. *comblar*, mammula *mamla mambla*, Flammula sant. *Llambla*. El grupo secundario *mbl* convierte la *l* en *r* en simul *sembla sembre sembra*, excumulare *escombrar,* Flammula *Lambra*, mammulella *Mambrilla* (Burgos). El grupo *ml* se ha convertido por metátesis en *lm* en cumulu *colmo*, tumulu *tolmo tormo*, cymula *quilma*. *N'L* en fonética sintáctica ha dado *nn > n: en la enna, en los ennos*. En las Glosas de San Millán *ena, enos, cono.*

2. **Consonante mas** *r.* – Evoluciona la consonante como intervocálica. *P'R* se convirtió en *b'r:* paupere *popre *pobre,* lepore *lepre liebre, opera *huebra*, aperire *abrir*, superare *sobrar*, recuperare *recobrar.* Hay algún caso de metátesis, como el vulgar *probe*. Es de una zona de conservación de sordas papaverina mozár. *paperina* **paprina pamplina. T'R* se convirtió en *dr:* reiterare *redrar,* *laterellu *ladrillo,* vetere *viedro (Pontevedra* y *Murviedro)*, cathaaracta ant. *Cadrectas* y *Cadrechas* (hoy *Caderechas* por

reacción de *derechas drechas)*. En b u t y r u sant. *buro*
se vocalizó *t* en *i*, como en p e t - r a *peira*. *B'R* se
conservó: b i b e r a r e *abebrar*, r o b o r e *robre*, l i b e r a r e
librar, r o b o r a *robra*. Luego se ha metatizado *abebrar*
en *abrevar*. El grupo *br* se ha hecho *bl* en r o b r e *roble*
por disimilación. *V'R* en Cataluña vocaliza *v* en *u:*
v i v e r e *viure* y en mozárabe se vocalizó también: p a -
p a v e r a *hababaura ababol*. *D'R* se conserva: h e d e r a
hiedra, R o d e r i c u s *Rodrigo*, T h e o d o r e d u s ant.
Todredo. *F'R* se hizo *br:* b i f e r a *bebra*. Por metátesis
bebra se ha hecho *breva*. *C''R* puede convertirse en *dr*
por confusión de *d* y *z* final de sílaba, como s i c e r a
sizra sidra (M. P., 56,3 supone una forma *sizdra* como
yazdrá), y puede conservarse, a c e r e *azre*. Puede sufrir
el grupo una inversión, *azre arce*. Se ha vocalizado *c* en *i*
en f a c (e) r e **haire har* de *haré*. *M'R* intercala *b:*
h u m e r u *hombro*, c a m m e r a *cambra*, m e m o r a r e
membrar, c u c u m e r e *cogombro cohombro*, *temeré* ant.
tembré, *comeré* ant. *combré*, Zamorano *Zambrano*. *N'R*
intercala *d* en h o n o r a r e ant. *ondrar*, c i n e r e *cendra*,
t e n e r e h a b e o *tendré*, v e n i r e h a b e o *vendré*, p o n e r e
h a b e o *pondré*, i n g e n e r a r e *engendrar*. En otros casos
se invierte: V e n e r i s *viernes*, g e n e r u *yerno*, t e n e r u
tierno, c i n e r a t a *cernada*, ant. *porné*, ant. *verné*, ant.
terné, ant. h o n o r a t o s *ornados*. La lengua vulgar y
algunas regiones conservan el grupo: *tienro, yenro,* ant.
venrá, tenré, ponrá, el cual se ha mantenido en h o n o -
r a r e *honrar*. De m a n u r u p t a *manrotar* se hizo el
vulgar *marrotar*, y el culto *malrotar* por influjo de *mal,*
y luego *marlotar* por inversión. *L'R* se ha invertido en
c o l o r a r e *corlar*. Se ha convertido *lr* en *dr* en m e -
l i o r a r e *medrar, salir ha saldrá, valer ha valdrá, toller ha*

ant. *toldrá, doler ha* ant. *doldrá, moler ha* ant. *moldrá.*
Se mantenía *lr* en la lengua antigua: *salrá, valría, tolríe.*

3. **Oclusiva mas consonante.**—*P'T* se conserva algún
tiempo y al fin se reduce a *t,* como el grupo latino:
r e p u t a r e ant. *reptar retar,* c r e p i t a **crepta grieta.*
B'T se reduce por asimilación a *t,* como el grupo latino
pt en m a l e h a b i t u *malato.* En la zona oriental *bt*
vocalizó *b* en *u, malaut,* pudiendo pasar *u* a *l* velar:
malalt. B'D, V'D se conservó hasta el siglo xv, pudiendo
proceder el grupo de *p'd* o *p't,* de *b'd v'd* o de *b't* latinos:
t r i p e d e *trebde,* c u b i t u *cobdo,* a p o t h e c a ant. *ab-
dega.* Luego en unas zonas *b'd* vocalizó *b* en *u:* c u b i t u
cobdo coudo, c a p i t a l e *cabdal caudal, *r e c a p i t a r e
recaudar,* t r i p e d e s *treudes, *r a v i d a n u *raudano
roano,* r a v i d u **raudo *rodo rodeno,* r a p i d u *rabdo
raudo,* civitate *ciudad,* d e b i t a *debda deuda,* l a p i d e
labde laude, b i b i t u *bebdo beudo* (moderno *beodo),* l e -
v i t u *lieudo, *e x s a p i d u enjábido jaudo.* El grupo *bd*
se asimiló en otras zonas, produciendo *d:* c o b d o *codo,*
c i b d a d *cidad, *r e c a p i t a r e recadar,* d u b i t a r e
dudar, *c u p i d i t i a cobdicia codicia. Igualmente en
catalán: **e x c r e p i t a r e *escrebdar esquerdar* 'rajar'.
Otra solución del grupo *bd* es la metátesis: l e v i t u
liebdo liedbo en Guadalajara. La *u* velar en algunas zonas
se hizo *l: dubdar duldar, cibdad cildad, cobdo coldo,*
t r i p e d e s *treudes treldes,* l e v i t u *lieudo lieldo.* Un trato
raro es el de *l* hecha *n* en el santanderino l e v i t a
llenda yenda. P'N se asimiló en *mn:* R a p i n a t u ant.
Ramnado. T'M convierte *t* en *d:* s e p t i m a n a *setmana
sedmana.* El grupo *dm* en el castellano central se reduce
a *m, semana,* S e p t i m a n c a *Sedmancas Simancas,* pero
en zonas distintas *d* se hace *l, selmana. T'N* con pro-

nunciación disilábica ha sonorizado la *t* final de sílaba,
asimilado al caso de *dn*, invirtiéndose este grupo: c a -
t e n a t u *cadnado candado*, r e t i n a *riedna rienda, y
s e r o t i n u **seruedno seruendo*. El resultado hubiera sido
el mismo en el encuentro de *dn* que en el de *tn*, como
ocurrió en p e c t i n a r e *peitnar *pednar pendar. *D'M*
procedente de *t'm* latinos cambian la *d* en una continua
z o *s:* m a r i t i m a *marisma*, e p i t h e m a *bizma*. En
algunas regiones *d* se ha hecho *l: bilma*. Se invierte
en l e g i t i m u *lidmo lindo. Se conservó el grupo en
R a d i m i r u ant. *Radmiro,* y luego se asimiló *dm > m*
en *Ramiro,* frente a R a (d) i m i r u ant. *Raimiro Remiro.*
D'N se conservaba: F r i d e n a n d u s *Frednando.* Pronto
dn se asimiló en *n: Frenando* y por metátisis de *r Fer-*
nando. Procedente de *t'n* invierte el grupo en c a t e n a t u
candado, r e t i n a *rienda*, s e r o t i n u *serondo seruendo.*
Pero en otros casos *d* se asimiló a la *n* y el grupo *nn*
se hizo *ñ:* c a t e n a t u ant. *cañado*, s e r o t i n u *seroño.*
La antigua lengua conservaba a veces el grupo *cadnado.*
Procedente de *d'n* se conservaba en el ant. *Frednando* de
F r e d i n a n d u s. *D'G* procedente de *t'c* o de *d'c* se
conservaba en i u d i c a r e *judgar,* r a d i c a r e *radgar.*
La *d* final de sílaba se confundió con *z* en *juzgar,* p e d i c a
piedgo piezgo, e d u c u (o d e c u s + e b u l u m) *yezgo,*
p o r t a t i c u *portadgo portazgo,* m a i o r a t i c u *mayo-*
razgo. La *z* pasó a *s* en **innodi c a r e añuzgar añusgar,*
r a d i c a t a *Rasgada.* La *d* se convierte en *l* en n a t i c a
nalga, de origen leonés. *Portalgo* y *mayoralgo* han podido
rehacerse sobre *portal* y *mayoral,* y *pielgo* sobre *piel.* El
leonés conoce *julgar.* Es raro t r i t i c u *trigo* ant. *trídigo,*
que con la forma occidental *triigo* hace pensar si sería
por una anulación precoz de *d* interior. *B'C'.* En o r i -

fice *orebce* la *b* se ensordeció a veces, *orepce,* y por
metátesis *orezpe orespe.* En *avice *abce* se produjo ya
la vocalización, *auze, auzanieves,* ya la asimilación *bc* > *c,*
acinieves en Palencia. *D'C'* se conserva en parte de los
judíos de Oriente, pero se ha reducido a *c* en la lengua
común: duodecim *dodze doce,* tredecim *tredze trece,*
sedecim ant. *sedze;* y lo mismo tras *n r:* undecim
ondze once, quindecim *quindze quince,* quattuordecim *catordze catorce. D'S* se conservaba en Ado-
sinda *Adsenda.* Pronto se asimiló *ds* en *ss: Assenda.*
B'M da por asimilación *mm m:* caput mutilare
escamujar, caput mundare *escamondar. B'N.* Un
antiguo *lábena* acusado por el ast. *llábana* de lamina
ha dado las formas dialectales *launa* y *llauna* con vocalización de *b* en *u.*

4. **Continua mas consonante.**—*S* mas consonante
se conservan en el estado en que se llegó al grupo.
S'C: rasicare *rascar,* *quassicare *cascar,* Vesĭca
Vesga, resecare *rasgar. S'T:* *sessitare *asestar. S'N:*
asinu *asno,* eleemosyna *limosna,* Sisenandus
ant. *Sesnando. C''K* reduce *c'* a *s:* *obryzicare *briscar.*
C'G, procedente la *g* de *c:* *impicicare (pix)
empesgar. C'D se conservó algún tiempo, pero se redujo
luego a *z:* placitu *plazdo plazo,* *amicitate *amizdat*
ant. *amizat,* recitare *rezdar rezar. C'M* se conservaba: Ricimiru ant. *Rezmiro. C''N* se conserva con-
fundiéndose a veces *c* con *s:* duracinu *durazno
durasno,* ricinu *rezno resno,* *roticinu *rodezno ro-
desno,* *torricinu *torrezno torresno,* cicinu (cygnus)
cisne, *acinale *aznal* 'cesto de vendimia'. Con *c* romance: *titionare *tizonar tiznar* y *tisnar. C''T* conserva el grupo con confusión de *c'* con *s:* *amicitate

amistad, *m a l e f i c i t a t e ant. *malvestad.* P l a c i t u
*placto pleite es un aragonesismo (M. P., 60, 2). Hay
metátesis en *a m i c i t a t e **amiztad *amitzad* ant. *amizad*
y en p l a c i t u **plazto platzo plazo. G'' N* da *ñ:* p r o-
p a g i n e **probagna probaña,* v o r a g i n e **voragna braña,*
a e r u g i n e **erogna roña,* s a r t a g i n e **sartagna sartaña.*
Pudiera pensarse también que hubiera sido la pérdida
de *g* anterior a la de la vocal postónica y entonces habría
que explicar la *ñ* por un estado **probaina *voraina,* etc.
G''K se ha asimilado a *cc:* *f i g i c a r e ant. *ficar,* o
la *g'* se ha interpretado como *n, fincar. G''T* da *t:*
d i g t u (d i g i t u s) arag. *dito. G''D* da *d:* f r i g i d u
frigdu ant. *frido* y ant. *fredo* frente a f r i (g) i d u *frío.*

5. **Nasal mas consonante.**–*M'D.* La *m,* conservada
un tiempo *(semda, limde),* se hizo *n:* s e m i t a *senda,*
a m i t e s *andas,* l i m i t e *linde,* c o m i t e *conde,* r e i-
m i t a r i *rendar,* d o m i t u *duendo,* S a n c t i E m e t e r i
Santander. M'N se conservó algún tiempo. Las Glosas
de San Millán ofrecen h o m i n e *uemne,* las Glosas de
Silos f a m e n *famne,* l i m i n a r e s *limnares,* y otros
documentos del siglo XI y XII l u m e n *lumne,* s e m i-
n a r e *semnar,* y perdura aún este grupo en Berceo. El
grupo *mn* en una zona central de Santander, Burgos,
occidente de Rioja y Soria y oriente del leonés se convierte a partir del siglo XII en *mr.* El oriente leonés
mantiene el que más este estado *mr* en el siglo XIII, y
aun hoy persisten v i m e n *vimre brime* y **d e n t a-
m e n dentamre dentabre.* Es posible que *Peña Labra* sea
de l a m i n a, como lo es *lambra* en la zona de *dentambre.* Santander, Burgos y las zonas inmediatas orien-
tales convierten a partir del mismo siglo XII *mr* en
mbr, intercalando *b: omne omre ombre,* a c i d u m e n

acigüembre, d e n t a m e n *dentambre,* f e m i n a *hemna*
hembra, v i m e n *mimbre,* l u m e n *lumbre,* *c o n-
s u e t u m e n *costumbre,* l a m i n a *lambra lambria,* s e-
m i n a r e *sembrar,* n o m i n a r e *nombrar.* En documentos
burgaleses hay sin embargo con frecuencia *omes* por
ombres. La zona mayor del asturiano y del leonés reduce
mn por asimilación a *m: ome, dentame, costume, semar.*
En el gallego y zonas inmediatas no se produjo el grupo
mn por pérdida anterior de la *n* intervocálica: *homee,*
semear semiar. En l a m i n a se produjo en zonas del
oriente y sur de España y en Asturias **lábena,* y el grupo
no fué *mn* sino *bn, labna launa:* el asturiano conserva
llábana sin llegar a la agrupación. *N* mas consonante se
conserva en general, aunque con posible permutación de
n en *l* o *r,* excepto en el caso de *nf. N'T* se ha mantenido: r e p o e n i t e r e *repentir. N'D* se ha mantenido:
v i c i n i t a t e *vecindad,* b o n i t a t e *bondad,* r e p o e n i-
t e r e ant. *rependir. N'G* procedente de *n'c* se ha mantenido: d o m i n i c u *domingo,* t u n i c a *tonga,* m a n i c a
manga. Se ha convertido *n* en *l* en c o m m u n i c a r e
**comunegar comulgar. N'B* ha convertido *n* en *l* en
O n u b a *Huelva. N'M* cambia la *n* ya en *l:* a n i m a
alma, ya en *r:* m i n i m a *merma. N'F* se reduce a *f:*
m o n t e f r a c t u *Mofrecho,* b e n e f a c t o r i a ant. *ben-*
fetría befetría behetría, m a n u f e r i r e *maherir,* Sancti
F e l i c i s *Sahelices,* Sancti Facundi *Sahagún,* M o n t e
F e r d i n a n d u *Moernando,* M o n t e F o r t e *Mohorte,*
Tor de don Felez Tordueles.

6.   *R* **mas consonante.—**Se conserva en el estado en
que se llegó al grupo: c o l o r a r e ant. *corlar,* c o r o-
n a r e ant. *cornar,* e r e m u *yermo,* a m a r i c a r e *amar-*
gar, *s a p o r i c a r e *saborgar,* a u c t o r i c a r e *otorgar,*

veritate *verdad*, sorice ant. *sorze*, mauricellu
morcillo. La *r* se ha hecho *l* en goruthu *goldre*. *Rl*
se ha hecho *rn* en pirulu pal. *perno* 'cermeña'. En
el infinitivo *rl* ha dado *ll*: *serville, decillo*.

7. **L mas consonante.**—Se ha mantenido, menos en
el caso *lc*. *L'T* se conserva: legalitate *lealtad*. Caso
semejante es el de *fallitu *falto*. *L'G*, procedente la
g de *c*, se conserva: aliquod *algo*, delicatu *del-*
gado, famelicu *hamelgo*, *pulica *pulga*, salicariu
salguero, filicaria *helguera*. Este grupo es también
resultado de *ll'c*: gallicu *galgo*, *follicare *holgar*,
*fullicare leon. *olgar* 'hollar'. *L'D*, procedente la *d*
de *t*, se conserva: anhelitu *anéledo aneldo, crude-
litate *crueldad*, *Toledanos Toldanos*. *L'C'* ofrece en
unas zonas la conservación: calice *calce* (o *claz* con
metátesis), salice *salce*, convertida a veces *l* en *n:*
ilicina *elcina encina*, convertida a veces *l* en *r:* ulice
urce, en otras con vocalización de *l* en *u:* calice *cauce*,
salice *sauce*, con palatalización de *c* en la zona mozárabe: calice *alçauchil*, y en otras con reducción del
grupo *lc* a *z: caz, saz*, ulice *uz*. *L'S* se conservaba
en el ant. Elisontia *Elsonza*. Se ha metatizado en
Eslonza.

7. **Continua y muda mas** *r*.—Se conserva: ant. *con-*
sintrá, atendríe, mintrá, partremos, vençríen.

8. **Oclusiva entre líquida y nasal o entre nasal y**
líquida o entre dos nasales.—Puede conservarse y a veces
sonorizarse si es sorda y se conserva si es sonora, con
algún cambio posible de la nasal o líquida. *LT"N* sono-
rizaba *t* haciéndose *ldn*: saltu novale *Salt noval*
*Saldnoval, y por metátesis *Sandoval*, y por otra parte
vocalizaba *l* en *u: Sot noal*. *LT'R* tras *a* vocaliza *l*

en *u* y se conserva el grupo *tr:* a l t e r u **autre otro*. La gran zona oriental conserva el grupo. En las Glosas de San Millán y de Silos *altros*, como en Aragón y Cataluña, si no son cultismos, como cree M. P., *Oríg.*, 20. Tras vocal posterior se vocaliza *l* en *i* y se conserva el grupo *tr:* v u l t u r e *boitre buitre*. La *i* se ha reducido en v u l - t u r i n o *botrino*. *LLT"R* se reducía a *ltr:* **pulteru* por p u l l i t r u ant. *poltro*, mod. *potro*. *NT'R* se ha conservado: d u m i n t e r i m *domientre mientras, mentirá* ant. *mintrá, consentirá consintrá*, G u n t h e r i c u ant. *Gontrigo*. *NT"L* no ha podido mantener su difícil arti- culación y se ha resuelto con metátesis de *l* o reducción a *l*, con conservación o sonorización de *t*. En e v e n - t i l a r e **abentlar* se ha producido la metátesis de *l* en *ablentar* de Aragón, Rioja y Soria y *aulentar* de parte de Soria, y **albentar* de Salamanca; en la forma **abentlar* y **ventlar* se ha sonorizado la *t*, haciendo *vendrar viendro* (y *brendar* por metátesis) en Salamanca y *ablendar* y y *albendar* en Navarra y parte de la Rioja, que suponen una base **avendlar;* por metátesis de *d'l*, **avelndar*, y pérdida de *n* interior se han producido el burg. y sant. *abeldar, beldar* y *albeldar;* de *belndar* se ha producido *bendar bienda* en Lillo (Guadalajara). Otra solución ha sido la pérdida de la interior *t*, **venlar* y la conversión de *n* en *r*, *verlar* y *averlar* en Toledo, y por metátesis *arvelar* en la Alcarria, o la asimilación de *nl* en *l*, *velar*, *vielo* en Guadalajara. El mismo caso de **aventlar *avendlar* y **ventlar *vendlar vendrar* puede ser el de a l i q u a n t u l e **alguantle alguandle alguandre*, con sonorización de *t* entre *n* y *l*, lo que hace pensar que es una ley fonética normal del castellano el trato *ntl > ndl > ndr*. En el estado *ndl* cabe el hacer vibrante *l*, *ndr*, *vendrar* y por

metátesis *brendar*, o hacer la metátesis en el estado anterior *ndl*, *ablendar*. En *alguandle* era difícil el resultado
algluande, y por eso no se realizó. En el estado anterior
a *ndl*, esto es en *ntl*, *alguantle*, se hizo también vibrante
la *l* y dió *alguantre* de las Glosas de Silos. Un caso de
conservación de *ntl* se ofrece en el ant. *Chintĭla Quintĭla
Quintla Kintla*. Esta sonorización de *t* en el grupo *ntl*
no es comparable a la sonorización del vasco-pirenaico
nt > nd, que no se da en castellano. La objeción obvia
contra mi etimología está en que todos han interpretado
alguandre en el sentido de *aliquando*. Yo creo sin embargo
que el pasaje del Cid, 352, «Longinos era ciego, que
nunquas vio alguandre» quiere decir 'que nunca vió algo,
nada, ni pizca'. El pasaje 1081 «una deslealtança ca non
la fizo alguandre» quiere decir 'deslealtad así no la hizo
tamaña, semejante'. El Dic. Acad. define *alguandre* por
'algo' y 'jamás'. Por otra parte a l i q u a n d o y a l i -
q u a n t u s se interfirieron. En las Glosas de San Millán,
interpretando a l i c o t i e n s, se usa *aliquandas beces*, que es
aliquantas influído por *aliquando;* y en las Glosas de Silos,
126, *alquantre* explica n u n q u a m, esto es, tiene el
valor negativo opuesto de a l i q u a n d o. M. P., *Oríg.*, 77,
explica la terminación de *alquantre*, *alguandre* como analógica de *mientre*, comparable a a l i u b i *ajubre* y al
riojano *allodre* (*algodre* en las Glosas de Silos). *NT'N*
da *ndn* y luego *dn* en a n t e n a t u *andnado adnado,* y
con pérdida de la consonante interior el ant. *annado*, y
con metátesis de *dn andado*, y con conversión de *d* en *l*,
alnado, y con reducción del grupo *ntn > *ntr > ndr
andrado*. *ND'N* convierte *n* en *r*: *lendine *liendre*.
ND'L ha resuelto la difícil articulación convirtiendo *l*
en *r* en *amyndula* (a m y g d a l a) *almendra*, glan-

dula *landra landre* (con la *e* de glande *lande*). De Sindĭla el ant. *Sindla*, con conservación del grupo y *Sinla*, con pérdida de la consonante interior. *ND'R* fonéticamente debe conservarse: Sinderedus ant. *Sendredo*. En *extonitru *estuendro estruendo* ha habido metátesis de *r*. *NG'N* ha facilitado la articulación cambiando *n* en *l* en inguen *ingle*, cambiando *n* en *r* en sanguine *sangre, ingre,* y reduciendo el grupo a *in* en sanguinare *sainar* 'sangrar'. *N'G'L* se conserva: *retinniculare *retinglar*. *NG'L*. En leonés, frente al vulgar latino de Castilla cingla *cincha*, hay cingula *gingra*.

9.   **C o g seguida de un grupo.**—Se vocaliza. *G'N'R* vocalizó *g* en *i* y entre el grupo *nr* intercaló *d* (como en *tendré):* pignorare ant. *peindrar pendrar prendar*. *CT'N* vocalizó *c* en *i:* pectinare *peitnar;* en este estado perdió después de la semivocal la *t, peinar,* o bien se redujo el diptongo *petnar*, y la *t* final de sílaba se hizo *d* *pednar,* y por metátesis *pendar,* como catenatu *cadnado candado*. *CT'R* vocalizó *c* en *i* y perduró el grupo *tr:* pectorale ant. *peitral petral pretal,* pectorile *petril pretil,* *appectorare *apetrar apretar,* lectorile *letril atril,* *benefactoria *behetría*. *CS'N* vocalizó *c* en *i* y se conservó el grupo *sn:* fraxinu ant. *freisno fresno*. *CS'L* confunde *cs* con *s:* Cixĭla ant. *Cisla Fuencisla*. *CS'LL* confunde *cs* con *s:* *axĭllella *aslilla* por *asllilla* con disimilación de las dos elles. *CS'C* confunde el grupo *cs = x* con *s:* *coxicare *coscar*.

10.   **Otros grupos romances de tres.**—Lo normal es la pérdida de la consonante interior. *SC'L:* masculu *maslo* y por metátesis el ant. *malso,* musculu *muslo*.

ST"N: pastinaca *biznaga. ST"L* ustulare *uslar,* *frustularia ant. fruslera,* *fustilariu *uslero.* *ST'C* *semiusticare *chamuscar. SP'T*: hospitale *hostal. SB'T*: presbiter *preste. SC'N*: fiscina sant. *jezna. SC'P*: episcopu *obispo. C'PT*: acceptore *aztor (azor). MP'T*: computu *cuento. MP'D* computu *cuenda.* Se ha citado limpidu *lindo,* que sería foné- tico, pero que procede de legitimu. *NT"C*: Sal- mantica *Salamanca. NT"C'*: pantice *panza. ND'C*: undecim *once. ND'G*: vindicare *vengar,* *pen- dicare *pingar. ND'S*: Gundisalvus *Gonsalbo. RD'G*: submordicare ast. *samorgar. RD'C*: quattuorde- cim *catorce. RG'D*: regurgitare **regordar regoldar.* *RT"C*: cortice *corche corcho. RM'N* ha perdido la *n* en carminare ast. *escarmar,* cast. *gramar* por **carmar.* De un antiguo *escarmar* procede *escarmiento.*

FONÉTICA SINTÁCTICA

27. Algunos casos de fonética sintáctica.—El español
hace en la pronunciación normal y vulgar reducciones
frecuentes, que no registra la escritura. Sin embargo ha
quedado definitiva alguna reducción, como la del antiguo
artículo *ela* .hoy *el* ante *a* tónica, *el(a) alma,* y antes
ante otros casos del femenino, *el(a) Andalucía, el(a) esperanza.* La pérdida de la vocal inicial silábica puede obedecer a la debilidad de su acentuación y a la contracción
en algún caso con el artículo: *la anea la nea.* La *d* puede
perderse intervocálica en fonética sintáctica, igual que
en el interior de la palabra: *la (d)estral* en la Rioja,
la (d)ocena en la lengua vulgar. El artículo ha podido
incrustarse en una palabra, como el sant. *laja,* de *la haja*
f a c u l a y en plural *sajas* de *las hajas,* ár. a d a r a *adra*
ladra en Guadalajara, *el ejío lejío, el hinojo linojo* en
León, *el oso lonso* entre los judíos, como en el vasco
larrosa, larrain por *la harrain* f a r r a g i n e. En contacto
el con una *l* inicial ha podido eliminar ésta, como *el*
lobillo > *el ovillo* g l o b e l l u, *el (l)atril, el (l)adral, el*
(l)ieldo, el (l)iñuelo, el (l)umbral, el aimón (Soria) por *el*
laimón (limón 'vara' del celt. * l e i m), l i m i t e l l u
lendel y *el (l)andel* en Avila, ant. *el (l)imbo,* el bogotano
el (l)amedor. En contacto *las* con una *s* inicial ha podido eliminar ésta, como germ. s a m b o k s *las (s)amugas,*
s i l i q u a *las (s)arugas* en Zaragoza. Al contrario ha
podido incrustarse en la palabra la *s* del artículo plural
las eras seras en Salamanca. El artículo *el* ha palatalizado

ante *i* fundiéndose con la palabra en *el yugo > llugo.* El
artículo *la* se ha incrustado quitando la *l* de la voz por
disimilación eliminatoria en *la lamia > amia,* y el cuba-
no *la lentejuela > antejuela.*

En fonética sintáctica se cumple la sinalefa. Las reglas
de la sinalefa moderna son:

1.ª Si las vocales son iguales se contraen en una,
como *ante el peligro.*

2.ª Si son dos débiles o una fuerte y otra débil forman diptongo, como *si anda, si una, tu honor:* pero en *eu*
se debilita *e,* como *de una;* en *ou* se oscurece *o,* como
oyó una; y ante *i* se suele oscurecer la vocal, como *cuna
y sepulcro.*

3.ª Si son dos fuertes ya se oscurece ya se debilita
una de ellas: en *ae* se produce un sonido medio, como *la
estirpe;* en *ao* se oscurece *a,* como *maldita horrible; oe* se
pronuncia casi *ue,* como *primero hermosa; oa* casi *ua,*
como *tengo andada; eo* casi *io,* como *de honor; ea* casi *ia,*
como *de alzar.*

4.ª Si hay tres vocales débil, fuerte y débil forman
triptongo, como

Si a un infeliz la compasión se niega

5.ª Si hay más se oscurece alguna o se suprime,
quedando el grupo semejante a un diptongo o triptongo:
ioai casi *iai;*

Estos, Fab*io, ¡ai* dolor! que ves ahora.

ioau casi *iau;*   *(Rioja).*

Del Quinto Carlos el palacio *augusto*

(Martínez de la Rosa).

ioaeu casi *iau;*

Tímido el ind*io a Eu*ropa armipotente

(Bello).

La sinalefa de la lengua primitiva, completamente distinta, estaba condicionada por el acento: 1.º No se cumplía la sinalefa entre palabras tónicas; «Echando /esta/ agua con las sues sanctas manos», Berceo, *S. Millán*, 193. 2.º Las proclíticas regulares terminadas en vocal tendían a suprimir ésta ante vocal igual de una tónica, especialmente las preposiciones, *ante, entre, sobre* seguidas de los pronombres *él, éste,* etc., *sobresto, antellos;* ante vocal igual, pero con cualquier palabra, podía contraerse *a, amigo* por *a amigo;* ante vocal igual o diferente se apocopaba la *e* del pronombre átono *me, le* seguido del verbo, *l'a mandado, l'anda;* la preposición *de* ante cualquier tónica de vocal inicial podía suprimir su *e, damor, dotros, doro,* de lo que quedó en la época clásica *dello, desto, dél;* varias proclíticas podían contraerse entre sí, eliminando la vocal más oscura, *sol* (*so el*), *al* (*a el*), *fazal* (*faza el*), *poral* (*pora el*), o formando una si eran iguales, *del* (*de el*), *antel* (*ante el*), *cabel* (*cabe el*), de cuyo uso queda un recuerdo en *del, al.*

La sinalefa clásica es más parecida a la moderna, de la cual la distingue especialmente la apócope: Nebrija, *Gram.,* II, 7, pone como ejemplo de sinalefa «Hasta *qu'al* tiempo de agora vengamos» y dice que el verso de Juan de Mena «Para nuestra vida ufana» se leía «Para nuestra *vid'ufana*», y esto no como convencionalismo métrico, sino que la expresión — «nuestro amigo está aquí» se podía pronunciar «nuestramigo estáqui»: Herrera hacía con regularidad la apócope de los proclíticos *la, que, aunque, de, me, se, le.*

FENÓMENOS FONÉTICOS ESPECIALES

28. Asimilación.–1. La asimilación puede ser entre
fonemas en contacto y a distancia, y puede ser progresiva,
cuando el fonema inductor va antes que el inducido, y
regresiva, cuando el fonema inductor va después que el
inducido. Es un efecto de la asimilación la reducción de
los diptongos, que van lentamente aproximando sus vocales antes de confundirlas en una: *au* en *o, ai* en *e.* Por
asimilación llegan a fundirse en una vocales diferentes
en hiato: *ae* en *e,* c a n n a f e r u l a *cañaherla cañerla,*
y las decenas de las cardinales: s e p t u a g i n t a *setaenta
seteenta setenta,* etc.

2. **La inflexión de vocales** es un caso particular de
la asimilación regresiva. La yod de un diptongo o la yod
implícita de una palatal al ser evocada en la anticipación
imaginativa articulatoria cierra las vocales medias *e o,*
convirtiéndolas en *i u,* o impidiendo en las abiertas su
diptongación en *ie ue.* La inflexión está tan perturbada
por la analogía (sobre todo del primitivo al derivado y de
una forma verbal a otra) que en gran número de casos su
acción fonética es nula. La ī final latina inflexiona *e*
haciéndola *i,* y *o* haciéndola *u,* lo mismo en los verbos
que en las demás palabras. En los pretéritos fuertes, como
f e c ī *hice,* v e n ī *vine,* p o t u ī *pude,* h a b u ī **haubi
uve,* en el imperativo de verbos en *ir:* s e r v ī *sirve,*
m e t ī *mide,* p o l ī *pule,* en los pronombres tĭbī *ti,*
sĭbī *si* (aunque éstos en rigor proceden de la analogía
de m i h i *mī*), y en los nombres, F o n t e I b e r ī *Fon-*

tibre (M. P., 11, 2). El caso más importante es el de la
inflexión por yod. M. P., 8 bis, distingue por etapas las
cuatro clases de yod: 1.ª La que había en *ci ti*, que por
desaparecer muy pronto no produjo inflexión de ninguna
clase. 2.ª La que originó *ll, j, ñ:* la de *ll, j* impide la
diptongación, pero permite la inflexión *e > i, o > u:* la
de *ñ* permite la diptongación y la inflexión *e > i, o > u.*
3.ª La que originó *y,* que de ordinario impide la diptongación de la vocal abierta y vacila en la inflexión o no
inflexión de la cerrada. 4.ª La que originó *ch* o *š* y la
que por varios caminos se ha producido luego en romance,
que impide la diptongación y permite la inflexión *e > i,*
o > u, salvo en el caso *ech,* que permanece. En latín se
acusa la inflexión en las inscripciones: c i p i, f i c i,
v i n i, l i g i de los pretéritos (Schuchardt, *Voc.,* I, 304).
Es un error decir que la *i* final fuera de la conjugación
no inflexiona, fundándose en la forma h e r ī *ayer,* pues
el latín románico no era h e r ī sino h e r e, de h e r ĭ,
profusamente acusado. Una yod latina cerró la *e* abierta
impidiendo su diptongación: t a e d i u *teo,* m ĕ d i u ant.
meyo, *d e s ĕ d i u *deseo,* v ĕ n i o *vengo,* t ĕ n e o *tengo,*
s u p e r b i a *soberbia,* m a t ĕ r i a *madera.* Una yod romance, explícita o implícita en la palatal, cerró la *e*
abierta, impidiendo su diptongación: p ĕ c t e n *peine,*
s ĕ s *seis,* d e s p ĕ c t u *despecho,* l ĕ c t u *lecho,* p e c t u s
pecho, i n t ĕ g r u *enteiro entero,* g r ĕ g e *grey.* Una yod
latina ha inflexionado la *e* tónica haciéndola *i. VI:*
s e r v i o *sirvo,* a l l e v i a t *alivia. BI:* no inflexiona en
s u p e r b i a *soberbia. PI:* s e p i a *jibia,* s c ĭ r p e a
escripia. MI: v i n d e m i a *vendimia. LI* no inflexiona:
c i l i a *ceja,* m e l i o r e *mejor. GI:* n a v ĭ g i u *navío,*
frente a c o r r ĭ g i a *correa. RI:* v i t r e u *vidrio. SI:*

*l a e s i a t *lisia*, e c l e s i a *Ilija*. *NI* cumple la inflexión
en tĭn e a *tiña*, a r m e n i u *armiño*, *r e n i o n e *riñón;*
pero no la cumple en s e n i o r e *señor* (vulg. *siñor*),
s t a m ĭ n e a *estameña*, s a n g u ĭ n e u *sangueño*. No se
produce la inflexión de *e* ante *ti, ci*, porque este grupo
se había reducido antes: v i t i u *vezo*, v i c i a *veza*,
t r i s t ĭ t i a *tristeza*, ni esta yod oscurece la vocal impidiendo la diptongación. Sólo en los verbos, donde las
otras personas con *t* influyeron para evitar la reducción
ti > *z* se produjo la inflexión: p e t i o *pido*, m e t i o *mido*.
Una yod romance ha inflexionado la *e* tónica: t e p i d u
*tebio *tibio*, l ĭ m p i d u *lempio *limpio*, n ĭ t i d u *nedio
nidio*, *p e n d i d u *pindio*, y la *e* átona: d e c e m b r e
diciembre, f e n e s t r a *hiniestra*, g e n e s t a *hiniesta*, t e-
n e b r a s *tinieblas*, s t e r c u s vulg. *istierco*, s e m e n t e
simiente, *d e e x p e r t u vulg. *dispierto*, *f o e t i b u n d u
vulg. *hidiondo*, s ĭ n i s t r a *siniestra*, p ĭ g m e n t u *pimiento*,
vasc. e z k e r r *izquierdo*, y en los verbos en *ir: midió,
sirviera, hirviendo, siguiese.* Son anormales: s t e r c u s
estiércol, s e p t e m b r e *setiembre*, t r e c e n t o s *trescientos, despierto*, v e r r e *verrionda*, *f o e t i b u n d u *hediondo*. La yod implícita de *ñ* no ha convertido *e* en *i*
en i n s ĭ g n i a *enseña*, s ĭ g n a *seña*, d e d ĭ g n a t *desdeña*,
l ĭ g n u *leño*, s i n g u l o s *seños*, pero sí en r ĭ n g i t *riñe;*
y ante ella no se ha producido la diptongación de *e*
abierta: p r a e g n a t *preña*. Por inflexión de la yod final
del diptongo *oi* pasa a *ui* > *u*: m ŭ l t u *muyto muy
mucho*, v ŭ l t u r e *buitre*, t r ŭ c t a *trucha*. Una yod latina cerró la *o* abierta impidiendo su diptongación:
i n ŏ d i o *enojo*, m ŏ d i u *moyo*, h ŏ d i e *hoy*, p ŏ d i u
poyo, m ŏ l l i o *mojo*, *n ŏ v i u *novio*, f ŏ v e a *hoya,
Borŏbia* (Soria). Una yod romance, explícita o implícita

en la palatal, cerró la *o* abierta impidiendo su diptongación: ŏculu *ojo*, cŏlligo *cojo*. Una yod latina ha
inflexionado la *o* tónica cerrada haciéndola *u*. *VI*: plŭ-
via *lluvia*, dilŭviu *diluvio*, anteobviat *antuvia*,
obviat *uya*. *BI*: rŭbeu *rubio*, marrŭbiu *marrubio*,
gŭbia *gubia*, rubeu *ruyo* (*royo* acusa una reducción
bi > *y* anterior a la inflexión), marrŭbiu salm. *maruja*
y port. *marroyo*. *NI*: cŭneu *cuño*, mŏneo *muño*.
LI: mŭliere *mujer*, lŏliu amer. *llullo yuyo*. *DI*:
repudiu *rebujo* (sin inflexión *rebojo repoyo*). *GI* sin
inflexión: arrŭgia *arroyo*, spongia ant. *esponza*.
RI: lŭtria *nutria*, frente a ŏstrea *ostra*. No se produce la inflexión de *o* ante *ti*, *ci* porque este grupo se
había reducido antes: puteu *pozo*, urceu *orza*, *rō-
diat *roza*, ni esta yod oscurece la *o* abierta impidiendo
la diptongación: cocceu *cuezo*, torqueo *tuerzo*.
Una yod romance ha inflexionado la *o* cerrada tónica:
tŭrbidu *turbio*, pŭtidu *pudio*, *mŭstidu *mustio*,
roscidu *rucio*, y la *o* átona: polenta *pulienta*,
coopertu *cubierto*, ducentos ant. *ducientos*, rŭssu
rusiente, quottidiano *cutiano*, tauru *toro torionda*
turionda, mare *morionda murionda*, germ. bukk *bote*
botionda butionda, gorrión *gurrión*, y en los verbos en
ir: *durmió, pudriera, muriese*. Son anormales: novem-
bre *noviembre*, globellu *loviello ovillo*, novellu
noviello novillo. La yod implícita de *ñ* no ha impedido la
diptongación: lŏnge *lueñe*, dŏmnu *dueño*, sŏmnu
sueño, pero ha inflexionado la *o* en *u*: pŭgnu *puño*,
cognatu *cuñado* (ant. *coñado*), ŭngula *uña*, spŏn-
gula *espuña*, calumnia *caluña* (y *caloña*). Un wau en
sílaba tónica tiende a convertir la *e* átona anterior en *i*,
aequale *egual igual*, cereola *ciruela*, *Cienfuentes*

Cifuentes, Sietcuendes Sicuendes, Secontia *Sigüenza,* Cĭprianu *Cebrián Cibrián,* y el sufijo -ĭfĭcare: panĭfĭcare *paniguar,* por el proceso *-evegar -eugar -eguar.* Queda *e* en mĭnuare *menguar,* serotinu *seruendo.* Un wau en sílaba tónica reduce a *u* la *o* átona anterior: Dŭriu *Doruelo Duruelo,* colubra *coluebra culebra.* Queda *o* en *morueco* frente a *murueco,* y en hordeolu *orzuelo.*

3. **Asimilación de vocales por consonantes.**— *LL* cierra el diptongo *ie* en *i:* castellu *castiello castillo.* El sufijo *-iello,* hoy solo persistente en parte de Asturias y León y en el norte de Aragón, empezó a reducirse desde el siglo x en el norte de Castilla y en Burgos (M. P., 10, 2). *S* agrupada reduce también *ie* a *i:* vespa *aviespa avispa,* mespilu *niéspero níspero,* vespera *viéspera víspera,* restula (restis) *riestra ristra,* *versicu *viesgo visgo* y *biesco bizco.* Se conserva el diptongo en distintas zonas castellanas. *M, B* pueden labializar *e a* siguientes hasta hacerlas *o:* *mĭxtencu *mestenco mostenco mostrenco,* mare *marueco morueco,* *vervecile *borcil brosquil,* supernu *sobernal sobornal,* versari *bosar,* *submerguliu *somormujo,* *divaricare *esborregar.* *M, B* han labializado una *e* anterior en episcopu *obispo,* Siete Molinos *Somolinos* (si este no se debe al influjo de *so sub,* M. P., 18, 4). En latín -imus llegó a -umus (maximus). La labial *f* produjo el mismo efecto en pontufex latino, filicaria *Folguera Holguera* y *fagina *fuina.* Ante *l* puede abrirse hasta *a* la *e* átona anterior: sĭlvaticu *salvaje,* siliqua sant. *saluga,* bĭlance *balanza,* iliceta *Alceda.* En filictu *helecho halecho* (Soria y Burgos) la *a* puede obedecer a la *l* o a la atracción del pref. *a.* Estas formas, con *a* en

el latín vulgar, son explicadas por M. P., 18, 3, por asimilación a la *a* tónica. En f i d e l i t a t e *fieldad fialdad*
puede pensarse en la influencia de *l* o en la analogía del
tipo -*aldad* de *maldad* y *fealdad*. Es más rara la atracción
de *o*: c o l o s t r a *calostro*. Ante *r* puede también abrirse
hasta *a* la *e* átona anterior: e r v i l i a *arveja*, *firmella
ermilla armilla almilla* 'ajustador', p e r ant. *par*, p e r a d
para, c i r c e l l u *cercillo zarcillo*, v e r b a s c u *verbasco
barbasco*, e r v i l i a *arveja*, s i l i q u a *jeruga jaruga*, f e r u
arisco sant. *jarisco* y *jeriezgo*, v e r v e c i n u *barquín*,
v e r v a c t u *barbecho*, v e r s u r a *basura*, s e r t a *sarta*,
p e r g a m e n u ant. *pargamino*, v e r r e *verraco varraco*,
v e r r e r e *barrer*, t e r r a *tarriza* 'barreno' (Soria). *Otero
de los Ajos Oterdajos Tardajos*, *Otero del Cuende Tardelcuende*. En latín hay ya p a s s a r por p a s s e r y h a r u n d o
por h i r u n d o en el Appendix Probi, y en inscripciones
n o v a r c a por n o v e r c a. Aunque con menos frecuencia puede pasar *o* a *a* ante *r*: h o r d e o l u *orzuelo
arzuelo* (Burgos), *orgullo argullo* (Soria), *a b o r t u n e a
ortuña artuña;* como h o r r i p i l a r e gall. *arrupiar*,
m u r m u r a r e gall. *marmurar*. Ante *n* puede abrirse
hasta *a* la *e* átona anterior: i n v i t u s *ambidos amidos,
s y m p o n i a *zampoña*, s e m i c o c t u *sancocho*, *i n-
t r o i t u l u *entruejo antruejo*, i n t r o i t u *entruido antruido*,
a r g e n t e a t a *arienzada arenzada aranzada*, i m p e r a r e
amprar, V a l l e V e n a r i a *Valbanera*, S a n c t i E m e-
t e r i *Santender Santander*. Parece que ante *n* agrupada
pudo abrirse la *o* tónica cerrada: v e r e c u n d i a *vergüenza*, A l d e g u n d i a *Alduenza*, *H i n n e g u n d i a
ant. *Ennegüença* (M. P., 53, 3). Una *o* se ha hecho *a* en
f o n t e p u t i d a *Ampudia*, y p o n t e c u r v u *Pancorbo,*
si no es que se formó en el estado *fuante* y *puante*.

4. **Asimilación de consonantes por vocales.**—Hay una asimilación, sentida o insentida, de consonantes por vocales. En latín la *c* de c a s u s permaneció velar, pero la *c* oclusiva de C i c e r o se hizo prepalatal hasta degenerar en fricativa. En antiguo castellano hay casos de palatalización de *s* ante *i*, *registir, vigitar*. La sonoridad de las vocales ha influído para sonorizar las consonantes sordas intervocálicas, *p* en *b*, *t* en *d*, *k* en *g*. Antes o después de *u* es frecuente la permutación de *b* y *g*: *jubón jugón*, i u g u *yugo yubo*, a c u c u l a *aguja abuja*, i o c a r i *jugar* vulg. *jubar*, l a c u n a *laguna labuna* (Soria), *gurrapastores* (Soria) de *burlapastores* 'engañapastores'. Es menos frecuente antes o después de *o*: b u f *bofetada gofetada*.

5. **Asimilación de consonantes por otras consonantes.**—Hay una asimilación, sentida o insentida, entre las consonantes en contacto. La *n* de *in* se hace labial ante consonante labial *b p m* (*invariable, impávido, inmóvil*). La *t* entre dos consonantes sonoras se ha sonorizado en eventilare **abendlar ablendar*. Entre consonantes próximas, como *s* y *c*, puede darse la asimilación, como a c c e s s i o n e *cisión ción*, s i c c i a l e *sicial cicial*.

29. **Disimilación.**—Hay algunos casos de disimilación entre vocales, sobre todo en el caso *i-i*, d ī c e r e vulg. *dicir* culto *decir*, r ī d e r e *reir*, f r ī g e r e *freir*, v ī n d e m i a ant. *vindimia vendimia*, s c r ī b e r e *escribir* ant. y vulg. *escrebir*, v ī v e r e *vivir* ant. y vulg. *vevir*. La disimilación de *dezir* y *vevir* aparece ya en los textos más antiguos. *Vecino* no es de v i c i n u s sino de **v e c i n u s* del dialectal v e c u s. La lengua vulgar conoce más casos, *cevil, melicia*. *UE* se reduce a *e* por influencia disimilatoria de la consonante labial próxima: f r o n t e *fruente*

9

frente, floccu *flueco fleco*, *colobra *coluebra culebra*, sorba *suerba serba*. En storea *estuera estera* la reducción es mera analogía del más frecuente sufijo *-era*. *R'R* disimila en *l* una de ellas: robore *robre roble*, coriandru *culantro*, aratru *aladro*, arbore *árbol*, stercorare *estercolar*, muratariu pal. *moledero*, regurgitare *regordar regoldar*, aeramen *alambre*, taratru *taladro*, character *caletre*, cursariu fr. *corsier corcel*, leporariu fr. *lebrer lebrel*, viridiariu fr. *vergier vergel*, laurariu *laurier laurel*. *L'L* ha disimilado en *r* una *l*: ligula *legla legra, glandula *landla landra. *LL'LL*: *gallellu *gariello *grillo* 'tallo'. Una disimilación de *k-k* se produjo desde el latín en cinque por quinque, cocere por coquere y *cercus por quercus. Hay casos de disimilación entre palatales: pinna *Pennilla Pinilla*, *gallellu (galla) *gallillo* > *galillo* 'úvula y gañote', *axillella *asllilla aslilla*, suilla *cholla* > *chola* 'cabeza', scamnu *escaño escanillo* en Santander. La palatal inicial ha impedido la palatalización de *x* en el sant. *jisu* de fixu. Hay una disimilación eliminatoria. El caso más frecuente es el de *r-r*: prora *proa*, *frustularia *fruslera* > *fuslera*, tremulare *tremblar temblar*, *excarptiare *escarzar escazar*, rutru *rodillo* 'rastro' alavés *rodrillo*, aratru *aradro arado*, prostrare *prostrar postrar*, perscrutari *pescudar*, pignorare ant. *pendrar pendar*, confratre *cofradre cofrade*, guardarnés *guadarnés*, proprio *propio*, firmare sant. *jirmar jimar*. Hay algún caso de *s-s*: conspuere (gall. *cospir*), cast. *escupir*. Es más raro el caso de *r-l*: *porcilica *porcilga pocilga*. La disimilación eliminatoria es más rara en otras consonantes:

movibile *moveble moeble* mod. *mueble*. Era un caso de disimilación el de eliminación de *u* ante *u* en el latín ascultat, Agustus.

30. Metátesis.—Muchos casos de yod latina en sílaba final se resolvieron por inversión de la yod: -ariu *-airo*, -oriu *-oiro*, -siu basiu *baiso beso*, -mia vindemia *vendeima*. Supone una metátesis el proceso -eficare *-evegar -eugar -eguar*. Hay metátesis en remugitare *remuidar remudiar* y en *exaquare enjaguar enjuagar*. La metátesis más frecuente es la de *r*. Metátesis anticipativa: tonitru *tonidro tronido*, *extonitru *estuendro estruendo*, bifera *bebra breva*, biberare *abebrar abrevar*, carminare *cramar gramar*, pignorare *pendrar prendar*, *superculu *sobercha sobrecha*, percontari *precontari *preguntar*, *gandula *gándara granda*, abortare *abortar abrotar brotar*, *maturicare *madurgar madrugar*, sobre todo en la lengua vulgar, *probe, presona, premiso, drento, catredal, Grabiel*. Metátesis pospositiva: crepare *crebar quebrar*, praesepe *presebe pesebre*, aggravare *agarbar*, crusta *crosta costra*, *scrutiniare *escrudiñar escudriñar*, vulgar *pedricar* de *predicar*, y en nombres propios, Fredinandu *Fernando Hernando*. Hay metátesis de *l* en baculu *baglo blago*. Siguen en importancia *l n r* en metátesis recíproca. *L* y *N*: *halenitare por *anhelitare *alentar*. *L* y *R*: periculu *periglo peligro*, miraculu *miraglo milagro*, muratale burg. *muradal muladar*, parabola *palabra*, Valerianica Varelianica *Berlanga*. En contacto *lr* se conserva en la lengua vulgar y dialectal: gallula *gállara galro galrito*, saliré *salré* (tratando como tal el grupo *rl*: *milro* de *mirlo*); pero se invierte en la lengua común,

c o l o r a r e *corlar,* *garlito.* N y R: V e n e r i s *viernes,*
t e n e r u *tierno,* g e n e r u *yerno,* t e n e r e h a b e o ant.
terné. La lengua vulgar conserva el grupo, *tienro.* N y L:
a n i m a l i a *alimania alimaña.* B'D: l e v i t u *liebdo*
liedbo liezbo en Guadalajara. D'L: t i t u l a r e *tidlar*
tildar, s p a t u l a *spadla espalda.* En la reducción de
aztor azor, *plazto plazo* podía pensarse en una evolución
normal en zonas mozárabes donde *st* dió *z,* como C a e s a r
A u g u s t a *Zaragoza,* pero pudo ser un simple caso de
inversión, *aztor* > *atzor,* *plazto* > *platzo.* Hubo metátesis
de *pc* en el ant. a u r i f i c e *orepce orezpe orespe.* Es
rara la metátesis de otras consonantes: p a l u d e *padule
paúl,* p a r i e t e *patere pader paer* en Albacete: *ñudo* >
duño, tachón > *chatón,* acaso *pocho* > *chopo,* f a c i e
f e r i r e *hacerir zaherir,* i n r u g a r e *engurrar, sollamar
somallar* en Andalucía, *magullar mallugar* en el español
de América, ital. *battagliola bataola* > *tabaola.*

31. Epéntesis.—La anaptisis aparece en algunas voces:
*trabella pal. *trabiella tarabilla,* c l o a c a *colaga,*
p r a e c o q u u mozár. *albarcoc* cast. *albaricoque.* Los
dialectos del sur conocieron más ejemplos, como b r u c u
buruc. De estos dialectos procede f r a c e *herraj* por intermedio de *herrach con el trato *c* > *ch* mozárabe. El
vasco lleva al último extremo la anaptisis: a p r i l e *api-
rili,* c r u c e *gurutze,* germ. k r a m p e *garrampa,* pasado
al aragonés y al castellano, g r u e *kurrua,* f r a g a *fe-
raga arraga,* f l u m e n *felumea Irumea.* El hiato se
resuelve a veces intercalando *g:* m u f *moho* > *mogo,*
meodía > *megodía, zahón* > *zagón, meollo* > *megollo,* n i-
g e l l a *niella neguilla,* r e g e l a r e *reelar regalar* 'derretir', c o t u r n i c e vulg. *coorniz cogorniz,* r e f i l a r e
rehilar reguilar, reguilete, a d f i d u c i a *ahucias* rioj.

agucias. Es más rara en Castilla la *v*: ant. *juvizio.* En
catalán hay a d o r a *abora bora.* Otras veces se resuelve
el hiato intercalando la semiconsonante *y*: s a g a *saya;*
l e g a t vulg. *leya.* Es dudosa la epéntesis de *r* y probablemente en los ejemplos que se citan hay la interferencia
de otras formas: en *tronar* la de *tronido* t o n i t r u, en
hendija hendrija la de *hender*, en *escondrijo* la de *esconder*,
en *estrella* la de *astro*, en *rastillo rastrillo* la de *rastro*,
lo mismo que en *restojo rastrojo*, en m a m i l l a *mamella*
marmella la de *barba*, en *hojalde hojaldre* la de **hojadre*,
divergente fonético de f o l i a t i l e.

ANALOGIA

32. Los griegos y latinos estudiaban como corrientes contrarias del lenguaje la analogía y la anomalía, sin ver que la anomalía es también una analogía. La analogía fonética busca la uniformidad de trato de los sonidos; y la llamada anomalía es otra analogía que, desentendiéndose de los resultados de la fonética, busca la uniformidad de las palabras según su afinidad ideal o funcional. Los modernos estudian algunos la analogía como etimología popular, sin ver que el error del vulgo que trafulca las palabras inusitadas no es mas que un caso particular del complicado mecanismo de la analogía. Otros la estudian como error acústico, sin ver que el error de audición es sólo frecuente en la analogía fonética, pero rarísimo en la analogía morfológica y sintáctica, que es generalmente mental y no auditiva, pues se basa en la errónea creencia del oyente de que aquello bien oído está mal dicho, y lo rectifica según un modelo preconcebido. Pero además la analogía en gran parte no es error acústico ni mental, sino un instinto universal de uniformación, indispensable en la economía de los idiomas para hacer casilleros de palabras y de frases. El estudio de la analogía en cada lengua debiera ser más extenso que el de la fonética, porque es más complicado; y es tan importante como aquél, porque una parte considerable del idioma es producto de la analogía. Sobre todo la masa ingente de la flexión verbal está afectada por ella, al punto de que no se halla un solo verbo fonética y etimológicamente regular.

ANALOGÍA FONÉTICA

33. Un caso de analogía fonética es el mal llamado
de *equivalencia acústica*, que debe llamarse *error de equivalencia acústica* o *equivalencia acústica errónea*, ya que
objetivamente no se da la equivalencia entre los sonidos
confundidos, coincidentes sólo en un detalle, que da pie
para la confusión. El diptongo infrecuente *oi* es atraído
por el frecuente *ue*: m ŭ r i a *moira muera*, v ŭ l t u r e
boitre buetre, b o r e a *boira buera*, t o n s o r i a (*tesoira*
en gallego) ant. *tesuera tijera*, a u g u r i u *agoiro agüero*,
c i c o n i a *cigoiña cigüeña*, F i c t o r i u **Itoiro Ituero*,
B o s i u *Boiso Bueso*. El caso raro de *óe* romance de
c ō g ĭ t a t normalmente tenía que aproximarse a alguno
más frecuente, y así se hizo *oi*, *coida* (como en gallego)
que tuvo importancia en cierta época del castellano donde
-o r i u dió -*oiro* (a u g u r i u *agoiro*, m ŭ r i a *moira*,
-t o r i u -*doiro*). Este diptongo *oi* se redujo fonéticamente a *ui*, y así *coida* se hizo *cuida*, que hoy perdura
(como en *buitre*), pero que también entró en la órbita
de *ue*, haciendo *cueda* (como *buetre*, hoy relegado al
vulgo). En el caso raro de m o v i b i l e *moeble* se relacionó *oe* con *ue* y se hizo *mueble*. El antiguo español
cuomo era fonético, pero *cuemo* no era mas que el caso
analógico forjado por el gran predominio de *ue*. En los
casos antiguos de *ie* inicial con *y* procedente de *g*, *i*
latinas, como *yelar*, *yenero*, se creyó ver un mal uso del
juego fonético de *ie* tónico y *e* átono de *riego regar* y
tierra terreño, y se corrigió *yelar* en *helar*, *ienero* en

enero, iermano en *ermano,* etc., haciendo creer a los gramáticos que este hecho era una ley fonética normal. Esto supone una previa confusión entre la consonante ž y la semiconsonante *y,* tomándose *želar žermano* como *yelar yermano.* El punto de partida de la confusión de consonantes es muy vario. La confusión entre consonantes sordas de articulación muy distinta se da sólo en vasco: c a e p u l l a *kipula tipula.* La confusión entre consonantes de articulación distinta, pero coincidentes en una modalidad de la articulación es más frecuente. *B* y *G*: s i l i - q u a *jeruga jeruva,* j o c a t *juega* vulg. *jueva,* v a l v o l u *gárgula gárbula,* i u g u *yugo yubo jubo,* f a g u *hobes* (arag. *fabo*), v o t i v u ant. *bodivo bodigo,* s i l y b u m *pintacilgo, jilguero,* neerl. g r u i z e n *grugir* > *brugir,* v i s c u *enviscar* pal. *enguiscar,* c o s s i s *gusano busano,* a c u c u l a *aguja abuja.* Cuando sigue a la consonante una *o* o una *u,* la distinción de la articulación de la *b,* labial, y de la *g,* velar, queda algo oscurecida por estas vocales labiovelares. *B V* y *M*: *b o v i n i c a *boñiga* > *moñiga,* c a n - n a b u *cáñamo,* p a n d u r i u *bandurria* > *mandurria,* v i m e n *mimbre,* p r o p i n q u u ant. *probinco prominco,* c a p u t arag. *cabota* burg. *camota,* a l b ó n d i g a *almóndiga,* *e x p a v e n t a r e *aspamento* en Guadalajara, *Brabante bramante.* *M* y *B V*: *r e m u g i t a r e *remudiar* > *rebudiar,* *m i l a n u (m i l u s) *milano bilano,* m e d i - c a m e n ant. *meegambre veegambre,* v e r m i n a r e *verbenar,* d a m a *gamo* y *gabato.* Las dos son labiales, aunque el modo de la articulación varía. *B* y *P*: v i - b u r n u *piorno,* v a p o r e *b a b o r vulg. *pavor.* Aunque distintas en la sonoridad, la *p* se hizo *b* y la *b* a veces se ha tomado por la sorda en cuanto lo favorezca alguna circunstancia, como la asimilación. *C* y *G*: c a t t u *gato,* c o a c t u *cacho* y *gacho,* c a m u fr. *camarre* cast. *gama-rra*, c a m m a r u *gámbaro*, c a m o c e *gamuza.* La *c* se hizo *g* por relajación, sonorizándose, y puede en circunstancias particulares producirse de nuevo esta confusión y relajación. *F* y *Z.* En la lengua vulgar hay casos de confusión de *f* y *z c.* Así entre el vulgo *Celipe* por *Felipe,* y *fenoria* por *cenoria* 'zanahoria'. Se cita f i b e l l a *cebilla,* aunque aquí es posible la influencia de *cepo.* Hay lugares donde la confusión tiene importancia excepcional. En Guisando (Avila) se usan *riza* por *rifa, dizunto* por *difunto* y *Cederico* por *Federico* e inversamente *chorifo* por *chorizo* y *calfetín* por *calcetín.* Siendo tan diferente la articulación, basta para la confusión su carácter de interdentales. La *c* de *cenojil* es dudoso si representa el antiguo estado *šenojo* de genuculu o si representa una *f* de **fenojil,* por la frecuente confusión románica entre f e n u c u l u y genuculu. *M* y *N:* m e s p i l u *níspero,* ár. m i z c *míscalo* y *níscalo.* El lugar de la articulación es muy distinto, pero trae la confusión su carácter nasal. *D* y *L:* c a d a v e r *calabre,* l e v i t u *lieldo dieldo,* l a t e r e l l u *ladrillo* pal. *dadrillo.* En vasco es frecuente el cambio. *N* y *L:* a n i m a *alma,* i l i c i n a *encina,* ant. *Ferrando Villez Frandovilez Frandovinez,* S a t u r n i n i *Sadurnin Zadornil. N* y *R:* s a n g u i n e *sangre. LL* e *Y.* La degeneración de *ll* en *y* se da en ciertas regiones y épocas. La ortografía española mantiene la etimología, pero no faltan casos antietimológicos, como *faya* del fr. *faille, llanta* del fr. *yante, fayanca* de *fallar* y *Mallorca* de *Maiorica. LL* y *Ñ: restañar* por *restallar,* g a l l a *gañote* por **gallote* (port. *galhete,* garganta), f o l i a *foñico* por *follico* 'hojato', f i s c i l l a *encellar enceñar* en Santander. Entre *li* y *ll, ni* y *ñ* hay una proximidad gene-

ral. Así l e v a t ha dado *lieva* > *lleva* y v i n e a *viña*. El
vulgo hace *liebre* > *llebre*, pero por reacción hace *lleno* >
lieno, i n s u b u l u *enjullo enjulio, añejo* > *aniejo, añaga* >
aniaga. El caso más notable y universal de confusión es
entre las fricativas palatales. M. P., *Oríg.*, 11, 1, observa
la confusión de las grafías medievales usadas para ž š
y *ch*. En castellano *s* y *z*, aun sin ser finales de sílaba,
se confunden a veces: s e d i l i a *sija cija*, s i l i q u a *seruga
ceruga*, s e r b a *zurba*, r o s i c a r e cat. *rossegar* cast.
rozagante. Aparte de las asimilaciones: *s i c c i a l e *cicial*,
a c c e s s i o n e *cición*, a b s y n t i u *asencio asensio*. Las
variantes entre ĉ š ẑ ž ỹ ŷ fricativas y las africadas
tŷ tš ĉ son muchas. En unas regiones š o ž son africadas
(con oclusión y fricación) y en otras fricativas (con sólo
fricación). El grado de sonoridad varía de unas zonas a
otras. La *j* castellana es evolución de una alveolar africada (sorda como *dišo* 'dijo' o sonora como *hiẑo* 'hijo').
Esta consonante vive dialectalmente en el asturiano *pešе*
'pez', *sudío* 'judío'; en el gallego *šiar* g e l a r e, *šiollo*
g e n u c u l u, y en el asturiano en parte, *šelar, šinoyo*. La
fácil confusión entre los grados de las palatales ž š tš ĉ
hace que sea frecuente en los diversos dialectos el tránsito
o la confusión, ya ocasional, ya definitiva. El gallego,
que normalmente distingue el tipo *chover* de *šelar*, tiene
ocasionalmente muchas confusiones, como *šaga* en vez
de *chaga* p l a g a, *šouba* en vez de *chouba* c l u p e a,
šubia en vez de *chuvia*, y al revés *nacho* en vez de *našo*
n a s u, *Eireche* en vez de *Eireše* e c c l e s i a e. En el
portugués la vacilación es considerable. (Cornú, *Gram.*,
58, 2). En el asturiano los casos de confusión son triviales
en las zonas donde se da el fonema š, pronunciándose
en la misma localidad *cebоša* y *cebocha* c a e p u l l a,

miošo y *miocho* m e d u l l a . El mismo castellano en el estado *š* de su *j* sufrió algunas confusiones, como s u b . p u t a r e *šapodar chapodar*. El ensordecimiento de la pre- palatal africada sonora se cumple en parte del aragonés, del catalán, del valenciano y del mallorquín. En general sigue la misma suerte la prepalatal procedente de *j* latina, j o c a r i *žugar chugar*, que la lograda por reducción de distintas combinaciones de sonidos, p l u v i a *pluža plucha*, v i a t i c u *viatge biache*. La *ž* de la generalidad de los dialectos catalanes es fricativa; pero la del valenciano es africada. En el subdialecto valenciado *apitxat* entre la *ĉ* de *puĉar* y la *ž* de *pužar* Sanchís Guarner, *RFE*, 1936, 51, halla diversos grados entre la sorda y la sonora com- pleta con una pronunciación semisonora, en que la oclu- sión de la africada es sorda y su fricación siguiente sonora, y en algún lugar con una leve sonoridad en la oclusión. En castellano las vacilaciones abundan: a b - s y n t h i u *asenzo asenso asenjo ajenjo*. En posición inicial la *s* se hizo fácilmente *j: sapone jabón*, s i l i q u a *seruga jeruga*. Los grupos de consonantes *pl cl gl* pueden en ciertas regiones producir una palatal. Si predomina la oclusiva, la *l* evoluciona hacia una semiconsonante, que pronto contaminará a la oclusiva con un carácter palatal, p l a n u *piano > p ̌ano, clave > kiave > k ̌ave*, t e g l a *te- guia > teg ̌a*. Esta vacilante pronunciación se traduciría en una contaminación palatal de la oclusiva y en una fusión con la fricación nueva, esto es, en tres africadas *pš cš gš*. Estos tres resultados, seguramente distintos en un momento prehistórico, tenderían a uniformarse por ley de ahorro y de atracción fonética, produciéndose una idéntica palatal, sorda *ĉ*, o sonora *ž*, *chano, chave teža*. El wau implosivo o semiconsonante unas veces ha exage-

rado su elemento velar hasta confundirlo con *g:* hortu
werto güerto, ossu *weso güeso.* Otras veces ha exagerado
el elemento labial hasta confundirlo con *b:* hortu
buerto, ossu *bueso,* caso más frecuente en la lengua
vulgar. Por esta razón *bue we* y *güe* están en posible
cambio: segusiu *sagüeso sawueso sabueso,* auguriu
agüero ant. *auuero* e inversamente aviolu *abuelo awelo
agüelo.* En fin de sílaba o palabra la distinción de la
consonante la hace menos perceptible la distensión, y por
eso se han confundido *s* y *z:* alisna *lesna lezna,*
*mansionata *mesnada meznada,* *misculare *mes-
clar mezclar,* *versicu *bisgo bizgo,* biscoctu *bisco-
cho bizcocho; d* y *z:* iudicare *judgar juzgar.* En
epithema *bidma bizma bisma* hay dos etapas de confusión. Distintos dialectos la *l* la hacen *r* en fin de
sílaba, *parma* por *palma* y *arma* por *alma* y el castellano
ha hecho *redor* de *redol,* e inversamente la *r* final de
palabra la hacen varios dialectos *l,* como *mujel, pastol.*
La *n* en distensión silábica se ha hecho *l* en *alma,* y se
ha hecho *r* en *merma.* La *m* original del ant. *limde* y
semda se confundió con *n.* En frace mozár. *herrach
se' ha confundido luego la *ch* con la *j,* produciéndose
herraj y *herraje,* este último con la fácil atracción del
sufijo provenzal *-aje* de *-aticu,* que hay en *herraje* de
hierro. En fin de sílaba se producen vocalizaciones de
capital importancia en la evolución de la lengua. Así *b*
se confundió con *u* en *cabdal caudal, cibdad ciudad.*
Igualmente *l* se vocalizó en *u,* saltu *sauto, soto,* o en *i,*
multu *muito mucho,* vulture *buitre.* Así la consonante
disilábica ante *r,* que dió integ-ru *enteiro entero* y
Pet-ru Peiro Pero. Esta confusión de consonante vocalizada
en distensión silábica dió un carácter típico al catalán:

t a b - l a *taula,* p l a c - r e *plaure.* En algunas consonantes dobles el ser silábicas o disilábicas tuerce su evolución:
en p i n n a la *nn* silábica dió *peña péñola,* y en p i n -
n u l a la *nn* disilábica dió *péndola,* como en *rebelle* la *ll*
disilábica dió *rebelde.* En v e s s i c a se sintió la pronunciación *v e c s i c a (cat. *veijiga*) *vejiga,* y lo mismo en
r e c e s s u *rececso recejo, c e s s a t *cecsat ceja. *Ps* es irre-
ductible a $\breve{y}$, *j,* pero ha llegado a estos sonidos por
confusión con *cs,* c a p s a *cacsa caja, c a p s u *cacso
quejo quijada quijero,* frente a la reducción normal de
Quessada Quesada. Especialmente en fin de la palabra
desde el principio de la distensión de la consonante hasta
el reposo absoluto se da un espacio oscuro, propenso a la
confusión y a la eliminación. Se ha confundido *x* con *z*
en i u d e x *juez.* Se ha perdido la *b* del ant. *quezab.*
El castellano perdió la *n* de n o n y conserva la de *pan,*
por ser muchos siglos posterior esta *n* final de *pan;* pero
el catalán ya la ha eliminado, *pa.* Así varios dialectos
propenden a eliminar la *r* final. La lengua vulgar elimina
la *d, andá, salú.*

ANALOGÍA MORFOLÓGICA

34. Analogía formal.—La sola semejanza formal de
dos voces sin afinidad de significado basta frecuentemente
para la confusión. Entre f r a g r a r e 'oler' y f l a g r a r e
'arder' solo había la semejanza externa, pero bastó para
hacer *flagrare 'oler'. De *restuculu nació *restojo*,
hecho *rastrojo* por atracción acústica de *rastro*. De r e s-
t u l a *(restis)* nació *riestra ristra,* que se ha hecho *rastra*
por atracción formal de *rastro* rastrum. *Haz* de f a c i e
y de f a s c e atrajo a *az* de a c i e, aplicándole su *h*
aspirada. G e n u c u l u y f e n u c u l u se han interferido
en el castellano vulgar y en los dialectos, prestándose
recíprocamente sus formas, cambio que ha facilitado la
confusión de *f* y *c*. De m i x t u se formó *mestenco* y por
labialización de *e, mostenco,* y por confusión material
con *mostrar, mostrenco.* Entre m u l g e r e 'ordeñar' y
m u n g e r e 'sonarse' no hay relación ideal, pero el sólo
parecido produjo la confusión del primero con el segundo
en algunas regiones españolas, produciendo *muñir* 'ordeñar'. Entre d o c t u 'enseñado' y d u c t u 'llevado'
no hay una verdadera sinonimia, pero d u c t u *ducho*
tomó el sentido de d o c t u. Entre e b r i a c a 'borracha'
y *braca* 'braga' no había relación semántica alguna:
e b r i a c a dió *briaga* 'cuerda de atar los botos de vino'
y b r a c a dió *braga;* pero *briaga* tenía una forma parecida a *braga,* y ésta tomó el sentido de *briaga.* En d u m
i n t e r i m *domentre* convertido en *domientre* influyó solo
el parecido material con *miente mientre* de los adverbios.

En español *betónica*, una planta medicinal antes muy
usada, se relacionó falsamente con *bretón* y se hizo *bre-
tónica*. *Cadañera* ha dado *cabañera* por *cabaña;* c o i u n-
g u l a *coyunda* da *coyunta* por *yunta;* i i n i p e r u *Nebredo*
'enebral' ha dado *Negredo* por *negro*. El antiguo español
cantillo 'esquina' empezó a ser mal comprendido en el
siglo xvii. El antiguo *sastre del cantillo* se hizo *sastre del
Campillo*, y la *taberna del cantillo* se entendió *la taberna
del Castillo*. En la analogía formal la forma influyente
puede influir también en la significación. El castellano
a n t e o s t i u *antozano* al ser influído por *alto*, haciéndose *altozano*, tomó como sentido principal el de 'cerro
o sitio más alto'. El verbo *aterrar* 'derribar a tierra' llegó
en sentido figurado a significar 'aterrorizar'. Empezó
entonces a sentirse el parentesco con *terror* y no con
tierra y en vez del antiguo *atierra* llegó a decirse en los
tiempos modernos *aterra*. En s e m i c o c t u *sancocho* se
ha visto una falsa relación con *sal* y algunos lo definen
como 'cocido con sal'. De s e r o t i n u se formó *seren-
dilla* 'un hongo tardío' y de él *senderilla* por evocación
de *sendero:* el hongo alavés *senderuela* se define en los
diccionarios «un hongo oscuro que crece en las *sendas*».

35. **Hiperurbanismo.**—Se produce como reacción del
hablante culto. En los procesos de evolución fonética del
vulgo los eruditos pueden sentir la forma etimológica y
hacer una falsa corrección por confusión con casos fonéticos semejantes. Del latín c a v u se produjo *cao* y por
reacción culta *cado* 'madriguera', de *c a m b i t a fr. *jante*
se hizo *yanta* y por reacción contra el yeísmo *llanta*.

36. **Analogía de prefijos.**—En muchas ocasiones se
ha creído ver un prefijo o un artículo en el comienzo de
las voces, siendo asimilado este comienzo al prefijo. Se

ha impuesto a veces mal el artículo arábigo: *e v a n n a r e
albañar 'cribar', *e m o r d i u *almuerzo*, *a m y n d u l a
(amygdala) *almendra,* appendere *alpende,* a c c o r d a r e
vulgar *alcordar.* En algunas zonas abundan más los ejemplos: e m e n d a r e *emienda almienda* en Cáceres, i n t u n c
entonces altoncis. Por creer artículo se ha quitado *al* en
alburnu *borne. A (AD):* o b d u r a r e *aturar,* o f f o c a r e
ahogar, o b s u r d e s c e r e *asordecer,* e v e n t i l a r e *ablentar,* e m o r s u *amuerzo almuezo,* e n e c a r e *anegar.*
DES (DIS): d e m u t i l a r e *desmochar,* s p o n s a l i a
desposajas, s p o l i u *despojo,* e x f o l i a r e *deshojar.*
EN (IN). Ya en latín i m b i l i c u s por *umbilicus.* El
castellano conoce u n c i n u ant. *oncino encino,* e m e n-
d a r e *emendar enmendar,* a m p u l l a *ampolla empolla,*
a n g u i l a *enguila,* u n g u e n t u vulg. *engüento,* f i s-
c i l l a **ecella encella,* i l i c i n a *(Lecina Alsina) encina,*
e q u i f e r u *ecebra encebra,* h e c t i c a r e *entecarse,* a x u n-
g i a o *a x u n g u l a *enjundia,* *f a s c i n a tol. *encina;*
sobre todo en el pref. *-ex,* e x e m p l u *ejiemplo enjiemplo,*
e x a g i u *essayar ensayar,* *e x s a p i d u *enjabio* en Guadalajara. *ES (EX o S):* a b s c o n d e r e *asconder esconder,* o b s c u r u *escuro,* a u s c u l t a r e *ascuchar escuchar,*
a s p a r a g u s *espárrago, hospital* vulg. *espital, historia*
ant. *estoria.* La coincidencia de varios romances hace
pensar en algunas formas en una analogía latina. Las
inscripciones dan s p a l e n s i s y S p a n i a . Considerando *s* prefijo puede darse su sustitución, como en
s t i p a r e *estibar a- en-,* s t a g n i c a r e *estancar atancar.*
El resultado frecuente e x- *ej- enj-* ha propagado este
trato a casos de *ens-* como i n s e r t a r e *ensertar enjertar,*
i n s e r e r e burg. *enserar,* sant. *enjerar. RE:* r o t u n d u
redondo, h o r o l o g i u *reloj.* En la toponimia se han

hecho *re-* los compuestos de *río (Retuerto, Recueva, Re-
vinuesa)*, aunque la lengua antigua y algunas zonas mantienen *ri (Rituerto)*. Por *re* r o b o r e t u dió *Reboredo*, y
r u b u ast. *rebiyón. SO (SUB)*. Ya en latín se acusa
*s u b g l u t t i a r e por s i n g u l t i a r e cast. *sollozar,*
s e p e l l i r e ant. *sobollir*. En castellano sigue la confusión: s e s s i c a r e *sesegar sosegar*. Otras veces la influencia se ha limitado a transferir a un prefijo algún elemento
de otro. Así s u b *so* se ha hecho *son* bajo el influjo
de los prefijos *con, sin, en*, y se ha hecho *sa* bajo el
influjo de *a*.

37. **Analogía de sufijos.**—Un sufijo puede ser atraído
por otro en razón de su mayor uso o por partir de una
forma descollante. En latín vulgar según - u l u s se hizo
d i a b u l u s, a p o s t u l u s, p a r a b u l a. La terminación
infrecuente *uero* se sustituyó por la más frecuente *ero;*
*s t r i c t o r i a dió *trechuera* (ast. oc. *trentoira*) y luego
trechera. La terminación más rara de *redol* fué sustituída
por la terminación tan frecuente en *or*. Los sufijos -a n u
-i n u han sido influídos por el aumentantivo -o n e.
Con valor gentilicio se dice *alemán*, etc., según los gentilicios *bretón, borgoñón, españón*. Con valor diminutivo
se usa *in* por *ino* con pérdida inexplicable de *o* final por
influencia de *on, pequeñín, monín*, generalizados en Asturias y en parte de León.

38. **Analogía sinonímica.**—Unas veces la sinonimia
entre dos voces es cierta y otras veces es ilusoria, provo-
cada por la analogía formal. Bertoldi (*Parole e Idee*, 17)
cree que en *pulegium* y *serpullum* fué la sugerencia del
nombre la que hizo creer a los herboristas y al vulgo que
ahuyentaban las pulgas. Según él (9) el latín a g n u s
c a s t u s es mera etimología popular del griego ἄγονος.

Interpretado por a g n u s y siendo éste símbolo de la castidad, se hizo el compuesto a g n u s c a s t u s y se extendió la creencia popular de que es preservativo de la castidad. Si además de la proximidad semántica se ofrece también la proximidad formal, el peligro de contagio es mayor. La sinonimia ideal es un peligro constante de contaminación. De m e r g a se produjo *mierga* y de e v e n t i l a r e se hizo *abeldar bieldo*. Del encuentro de *bieldo* y *mierga* se produjo *bielgo*. La misma planta se decía en latín *ebulum* y, tomado de la lengua gala, se decía también en varias regiones *odecus*. Alguien que luchaba en el uso con ambas formas produjo un tipo híbrido *educus* que vemos en el *Corpus Glossariorum* (III, 536). Esta forma generalizada es la que ocasionó el castellano *yezgo*. Era de esperar en castellano c o e n u *ceno*, pero se hizo *cieno* por influjo de *estiércol*. Este se ha formado a su vez de *estierco* s t e r c u s por influjo de *estercolar* s t e r c o r a r e. La vocal de *estiércol* ha influído en *hienda* de *f ĭ m i t a de f ĭ m u s. En la Rioja próxima a la zona de *fiemo* al *cieno* se llama *ciemo*. Entre los verbos que significan 'empezar' han sido varios los cruces españoles. Ya en el *Cantar del Cid* surge *compeçar*, híbrido de *comenzar* y *empezar*. I n c e p t a r e da *encetar*, pero también *encentar* influído por *comenzar*. El vulgo hace nuevas combinaciones, como *comencipiar* de *comenzar* y *principiar*, *enmenzar* y *encomenzar* de *empezar* y *comenzar*. P e r q u i r e r e dió *pesquerir* por p e r s c r u t a r i *pescudar*. Los verbos que significan 'quemar' están en continuo cruce desde el latín: según *cremare* se hicieron a s s a r e *asar*, *a b u r a r e *aburar*, t o r r a r e *torrar*, t o s t a r e *tostar*. En castellano por cruce de *tostar* y *torrar* se ha hecho *tusturrar*. De *torrar* y *chamuscar* *s e-

m i u s t i c a r e se ha hecho *tarrascar.* De *tostar* y *socarrar*
se ha hecho *toscarrar.* Las voces que significan un trapo
viejo o roto (*harapo, pingajo,* etc.) en varias lenguas
interfieren sus formas. En español *harapo* de f a l u p p a
se produjo por influjo de *trapo.* En s t e l l a *estrella* hay
que suponer la influencia de *astro* (M. P., 564 supone
estrella y *balastre balastro* fonéticos). T u b e l l u *tobillo*
se ha hecho *tudillo* por *nudillo.* El verbo *nascor* según el
juego de *vivo vixi* se hizo *naxi.* Luego este prètérito *naxi,*
fuerte, según su presente *nasco, nasca,* se hizo *nasco* con
la *o* final de los verbos regulares. Los sinónimos tienden
a uniformar su terminación, sea terminación material o
sufijo, y éste es el gran medio de creación y propagación
de los sufijos. C a d a v e r i n a *calabrina* creó la terminación de *hedentina,* así como c a l i g i n e *calina* creó la
de *neblina, calorina, sofoquina. Picaza* se hizo en choque
con el germ. *agaza.* En cualquier momento de la lengua
se sorprenden casos de uniformación de terminaciones.
La lengua familiar ha hecho *golfemia* según *bohemia.* De
alpargatas y *esparteñas* se ha producido en el sureste
alpargateñas. De *fulano* se formó por mera uniformación
mengano, zutano. Se formó *mengano* de *Mengo,* y según
mengano se formó *perengano* de *Per* 'Pedro'. La uniformación de voces afines trae a veces el cambio de conjugación: s e q u i se hizo *sequire* por i r e ; c o n s p u e r e
dió *escupir* por t u s s i r e ; y al revés t u s s i r e dió *toser*
por c o n s p u e r e, como en italiano s t e r n u t a r e ha
dado *starnutire* por t u s s i r e .

39. Analogía antonímica.—Los antónimos se influyen
a menudo. En el *Cantar del Cid,* 1328, aparece *miyor*
según *peyor.* En latín de *Matuta* se formó bien *matutinus;*
pero de *vespernus* se formó irregularmente *vespertinus* con

arrastre de un sufijo inexistente *-tinus*. En latín hay ya
s e n e x t r a amoldado a d e x t r a. En latín d i e s se
hizo femenino según n o x, y g r a v i s se hizo g r e v i s·
según l e v i s. En español *meridional* según *septentrional,*
el valle según *el monte;* p u p p e se hizo p u p p a *popa·*
según p r o r a *proa.*

    40. Analogía entre verbos.—En la conjugación los·
verbos más usados han sido tipos para deformar otros. El
verbo h a b u i en las románicas ha sido modelo de verbos·
que no tenían *ui,* y en latín f u v i fué modelo de un
gran número de verbos. El español ha hecho *tuve, estuve·*
(*estide*), *anduve* (*andide*) según el antiguo *uve* (*hube*). En
algunos dialectos españoles según *sea* se formó *estea* en·
vez de *esté.*

    41. Analogía entre voces del mismo tema.—La ana-
logía uniforma voces distintas del mismo origen. Entre·
primitivos y derivados la influencia recíproca pudo impedir el trato distinto. Una palabra primitiva influye en las·
derivadas impidiendo un efecto fonético o reparándolo.·
En c o l o r a r e se perdió la protónica, *corlar,* pero el
primitivo *color* ha influído para restaurar la forma plena·
colorar. Lo mismo en c o r o n a t u se produjo *cornado;*
pero *corona* ha influído para restaurar *coronado.* En *moli-*
nero se han frustrado los casos de pérdida de la protónica·
a causa de *molino.* Los adnominales están influídos por·
el nombre que tenía diptongación: *eguarizo* fonético se
hizo *yeguarizo* según *yegua,* *pedrezuela piedrezuela* según·
piedra, burgés y *burzés* se hizo *burgués* según *burgo,* el·
ant. *Arniellas* se ha restaurado en *Arenillas* por *arena.*
Los verbos adnominales diptongan frecuentemente según·
el nombre: *amoblar amueblar* según *mueble, atesar atiesar·*
según *tieso.* Se dice *noviembre, setiembre* en contradicción·

con *diciembre*. En las primeras se ha dejado sentir la acción de *nueve, siete,* y no se ha dejado sentir la acción de *diez* en la última. Las formas *torionda botionda* junto a *turionda butionda* sufren la atracción de *toro* y *bote* 'macho cabrío'. Creyendo que *caluroso* deriva de *calor,* por haber quedado en olvido el substantivo *calura,* muchos usan el adjetivo *caloroso,* que ha sido aceptado por el Dic. Acad. *Carnicería* ha sido modificado por algunos, y aun defendido con razones, convirtiéndolo en *carnecería,* por no saber que no deriva de *carne,* sino de *carniza.* Los derivados influyen en el primitivo: *salga* procede de *salica de salice influído por los derivados en -ariu, etc., y lo mismo *pulga* de pulica. *Humilde* se hizo de *humil* influído por *humildad; amaro* se hizo *amargo* influído por *amargar.* Los simples influyen en los compuestos imponiendo una recomposición distinta. En latín consacrare por consecrare según sacrare, dispartire, comparare, etc., sobre todo en la lengua vulgar, refacere, redemere. En español cognominare *coñombrar* se hizo luego *conombrar* por *nombrar,* innubilare *añublar* se hizo *anublar* por *nublar.* El español tenía las formas fonéticas *nudo* y *añudar* innodare; pero según *nudo* se hizo *anudar* y según *añudar* se hizo *ñudo.* Los compuestos influyen en los simples. En latín fricare y plicare en vez de frecare y plecare vulgares por influencia del grupo de compuestos: fessus por defessus, spicio en Plauto por inspicio, etc. En el aragonés del norte urtica se ha hecho *jordiga* bajo el influjo de ijordigar exurticare, como en castellano sagma se ha hecho *jalma* por el verbo *enjalmar* exsagmare.

42. **Analogía autonímica.**—La analogía ejerce su in-

flujo entre distintas formas de una misma palabra. El
singular y el plural se influyen mutuamente: *pielles* se
hizo *pieles* por el singular *piel,* y *bues* se hizo *bueyes* por
el singular *buey.* De la competencia entre formas dobles
el resultado a veces es la suplantación de una por el uso
exclusivo de la otra. En español había doble forma tónica
y átona en *ie e, cuemo como, huembre hombre, cuende
conde.* En *ie e* prevaleció la tónica *ie y;* en las otras
prevalecieron las proclíticas. *Don* tónico en Berceo (*Madre
de nuestro don, Mil.* 178) es por atracción de *don* proclítico; lo mismo *lo don de illa Kasa* del Fuero de Avilés.
La distinción entre *un, algún* proclíticos y *uno, alguno*
tónicos no se conserva pura en casi ninguna región. El
catalán hace *u, algú* tónicos y *un, algun* átonos, pero
con préstamos mutuos. En castellano el *non* protónico ha
sido eliminado por el *no* tónico. Una forma genérica
influye en otra. El femenino es modelo para deformar
algunos masculinos. A n t i q u u *antigo* se hizo *antiguo*
según el femenino *antigua.* El masculino ha influído a
veces para uniformar el femenino: v a c i v a debía ser
**vaciva,* pero se hizo *vacía* según v a c i v u *vacío.* La
analogía tiende a la nivelación de flexiones. La hipóstasis
o nivelación de casos era muy activa en latín: d i v u s
en vez de d e u s según d e i v o d i v o; a r b o r e m en
vez de *a r b i r e m según a r b o s a r b o r; a r b o r en
vez de a r b o s según los casos oblicuos. En el latín vulgar
la nivelación se cumplía también: f l a m e n i por f l a-
m i n i según f l a m e n, p r i n c e p i por p r i n c i p i
según p r i n c e p s. El latín español propagó la *g* velar
del nominativo para el burg. *holingre* y el arag. *marguin.*
La nivelación de formas en la conjugación es un fenómeno
de todos los idiomas. Unas personas de la flexión verbal

actúan sobre otras. Según *amé* el castellano formó *ameste*,
que al fin no prevaleció sobre la forma etimológica *amaste*,
y se ha formado el vulgar *amemos*. En vez del etimológico
yo fallaro (en el *Cid* en rima con *contados*, 1260) se ha
hecho *fallare* por las personas siguientes. La persona *vos*,
que termina en los demás tiempos en -*is*, creó *amásteis*
en vez del antiguo *amastes*. La persona *tú*, que termina
en *s*, creó *tú amastes* en el vulgo en vez de *amaste* culto.
El castellano vulgar dice el perfecto *amemos* y no *amamos*
por influjo de *amé*. Los pretéritos fuertes f e c i *hice*,
p o t u i *pude* cambian *e* en *i* y *o* en *u* por la *i* final, y
debían conservar su vocal en las demás personas (*heciste*,
hez, *hezimos*, *pode*, *podiste*, *podimos*); pero la vocal infle-
xionada de *hice* y *pude* se propagó a estas formas (*hiciste*
hizo, *pudiste*, *pudo*, etc.). En muchas lenguas el acento se
uniforma en algún tiempo de la flexión verbal. El castellano acentúa *amábamos* por analogía con el singular. El
asturiano y el castellano de algunos puntos de América
acentúan el plural del presente de subjuntivo como el
singular, *téngamos* según *tenga*. El verbo *levar*, que los
antiguos textos conjugaban fonéticamente (*lievo*, *levamos*,
levaba) se hizo *llevamos* por influencia de *lievo* > *llevo* y
de *lieve* > *lleve*. Un verbo como *cĭngere* hubiera tenido
una conjugación alternada: *ciño*, *ciñes*, *ciñe*, **cencimos*,
*cencís, *ciñen*, **cencer*, *cencido*. Las formas fonéticas *tango*,
tañes, *tancemos*, *yungo*, *yuñes*, *yuncimos* se defendían
mal en su irregularidad, y contra toda fonética se hicieron
taño, *tañes*, *tañemos* y *yuño*, *yuñes*, *yuñimos* o *yunzo*,
yunces, *yuncimos*. En vez de *conosco* el castellano hace
conozco con la *z c* de *conoces*, y por él el subjuntivo
conozca. Unos tiempos influyen en otros. La fonética
exigía *oviés* (como *mies*) y se hizo *hubiese* por analogía de

hubieses, etc. según el juego de las personas *amo, amas, ama;* exigía *sal* (como *tal*) y se hizo *sale* por este mismo juego de formación de tiempos y personas; exigía *diz* (como *perdiz*) y se hizo *dice;* exigía *amar en futuro de subjuntivo y se hizo *amare;* exigía *combremos* y se dijo *comeremos;* *comiesmos y se dijo *comiésemos;* *comiermos y se dijo *comiéremos.* Los dialectos, menos sujetos a la férula del idioma oficial, hacen *quis, tien, vien, pon*, etc.; pero el castellano ha ido eliminando sus viejas formas fonéticas *suel, sal, val, pued, pud, pid, merez, jaz, plaz.* Los futuros absolutos sólo podían conservar su protónica en la primera, por ser *a; amaré* como *caramillo.* Pero todos los de la segunda y tercera debían ser irregulares, como *podré* y *saldré.* Esta irregularidad, muy viva en los comienzos del idioma, se fué anulando por la influencia del infinitivo: *creçrá* según *crecer* se hizo *creçerá, vivré* según *vivir* se hizo *viviré.* Así una masa importante de verbos fué modificada, anulando su desarrollo fonético. En el *Diálogo de las lenguas,* de Valdés, se dice: «¿Por qué escribís *saliré* por *saldré,* que escriben otros? —Porque viene de *salir*».

43. Analogía de las series.—Se influyen voces distintas por estar en la misma serie. Los días de la semana *lunes* y *miércoles* toman la *s* de *martes*, etc. Lo mismo que en el latín de Francia, la influencia de qu$\bar{\imath}$ se deja sentir en ill$\bar{\imath}$ por ille, ist$\bar{\imath}$ por iste, ips$\bar{\imath}$ por ipse y alteri por alteru. Las formas *otri otre* de alter$\bar{\imath}$ perduran en Aragón, Navarra, Rioja, Soria y Cuenca. Por predominio del masculino se dijo *so cosa* en las Glosas de Silos, 31, y se usa *to, so* con valor femenino en el asturiano. El antiguo pronombre español *tibe* se hizo *ti* por influjo de *mi.* Una analogía frustrada fué la de *mibe,* iniciada por analogía con *tibe*. Las preposiciones y adverbios están sujetos a la uniformación posible de sus terminaciones. En castellano la *a* de *contra* se propagó a *mientra*. La *s* de *fueras, tras* se propagó a *antes, entonces, mientras*.

ANALOGÍA SINTÁCTICA

44. La analogía por un proceso de asimilación sintáctica puede crear formas nuevas o giros nuevos. La historia de la sintaxis de cada lengua descubre la oscura preferencia entre los tipos de frase. La frase «¿tendrá V. la amabilidad de oírme?» ha creado por analogía la frase vulgar «¿será V. tan amable de oírme?» en vez de la normal «¿será V. tan amable que me oiga?». En español toda la masa de determinantes con nombre «tengo deseo de, tengo esperanza de, tengo la creencia de que, tengo el temor de» en la lengua vulgar viene actuando sobre los determinantes verbales, imponiéndoles su régimen con *de* «espero de ir, deseo de salir, temo de volver». La historia de las oraciones reflexivas en español descubre el gran proceso de nivelación del verdadero reflexivo, que va ganando el terreno de los intransitivos, haciéndolos reflexivos. Del tipo «se lanzó, se tiró» hay una propagación al tipo intransitivo, haciéndolos «se marchó, se fué». El tipo «menearse, moverse» se extendió a «bullirse» en el *Quijote*, 1, 16. De la expresión «con todo» se originó en la antigua lengua la rara forma «sin todo». El tipo positivo «con todo buen recabdo» (*Cid*, 206) era el fundamental. En este giro *todo* asumía un valor de ponderación absoluta, que se trasladó al correlativo negativo, «sin todo pavor» (*Cid*, 3625) 'sin miedo alguno'. Las correlaciones del tipo «con toda piedad, sin toda piedad» fueron frecuentes en los comienzos del idioma. El anacoluto es una propagación de un tipo oracional. El modelo tan corriente de frase con *sujeto personal, verbo y complemento* se emplea a veces rutinariamente en casos que son de distinto tipo. El que habla inicia irreflexivamente la frase con el sujeto personal, y, puesto en el compromiso de terminarla, lo hace sin notar que gramaticalmente ha forjado una frase incorrecta. Habituado el que habla al tipo de oración «yo quiero más las ciudades» dice a veces «yo me gustan más las ciudades». Las condicionales propenden a una simetría temporal. En latín «dies deficiat si velim numerare», «facerem si possem». En español «si pudiera, lo hiciera» y en alguna región «si podría, lo haría». Un tiempo del estilo indirecto «dijo que tenía» se pasó en los romances al presente en el estilo directo: «muy grande bien me quería» 'me quiere'. De las dos fórmulas interrogativas «¿de verdad que sí?» y «¿de veras que sí?» ha resultado una fórmula híbrida vulgar «¿verás que sí?». De las fórmulas prohibitivas, esto es, de mandato negativo, «nenguno sea osado», pasó la negación a otras fórmulas primitivas que no reclamaban negación, «nengún [cualquier] omne que crebantar casa de vecino pierda quanto ouiere» (Muñoz, *Col. de F.*, 181). A la frase comparativa ha pasado una negación de una negativa contrapuesta. De las frases «es mujer linda, no es tanto la flor», surgió esta: «más linda que no la flor». De las frases «vale más sudar, no estornudar» se trasladó la negación a la comparativa, «más vale sudar que no estornudar». Del mismo comparativo negativo «él no es tan loco como sus hermanos», surgió por inversión el comparativo contrapuesto, «sus hermanos son más locos que no él».

MORFOLOGÍA

NOMBRES

45. Declinaciones.—Los nombres castellanos corresponden en conjunto a las tres primeras declinaciones latinas: La primera en *a*, la segunda en *o* y la tercera en *e* (o consonante): *casa, muro, hombre* y *mujer(e)*. La cuarta latina vacilaba con la segunda, y en el latín vulgar fué absorbida por ésta. Sólo han quedado algunos cultismos, como *tribu, espíritu*. La quinta latina vacilaba en algunos casos, y fué atraída por la primera: *d i a *día,* *s a n i a *saña,* m a t e r i e s m a t e r i a *madera*, y sólo han quedado cultismos, como *especie, serie*.

46. Casos.—El único caso formal del español se tomó del acusativo latino: *siervo* de s e r v u m, *hombre* de h-o m i n e m, *siervos* de s e r v o s y *hombres* de h o m i n e s. La insuficiencia de los seis casos había hecho prodigar las preposiciones en el latín vulgar, y las posteriores confusiones fonéticas de los casos (*servum* pronunciado igual que *servo*) hicieron que prevaleciese la declinación de una sola forma con preposiciones. El latín de las inscripciones imperiales acusa la pérdida de los casos: *cum filios, pro salutem*. Hay algunos restos de la declinación latina. Los pocos ejemplos conservados fuera del acusativo son cultismos eclesiásticos, de la administración o voces técnicas. Nominativos: D e u s *Dios,* p r e s b i t e r *preste,* i u d e x *júdez juez,* m a g i s t e r *maestre,* v i r t u s ant. *virtos virto,* r e s ant. *res;* nombres propios, como

Jesús, Marcos, Pilatos, Pablos, Carlos, Longinos, y cultismos, como *libido, impetigo, cráter, crisis*. No son nominativos, sino formas regresivas latinas y romances, como positivos del aumentativo, *c u r c u l i u *gorgojo* (no de un romance *gorgojón) frente a c u r c u l i o n e, *v e s p e r t i l i u ast. *espertello* frente a v e s p e r t i l i o n e. En latín junto a p a v o n e existía p a v u s. Se conservó el nominativo singular en los demostrativos i s t e *este,* i p s e *ese,* i l l e *él,* e g o e o *yo,* t u *tu,* y el antiguo castellano conoció i n v i t u s *amidos*. Genitivos. Era frecuente con nombres propios como dependiente de f i l i u s *hijo* para designar el apellido: G e r v a s i *Hervás.* En algunos nombres es dudoso si la vocal perdida es la *o* del acusativo por proclisis ante el apellido o es la *i* del genitivo, como en *Hernán, Martín, Antón, Alvar, Laín.* Los gentilicios en *z* y *s* parecen proceder de genitivos etimológicos en - a c i -i c i -i s; D i d a c i *Diaz,* S a n c t i *Sanz,* R o d e r i c i *Rodriz,* D i o n i s i *Diniz,* D o m i n i c i *Doménez,* V i l l i c i *Víllez,* S a l v a t o r i s *Salvadórez,* propagados a otros apellidos por analogía: *Pérez, Martínez.* El noroeste abunda en genitivos germánicos en *iz:* W i t e r i c i *Guitiriz,* E u r i c i *Eiriz,* A s p e r i g i *Espariz.* Castilla hasta el siglo x ofrece gran abundancia de antropónimos góticos en *iz.* En la toponimia han quedado genitivos, dependientes en un principio de *monasterium* o de *ecclesia,* como m o n a s t e r i u m S a n c t i Q u i r i c i *San Quirce,* S a n c t i I u s t i *Santiuste,* S a n t i F e l i c i s *Santelices,* S a n c t i G a u d e n t i i *Sangandez,* S a n c t i E m e t e r i *Santander,* S a n c t i A e m i l i a n i *San Millán,* S a n c t i C i p r i a n i *San Cebrián,* S a n c t i G e r v a s i *Santervás.* Abundaban los topónimos de genitivos regidos de v i l l a: *Villapadierne, Villalaín,* V i l l a G o t t h o r u m

Villa Otoro Villatoro; de c a s t r u m : Castru Sigerici
Castrojeriz; de c a m p u s : C a m p u Gotthorum ant.
Campotoro; de t u r r i s : T u r r e M a u r i *Tormor;* de
un nombre de parentesco, f i l i u s , filia, uxor; uxore
L u p i `uxor Lop`, aunque este uso fué muy reducido.
Los cinco primeros días de la semana son genitivos regidos de *dies:* *l u n i s (con la terminación de m a r t i s)
lunes, M a r t i s *martes,* *Mercuris (con la terminación
de los otros días) *miércoles,* I o v i s *jueves* y V e n e r i s
viernes. Fuera de éstos quedaron algunos compuestos de
cierto carácter técnico: f i l i u e c c l e s s i a e *feligrés,*
c o m i t e stabuli *condestable,* f o r u m i u d i c u m *Fuero
Juzgo,* a u r i f r e s u *orfrés,* p e d i s u n g u l a *pezuña.*
Vocativos. Quedó la invocación de guerra [S a n c t e]
I a c o b e , *Yagüe.* En nombres propios se usó también una
declinación gótica en *-a -anis,* como los nombres de la
tercera declinación, F r o i l a , -a n i s *Froilán,* F a f i l a
F a f i l a n i s , V u a m b a V u a m b a n i s , asimilados a
veces a los nombres de la segunda: V u a m b a V u a m -
b a n i , genitivo.

47. **Número.**—1. **Formación del plural.**—Se forma
añadiendo *s* los terminados en vocal átona, *rosas, manos,
breves.* Forman generalmente el plural añadiendo *es* los
terminados en consonante, menos *s,* y en diptongo, como
amores, leyes. Varía la terminación en los acabados en
vocal tónica. 1. Las graves o esdrújulas en *s* y los patro-
nímicos graves o esdrújulos en *z* no se alteran al formar
el plural, *jueves, paréntesis, Martínez,* pero sí los demás
en *z, alféreces, cálices.* 2. Los terminados en digtongo
con *i* final añaden *es, rey reyes:* pero en la lengua antigua
y clásica podían formar el plural con *s,* como *leys, reys,*
plural hoy conservado en el habla vulgar de Castilla.

3. Los monosílabos en vocal formaban generalmente en la lengua clásica el plural en *es, piees, fees, sies, noes,* y las letras del alfabeto, *aes, tees,* etc.: los nombres hacen hoy el plural en *s, pies, fes,* pero en las letras se usan para las vocales las dos formas (*s* más vulgar, *es* más culto), *aes as, íes is, oes os, úes us,* si bien casi siempre *es,* y para las consonantes monosilábicas casi siempre las formas *ces, tes* y rara vez *cees, tees.* Los polisílabos en *a* tónica forman generalmente el plural en *s* en la lengua clásica y en la usual moderna, pero la lengua culta tiende al plural en *es: mamás, papás,* como palabras vulgares, no conocen mas que el plural en *s; bajás* y *sofás* son los plurales corrientes contra los más cultos *bajaes, sofaes; albalá* no conoce hoy más plural que *albalaes.* Los polisílabos en *e* tónica forman el plural siempre en *s,* siendo rarísimo ya hallar las formas antiguas *canapées, cafées* en vez de *canapés, cafés.* Los en *i* tónica vacilan en todas las épocas: *s* se encuentra a veces en la lengua clásica, más en los poetas que en los prosistas, y en la moderna es la forma corriente de la lengua vulgar, frente al plural más culto en *es, alelís alelíes, rubís rubíes; bisturís* y *zaquizamís* se usan más que las formas en *es; maravedís* es más usado que *maravedises.* Los en *o* tónica; *rondós* y el cultismo *rondoes, chacós* y el cultismo *chacoes.* Los en *u* tónica vacilan; *ambigús* y el cultismo *ambigúes, tisús* y el cultismo *tisúes.* 4. Los extranjerismos terminados en consonante extraña forman el plural de un modo irregular: considerados como tales extranjerismos forman el plural añadiendo *s, clubs;* asimilando su terminación a las castellanas y aplicándoles por tanto la regla general, pueden formar el plural en *es, álbumes;* y modificando su pronunciación hasta castellanizarlos, pueden seguir las

reglas normales, *bistés*, *milores*; *lord*, y *bulevard* lo hacen
lores, *milores* y *bulevares*, sobre la pronunciación *lor*,
milor, etc.; *zinc*, pronunciado *zin*, hace *zines*; *bistec* forma
sobre la pronunciación *bisté* el plural *bistés*, si bien algunos usan sobre la forma íntegra el plural *bisteques*; de
frac sobre la pronunciación *frá* forman algunos el plural
frás, otros el cultismo *fracs*, y algunos, aplicando la regla
general de nuestra lengua, el plural *fraques*; *pailebot* y
paquebot hacen *pailebotes* y *paquebotes*, pero *complot* hace
complots; *meeting* forma el plural *meetings*, pero *mitin* se
asimila a nuestros nombres y lo forma *mítines*; *album*
como extranjerismo hace *albums*, pero algunos, asimi-
lándolo a los castellanos, hacen *álbumes*; *club* y *armonium*
hacen *clubs*, *armoniums*: las formas verbales en *t* no
varían en plural, como *accésit*, *éxplicit*, *déficit*; *fénix*,
ónix, *sardónix* son invariables en plural, si bien los cul-
tistas tienden a darles los plurales latinos *fénices*, *ónices*,
sardónices. 5. Los compuestos de un elemento verbal y
uno nominal sólo varían el nominal, como *quitasoles*,
pasacalles, *alzacuellos*, *cualesquiera*. Los compuestos de
dos elementos nominales pluralizan generalmente sólo el
segundo elemento; siempre si el primero está modificado,
como *agridulces*, *sopicaldos*: casi siempre los demás, como
puntapiés, *madreselvas*; pero hay algunos, cuyos dos elementos nominales unidos en concordancia son movibles,
que admiten el plural para ambos, como *mediascañas*,
gentileshombres, *ricoshombres*, *casasquintas*, y otros que lo
pueden admitir, como *guardiasciviles* o *guardiaciviles*,
salvosconductos, aunque generalmente *salvoconductos*; *sor-*
dosmudos, pero más frecuente *sordomudos*; *montespíos*, pero
generalmente *montepíos*; de los unidos en régimen no
suele usarse hoy con plural doble ninguno, pero de *bocas-*

mangas y *bocascalles* no faltan algunos ejemplos de los siglos XVII y XVIII; *hidalgo* no admite naturalmente sino el pural *hidalgos,* como *hijodalgo* no admitía sino *hijos-dalgo,* pero por la atracción de *hidalgos* hacen algunos el plural *hijosdalgos.* 6. Algunas voces no nominales admiten el plural al usarse como sustantivas, como *síes, noes* y *nones, ques* (ant. también *quees,* Salazar, Riv., p. 66), *porqués, otrosíes,* «muchos *amenes* al cielo llegan»: algunas de ellas con uso puramente ocasional en los clásicos, como *mases, míes, ay de míes, allíes, túes* y *tuses.* 7. De segunda pluralización la lengua común no conoce más casos que *maravedís-es,* sobre el primer plural *maravedí-s,* del cual según la alternativa *meses mes* ha llegado el vulgo a formar el nuevo singular *maravedís,* y *dioses,* derivado del antiguo etimológico *dios* («los dios» Alexandre, 212), para evitar así la confusión de número, confusión que los judíos españoles de oriente han salvado creando el singular *dio:* la lengua popular conoce otros casos, siempre en vocal aguda, *pie pieses, sofá sofases, café cafeses, papá papases.* 8. Hay a veces oposición entre el singular y el plural. Las variantes son muy raras: aparte de la acentuación, *caractéres,* etc., merece citarse el ant. *piel pielles* (pero ya *pieles pielles* en el Cid según el singular): la antigua oposición *pie piedes* no es mas que aparente, pues la verdadera correlación será *pied piedes, pie piees-pies,* y lo mismo *fed fedes, fee-fe fees-fes,* correlación que hoy se guarda en algunas formas vacilantes, *cuchar cuchares, cuchara cucharas, exprex expreses, expreso expresos;* sin embargo en el caso de *d* final perdida es rara la correlación, usando poco *parés, mercés* y nunca *verdás, virtús* los que usan el singular *verdá, virtú.*

2. **Sustituciones de número.**—Se empleó como singular femenino el plural neutro en *a*, por no ofrecer la *s* característica de los demás plurales. Inversamente se tomaron como plurales los neutros en *s*, y para distinguirse se creó un singular suprimiendo esta letra, como t e m p u s **tempos, el tiempo:* conserva la idea de singular el cultismo *Corpus* ant. *Cuerpos Christi,* pero en los demás nombres la traslación es probablemente prehistórica, pues los ejemplos conocidos tienen forma de plural con significación también plural; si hoy se dice «en tiempos del rey Rodrigo» «hirió sus pechos», es con evidente alusión al plural: en los nombres cultos en *is,* relacionándolos en cierto modo con el plural, se ha suprimido con frecuencia la *s,* como *metrópoli,* y los clásicos *génesi, apocalipsi, Illiberi,* León, *Poesías,* I, oda 3.ª.

48. Género.—1. Los nombres en *a* son femeninos, menos *día* y los cultos en *ma,* como *el tema.* Las nombres de persona masculina en *a* la antigua lengua tendía a hacerlos femeninos por virtud de la terminación, ya procedieran de femeninos, como *la cura, la guarda, la guía, la corneta,* ya procedieran de masculinos, como *la profeta, la patriarca.* La lengua moderna los hace masculinos, *el cura, el patriarca, el guarda.* Los nombres en *o* son masculinos, menos *mano,* el catalán *nao, seo* y algún cultismo, como *libido.* Los nombres de árboles en *-us,* femeninos, se hacían ya masculinos en latín vulgar, y siguen en español como tales: u l m u s *olmo,* p i n u s *pino.*

2. Nombres masculinos latinos de la tercera se han hecho femeninos, como t r i p e d e *la trebede.* El caso más importante es el de los nombres en *-or* hechos en el antiguo castellano femeninos, *la temor, la dulzor,* quedando de este uso sólo femenino *la labor* y en la lengua

vulgar *la calor* y *la color*. Nombres femeninos latinos se
han hecho masculinos, como p a r i e t e *pared*, g r e g e
grey, a r b o r e *árbol*, f a r r a g i n e *el herrén* (frente a
las herrañes), *el hollín* (frente a *la holingre*). Nombres
ambiguos latinos persisten como tales, como m a r g i n e
margen marcen m. y *márcena* f., f i n e *fin* m. ant. amb.,
la crin y *el crin*, aunque otros han tomado un solo género,
s a e p e *la sebe*, *la serpiente*, *la hueste*. Hay vacilaciones
locales o de uso entre masculinos y femeninos: p o n t e
puente, c a r c e r e *cárcel*, p a l u d e *paúl*, l i m i t e *linde*,
f r o n t e *frente*, *el cauce* o *calce* y *la claz*, *el orden* y *la
orden*, *los puches* y *las puches*, *el dote* y *la dote*, *el testudo*
y *la testudo*; *la crisis* y *la pirámide* son ambiguos en
la lengua antigua; el mejicano usa *el sartén*; *énfasis* y
análisis f. son ambiguos, pero ya predominantemente
masculinos; *génesis* se conserva femenino como nombre
común, pero es masculino significando el primer libro
bíblico; *hambre* femenino, pero en la lengua vulgar también masculino; c u t i s f. era hasta no hace mucho
ambiguo, si bien ahora se usa como masculino; *fénix* m.
y *ónix* son comunes, aunque predomina ya decididamente
el masculino; *doblez* ha quedado como femenino en la
acepción abstracta, pero se ha hecho masculino como
concreto por analogía de otros nombres; *tribu*, aunque
f. como en su origen, era también masculino en la lengua
antigua y clásica, *Castigos*, 10, Granada, I. *Símbolo*, 2;
caries f. se usa hoy como femenino, pero en las anteriores ediciones del Dic. de la Acad. se consideraba como
masculino: *trípode* m. se usa como masculino en la
acepción corriente, pero frecuentemente como femenino
por el 'banquillo de la pitonisa': los adjetivos p i n g u e,
f o l i a t i l e han dado los ambiguos *pringue*, *hojaldre*. El

cambio analógico es excepcional: *un porción* dice el vulgo
por analogía de *un montón*.

3. **Cambios de terminación por el género.**—Diversos nombres de los tres géneros han variado de terminación por el género: 1. Algunos nombres en *a, o* han
cambiado de terminación al cambiar de género: t a l p a
topo (gall. *toupa*). 2. Algunos nombres en *a, o* han cambiado de terminación porque estaba en contradicción con
su género (ya en latín *nura, socra* por *nurus, socrus*, App.
Probi): s m a r a g d u *esmeralda*, a m e t h y s t u *amatista*,
t o p a c i u ant. *estopaza*, siendo comunes en latín, han
alterado la terminación por estar en discordancia con el
género castellano. De sustantivos-adjetivos en *a* cambia-
ban algunos cultismos su terminación en la lengua clásica,
polígloto, indígeno, como hay *cornúpeto* frente al académico *cornúpeta*. 3. Algunos nombres en consonante o
e han cambiado su terminación en *o* para el masculino;
p a s s a r e *pájaro*, c i c e r *chícharo*, c o r t i c e *corche,
corcho* y desde el período latino *p u l v u *polvo*, o s s u
hueso, v a s u *vaso*. 4. Algunos nombres en consonante o
e han cambiado su terminación en *a*, para el femenino,
siendo algunos de estos cambios del período latino, como
* s a l i c a *sarga* al lado de s a l i c e *sauce*, *p u l i c a
pulga, c o c h l e a r e *cuchara* (*cuchar* vulgar), s p e c i e
especia (*especie*, Espinel, *Obregón*, I, 13), f r o n d e *fronda*
(*frondes*, Santillana, p. 97), t u r t u r e *tórtola*, p u p p e
popa, amites ant. *andes, Alexandre*, 2401, *andas*, g r u e
ant. *grua*, p a n t i c e *panza*, limace *limaza*, ant. *Alpas,
Castigos*, 10, del ant. *Las Alpes, Cron. Gen*., 67, a. 31,
c r a t e *grada*, r e s t e *ristra*, tenace *tenaza*. Han tomado
modernamente *a* muchos femeninos: *señora, pastora* ant.
señor, pistor, española, ladrona, nodriza, infanta, parienta.

Los bigenéricos en *o a* generalmente se han producido
por atracción de un sinónimo. Con *o* original: canistru
canasto -a según *cesta*, puteu *pozo -a* según *hoya*,
cantaru *cántaro -a* según *olla*, cippu *cepo -a* según
viña, ramu *ramo -a* según *hoja*. Con *a* original: cista
cesta -o según *canasto*, fovea *hoya -o* según *pozo*.

4. **Neutros.**—El latín vulgar usaba los masculinos
lactem por lac, roborem por robur, de donde
el cast. *roble*, sulphurem por sulphur, de donde el
cast. *azufre*. *Pebre* lo mismo puede venir de piper que
de *piperem, que supone Grandgent Lat. Vulg., 347.
Los neutros en *-men* hubieran dado *-mbre* lo mismo por
inversión de *n* final, lumen *lumne*, que por medio del
acusativo *luminem por pérdida de la vocal postónica.
El caso del neutro *inguen* deja en la misma duda de si
ingle ingre viene de *ingne por inversión de *n* o por
pérdida de la postónica del masculino *inguine. Los
neutros en *um* se hicieron masculinos, filum *hilo*,
gaudium *gozo*, pratum *prado*, y los nombres de
frutos: pirum *pero*. Los neutros en *-us* por terminar
en *o* se han hecho masculinos: stercus *estierco*, corpus *cuerpo*, tempus *tiempo*, latus *lado*, pignus
ant. *peño*, pectus *pecho*. La *s* se ha eliminado por
parecer signo de plural en *tiempos*, *peinos peños*, *pechos*,
cuerpos. No tuvo tiempo de perderse *s* en opus ant.
uebos. Los neutros singulares en *a* se han hecho femeninos: cauma *calma*, flegma *flema*, epithema *bizma*,
apostema *postema*, celeusma *chusma*. La lengua
vulgar propende al femenino: *la reuma*, *la tema*, *la crisma*,
la fantasma. La lengua culta propende al masculino: *el
reuma*, *el cisma*, *el sistema*, *el emblema*, *el aroma*, *el tema*,
el crisma, *el fantasma*, *el anatema*, menos en *diadema*.

Los neutros primitivos que han resultado en *e* o consonante han vacilado en el género. En distintas zonas se usan *la ubre* y *el ubre*, *la sal* y *el sal*, *la cumbre* y *el cumbre*, *el estambre* y *la estambre*, *el mar* y *la mar*. La lengua culta hace estos nombres femeninos, y además *la hiel*, *la miel*, *la lumbre*, *la legumbre*, *la corambre*. Es femenino *cuchar cuchara* cochleare. El vulgo propende al masculino en algún caso, como a c i d u m e n *el acigüembre* en Burgos. *Leche* no viene de *lac* sino del femenino l a c t e m ; *red* puede venir de r e t e o de r e t e m . Plurales neutros en *a* hechos femeninos son c i l i a *ceja*, l i g n a *leña*, c o r n u a *cuerna*, f i l a *hila*, f o l i a *hoja*, o v a *hueva*, s i g n a *seña*, v e l a *vela*, b r a - c h i a *braza*, f e s t a *fiesta*, p i g n o r a *prenda*, v o t a *boda*, v a s a *vasa*, v i r i l i a *verija*, y los nombres de frutos: *pera, mora, serba, poma*. Aunque de origen colectivo, esta idea se ha ido esfumando ante la idea del singular y sólo en algunos por la evidencia objetiva se ve la relación antigua, como en *cuerna* 'los dos cuernos', *leña* 'los leños'.

ADJETIVOS

49. Han creado un femenino en *a* los positivos terminados en *or: rezadora, murmuradora* (antes *espadas tajadores*); los en *ón: corretona, hambrentona;* y algunos en *és*, como los gentilicios, *aragonesa, inglesa*, y además *montés* y *-esa*.

ARTÍCULO

50. El uso exagerado de los demostrativos los convertía en artículos. El antiguo castellano usaba a veces sin valor demostrativo *estos cavalleros* por *los caballeros*,

es día por *el día*, *esa ciudad* por *la ciudad*, *aquel día de
cras* por *el día de mañana*. Cataluña y Aragón sostuvieron
la competencia de *es* (procedente de i s t e e i p s e) y
sa (procedente de i p s a) con las formas procedentes de
i l l e i l l u. El castellano tomó como artículo determinante o genérico el latín i l l e como sujeto nominativo
e i l l u para los demás casos. A oriente y a occidente
del castellano prevaleció i l l u *lo*, pero en Castilla el
nominativo i l l e *el* se extendió a todos los casos. M. P.,
Oríg., 64 cita unos raros ejemplos de *lo*, *lo lombu* de
Oña 1072 y *lo soto* de Campó del siglo XII, aparte de *lo
omicidio* del Cid representante del habla de Medinaceli.
Las Glosas de Silos ofrecen *cono ajutorio*. En el femenino
i l l a dió el antiguo *ela*, que fundió su *a* final ante *a*,
el(*a*) *el: ela agua* > *el agua*, y perdió en los demás casos
su *e* inicial, (*e*)*la la*, *la casa*. Hoy sólo ha quedado *el* de
ela ante *a* tónica, *el águila;* pero la lengua antigua y
clásica usaba *él* ante toda *a*; *el amistad*, *el aldea* (hoy en
Burgos *el harina*) y ante otra vocal, *el espada*, *el esperanza*,
el entrada. A veces sin embargo usaban *la* ante *a* tónica,
la alma, *la ama*, *la Africa*. Hoy los adjetivos femeninos
llevan *la* siempre, pero la antigua lengua usaba *el* ante
a tónica: *el alta sierra*. En plural i l l o s dió *elos* (*elos
qui* 'los que' en las Glosas de Silos) e i l l a s dió *elas*,
y por pérdida normal en la proclisis *los*, *las*. La *ll* de
i l l e i l l a se mantuvo algún tiempo *ell*, *ella;* pero *ell*
redujo *ll* a *l*, como p e l l e *piell piel* (como el cat. *clavell
clavel*), y esta *l* de *el* se propagó a todas las formas, *la*,
lo, *las*, *los*. Ya en el siglo X se da *elos* por *ellos*. El artículo
se usaba en la pronunciación y en la escritura como
enclítico de las preposiciones y se soldaba con ellas. Con
las preposiciones *en* y *con* se asimilaba a la *n: ennos*, *enna*,

connas. Pero esta tendencia fonética deformante se fué abandonando en el siglo XIII, restaurándose el artículo completo. El artículo *el* tras una preposición terminada en vocal perdía su *e: contral, paral, sol.* Lo mismo hace hoy la lengua familiar y vulgar; pero la lengua común sólo lo admite en *del* y *al.* El artículo *la* apocopaba en lo antiguo y hoy en la pronunciación vulgar su *a;* pero esta pronunciación no la recoge la escritura. El artículo indefinido procede de u n u ya usado a veces como artículo en el latín vulgar: u n u se hizo *un* por ser pro- clítico y considerarse su *o* final como protónica; *una* puede fundir su *a* con la *a* tónica del nombre siguiente *un*(a) *águila, un alma.*

DEMOSTRATIVOS

51. Los demostrativos son: ĭs t e, en latín de se- gundo término, *este* ant. *est;* i p s e 'el mismo' *ese;* y e c c u i l l e *aquel.* En el mismo latín i s t e, i p s e se hicieron i s t ī, i p s ī por analogía de q u ī. La lengua antigua usaba a veces *esti, esi, aquelli* y por inflexión de *e* ante *i* final usaba *iste, ise, aquil,* que conocen varios dialectos españoles. Compuestos con e c c u m o con a t q u e antepuesto son, además de *aquel, aqueste, aquese,* anticuados y vulgares. Compuestos con *otro* pospuesto son *estotro, esotro, aquellotro quillotro aquelotro,* anticuados y vulgares, los dos últimos de sólo alguna zona dialectal. Según el clásico s e p s e *sese* y s e p s ī analógico de q u ī que dió *sise* se usaban compuestos con i p s e, que acusa el antiguo castellano, m e t i p s e *medés,* m e d i p s u *misso,* y el superlativo m e d i p s i m u *meesmo, meismo, mesmo* y *mismo* (a veces *misme* con *e* analógica de *este, ese*), en ipse *enés*, en ipsos *enesos*, ille ipsu *eleiso*, sibi ille ipsu *sibieleiso*, tu ille ipsu *tueleiso* (escrito *tueleisco* en las Glosas de S. Millán). Hic persiste sólo en los compuestos adverbiales hac hora *agora*, hoc annu *ogaño*. Is se perdió.

RELATIVOS

52. El nominativo masculino quī *qui* quedó en la lengua antigua para personas en cualquier caso, con los sentidos de 'que' 'el que', hasta que en el siglo xiv fué desapareciendo. El neutro quĭd quedó en la forma *que*. El relativo e interrogativo acusativo quem quedó en la forma *quien* para el singular y para el plural. En el siglo xvi se crea un plural *quienes*, que ha prevalecido, aunque persiste en la lengua hablada *quien* para el plural «aquellos en quien confiamos». El latín quale ha dado *cual* usado como calificativo sin artículo y como relativo precedido del artículo.

NUMERALES

53. Los cardinales son sintéticos hasta *quince*; *uno, dos, tres, cuatro, cinco, seis, siete, ocho, nueve, diez, once, doce, trece, catorce, quince*: los cuatro restantes se descomponen, *diez y seis* (pero el ant. *seze* de sedecim) *diez y siete, diez y ocho, diez y nueve*, que pueden escribirse *dieciséis, diecisiete, diociocho, diecinueve*: los demás proceden de las formas latinas, menos *setecientos, ochocientos, y novecientos*.

Merecen alguna observación los siguientes: *un* masculino se usa como adjetivo y *uno* como sustantivo, *una* femenino para ambos casos, y rara vez en lo antiguo *un* con valor adjetivo «un ora»: *dos* para ambos géneros del masculino d u o s, pero en el siglo XIII se conservaba el femenino *dues* d u a s; *cuatro* q u a t t u o r; *cinco* c i n - q u e q u i n q u e; s e x *seis* y ant. *seyes;* n o v e m *nueve* y *nuef*, *Cid*, 40; *doce* ant. *dodze* d u o d e c i m; *trece* ant. *tredze* t r e d e c i m: el ant. *seze, sedze* s e d e c i m se ha sustituído por la nueva perífrasis *dieciséis;* v i g i n t i dió *veínte*, mod. *veinte*, y a su imitación *treinta: cuarenta* ant. *quaraenta* q u a d r a g i n t a; *cincuenta* ant. *çinquaenta* c i n q u a g i n t a q u i n q u a g i n t a: *sesenta* ant. *sesaenta* s e x a g i n t a: *setenta* ant. *setaenta* s e p t a g i n t a s e p - t u a g i n t a: *ochenta* ant. *ochaenta* o c t a g i n t a (o c t u a - g i n t a en *Columela*, XI, 240, según s e p t u a g i n t a) o c - t o g i n t a : *noventa* de *novaenta* por analogía de *nueve* en vez del ant. *nonaenta* n o n a g i n t a: *cien* ante el nombre en vez de *ciento*, pero el vulgo usa también *cien* como pronombre «pasa de cien»: *doscientos* analógico de *dos* en vez del clásico *dozientos* d u c e n t o s, como *trescientos* de *tres* en vez del clásico *treziêntos* t r e c e n t o s: *qui-nientos* por analogía de *cientos* en vez de *quiñentos* q u i n - g e n t o s: *mil mill* m i l l e: los millares con las centenas, y las centenas y decenas juntas hoy sin conjunción, pero en la lengua antigua y clásica con conjunción, lo mismo que entre las decenas y unidades; «Año de mil y trezien-tos y siete» «Año de mil y quatrocientos y noventa y cinco años»; las fórmulas sustantivas de los millares d u o m i l i a no son conocidas en nuestra lengua, que tradujo las fórmulas adverbiales del latín poético y vulgar b i s m i l l e, t e r m i l l e, *çinquaenta vezes mill, dos vezes mill*, las cuales se conservan aún en el siglo XVI; pero en el período prehistórico éstas habían originado ya unas nuevas fórmulas adjetivas *çinquaenta mill, çinco mill*, que son las que al fin prevalecieron: como sustantivo la lengua culta prefiere *millar* a *mil*, pero en plural es más usado *miles* que *millares:* de la numeración vigesimal merece citarse el *tres vent medidas* de Berceo, *Sto. Domingo,* 457. *Ambos* es un cardinal relativo 'los dos ya dichos' o 'los dos de': «ambos salieron» [los dos nombrados], «Se acometieron por ambos lados» [por los dos lados de él]: parece un cultismo en vez del ant. *amos.* El antiguo pleonasmo *amas a dos, Cid,* 2601, se conserva aún entre el vulgo. El antiguo *entramos, F. González,* 648, *entrambos, entrambos a dos* preferido por Valdés, y aún predominante en el *Quijote,* es ya sólo de uso vulgar.

54. **Los ordinales.**—Son de origen vulgar los cinco primeros, pero *primero* y *tercero* no proceden de primus tertius, sino de los derivados primariu, tertiariu; *noveno* es un distributivo en función de ordinal. Los demás son de origen culto; la antigua lengua conoció sin embargo algunos más, *siesta, sietmo, ochavo, diezmo,* hoy conservados con valor sustantivo, y los sustantivos numerales *quaresma quaraesma* quadragesima, *cinquesma cinquaesma* quinquagesima. En todas las épocas se hallan usados con valor ordinal los cardinales, uso hoy frecuente en la lengua vulgar, y con los superiores a *décimo* aun en la lengua más culta.

Sobre las formas etimológicas *seteno, noveno, centeno* de valor original distributivo formó la antigua lengua los ordinales: *doseno, treseno, quatreno, cinqueno, seseno, ocheno, dezeno, onzeno, dozeno, trezeno, catorzeno, quinzeno, dizeseseno, dizeseteseno, veinteno, treinteno, quarenteno, cinquenteno, sesenteno, setenteno* y *ochenteno;* de ellos quedan el ordinal *noveno* y los sustantivos colectivos

novena, decena, docena, quincena, veintena, treintena, cua-
rentena, centena: deceno, centeno ante el nombre se apoco-
paban a veces, como *deçen capítulo,* Berceo, *Sacrificio,* 205,
de donde el sustantivo *centén.* A los castellanos *veinte,*
treinta se aplicaba a veces la terminación *ésimo* de v i g e-
s i m u s, haciéndose *veintésimo, treintésimo,* etc.

55. Los multiplicativos.—Son de origen vulgar *doble*
(culto *dúplice* y aun *dúplex)* y el ant. *treble* Berceo, *Sacri-*
ficio, 73, *treb, Alexandre,* 254 (culto *triple, tríplice):* son
de origen culto *cuádruple, quíntuple* y los sustantivos
duplo, triplo, cuádruplo, quíntuplo, séxtuplo, décuplo, con
los indefinidos adjetivos *simple, múltiple* y el sustantivo
múltiplo.

56. Los partitivos.—*Medio* es, como en latín, el único
de forma especial, usándose para los demás los ordinales:
éstos con valor sustantivo se emplean en la forma masculina, *tercio, cuarto, cuartillo, quinto, décimo, diezmo* (el
ant. *sesmo, C. de Huelgas,* I, 386, 'sexta parte' analógico
del anterior), y algunos en la forma femenina, *quinta,*
décima, como los nombres de medida *tercia, cuarta:* como
sustantivo la única forma especial es como en latín *mitad*
metad, hoy vulgar, *meètad meatad meitad* m e d i e t a t e
(por d i m i d i u m). Además sobre la forma etimológica
ochavo se han formado otros partitivos adjetivos y sustantivos en *avo,* como *dozavo, dozava, centavo* y en lo antiguo
en *ao,* como *veintao.*

57. Los distributivos.—El antiguo *seños,* clásico *sen-*
dos s i n g u l o s, es el único distributivo conservado con
valor de tal; «*Seños* moros mataron de *seños* colpes»
Cid, 724 [cada uno de un golpe] «Les pusieron *sendos*
manojos de aliagas» *Quij.,* II, 61: en la lengua moderna
se emplea con frecuencia como sinónimo de *grandes.*

INDEFINIDOS

58. Han quedado algunos indefinidos latinos: alteru *otro*, certu *cierto*, tantu *tanto*, quantu *cuanto*, tale *tal*, quale *cual*, alid ant. *al*, multu *mucho*, paucu *poco*, nullu ant. *null nul*, nulla, totu *todo*, solu *solo*, quisque ant. *quisque*, unu *uno*, aliquod *algo*, ant. *áligo*, y compuestos de ali-, ali-quem *alguien* (no de aliquem, sino rehecho sobre quem), nec-quem *ninguién*, aliquam ant. *áliga* en vez de **áligua* asimilado a *áligo*, aliqu-unu *alguno*, nec unu ant. *neguno ninguno*, ant. *digun(o)* vulg. *denguno*. El compuesto latino aliquantu perduró en el ant. *alquanto (alguandas beces* en las Glosas de S. Millán). Se usó algún compuesto de *que*, como quale quid *qualque* 'algunos, aproximadamente' vivo en la lengua vulgar. Del latín nec ente 'ningún' cita M. P., *Oríg.*, 69, *niquenti* de un documento de Clunia de 1030, hermano del ant. y raro *nient*. Quisque fué sustituído por el gr. cata *cada*. Compuesto de *quisque* y *cada* es el ant. *quiscadauno* del Cantar del Cid y el *quiscataqui* de las Glosas de S. Millán. De los compuestos clásicos con vis quedó qualevis *qualbis* en las Glosas de S. Millán y de Silos. El romance tradujo estos compuestos con quaerit *quier* y quaerat *quiera*, ant. *quiquier quequier*, ant. *quienquier*, mod. *quienquiera* y *cualquier:* entre sus elementos se podían intercalar palabras, sobre todo el reflexivo, *en qual guisa quier*, *qual se quier*. La Rioja, como perteneciente a la gran zona oriental que usó *volo*, conoció indefinidos con este verbo, si **volit* que *sivuelque* 'cualquiera', si **volit* quale *sivuelqual* 'cualquiera'

en Berceo. H o m i n e *hombre* se usó como en otros romances por 'alguno'. De n a t u s se forma h o m i n e
n a t u s y r e s o c a u s a n a t a : *nada* ha perdurado con
sentido negativo prestado de la frase negativa: *nado* ha
tomado la *i*, irradiada de *qui* a varios determinativos,
como *esti, otri;* la antigua forma etimológica *nadi* se hizo
nade, como *otri* se hizo *otre;* de la competencia de *nadi*
y *nade* surgió el moderno *nadie*, hecho *naide* en la lengua
vulgar por inversión de *i*. *Alguién* se acentuó *álguien* por
uniformación con *algo; otro* (hecho *otri* por *qui, esti*) se
hizo a veces *otrien* por *alguien*, se hizo *otre* por *este, ese*,
y de la vacilación de *otri otre* se produjo *otrie*.

P O S E S I V O S

59. Las formas del posesivo han sido: Del singular
subjetivo masculino de 1.ª persona: *mieo, mío* y *mió*,
antiguamente tanto adjetivo como pronombre, y femenino
mía, míe, como pronombre y adjetivo, y *míe mi* como
adjetivo, con confusiones recíprocas del género, *mio madre*
y *mi padre*. La reducción *mio > mi* y *mie > mi*, *mios >*
mis y *mias mies > mis* se inicia en textos muy antiguos;
pero las formas completas siguen usándose en el siglo xiv.
Del singular subjetivo masculino de 2.ª y 3.ª persona
to, so y femenino *túa túe, súa súe*, antiguamente tanto
adjetivo como pronombre, y *tue tu* y *sue su* como adjetivo, con confusiones del género, como *so cosa* en las
Glosas de Silos, tomado del masculino, *so ermana, sos*
mañas en otros documentos. El resultado fonético de los
tipos latinos clásicos hubiera sido m ĕ u *mieo*, m ĕ a **miea*,
t ŭ u **too to*, t ŭ a **toa*, s ŭ u **soo so*, s ŭ a **soa*. La
oposición entre *mieo* y *mía* en lo antiguo ha hecho

pensar que el femenino tendría distinto vocalismo que el masculino, admitiéndose que en latín m e a tendría *e* cerrada por disimilación de *e* ante *a*, aunque esta cerrazón no bastaba, y había que admitir un latín *mia*. Se cree que *mi* (*mi padre* y *mi madre*) procede del femenino *mie mi*, aunque en proclisis podía proceder también de *mio*. En *tu* y *su* se ve evidente la procedencia de *tue sue* femeninos, así como en asturiano *to so* con femeninos procede del masculino. No es preciso en *mío mió* pensar en la influencia de *mía*, porque *mieo* hubiera dado *mío* y *mió*, como *e o ieo* dió *yo*. La actividad de la analogía en los pronombres hace peligrosas las explicaciones puramente fonéticas. La forma *mía* sin intermedio de un supuesto romance *mea* es posible que se haya formado sobre *mi*. Los actuales tónicos o pronombres *tuyo, suyo* se formaron como correlativos del interrogativo posesivo *cuyo*. La forma *suyo* se encuentra ya a veces en el siglo XIII. Del plural subjetivo las formas son: n o s t r u *nuestro*, v o s t r u *vuestro*, con las variantes *nuesso, vuesso*, hecha la primera a veces *muesso* por analogía de *mío*. También se encuentra una antigua forma *nuestre* en vez de *nuestra* amoldada a *mie*. La tercera persona usa el mismo *su* del singular subjetivo. La gran zona oriental de España conoció i l l o r u m *lur* 'de ellos, su' (con pérdida de *o* final por proclisis) con un plural secundario *lures*. Los documentos de la Rioja prueban que era allí un rasgo local. Este rasgo también se acusa en un documento de Campó. Soria y el oriente de Burgos conocieron *lur*, y consta en las Glosas de Silos. Los casos sueltos a occidente de esta zona en documentos de Alfonso VII pueden significar, como observa M. P., *Oríg.*, 67, el uso de un notario de la cancillería de

Alfonso VII; pero *lur* hablado debió corresponder al área oriental, tan distinta en tantos rasgos de la capital burgalesa.

PRONOMBRES

60. 1. **Tónicos.**–Singular. De 1.ª persona e o **ieo* yo, m i *mí* y ant. *mibe* influído por *tibe*, o m e c u m, influído por *mí, conmigo*. De 2.ª persona t ū *tú*, t ĭ b ĭ ant. *tibe*, t i (analógico de *mi) ti*, t e c u m, influído por *mí ti, contigo*. La forma *tibe* por *tebe* citado por M. P., *Oríg.*, 66, debe su *i* a la inflexión por ī final. De 3.ª persona ĭ l l e (ant. *elle* y *elli* por analogía con *qui) él*, ĭ l l a *ella*, i l l u d *eilo* (en plural i l l o s *ellos*, i l l a s *ellas)*. De la combinación i l l i i l l u salió *gelo*, y por confusión con el reflexivo *se, selo se lo*, que sirve también para el plural. El reflexivo dativo s i b i es *sí* en vez de *sibe* por analogía de *mí;* s e c u m *consigo* en vez de *consego* por analogía de *sí*. Plural: n o s *nos* (usado hoy sólo como tratamiento y en alguna fórmula tradicional, como «venga a nos el tu reino», y a partir del siglo xiv *nosotros*, usado al principio en las contraposiciones, como *estotro, esotro, aquillotro*, hecho al fin general; n o s c u m ant. *connosco*, y, con la *u* de *tú*, *connusco*, v o s *vos*, y a partir del siglo xiv *vosotros*, aunque *vos* perduró en la literatura y en parte del castellano de América, v o s c u m ant. *convosco*, y, con la *u* de *tú* [1], *convusco*.

2. **Atonos.**–Singular. De 1.ª persona m e, acusativo, *me*, dativo o acusativo. De 2.ª persona t e, acusativo, *te*, dativo o acusativo. De 3.ª persona i l l i, dativo, *li, le*,

---

[1] M. P., 93, piensa si *con nusco* y *con vusco* tienen *u* por disimilación de *o-o*, sugerida por la vocal cerrada de *-tigo-migo*.

dativo y luego también acusativo, i l l u , acusativo, *lo*, i l l a , acusativo, *la*, i l l u d *lo*. Plural, De 1.ª persona n o s , acusativo, *nos*. De 2.ª persona v o s , acusativo, *vos (darvos)*, que empezó a reducirse a *os* en algún caso de enclisis verbal *(levantadvos > levantados > levantaos)*, forma que se propaga hasta hacerse general en el siglo XVI. De 3.ª persona i l l i s , dativo, *lis les*, i l l o s *los*, i l l a s *las*. Los pronombres átonos se podían modificar al ir enclíticos de un verbo. Con el imperativo plural en *d*, *dadnos*, podía dar por metátesis *dandos* (como r e t i n a *riedna rienda*), y *dadla* podía hacer *dalda* (como s p a t u l a *espadla espalda*). Ya hemos visto que *vos* se hizo *os* a partir del imperativo *venidvos > venidos*. Con el infinitivo *rl* puede hacer *ll*, *serville*, *decillo*, forma poética del siglo XVI. La apócope de los pronombres enclíticos en *e* era una ley fonética obligada: *le*, *me*, *te*, *se* perdían su *e* como enclíticos de un verbo: *diole > diol*, *téngome > tengon*, *mándote > mandot*, *tornose > tornós*, y como enclíticos de un proclítico (relativo, algunos adverbios, preposición o conjunción): *ques viesse*, *sin salve*, *nol cogieron*, *siempret maldizré*, *quel mate*, *bestia ol queme fuego*. Esta apócope la conserva el catalán, agravada con la de *lo* por perder también la *o* final. El castellano se dejó llevar un tiempo de esta corriente fonética, que deformaba frecuentemente el pronombre: *tóvetelo > tovedlo > toveldo*, *que me lo fagades > quem lo fagades > quemblo fagades;* mas el decidido instinto de claridad de esta lengua inició la restauración en el siglo XIII, encontrándose a fines del XIV sólo casos sueltos con *le > l*, *nol*, *quel*.

VERBOS

61. 1. Normas de formación.—La forma fundamental del verbo español unas veces se ha tomado de las formas fuertes, como s e n t i o *siento*. Otras veces se ha tomado de las formas débiles: *honro* no viene de h o n ō r o, sino de *honraba, honrar,* etc., que en latín tenían vocal protónica. La analogía impuso un solo tipo en verbos que en latín tenían en la conjugación acento móvil. La forma grave *sacudes* no viene de *succŭtis*, esdrújulo, sino de *sacudo,* del grave s u c c u t (i) o, como el grave *recibes* no viene del esdrújulo r e c ĭ p i s, sino de *recibo* del grave r e c i p (i) o. Al contrario *cubro* no viene de c o - p e r i o con acento en la *e*, sino de *cubres cubre*, de c o p e r i s c o p e r i t con acento en la o. Los verbos disílabos procedentes de un esdrújulo latino del pres. de ind. pudieron tomarse lo mismo de las formas fuertes que de las débiles: r e c u p ĕ r o pudo dar *recobro* por pérdida de la postónica, y r e c u p e r a r e pudo dar *recobrar* por pérdida de la protónica; c o l l ŏ c o *cuelgo* perdió su postónica y c o l l o c a r e *colgar* su protónica. La analogía de los perfectos débiles ha actuado continuamente sobre los perfectos fuertes, que unas veces se han perdido en el uso general, como el ant. c i n x i t *cinxo*, eliminado por el débil *ciñó*, y otras son sustituídos por débiles en la lengua vulgar, como *andó* y *redució* por *anduvo* y *redujo*. La analogía de tanto verbo grave en español ha hecho graves los verbos cultos que por tener la penúltima breve debían ser esdrújulos, como en italiano: *coloco* en vez de *cóloco, considero* en vez de *consídero, vindico* en vez de *víndico*. El castellano conserva el lugar y alternativa del

acento latino en los tres presentes personales (de indicativo, subjuntivo e imperativo), con acento en el tema en
cuatro personas, yo, tú, él, ellos, y con acento en la
terminación en las otras dos, nosotros, vosotros: *temo,
temes, teme, temen*, pero *tememos, teméis; tema, temas,
tema, teman*, pero *temamos, temáis;* y *teme, teman*, pero
temed, contra algunos dialectos que han uniformado la
acentuación en el tema en todo el presente de subjuntivo.
Frente a esta fidelidad en la acentuación latina el castellano acentúa en la misma sílaba que el singular todas las
personas de los demás tiempos: *amábamos, amabais*,
igual que *amaba; amáramos, amarais*, igual que *amara;
amásemos, amaseis*, igual que *amase; amáremos, amareis*,
igual que *amare*.

    2. **Desinencias. Personales.**—Se oscurecía *m* de 1.ª
persona y se perdió: p l o r a b a m *lloraba*, p l o r e m
llore. Se conservó -*s* de 2.ª persona: p l o r a s *lloras,*
p l o r a b a s *llorabas*, etc, Se conservó -*t* de 3.ª persona
hasta el siglo XIII, v e n i t *vienet viene*. Se conservó -m ŭ s
de la 1.ª persona de plural en la forma *mos;* t e n e m u s
tenemos. La desinencia -t ĭ s de 2.ª persona de plural se
hizo -*des;* pero luego en el siglo XV se perdió la *d* en las
formas graves: *llorades lloraes llorais*, y en el siglo XVII
en las formas esdrújulas, *llorábades llorabais*. La desinencia -*nt* de 3.ª persona de plural perdía la *t* a partir
del latín.

    3. **Del imperativo.**—No tenía desinencia mas que la
2.ª persona de plural en -*te*, convertida en -*d*, p l o r a t e
llorad. Esta *d* se pierde en la lengua vulgar, *andá, corré,
decí*, y en la lengua común ante el enclítico *os; andaos*.
En el antiguo estado -t e -d e se perdió en ciertas zonas
la *d* antes que la *e* y se originaron *llorai, tenei, decí*.

4. **Del perfecto.**—$\bar{I}$ de 1.ª persona combinada con la *a* en la 1.ª conjugación, p l o r a ī *lloré*, y, contraída en *i* en las demás, t i m e i *temí*, a u d i i *oí*. -S t ī de 2.ª persona da -*ste*, p l o r a s t i *lloraste*, y entre el vulgo -*stes*, *llorastes*, por analogía de los demás tiempos. -*T* de 3.ª persona se conservó hasta el siglo xii. -M ŭ s de 1.ª persona de plural dió -*mos*. -S t i s de 2.ª de plural dió -*stes*, *vos llorastes*, hasta que en el siglo xvii se generalizó -*steis*, *llorasteis*, con *i* analógica de los demás tiempos. -R u n t de 3.ª persona de plural dió -*ron*, *lloraron*.

5. **Del infinitivo.**—*Re* se conservó sin perderse la *e* hasta fines del siglo xi, p l o r a r e *llorare, llorar*. La *r* se asimilaba con la *l* del pronombre enclítico, haciendo *ll*, *decillo*, y hoy entre el vulgo haciendo *l*, *decilo*. La *r* se asimilaba también ante *s* del reflexivo enclítico, *marchasse*, y este uso persiste entre el vulgo.

62. **Conjugaciones.**—Las conjugaciones son tres: la 1.ª en *ar*, como *amar*, la 2.ª en *er*, como *temer*, la 3.ª en *ir*, como *partir*. De las cuatro conjugaciones latinas ha hecho tres el castellano: 1.ª *amar* a m a r e, 2.ª *deber* d e b ē r e, *romper* r u m p ĕ r e, 3.ª *sentir* s e n t i r e. El latín español hacía l e g e n t lo mismo que d e b e n t, y desde luego identificaba l e g ĭ s con d e b e s, l e g ĭ t con d e b e t: trasladado el acento, se pronunciaron lo mismo l e g ĭ m u s, l e g ĭ t i s, l e g ĭ t e, l e g ĕ r e que d e b e m u s, d e b e t i s, d ē b e t e, d e b e r e: sin embargo la distinción entre v a l e o y l e g o, v a l e a m y l e g a m persistía en el período romance. El verbo f a c e r e sufrió el mismo traslado, pero como para entonces tenía otras formas reducidas sobre su primitiva acentuación, éstas ya no pudieron seguir el cambio, *f a c r e ant. *far*, y ant. *fer*, *f a c m u s ant. *femos*, *f a c t i s ant. *feches*,

*facte ant. *feche*. Tampoco pudieron seguir la traslación por haberse antes reducido algunas formas de va-
dere, *vamus, *vamos*, *vatis *vais*. El ant. *tred*,
Cid, 142, puede venir de tragite, pero es más obvio
explicarlo como analógico de *tre* trage (comp. *ve vade*),
según la serie *ve ved*, *se sed*. La 1.ª conjugación recibió
los verbos latinos en -are *amar*, y los germánicos en
-an -on, windan *guindar*, raubon *robar*. Aquí
son difíciles las importaciones por el aislamiento de esta
conjugación: el cambio de flexión podrá admitirse en
meiare por meiere, *torrare *turrar* (sardo *turrare)*,
abburare *aburar*, tremare ant. *tremar*, pero en
general se trata de derivaciones de otras formas, como
fidare *fiar* (fidus), minuare *menguar* (minus),
*molliare *mojar* (mollis). La 2.ª ha recibido gran
parte de los verbos clásicos en -ēre y -ĕre, como
timēre *temer*, habēre *haber*, dolēre *doler*, rum-
pĕre *romper*, facĕre *hacer*, ponĕre *poner*: toser
parece una innovación sobre el sustantivo *toses*, en vez
de *tusir tussire, acusado por las demás románicas y
por los dialectos. La 3.ª ha recibido los verbos latinos en
-ire, *sentir*, y los germánicos en -jan, warjan ant.
guarir. De los verbos latinos en -ēre recibió algunos
por confusión de -eo -io, y esto en parte desde el
período latino, lucere *lucir*; se confundieron algunos
por esta forma en diversas épocas con los en -ire, como
cupire, moriri, fugire *huir*, y de aquí succu-
tere *sacudir*, percipere *percibir*. Otros verbos en
-ĕre con -o en el presente pasaron a la conjugación en
ir sólo a merced de la preponderancia de esta conjugación
en castellano, como battere *batir*, ringere *reñir*,
cingere *ceñir*, vivere *vivir*, petere *pedir*, vacilando

algunos, por ejemplo c e r n e r e *cerner cernir,* s p a r g e r e
esparcer y *esparcir,* y otros con relación a la lengua
antigua, como *i n a d d e r e *enader* mod. *añadir,* c o n -
f u n d e r e *cofonder* mod. *confundir,* *r e n d e r e *render*
mod. *rendir:* e x e r c e r e *ejercer,* pero *exercir* en Pérez
de Hita, *Guerras.* Los verbos cultos pasan desde luego a
esta conjugación, como e l i g e r e *elegir,* r e d i m e r e
redimir, p r o r u m p e r e *prorrumpir (romper),* d i s c u -
r r e r e *discurrir (correr),* f i n g e r e *fingir,* f u n d e r e
fundir. La 2.ª y 3.ª conjugación son iguales con excepción del infinitivo y sus dos derivados *(temer, temeré,
temería; partir, partiré, partiría),* de las dos primeras
personas de plural del presente de indicativo *(tememos,
teméis; partimos, partís)* y de la segunda de plural del
imperativo *(temed; partid).* La 1.ª conjugación no tiene
mas que una sola forma común, que es la primera persona
de singular del presente de indicativo.

63. **Verbos regulares.**—Se entiende por verbos regulares los que sirven de modelo para la generalidad
de los verbos. Con arreglo a las normas fonéticas no hay
un solo verbo que no sea anormal o irregular en castellano: *amase* y *amare* son fonéticamente anormales, porque contradicen a la ley de la *e* final, que debió perderse,
como en *miese mies* y en *amare amar* infinitivo; *amasteis*
es antietimológico frente al ant. *amastes* del latín a m a s -
t i s. Hay alteraciones respecto de la conjugación latina.
El castellano ha perdido: el futuro imperfecto de indicativo, *amabo, legam;* el pretérito imperfecto de subjuntivo,
amarem; el pretérito perfecto de este modo, *amaverim;*
y de las formas nominales el pretérito de infinitivo, los
dos futuros de infinitivo, los participios de futuro en
-t u r u s y en -d u s y el supino. Los participios de futuro

pasivo se han perdido: como cultismos se usan con valor
sustantivo verbal *corrigendo, ordenando, examinando, graduando, educando, dividendo, sustraendo, sumando, multi-
plicando;* y con valor adjetivo verbal *nefando, infando,
vitando.* El futuro estaba condenado a morir por sus
confusiones: *amabit amavit, amabimus amavimus* eran en
la pronunciación formas comunes al futuro imperfecto y
al pretérito perfecto: *legam* se confundía en la lengua
clásica con el presente de subjuntivo, y *leges, leget,* etc.
se pronunciaba igual que el presente *legis, legit* y que la
forma del latín español *legent.* El imperfecto de subjuntivo
amarem se confundía con el pretérito perfecto de este
modo *amaverim, amarim* en la pronunción, y los dos
hubieron de desaparecer. Ha cambiado el valor de algunos tiempos: a m a r a m *amara,* que era pluscuamperfecto
de indicativo hasta el siglo XIII, ha pasado a ser pretérito
imperfecto de subjuntivo; a m a s s e m *amase,* que era
pluscuamperfecto de subjuntivo, se hizo pretérito imperfecto de este modo; a m a r o *amare,* que era futuro
perfecto de indicativo y común de subjuntivo, ha originado nuestro futuro imperfecto de subjuntivo; a m a n t e
amante ha perdido su valor verbal para convertirse en un
nombre.

Ha conservado: a m o *amo,* presente de indicativo;
a m a b a m *amaba,* pretérito imperfecto; a m a i *amé,*
pretérito perfecto; a m e m *ame,* presente de subjuntivo;
y a m a r o *amare,* futuro imperfecto de subjuntivo; además el infinitivo a m a r e *amar* y el gerundio a m a n d o
amando.

64. Tiempos.—*Presente de indicativo.* La 1.ª conjugación corresponde en todas sus formas a la latina, a m o
amo, a m a s *amas,* a m a t *ama,* a m a m u s *amamos,*

a m a t i s *amades* mod. *amais,* a m a n t *aman:* asimilada
la 3.ª latina a la 2.ª en las cinco últimas personas, y
hecha al fin la reducción d e b e o *debo,* quedó como
paradigma de esta conjugación l e g o l e g e s l e g e t,
l e g e m u s, l e g e t i s, l e g e n t, que fué la base de *leo,*
lees, lee, leemos, leedes mod. *leéis, leen;* en la lengua
vulgar y descuidada se termina en *-is* la segunda persona
de plural, *tenís, temís, rompís,* por analogía de la 3.ª
conjugación, *sentís, partís:* esta reducción vulgar de *-éis*
a *-is* se encuentra con frecuencia entre los poetas de los
siglos xv y xvi; alguna vez se encuentra en los prosistas
clásicos, *querís, Quij.* II, 61: la 4.ª latina la última persona la terminó en el latín español en *-ent* en vez de
i u n t, y la segunda de singular en *-ĭs en vez de - īs
por analogía de *-ĭt,* resultando p a r t i o, *p a r t ĭ s,
p a r t ĭ t, p a r t ī m u s, p a r t ī t i s, p a r t e n t, de donde
parto, partes, parte, partimos, partides mod. *partís, parten.*
La yod de 1.ª persona (así como de todo el presente de
subjuntivo) de los verbos de la 2.ª y de la 4.ª duró lo
bastante para influir en la vocal del tema, v e s t i o *visto,*
y en algunos casos para combinarse con la consonante
v i d e o ant. *veyo,* v e n i o *vengo,* s a l i o *salgo,* combinación imperfecta en vez de la perfecta v e n i o **veño,*
y s a l i o **sajo;* pero las cinco personas del presente de
indicativo que no tenían yod influyeron para eliminar
al fin ésta de muchos verbos, t i m e o *temo,* m o v e o
muevo, p a r t i o *parto,* f a c i o f a c o *hago* y para impedir la fusión de la yod con la consonante, que hubiera
dado f o e t e o **hezo,* s e n t i o **sienzo,* f a c i o **hazo.*

Pretérito imperfecto.—En la 1.ª se conserva la *b,*
a m a b a m, a m a b a s, a m a b a t, a m a b a m u s, a m a -
b a t i s, a m a b a n t, de donde *amaba, amabas, amaba,*

amábamos, amábades mod. *amabais, amaban:* la 2.ª y 3.ª
latinas se confundían en el latín clásico; -e b a m dió
-*ía*, timebam, timebas *temía, temías;* los en -i e b a m
a la 3.ª se redujeron antes a -ebam, *f a c e b a m *hacía,*
etc.: la forma -i e b a m clásica no era sino una propagación de los verbos de la 3.ª en -i o verificada a favor
de la emigración de verbos como v e n i e b a m, que
pasaron definitivamente a la 4.ª; pero -i b a m era la
forma que mantenía el pueblo y que sirvió de base al
romance, p a r t i b a m, p a r t i b a s, *partía, partías;* a
la aparición de la lengua el paradigma más usado era
partía, partiés, partié, partiémos, partiédes, partién; en la
tercera persona seguía usándose algo *partía,* y probablemente *partíe,* que creó en el siglo xiii la reducción *partí,
mordí, dolí;* sólo excepcionalmente se halla la primera
persona en -*ié;* en el siglo xiv -*ía* se propaga a todas las
personas, bien sea por cultismo o por analogía de la
primera, alternando con -*ié* en Hita, pero ya como forma
única en el *Rimado,* Santillana, etc., quedando -*ié* a
principios del xvi como un vulgarismo del habla de Toledo; pero *ía* había producido en el siglo xiii la pronunciación -*iá* (lo mismo en los verbos que en los nombres,
diá, friá, Garciá), que no llegó a ser general, pero que
aparece en la poesía popular desde Berceo hasta los
romances (en éstos es corriente la reducción *soliá, soliás.
soliámos, solián* y *Mariá, abadiá, diá,* aunque siempre en
fin de verso -*ía);* después se halla en la poesía clásica,
quizá en parte por esta tendencia popular, pero sobre
todo por influencia italiana. El imperfecto de la 2.ª y 3.ª
suele hacerse en -*iba* en la lengua vulgar, *teniba, saliba,*
por analogía de *iba,* y -*aba* de la 1.ª. *Iba* conserva la *b* latina: *veía* es el imperfecto de *veer,* frente a *vía,* imperfecto

de *ver,* que usaban los poetas clásicos y que hoy se encuentra en la lengua vulgar. El acento fué trasladado de *amabámos, amabádes* según la analogía de las demás personas, pero la antigua acentuación persiste en el norte de Burgos.

Pretérito perfecto.—El castellano multiplicó sin medida los pretéritos débiles en *ai, ei, ii:* p l o r a i *lloré,* t i m e i *temí,* a u d i i *oí.* Las formas del latín que sirvieron de norma en la 1.ª conjugación castellana son a m a i, a m a s t i, a m a u t, a m a m u s, a m a s t i s, a m a r u n t, de donde *amé, amaste, amó, amamos, amastes* mod. *amasteis, amaron*; en las Glosas de Silos *yo probai* y *ell duplicaot*; en el siglo XIII la forma común de la segunda persona era en *-este,* y menos veces en *-esti, -est, levantaste, entresti, salvest,* con *e* analógica de la primera persona, y acaso de la segunda de plural de las otras conjugaciones, *valiestes, saliestes;* pero *-aste,* sea que se hubiese conservado oscurecida, sea una innovación según *amamos, amastes, amaron,* con fortuita coincidencia con su etimología, es lo cierto que prevaleció pronto y acabó por anular a *-este:* la primera persona de plural es *-emos* entre el vulgo, *amemos, llevemos,* con *e* analógica de *amé,* influyendo acaso en esta innovación la tendencia a diferenciarle del presente. El latín español tenía un pretérito débil en - e i para los verbos en - e r e, y otro en - i i para los verbos en - i r e (el gall. y el ast. supone el modelo r u m p e i, r u m p ĭ s t i, r u m p e u t, r u m - p ĭ m u s, r u m p ĭ s t i s, r u m p e r u n t frente al de la 3.ª d o r m i i, d o r m ī s t i, d o r m i u t, d o r m ī m u s, d o r m ī s t i s, d o r m i r u n t; el ant. port. *debeu* y el ast. *meteu,* ant. leonés *meteo),* pero en Castilla, en el período latino o romance, el pretérito de la 2.ª se asimiló

en todo al de la 3.ª, cuyo modelo latino era p a r t i i,
partisti, partiut (con terminación semejante a amaut
en vez de la forma más común -iit), part*ĭ*mus,
part*ĭ*stis, p a r t i e r u n t: las formas dominantes del
pretérito en el primitivo castellano eran *rompí partí,
rompiste partiste, rompió partió, rompiemos partiemos,
rompiestes partiestes, rompieron partieron,* y al lado de
ellas *rompieste partieste* raras, *rompimos partimos, rom-
pistes partistes;* las formas divergentes *partimos partiemos,
partistes partiestes* pueden corresponder a p a r t i m u s
p a r t i i m u s, p a r t i s t i s p a r t i i s t i s, o bien ser analógicas de *partieron partiera,* etc.: al fin las formas menos
usadas *partimos, partistes* prevalecieron, anulando a *partiemos, partiestes.* En los verbos en -*ir* el vulgo hace la
primera persona de plural en -*emos, salemos,* según la
analogía del vulgar *amemos,* ayudado de la tendencia a
diferenciarle del presente *salimos.* La conversión de -*stes*
de plural en -*steis* por analogía de los demás tiempos
empezó en el siglo xvi; los literatos siguieron usando
-*stes,* que es aún la forma general en el *Quijote,* y que
perduró junto a -*steis* en largo espacio del siglo xvii. La
segunda de singular ha tendido también a crear una *s*
para uniformarse con los demás tiempos: -*stes* sólo aisladamente se encuentra antes, pero en nuestros días no
sólo es común entre el vulgo, sino que tiende a hacerse
general en la lengua descuidada. El catalán conoció los
dos perfectos -*ē*runt y *ĕ*runt: potu*ē*runt *pogueren*
y potu*ĕ*runt *pogren;* pero el castellano sólo admitió
el primero.

Presente de subjuntivo. – Los verbos de la 2.ª se confundían en este tiempo con los de la 4.ª, v a l e a m
valiam como s a l i a m; m o n e a m m o n i a m como

m u n i a m. Al evolucionar la yod en v a l e a m *valga,* m o n e a m *muña,* los verbos de la 2.ª se identificaron con los de la 3.ª, *valga* como *rompa,* o con los de la 4.ª, *muña muñir,* como *parta partir.* Pero cuando la yod de la 2.ª y de la 4.ª no evolucionó, se perdió luego, haciendo t i m e a m *tema* y p a r t i a m *parta.*

Pretérito imperfecto «amara».—El pluscuamperfecto a m a r a m, etc., dió origen a las formas *amara, amaras,* etc. Los verbos en *-er, -ir* se formaron según el modelo de *-ir,* que en el latín de España ofrece los dos tipos, culto p a r t i e r a m, p a r t i e r a s, etc. y vulgar p a r- t i r a m, p a r t i r a s, etc.: esta última, que prevalece en Galicia y León, se conservó sólo aisladamente en Castilla, donde se hallan como formas generales *partiera, partieras,* etc. y analógicas *rompiera, rompieras,* etc., frente a algún raro en -i r a.

Pretérito imperfecto «amase».—Sobre la forma a m a s- s e m, etc., del pluscuamperfecto de subjuntivo el caste- llano *amase.* Los verbos en *-er* se asimilaron a los en *-ir* (pero el gall. distingue para - e r e -ĭ s s e m, *batese,* y para -ī r e -ī s s e m, *partise),* que se fundan en dos tipos, el culto p a r t ī ĭ s s e m y el vulgar p a r t ī s s e m; este último prevalece en Galicia y León, pero en Castilla sólo aisladamente se encuentran en la lengua primitiva algunos ejemplos en *-ise,* frente a la forma general *-iese.* La lengua antigua conoció las formas fonéticas sin *e, emendás, fiziés.*

Futuro imperfecto.—Sobre las formas a m a r o, etc. se formó el futuro *amaro amar* mod. *amare,* etc. Los verbos en *-er* e *-ir* se han fundado en el modelo de *-ir,* p a r t i e r o, p a r t i e r e, etc., de donde ant. *partiero partier* mod. *partiere.* La forma original en *ro* de primera

persona, *amaro* a m a r o , se encuentra en la lengua primitiva, pero desde la aparición de nuestra lengua compiten con ella otras formas; en el *Cid,* salvo algún caso
aislado «fallar[o]: contados» 1260, es constante la forma
en *-r,* «dixier, ovier»; en Berceo domina la forma en
-ro, contra algunos casos en *-re:* esta terminación en *-re,*
analógica de las demás personas, acabó por prevalecer en
el siglo xiv, a fin del cual son raras ya las formas en *-ro:*
la tercera persona presenta como forma general *re* y
pocas veces *r;* las dos primeras de plural admitían junto
a las formas completas *amáremos amáredes* las sincopadas
amarmos, amardes, la primera de escaso uso, pero la
segunda muy frecuente en la lengua primitiva, usual aún
en tiempo de Nebrija, frecuente en los romances *vierdes,*
163, *supierdes, pudierdes,* 209, y superviviente en el siglo
xvii, *quisierdes, Quij.,* I. 28.

Imperativo.—En el imperativo, igual que en el infinitivo, quedaron reducidos en España a tres los cuatro
modelos plurales de los verbos latinos: a m a *ama,* a m a t e
amad; t i m e r u m p e *teme rompe,* t i m e t e *rumpete
(r u m p i t e) temed romped;* p a r t i *parte,* p a r t i t e
partid. Otro proceso divergente fué la conservación de *e*
final de los plurales, *esperade, comede, Cid,* 1028, que, si
rara vez aparecen, persistieron en la lengua primitiva,
dando origen en la lengua vulgar de la época clásica a
las formas de la 1.ª y 2.ª en *-ai, -ei* («Daime la bota y
quitaime la toca», Correas, p. 277), y que hoy persisten en
la lengua popular, *andai-sos, tenei-sos.* De las formas con
d, amad, romped, partid se formaron *andá, rompé, partí,*
muy usadas en la época clásica, y hoy conservadas en la
lengua popular y en el castellano de América.

Infinitivo.—Sobre los tres tipos del latín vulgar español

se formaron los tres infinitivos: a m a r e *amar,* t i m e r e
r u m p e r e *temer romper,* p a r t i r e *partir.* Con el pronombre enclítico de 3.ª persona *r* se asimilaba en *ll, coge-
llo;* este uso, poco acusado en la Edad Media, se generaliza
en diversos poetas clásicos; la pronunciación era de *ll,
dexallo: callo,* Hita. 808, *miralla: batalla,* Santillana,
p. 122, *sofrillo: monascillo,* Baena, 109, *merecello: bello,*
Herrera, son. XV, *convertilla: partecilla,* Garcilaso, Egl.
II; con pronunciación de *l* o *l-l* es la actual forma
general vulgar, *dejal-lo* o *dejalo.* Con el reflexivo *se*
asimila en *ss* o *s* en la lengua vulgar, *marchasse* o
marchase.

Gerundio.— El latín clásico distinguía tres tipos,
a m a n d o, t i m e n d o r u m p e n d o, p a r t i e n d o; en
el latín vulgar debió éste asimilarse al segundo grupo por
reducción de *i,* *partendo (comp. p a r i e t e p a r e t e),
y ambos quedaron igualados en castellano por diptongación de *e* abierta, *temiendo, rompiendo, partiendo* (comp.
m e r e n d a *merienda).*

Participio de presente.— Como en el gerundio, a los
tres tipos clásicos a m a n t e, t i m e n t e r u m p e n t e,
p a r t i e n t e debieron corresponder, por supresión de *i,*
dos en el latín vulgar, a m a n t e y t i m e n t e r u m -
p e n t e * p a r t e n t e : diptongada la *e* abierta quedaron
en castellano dos modelos, *amante* para la 1.ª y *doliente
rompiente hirviente* para la 2.ª y 3.ª.

Participio de pretérito.— De los cuatro tipos de sufijos
tónicos que conocía el latín (los átonos fueron generalmente eliminados) -a t u, a m a t u, -e t u, d e l e t u,
-i t u a u d i t u, -u t u m i n u t u, se adoptaron en España -a t u para los verbos en -a r e, -u t u para los en
-e r e, -i t u para los en -i r e, quedando como adjetivo

algún caso de -etu, quetu *quedo; -udo* en los verbos
en -er seguía con gran vitalidad en el siglo XIII, *vençudo,
metudo,* y aun a favor de la emigración verbal a la 3.ª
pasó con algunos verbos, *apercebudo,* contaminando a
algunos originales, *venudo,* penetrando junto con verbos
nominales, *encanudo* de *encanir,* y con participios sin
verbo, *menudo,* en los mismos sustantivos, creando el
sufijo nominal ponderativo o peyorativo *-udo, forzudo,
cachazudo;* pero como en otros casos *(rompiera, rompiese*
según *partiera, partiese,* y el pretérito perfecto *rompió*
según *partió)* la 3.ª tendió desde época prehistórica a
atraer verbos de la 2.ª, acabando por aplicar a sus verbos
la terminación *-ido, temido, vencido.*

  65. Formaciones perifrásticas.—1.º Formaciones con
haber. El infinitivo seguido del presente de indicativo
formaba un presente de obligación, utilizado para sustituir
al futuro imperfecto perdido, *ir-é, entrar-ás:* seguido del
pretérito imperfecto *ía (había)* formaba un imperfecto de
obligación de indicativo, conservado como tal y a la vez
como imperfecto de subjuntivo, *ir-ía, entrar-ía:* ambos
en la lengua antigua, y en la clásica a veces, podían ir
separados por el pronombre átono, como se verá en la
construcción, *dar le he.* Otros tiempos activos se han
suplido con el verbo *haber* mas el participio: en el latín
clásico era frecuente esta perífrasis, conservando sin embargo habere el significado de 'tener'; este uso se
generaliza en el latín vulgar, conservando este mismo
significado: en la época primitiva la lengua vulgar ya
tendía a hacer invariable el participio: «Dexado ha heredades» *Cid,* 115; pero a veces éstas, y sobre todo la lengua
más erudita, conservaban la concordancia antigua y latina,
la cual prevalece hasta el siglo XIV: «Los ovo bastidos»

Cid, 68; en este siglo acaba por prevalecer el participio
invariable, de tal modo que el variable puede decirse
desaparecido a principios del siglo xv, si bien se encuentra aisladamente después; así «he sacada» Santillana,
p. 415. La conjugación perifrástica con *haber* y el infinitivo para indicar necesidad, inminencia, o simple idea de
futuro, presenta tres tipos: 1. *Haber de,* que es la única
que la lengua moderna conoce; «He de ir, hubo de
marchar». 2. *Haber a,* común a todas las románicas, y
frecuente en la lengua preclásica; «Derecho me aviá a
dar» *Cid*, 642. 3. *Haber* con infinitivo sin preposición:
perdido el antiguo y poco usado giro «ovyeron lo fallar»
F. González, 29, «los que han lidiar» *Cid*, 3523, «oy a
seer» *Alexandre*, 1526, «ove rogar» Hita, 929, del inverso
«doblar vos he o dexar he» sólo ha quedado este último
en las dos formas sintéticas *amar-é, amar-ía.* 2.º Formaciones con *ser.* El verbo *ser* con el participio forma la
conjugación pasiva: de los tiempos perfectos a m a t u s
s u m , f u i pasó a los simples en el latín vulgar por
aplicar sólo la idea temporal al auxiliar; a m a t u s e s t
'es amado' en vez de 'fué amado' por analogía de los adjetivos f o r m o s u s e s t 'es hermoso'. Esta forma de *ser*
con el participio en lo antiguo tenía también sentido
intransitivo, o de voz media; «Son posados» *Cid*, 2657;
«Fueron tornados» *F. González*, 729, pero prevaleció
haber, quedando en la época clásica reducido el uso de
ser a pocos participios; «Luego era puesto en pie» *Laza-*
rillo, 2, «Los turcos ya son idos» *Quij.*, I, 49, de cuyo
uso han quedado las formas «era anochecido, es llegado
el momento», etc., y algunas más en la lengua literaria;
«Cristo es nacido». *Ser* puede formar conjugación perifrástica con el infinitivo, indicando el *deber* de cumplir

tal acción: 1. *Es de* con infinitivo hoy no se emplea con algunos giros que ofrece la lengua antigua; «Lo que a él ploguiere es todo de sofrir» *S. Oria*, 171: pero sí es corriente con los verbos de *esperar, creer* y *tolerar* (*agradecer, temer, ver, aguantar, suponer, esperar*, etc.); «Es de agradecer que venga», «Siendo de temer», «Era de suponer». 2. *Es a* con infinitivo se usaba en la lengua primitiva: «Firme mientre son estos a escarmentar» *Cid*, 1121, «Son a aguardar» 1822. 3.º Formaciones con otros verbos. *Estar* con el participio se emplea para designar el *cumplimiento* o *persistencia* de una acción; «Está escrito»: *estar por* con infinito indica el *estímulo reprimido* a una acción; «Estoy por descubrirme» *Quij.*, II, 41; *estar para* con infinitivo denota la *preparación* o la *inminencia* de una acción; «Estando ya para manifestarse» *Quij.*, I, 34. El verbo *tener* sirve como *haber* para formar los tiempos compuestos acompañado del participio; «No se pasaron quince días, cuando ya nuestro renegado tenía comprada una muy buena barca» *Quij.*, I, 41; *tener* con infinitivo es una construcción que ofrece pocos ejemplos; «Seguirle tengo» *Quij.*, II, 33; *tener de* con infinitivo en la antigua lengua y en la vulgar actual sirve también como auxiliar de la conjugación perifrástica; «*Tengo de venir* a pelear en singular batalla» *Quij.*, I, 7; *tener que* con infinitivo se emplea para indicar la necesidad; «Tengo que ir». *Deber* con infinitivo sin preposición o *deber de* forma también una conjugación perifrástica indicando *opinión* o *duda;* «Le debía de llamar Quijada» *Quij.*, I, 1, «No debía de ser muy bien intencionado» I, 4, «No debe haber tres horas» I, 20. *Ir* y otros verbos de movimiento se juntan con infinitivo significando la *intención*, la *inminencia*, el *principio* de la acción, y aun la misma acción:

en la lengua preclásica ya sin preposición, ya con la preposición *a;* «La manol va a besar» *Cid,* 369: en la moderna siempre con la preposición *a;* «La puerta iba a dar a un jardín» «La bala fué a dar en el blanco» «Iba ya a salir». *Llevar* con el participio es de uso vulgar; «Es indecible lo que llevo sufrido». Diversas perífrasis se forman con el gerundio y diversos verbos: *estar:* «Estávalos fablando» *Cid,* 154, *andar:* «Andávalas demandando» *Cid,* 1292, *ir:* «Apriessa va yantando» *Cid,* 1057, *venir:* «Venía observando».

66. Verbos irregulares.—Forman doce grupos: 1. Verbos de las tres conjugaciones que diptongan la vocal del tema, como *quiero, ruego.* Son verbos que tenían la *e* o la *o* abierta y diptongan la *e* en *ie* y la *o* en *ue* en las personas fuertes. Los verbos con *e* abierta tenían que diptongar en las cuatro personas fuertes del pres. de ind. y de subj. *pierdo, pierdes, pierde, pierden; pierda, pierdas, pierda, pierdan.* La lengua clásica ofrecía el diptongo normal en formas que la lengua moderna ha pervertido: vĕto *viedo* hoy *vedo,* tĕmpero *tiemplo* hoy *templo,* enĕco *aniego* (hoy de And. y Amér.) hoy *anego,* rĕtro *arriedro* hoy *arredro,* praetĕndo *pretiendo* hoy *pretendo,* rĕputo *rieto* hoy *reto,* expĕndo *espiendo* hoy *expendo,* praesto *priesto* hoy *presto,* intĕgro *entriego* hoy *entrego,* evĕnto *aviento* (hoy vulgar) hoy *avento.* Hay casos de diptongación anormal, aunque en algunos el cambio en vocal abierta procede del latín. Con relació al latín clásico son irregulares fĭndo *hiendo,* pēn pienso, sēmino *siembro,* rĭgo *riego,* frĭco *fr* ērigo *yergo,* plĭco *pliego* frente al vulgar *plego,* teo *hiedo.* La lengua antigua omitía con razón la *d* gación en *penso, sembro, frego.* En verbos cul

normal la falta de diptongación, *obceco*, y algunos mantienen esta falta aun contra el verbo simple vulgar, *atento*
contra *tiento*, *pretendo* contra *tiendo*, contra otros compuestos, *ofendo* contra *defiendo*, *profeso* contra *confieso*,
o contra un nombre, *aferro* contra *fierro*, frente al clásico
afierro. Hay dobletes de un mismo verbo de su forma
etimológica diptongada y de su forma errónea, *aviento*
y *avento*, *atiesto* y *atesto*, *aprieto* y *apreto* vulgar, *empa-
riento* y *emparento*. A algunos de estos dobletes se les ha
inventado una distinción de significado: *atierro* 'tirar a
tierra', *aterro* 'causar miedo', creyendo en una falsa
etimología de *terror*, *atiento* 'andar a tientas', *atento*
'acometer'. La propagación del diptongo a toda la conjugación se ha cumplido a veces por influencia del nombre: *dezmar diezmar* por *diezmo*, *atesar atiesar* por *tieso*,
adestrar adiestrar por *diestro*, *aviejar* por *viejo*. Todos
los verbos cuyo tema contenía la vocal *e* abierta diptongaron ésta en las formas fuertes, como *yo pierdo*, *tú
pierdes*, *él pierde* y *ellos pierden*; *pierde tú*, *pierda él*, *pierdan ellos*; *yo pierda*, *tú pierdas*, *él pierda* y *ellos pierdan*.

    1.ª   *Abeldar, abnegar, acertar, acrecentar, adestrar, ale-
?rarse, alentar, aliquebrar, aneblarse, apacentar, apernar,
placentar, apretar, arrendar, asentar, aserrar, asosegar,
?entar (andar a tientas), aterrar, atesar, atestar (rellenar),
?avesar, aventar. Beldar. Calentar, cegar, cerrar, cimen-
?comenzar, concertar, confesar. Decentar, denegar,
?ir, derrenegar, desacertar, desalentar, desapretar, des-
?ar, desasentar, desasosegar, desatentar, desatravesar,
?ntar, desconcertar, desdentar, desempedrar, desence-
?enterrar, desertar, desgobernar, deshelar, desherbar,
desinvernar, deslendrar, desmelar, desmembrar,
desnevar, despedrar, despernar, despertar, despe-*

zar, desplegar, destentar, desterrar, desventar. Emparentar, empedrar, empezar, encentar, encerrar, encomendar, encubertar, endentar, enhambrentar, enhestar, enlenzar, enmelar, enmendar, ensangrentar, enterrar, entesar, entrepernar, errar, escarmentar, estregar. Ferrar, fregar. Gobernar. Hacendar, helar, herbar, herrar. Incensar, infernar, inhestar, invernar. Jamerdar, jimenzar. Manifestar, melar, mentar, merendar. Negar, nevar. Pensar, perniquebrar, plegar. Quebrar. Reapretar, reaventar, recalentar, recentar, recomendar, refregar, regar, regimentar, reherrar, remendar, renegar, repensar, replegar, requebrar, resegar, resembrar, resquebrar, restregar, retemblar, retentar, retesar, reventar. Salpimentar, sarmentar, segar, sembrar, sementar, sentar, serrar, sobresembrar, sorregar, sosegar, soterrar, subarrendar. Temblar, tentar, transfregar, trasegar, travesar, tropezar. Ventar.

2.ª Abstenerse, ascender, atender, atenerse. Bienquerer. Cerner, condescender, contender, contener. Defender, desatender, descender, desentenderse, desquerer, detener, distender. Encender, entender, entretener, extender. Heder, hender. Malquerer, mantener, manutener. Obtener. Perder. Querer. Requerer, retener, reverter. Sobretender, sobreverter, sostener, subentender, subtender. Tender, tener, trascender, trasverter. Verter.

3.ª Adherir, adquirir, advenir, advertir, arrepentirse, asentir, avenir. Circunvenir, concernir, conferir, consentir, contravenir, controvertir, convenir, convertir. Deferir, desadvertir, desavenir, desconsentir, desconvenir, desmentir, diferir, digerir, discernir, disconvenir, disentir, divertir. Entregerir, erguir. Herir, hervir. Inferir, ingerir, inquirir, intervenir, invertir. Malherir, mentir. Perquerir, pervertir, preferir, presentir, prevenir, proferir, provenir. Reconvenir,

referir, reherir, rehervir, rementir, requerir, resentir, revenir,
revertir. Sentir, sobrevenir, subvenir, subvertir, sugerir,
supervenir. Transferir. Venir. Zaherir.

En las mismas condiciones y formas en que los
verbos de *e* abierta diptongaron en *ie* han diptongado
en *ue* los de *o* abierta: *ruego*, etc. Hay casos de diptong-
gación inesperada, como *fullo huello* frente al ant. y
normal *hollo* y al compuesto *affullo abollo*, cōlo
cuelo, *trŭnceo truenzo* y *tronzo*, m o n s t r o *muestro*,
c o n s o l o r *consuelo*. Falta la diptongación en los verbos
cultos, y algunos mantienen esta falta contra las formas
vulgares, *interrogo* contra *ruego*, *innovo* contra *nuevo* y
renuevo, *prolongo* y *alongo* contra *luengo* y *aluengo*, *ester-
colo* contra el vulg. *estercuelo*, *sorbo* contra el ant. *suerbo*,
conforto contra el ant. *confuerto*, *aporto* contra el ant.
apuerto, h ŏ n o r o *honro*, r e s p ŏ n d e o *respondo*, c ŏ m-
pero *compro*. Hay dobletes de significado según su doble
forma: *apuesto* de p ŏ s t u 'hacer apuesta' y *aposto*
'poner en acecho', *afuero* de f ŏ r o 'dar fueros' y *aforo*
'tasar géneros'. Hay propagación a toda la conjugación
por influencia del nombre: *amoblar amueblar* por *mueble*,
desosar deshuesar por *hueso*, *abuñolar abuñuelar* por *bu-
ñuelo*, *engrosar engruesar* por *grueso*. La lengua vulgar
propaga con gran libertad el diptongo: *empuercar, acuernar,
juegar*, y la lengua común lo ha propagado en *ahuecar*
y *enhuerar*.

Lista de verbos: 1.ª *Abuñolar, aclocar, acollar, acordar, acornar, acostar, afollar, aforar, agorar, almorzar,
alongar, amoblar, amolar, apercollar, apostar (hacer apuesta), aprobar, asolar, asoldar, asonar, atronar, avergonzar,
azolar. Clocar, colar, colgar, comprobar, concordar, consolar, consonar, contar, cortar. Degollar, demostrar, denos-*

*tar, derrocar, desacollar, desacordar, desaforar, desaprobar,
descolgar, descollar, desconsolar, descontar, descordar, des-
cornar, desencordar, desengrosar, desflocar, desmajolar,
desolar, desoldar, desollar, desosar, despoblar, destrocar,
desvergonzar, discordar, disonar, dolar. Emporcar, enco-
clar, encontrar, encorar, encordar, encornar, encovar, engo-
rar, engrosar, enrodar, ensalmorar, ensoñar, entortar,
entremostrar, escolar, esforzar. Follar, forzar. Holgar, hollar. Improbar. Jugar. Mancornar, moblar, mostrar. Poblar,
probar. Recolar, recontar, recordar, recostar, reforzar, regoldar, rehollar, remolar, renovar, repoblar, reprobar, resollar, resonar, retostar, retronar, revolar, revolcar, rodar,
rogar. Sobresolar, solar, soldar, soltar, sonar, sonrodarse,
soñar. Tostar, trascolar, trascordarse, trasoñar, trastrocar,
trasvolar, trocar, tronar, tronzar. Volar, volcar.*

2.ª   *Absolver, amover. Cocer, condolerse, conmover,
contorcer. Demoler, desarresolver, descocer, desenvolver, des-
torcer, desvolver, devolver, disolver, doler. Ensolver, envolver,
escocer. Llover. Moler, morder, mover. Oler. Poder, promo-
ver. Recocer, remoler, remorder, remover, resolver, retorcer,
revolver. Soler. Torcer. Volver.*

3.ª   *Adormir. Dormir. Entremorir. Morir. Premorir.*

2.   Verbos de la 3.ª que debilitan la vocal del tema,
como *medir, podrir.* Convierten *e* en *i* y *o* en *u* en las
personas fuertes de indicativo y de imperativo y en todo
el presente de subjuntivo: *yo mido, tú mides, él mide* y
ellos miden; mide tú, mida él, midan ellos; yo mida, etc.;
y además en la tercera persona de singular y última de
plural del pretérito perfecto, *midió, midieron,* y en todas
las personas de los tiempos derivados, *midiera,* etc., *midiese,* etc., *midiere,* etc. y el gerundio, *midiendo.* Los
verbos en *er* son los únicos que se eximen de la inflexión

de *e o: temió, temiera, temiendo*, y *comió, comiera, co-
miendo. Ferviente* no inflexionó su vocal porque es del
ant. *ferver.* En el ant. *quiriendo* se ha pensado si influiría
la *i* del pretérito *quise*, pero no es precisa esta relación,
porque aparecen formas antiguas sin punto de relación,
como *trimió, timiendo, continiéndose.* Quiere decir que la
inflexión que el vulgo hace en *tiniente* nos parece anormal,
porque en los verbos en *er* no la vemos consumada, pero
hay que admitir una inflexión débil, que se manifiesta
en la *o > u* de *pudiendo.* En los verbos con *e* en el tema
los verbos etimológicos en *ir* debieron sufrir la inflexión
de la yod latina en la 1.ª pers. del pres. de ind. y en
todo el presente de subjuntivo: m e̅ t i o *mido*, m e t i a m
mida, etc. y s e r v i o *sirvo* y s e r v i a m *sirva*, etc. En
el imperativo la *i* final inflexionó la *e:* s e r v i̅ *sirve*,
m e t i̅ *mide:* En los verbos con *e* en el tema la competencia de la ley de inflexión ante yod y de diptongación
de *e* abierta produjo conflictos en el presente de indicativo, que se resolvían ya a favor de la inflexión, v ĕ s t i o
visto, s ĕ r v i o *sirvo*, ya a favor de la diptongación,
f ĕ r i o *hiero*, f e r v e o *hiervo*, s e n t i o *siento*, m e n t i o
miento. En los verbos en que predominó la inflexión el
resultado normal era *sirvo, sierves, sierve, servimos, servís,
sierven.* Pero *sirvo* uniformó las otras tres personas fuertes,
haciendo *sirves, sirve, sirven.* En los verbos en que predominó la diptongación ésta no se propaga por un instinto
vehemente de la lengua a las personas débiles, que siguen
con su *e* etimológica, *herimos, herís;* pero la cambian en
subjuntivo, *hiramos, hirais.* Sin yod latina los verbos
que pasaron a la conjugación en *ir* los que no diptongaron tomaron *i* en todas las personas fuertes y en todo
el pres. de subj.: *rijo, riges, rige, rigen, rija*, etc., *ciño,*

ciñes, ciñe, ciñen, ciña, etc. La *e* del tema de los verbos
originales o secundarios en *ir* ante yod secundaria se ha
hecho también *i, hirió* del ant. *ferió, pidió* del ant.
pedió, vinieron del ant. *venieron, arrepintiera* del ant.
arrepentiera. La antigua diptongación *í − a > ié* del pret.
imp. permitía la inflexión *servié sirvié* 'servía', *ferién firién*
'herían', que ha desaparecido al volverse a la forma
disilábica *servía, herían.* La lengua moderna permite algunas exenciones en la inflexión en los verbos en *ir*, por
analogía con las formas sin yod. El vulgo usa *digerió* por
digirió y *divertiera* por *divirtiera.* La lengua culta usa
frecuentemente *sumergió, sumergiera* por *sumirgió, sumir-
giera*, y *agredió, agrediera* por *agridió, agridiera.* La
lengua culta hace *conveniente* por *convenir* en vez del
antiguo y vulgar normal *conviniente*, del más antiguo
conveniente. En *concerniente* por *concirniente* de *concernir*
ha pasado la vacilación de *cerner cernir.* La analogía
verbal es tan fuerte, que puede poner contradicción entre
verbos gemelos. La *i* de *recibo percibo* se propaga a toda
la conjugación, eliminando a los antiguos y vulgares
recebir, percebir, sin detenerse ante el contraste con su
hermano etimológico *concebir* c o n c ĭ p e r e .

Lista de verbos. *Adherir, advenir, advertir, antedecir,
antevenir, arrecirse, arrepentirse, asentir, astreñir, aterirse,
avenir. Bendecir. Ceñir, circunvenir, colegir, comedir, competir, concebir, concernir, conferir, conseguir, consentir,
constreñir, contradecir, contravenir, controvertir, convenir,
convertir, corregir. Decir, deferir, denegrir, derretir, desadvertir, desavenir, desceñir, descomedirse, desconsentir,
desconvenir, desdecir, deseguir, deservir, desleír, desmedir,
desmentir, despedir, desteñir, diferir, digerir, discernir,
disconvenir, disentir, divertir. Elegir, embestir, empedernir,*

engreír, entregerir, envestir, erguir, estreñir, expedir. Freír.
Gemir. Henchir, heñir, herir, hervir. Impedir, inferir,
ingerir, interdecir, intervenir, invertir, investir. Maldecir,
malherir, medir, mentir. Pedir, perseguir, pervertir, pre-
decir, preferir, presentir, preterir, prevenir, proferir, pro-
seguir, provenir. Receñir, recolegir, reconvenir, reelegir,
referir, refreír, regir, rehenchir, reherir, rehervir, reir,
remedir, rementir, rendir, reñir, repetir, requerir, reseguir,
resentir, restreñir, reteñir, revenir, revestir. Seguir, sentir,
servir, sobrevivir, sobrevestir, sofreír, sonreír, subseguir,
subvenir, subvertir, sugerir, supervenir. Teñir, transferir.
Venir, vestir. Zaherir.

Los verbos de tema en *o* etimológicos en *ir* sufrieron
la inflexión normal de la yod latina; o r d i o *urdo* y
o r d i a m *urda*, etc. Los verbos de *o* abierta debían diptongar en las otras tres personas fuertes de indicativo
c ŏ m p l e s *cuemples*, c o m p l e t *cuemple*, c o m p l e n t
cuemplen, como *duermes, duerme, duermen.* En algunos
verbos la diptongación venció a la inflexión haciendo
duermo duerma, muevo mueva (frente a *urdo urda*). El
leonés y el aragonés mantuvieron c ŏ p e r i s *cuebres* y
n ŏ c e n t *nuecen;* pero el castellano ha uniformado toda
la conjugación del primero, *cubrir,* y ha perdido el segundo verbo, que vacilaba entre *nocir* y *nucir.* Los verbos
de *o* cerrada debían hacer *subo suba*, etc., pero *sobes,*
sobe, sobimos, sobís, soben, y lo mismo *cubro, cobres,*
cobrir; pudro, pudra, podres, podrir. La *u* de la inflexión
de yod latina, y la de yod secundaria, ha tendido a
propagarse a toda la conjugación, lo que ha logrado en
subir, aburrir, cumplir, pulir, mullir, sacudir y en el
secundario *sufrir;* (tendía a propagarse en el Cid en
murir, y está en competencia con *o* en *podrir pudrir*),

eliminando las antiguas formas *sobir*, *aborrir*, *mollir*, *complir*, *polir*, *sofrir*, *sacodir*. En la lengua actual han salvado su *o* *oír*, *abolir*, y persiste *o* en *morir*, *dormir* por el juego de *ue* tónico y *o* átono, del que tiene nuestra lengua una conciencia viva.

3. Verbos incoativos. Eran verbos en -s c e r , que han suprimido la *s* ante *c* continua y la han conservado como *z* ante *c* velar sólo en la primera persona de singular del presente de indicativo y en todo el presente de subjuntivo: *conozco*, *conozca*, etc. Sin ser incoativos originales se han asimilado a este tipo los compuestos de *ducir*, *conduzco*, *conduzca*, etc. y *yacer* y *placer*, *yazco*, *yazca*, etc. y *plazco*, *plazca*, etc. La reducción *sc* a *c*, tan normal como la de p i s c e s *peces*, no se consumó hasta el siglo xvii, porque mantenía el grupo la alternativa *conosco*, *conosces*, aunque la tendencia a la reducción fué muy antigua. La gran abundancia de incoativos atrajo verbos que no lo eran, como r e d u c a m *reduga*, *conduga*, que se han hecho *reduzca*, *conduzca*, y antes los híbridos *traduzga*, *reduzga;* como *yago*, *yaga* y *plega*, *plaga*, que se han hecho *yazca* y *plazca*, y antes los híbridos *yazga*, *plazga*. Esta alternativa entre *yazca* y *yazga*, *plazca* y *plazga*, *reduzca* y *reduzga* se ha propagado a *conozco conozgo*, que mantienen varias regiones. La forma ant. y vulg. *luza* ha sido sustituída por *luzca*.

4. Verbos de la 2.ª y 3.ª que tienen *ch*, *ll*, *ñ* en la raíz y suprimen la *i* de las terminaciones en diptongo por fundirse esta semiconsonante con la yod implícita de la palatal: *él tañó*, *ellos tañeron*, *yo tañera*, etc., *yo tañese*, etc., *yo tañere*, etc., y *tañendo*. Los verbos en *eír* absorben también la *i* de la raíz, fundiéndola con la *i* semiconsonante de estas terminaciones en diptongo: *él*

rió, ellos rieron, yo riera, etc., _yo riese_, etc., _yo riere_ y _riendo_, en vez de las formas antiguas y vulgares _riyó, riyeron_, etc., que usa el Quijote.

5. Verbos de la 3.ª que intercalan _y_. Todos los verbos de la 3.ª de tema terminado en _o u_ admiten una _y_ ante las terminaciones con vocal fuerte _a e o_, o sea, en las personas fuertes de indicativo e imperativo y en todo el presente de subjuntivo: _concluyo, concluyes, concluye_ y _concluyen; concluye tú, concluya él_ y _concluyan ellos; yo concluya_, etc. En _huir_ la _y_ no es interpuesta históricamente, sino efecto de la reducción, de _gi_, pero el resultado hubiera sido el mismo. En los tiempos perfectos, _concluyó, concluyeron, concluyera_, etc., _concluyese_, etc., _concluyere_, etc. y _concluyendo_ la _y_ no es interpuesta, sino la _i_ de la terminación, como en _part-ió. Raer_ y _roer_ hacen menos veces _rayes, royes_ que _raes, roes. Oír_ pertenece a este grupo en las personas _oyes oye oyen_, pero al 6.º grupo en las formas: _oigo, oiga_, etc., que han hecho olvidar las antiguas formas _oyo, oya_.

6. Verbos de la 2.ª y 3.ª que desarrollan una _g_ en la 1.ª pers. del pres. de ind. y en todo el presente de subjuntivo, _yo salgo, yo salga_, etc., y, como él, _yo valgo, tengo, oigo, caigo, traigo_. La yod de verbos como _salio, teneo_ no influyó en la consonante anterior, según pedía la fonética, que hubiera dado _*sajo_ y _*teño_, sino que se conservó la consonante por uniformidad con las otras personas. Esta yod se hizo _g_, acaso por analogía con verbos como _tango, plango, ringo_, que la tenían original. La más antigua propagación fué en verbos con _n_, como estos modelos, siendo los primeros _vengo_ y _tengo_. Saliam debió dar _*saja_ y valeam _*vaja_, pero, mantenida la yod, ya se perdió ésta, _sala_ y _vala_, ya se hizo _g, salga_,

valga, que han prevalecido. Lo mismo ocurrió en los otros verbos con *l; suelo* compitiendo con *suelgo*, y *duelo* con *duelgo*, pero aquí han prevalecido las formas sin *g*. La yod se hizo *g* también tras *r* en f e r i o ant. *fiergo*. La *g* se propagó a verbos que tenían *y*, ya fonética, como h a b e a m *haya*, a u d i o *oyo*, f u g i o *fuyo*, ya interpuesta, como c a d o *cayo*, t r a d o *trayo*, r a d o *rayo*, v a d a m *vaya*. La fortuna ha sido desigual en estos dobletes. En *fuya fuiga* ha prevalecido la primera, eliminando a *fuiga;* en *vaya vaiga* no ha quedado la segunda mas que en rincones provinciales; en *restituyo restituigo* y *destruya destruiga* han quedado los primeros; en *haya haiga* la segunda ha perdurado en el vulgo; en *oyo oigo* y *cayo caigo* la lengua culta ha preferido las últimas formas. En *raer* han competido *rao rayo* y *raigo*. El ant. *aso* de *asir* ha creado una forma *asgo*. Cuervo cita formas bogotanas con *g,* como *creiga* 'crea' y *leiga* 'lea'.

7. Verbos que desarrollan una *y* después de la desinencia regular en la 1.ª pers. de sing. del pres. de ind. *doy, soy, voy, estoy,* y en la 3.ª de sing. *hay* junto a *ha.*

8. Presentes heterogéneos. 1.º Los verbos *decir, hacer, yacer* sonorizan su *c* velar en *g* ante *o a* en la 1.ª pers. del pres. de ind. y en todo el pres. de subj., *yo digo, yo diga,* etc.: *faco por f a c i o *hago*; c o q u o ant. *cuego* hecho *cuezo* por *cueces* y antes *cuezgo* por cruce de *cuego* y *cueces: conduco* ant. *condugo* hecho *conduzgo* por cruce de *condugo* y *conduces* y luego *conduzco* por analogía con los incoativos. 2.º Los verbos *soy, voy, doy* y *estoy* (todos los que tienen *o* tónica) han recibido una *y* sobre sus antiguas formas *so, vo, do, estó.* En *ser* se fundieron los verbos s e d e r e (s e d e ant. *see*, de donde alternativamente *sey* clásico y *sé* moderno, s e d e a m

seya mod. *sea,* s e d e r e *seer* mod. *ser,* s e d i t u *seído*
mod. *sido,* s e d e n d o *sediendo seyendo* mod. *siendo:* en
el siglo XIII además s e d e o *seyo seo,* s e d e s *siedes seyes,*
s e d e t *siede seye,* s e d e m u s *sedemos seemos,* de donde
el vulgar *semos,* s e d e t i s *seyedes seedes,* de donde el
vulgar *seis,* s e d e n t *sieden seyen seen)* y s u m (de donde
proceden las demás formas, *so,* etc.: *eres* coincide en la
forma con el futuro e r i s; *ies* de e s t, *ie* de **et,* mod.
es; en vez de e s t i s se inventó una forma *sodes sois,*
vulgar *sos,* semejante a *somos, son).* Del presente de i r e
quedaron i m u s *imos* usado aún en el siglo XVI, e i t i s
ant. *ides, Cid,* 176, *is,* raro en la lengua clásica, Guevara,
Aviso, 18: en su lugar penetró *v a o *vo* mod. *voy* y las
formas contractas *v a s *vas,* *v a t *va,* *v a m u s *vamos,*
*v a t i s *vades* mod. *vais,* *v a n t *van:* en subjuntivo
v a d a m u s *vamos* (hoy sólo como subjuntivo imperativo,
«vamos fuera», pero en la lengua antigua y clásica como
verdadero subjuntivo: «Será bien que *vamos* un poco más
adelante» *Quij.,* I, 20), v a d a t i s ant. *vais* (: «Non *vades*
señera» Santillana, p. 471, «Bien será que os *vais* a dormir» *Quij.,* I, 12), transformadas por analogía en las
modernas *vayamos, vayáis,* que al igual de *vaya* han seguido la analogía de *haya:* en el imperativo v a d e *da*
vai, vulgar en la época clásica («Vaite y vente que el
camino te sabes» Correas, p. 430) mod. *ve;* el plural se
funda en i r e, i t e *id,* pero la lengua vulgar propaga el
singular *ve* al plural *id,* formando el plural *vi-sos,* o bien
propaga el singular *ve* al infinitivo-imperativo *ir,* formando *vir-os. Do* y *estó* mod. *doy* y *estoy* hay que refe-
rirlos a *d a o, *s t a o en vista de formas como el gall.
dou, estou. 3.º Los verbos *caber, saber* y *haber* atraen
en la primera persona del presente de indicativo y los

dos primeros en todo el presente de subjuntivo la yod
latina, contrayendo con ella su vocal en *e;* c a p i o **caipo
quepo,* s a p i o **sai sé.* H a b e o es ya en latín h a i o ,
y de aquí las formas *heo* y por semiproclisis el moderno
he: este último verbo sigue irregular en las demás personas, derivándose las otras dos de singular y la última de
plural de las formas contractas **h a s , *h a t , *h a n t ;*
en las otras dos de plural se conservaron las formas
clásicas h a b e m u s *habemos,* h a b e t i s *habedes* mod.
habéis, pero al lado suyo penetraron las formas contractas
*h e m u s hemos, como auxiliar: *hemos* en el futuro es
la forma única *ver-emos,* pero con el participio se usa
habemos en la lengua primitiva, *habemos* o *hemos* en la
clásica, y *hemos* en la moderna, y lo mismo la conjugación perifrástica, *avemos de andar, Cid,* 321, *habemos* o
hemos en la clásica, y *hemos* en la moderna: *hedes heis*
es la forma única del futuro, *atorgar nos hedes,* mod.
otorgar-éis, pero en los demás casos se usa *habéis,* si bien
en la lengua clásica se decía también *heis visto, heis de
estar* y hoy en la vulgar *hais visto, hais de estar:* las
formas vulgares *hamos, hais* proceden de *hemos, heis* con
a analógica de *has, ha* (comp. el gall. *hamos, hades*).
Quepo y *sé* tienden a regularizarse entre el vulgo, *cabo,
sabo.* P l a c e a t **plaica plega* se ha confundido en la
lengua moderna con *plegue.*

9.   Pretéritos fuertes. Son los que llevan el acento
en el tema en la 1.ª y 3.ª pers. de singular: *anduve* y
*anduvo, cupe, di, dije, estuve, fuí, hice, hube, plugo, pude,
puse, quise, repuse, supe, traje, tuve, vi* y los compuestos
de *duje.* El castellano hizo débil la 1.ª pers. de plur.,
hicimos, dijimos, que en latín era fuerte, f e c ĭ m u s ,
d i x ĭ m u s . De las dos formas una débil y otra fuerte

que el latín tenía para la 3.ª pers. de plur., f e c ĕ r u n t
y f e c ē r u n t, que el catalán aceptó (dixĕrunt *diren*
y d i x ē r u n t *dixeren*) sólo la débil aceptó el castellano,
hicieron, dijeron. El diptongo *ie* de la persona ellos, *hicieron, tuvieron, quisieron*, se propagó en lo antiguo a las
demás personas débiles, *dixieste, fiziemos*, siendo reemplazado el diptongo en la lengua moderna por la *i* de
la 1.ª persona. El diptongo *ie* de la persona ellos, ant.
dixieron, traxieron, ha perdido la *i* absorbida por la *j*,
dijeron, trajeron, y lo mismo en los derivados, *dijera,
trajese*, no quedando el diptongo mas que en la lengua
vulgar. Todos los pretéritos fuertes debieron hacer, e
hicieron en un principio, la 3.ª persona en *e*, v e n i t
vene, p o s u i t *pose*, h a b u i t *ove*, y esta terminación
etimológica la han conservado algunas hablas hispánicas,
como el portugués y en parte el asturiano. Pero la *o* de
los pretéritos débiles, *amó, temió, partió*, influyó para
deformar los pretéritos en *e*, y en el siglo x se encuentran
ya ejemplos: f e c i t *fezo*, v e n i t *veno*, p r e s i t *presót*
en las Glosas de S. Millán, ayudada esta analogía por la
conveniencia de distinguir *yo quis* y *él quis*, etc. No
cambió *e* en *o* él *fué*, que se distingue bien de *yo fuí*.
Algunos dialectos y zonas dialectales del castellano han
acortado la terminación -*eron*, formando *dijon, puson,
hubon, pudon, vinon, hizon*, sobre la 3.ª persona de singular *dijo, puso*, con la simple añadidura de *n* como
signo de 3.ª de plural en los demás tiempos. Los pretéritos
fuertes con *e* original en el tema conservaron la *e* (fuera
de la 1.ª pers. de sing. que la inflexionó en *i* por la *i* final,
f e c i *fice fiz*, y de las formas con yod secundaria, *ficiera,
ficiese*), *fezist, fezo, venimos, veno*; pero la analogía de las
formas con *i* impuso la *i* en todas las personas, *hiciste*,

hizo, hicimos. Del mismo modo *o* latina o secundaria se conservaba en el pretérito perfecto en todas las personas menos la 1.ª de sing.: *podiste, podo, posimos, sopiste, ovieren;* pero luego por influencia de la 1.ª persona, y en la 3.ª de plural además por inflexión ante yod se impuso la *u* en todas las personas: *pudiste, hubo, supimos, pusisteis* y *pudieron*. La analogía de h a b u i ha sido importante, habiéndose propagado su forma a t e n u i t *tovo,* c r e d i d i t c r e d u i t *crovo,* s e d i t s e d u i t *sovo,* s t e t i t *estiedo estovo, andido anduvo,* p l a c u i t *plugo pluvo*. De éstos perduran hoy *tuvo, anduvo, estuvo,* aunque con la antigua ortografía de *uvo*. El tipo de verbos en *xi, ixo, dixo, aduxo, cinxo,* atrajo a f u g i t *fuxo,* t e t i g i t t a n g i t **tanxit tanxo,* hoy perdidos. Pretéritos en *xi,* como v i x i t t r a x i t, se asimilaron a los presentes incoativos: a d d u x i t *adusco,* v i x i t *visco,* t r a x i t *trasco;* a su vez *visco* 'vivió' atrajo a *nasco* 'nació'. P o s u i t atrajo a r e s p o n d i t, haciendo *respuso,* hecho ahora *repuso* por una falsa y nueva relación con *puso*. El participio p r e s s u hizo formar p r e s s i t *priso,* en vez de p r e n d i, con la *i* de p r e s s i *prise;* como el participio *priso* y *miso,* en vez de *preso* y *meso,* fué por *yo prise*. Los pretéritos fuertes y tiempos análogos tienden a regularizarse entre el vulgo, *conduciera, poniese, andó, trayese;* de esta tendencia hay ejemplos abundantes en la literatura, *podió,* Berceo, *Milagros,* 476, *trayó, Enxemplos,* 88, Santillana, p. 359, *satisfacieren,* Valdés, *Diálogo,* p. 60, *indució,* Herrera, Riv., p. 302, *traducí,* Rojas, ib. 55, *introduciste,* Moreto, ib. 54: *desandó* es hoy la forma común. Una tendencia puramente rústica es la que uniforma la terminación de tercera persona sobre el tema fuerte, *trajió, pusió,* uniformación que tiene algún antiquísimo antecedente, como el latín de España p o s i u t del CIL, II, 6302.

Pretéritos en *i*. Formas antiguas. *Vide vidi, viste vist, vido vio vió, viemos, viestes vistes, vieron. Vine vin, veniste venist, veno vino, viniemos, viniestes vinistes, vinieron. Fize fiz, feziste fezist, fezo fizo, fiziemos, feziestes fiziestes, fezieron fizieron. Di, dieste diste, dio, diemos, diestes distes, dieron. Estide estovi, estiedo estido estudo, estidiemos, estidieron estudieron. Fúe fué fúi fuí fu, fuste fust fueste fuest fuisti fuist, fue fu, fuemos, fuestes, foron furon fueron; fuesse fosse*, etc. y analógico de esta alternativa el raro *fore* contra el normal *fuere*. Pretéritos fuertes en *i* han quedado seis: f e c i *hice*, d e d i *di*, v e n i *vine*, v i d i *vi*, s t e t i t *estido*, y f u i *fui*. El pretérito s t e t i conservaba su tipo clásico en *estido* por **estedo*. Pero en el latín español había también el pretérito **s t e t u i*, que conocieron Cataluña y Castilla. Por influjo de **s t e t u i* *estude* y **s t e t u i t estude estudo* se formaron t e n u i *tude* y *andudo*. La *e* del tema debía inflexionarse ante la *ī* final de la 1.ª persona: f e c i *hice*, v e n i *vine*, s t e t i *estide*. Todas las demás personas tuvieron primeramente *e: veniste, veno, feziste, fezo;* pero desde los primeros textos se hallan formas con *i* contaminadas de la 1.ª persona.

Pretéritos en *ui*. Formas antiguas. *Ove of, oviste, ovo, oviemos, oviestes, ovieron; oviesse ovisse*, etc. *Sope, sopiste, sopo, sopiemos, sopiestes, sopieron. Pude, pudiste pudist, pudo, pudiemos, pudiestes, pudieron; pudiesse*, etc. *Puse pus, pusiste pusist, puso, pusiemos, pusiestes, pusieron Tove, toviste tovist, tovo tuvo, toviemos, toviestes, tovieron. Conuvo, conuvieron. Plogo; ploguiesse*, etc. *Yogo*: analógicos: *Sove, sovo, soviemos, sovieron; soviesse*, etc. *Crove,* *crovo, croviemos, croveistes, crovieron; croviesse,* etc. *Respuse, respuso.* Frente al latín de Cataluña, donde se conservaron y multiplicaron abundantes pretéritos fuertes en *ui,* el castellano sólo conservó h a b u i, s a p u i, p l a - c u i (riojano y aragonés), iacui, y desarrolló *t r a x u i y *capui. P o s u i es pretérito en *ui,* pues la *s* iba en presente, p o s i n o p o s n o, cast. *puse.* La *o* primaria o secundaria del tema debía inflexionarse ante la *ī* final de la 1.ª persona: habuī *uve,* posuī *puse,* sapui *supe,* *capui *cupe,* placui *plugue,* traxui *truje,* y los analógicos de *uve,* cognovi *conuve,* tenui *tuve,* steti *estuve.* La conversión de *o* en *u* en las demás personas se cumplió por analogía con la 1.ª persona: h a b u i t *ove ovo huvo,* s a p u i t *sope sopo supo,* c a p u i t *cope copo cupo,* p l a c u i t *plogue plogo plugo.* La *o* procede del diptongo *au* en los verbos con *a-u: ove ovo, cope copo, yogue yogo,* y del diptongo *ou* en los verbos con *o-u, pose poso, pode podo.* Por influjo de h a b u i t *ove ovo* se formaron el ant. c r e v i *crove* y c r e v i t *crovo,* el ant. t r i b u i t *atrovo,* ant. c r e d i d i t c r e d u i t *crovo,* ant. s e d i t *sovo,* ant. t e n u i t *tovo,* ant. s t e t i t *s t e t u i t estovo* y ant. *andido andovo.*

Pretéritos en *si.* Formas antiguas: *Dixe dix, dixiste dixist, dixo, dixiemos, dixiestes, dixieron; dixiesse,* etc. *Duxe dux, duxiste duxist, duxo, duxiemos, duxiestes, duxieron; duxiesse,* etc. *Miso. Escripso. Remanso. Cinxo. Ixe exi, essiste existe, ixo exo, ixiemos, ixiestes, ixieron exieron. Quise quis, quisiemos, conquisiestes, conquisieron. Visque, visco, visquieron; visquiesse,* etc. *Nasco, nasquiestes, nasquieron; nasquiesse,* etc.: analógicos: *Prise pris, prisiste prisist, priso, prisiemos, prisiestes, prisieron; prisiesse,* etc. *Tanxo. Fuxiste, fuxo.* Pretéritos fuertes en *si* perduran t r a x i *traje,*

dixi *dije*, *quaesi *quise*, duxi *con-duje*, etc. Como
en el catalán y en otros romances españoles el antiguo
castellano mantenía coxit *coxo*, misit *miso*, risit
riso, cinxit *cinxo*, tinxit *tinxo*, *tanxit *tanxo*,
*fuxit *fuxo*, scripsit *escriso*, remansit *remaso*,
presit *priso*, *resposit (respondit) *respuso*,
destruxit *destruxo* y vixit *vixo visco*.

Los temas de los pretéritos fuertes se conservan en sus
tres derivados, *quisiera*, etc., *quisiese*, etc. y *quisiere*, etc.
Como otras irregularidades se dan también en el gerundio,
midiendo, con *i* igual que *midiera*, *midiese*, el habla
vulgar propaga estos temas del pretérito al gerundio, *hiciendo*, *dijendo*, *cupiendo*, *hubiendo*, *pusiendo*, *supiendo*,
tuviendo. En la lengua clásica se descubre algún ejemplo,
como *dixiendo*. En el culto *pudiendo* en vez de *podiendo*
hay la atracción de *pude*, pero también la inflexión por
la yod siguiente, como la de tonsione *tusón*, aunque
en los verbos en *er* no haya sido esta inflexión muy viva.

10. Futuros y condicionales sincopados. Los verbos
más usados de la 2.ª y 3.ª suprimen la *e*, *i* protónica en
todas las personas de estos tiempos: *tendré* y *tendrá*,
podré, *habré*, *pondré*, *sabré*, *saldré*, *valdré*, *querré*. *Diré* y
haré proceden de *dicre *dir* y *facre *har*. En la lengua
primitiva alcanzaron gran desarrollo las formas sincopadas: en el *Cid* comidrán 3578, *enadrán* 1112, *cadrán* 3622,
odredes 70, *tandrá* 318, *morremos* 2795, *ferredes* 1131,
remandrán 2323, *combré* 1021, *consigrá* 1465, *iazredes*
2635, *creçrá* 1905, *pareçrá* 2126, *prendré* 503, *repintrá* 1079,
consintrán 668, *vencremos* 2330; en *F. González* además
gradecría 287, *metredes* 560, *morré* 596, *vibrán* 65: en
Alexandre entendrán 69, *aprendré* 44, *prendrás* 50, *sigre-
mos* 2131: en el siglo xiv hay aún abundantes ejemplos;

rodré Hita 1431, *consintré* 680, *combrás* 1163, *defendrás*
1192, pero en el xv, si bien se encuentran ejemplos,
bivrán, conoztría, la decadencia es completa. Fué la analogía la que hizo restaurar estas formas: hay casos bien
antiguos de restauración, *poderían, Partidas,* I, 2, 16; aun
los verbos más usados, que son los que han conservado
la irregularidad, tienden a regularizarse entre el vulgo,
que emplea *salirá, venerás,* etc., de lo cual se hallan
ejemplos clásicos aun entre escritores cultos, *saliré,* Val-
des, *Diálogo,* p. 48, *valerá,* 21. Las leyes de la agrupación
de la consonante con *r* son: 1.º Con las instantáneas
persiste el grupo, *habré, cabré, sabré, podré* y antiguos
odré, metré, consigré. 2.º Con las continuas vacilaba; *nr*
admitía la conservación *ponré, tenré, venré,* o la asimilación *porré, terré, verré,* pero lo más frecuente en la lengua
antigua y en la clásica era la intercalación de *d, pondré,
tendré, vendré,* o la inversión, *porné, terné, verné; nr* se
trataba como *ndr, tandré; mr* intercalaba *b, combré; lr* se
conservaban, *salré, valré,* o intercalaba *d, saldré, valdré;
llr* se trataba como el anterior, *falré, faldré;* con otra *r*
se convertía en *rr, querré,* y antiguos *morré, guarré,
ferré,* si bien el vulgo suele usar *quedré; zr* se conservaba, *dizré, yazré, aduzré,* intercalaba *d, dizdré, yazdré,
aduzdré;* pero en el caso de *çr* no era posible la elisión,
sino sólo la conservación, *conozçré, vençré,* o la conversión en *ztr, conoztré, fallestré.* De los compuestos de
decir no aceptan hoy la irregularidad *bendeciré, maldeciré*
y *prediciré;* vacilan *desdeciré desdiré, maldeciré maldiré,
antedeciré antediré;* en la lengua antigua los primeros
seguían al simple, *bendizrán, F. Juzgo,* XII, 3, 15, *ben-
dirán,* Santillana, p. 447, *maldirán,* Baena, 181.

11.   Imperativos apocopados. Algunos de la 2.ª y 3.ª

han suprimido la *e* final, *sal, val, ven, ten, pon, di* y *haz*.
La antigua lengua conocía algunos más, como *pid, promed,
descend, fier, ex*. La elisión de *e* es latina en *di* d i c :
haz no proviene de f a c sino de f a c e; los compuestos
satisfacer, rarefacer y *licuefacer* admiten dos formas, *sa-
tisfaz* y *satisface*, y otra clásica *satisfa-te, Quij.*, II 11:
la irregularidad de *decir*, no trasciende a sus compuestos,
bendice, maldice, predice: valer admite dos formas, *val* y
vale (*válete, Lazarillo*, 1): *sobresalir* se usa también *sobre-
sale* o *sobresal: ten* sin diptongo parece analógico de *ven*
v e n i; *contiene* es clásico, León, *Perfecta Casada*, 12: *he*
se cita en la Gramática de la Academia como imperativo
de *haber*, pero hoy no se usa y en la época clásica
era *habe*.

12.   Participios fuertes. Además de los que se han
conservado como sustantivos, *cogecha, incienso, bizcocho,
hito*, como adjetivos, *tieso, duendo, travieso, tuerto, derecho*, o como participios sin verbo a que referirse, como
los cultismos *rato, contrito, susodicho*, hay bastantes participios fuertes. Con forma única: *Abierto, absuelto, adscrito,
antedicho, antepuesto, antevisto. Compuesto, contrahecho,
contrapuesto, cubierto. Depuesto, descompuesto, descrito,
descubierto, desenvuelto, deshecho, desindispuesto, depuesto,
devuelto, dicho, dispuesto, disuelto. Encubierto, entreabierto,
entremuerto, envuelto, escrito, expuesto. Hecho. Impuesto,
indispuesto, inscrito, interpuesto. Licuefecho. Muerto. Opuesto. Pospuesto, predicho, predispuesto, premuerto, presupuesto,
previsto, propuesto, proscrito, puesto. Rarefecho, recompues-
to, recubierto, rehecho, repuesto, resuelto, revisto, revuelto,
roto. Satisfecho, sobrepuesto, subscrito, suelto, supuesto.
Transcrito, transpuesto, trasvisto. Visto, vuelto. Yuxtapuesto.*
Con forma doble. a) Postverbales: *Absorto, abstracto,*

aflicto. Bendito. Circunciso, compreso, compulso, concluso, confuso, consunto, contracto, contradicho, contuso, converso, convicto, correcto, corrupto. Difuso, diviso. Electo, enjuto, excluso, exento, expulso, extenso, extinto. Frito. Impreso, incluso, incurso, infuso, inverso. Maldito, maltrecho. Nato. Opreso. Poseso, preso, presunto, pretenso, propenso, provisto. Recluso, refrito, reimpreso. Sofrito, subtenso, supreso, suspenso. Tinto. b) Anteverbales: *Ahito. Confeso. Despierto. Expreso. Fallo, fijo. Harto. Injerto, inserto. Junto. Manifiesto. Sepulto, suelto, sujeto.* En el antiguo castellano había otros varios, como *enceso, repiso, erecho, cocho, tuerto, conquisto, aducho, tuelto, quisto, cinto, espeso, nado.* Hoy *bendito* y *maldito* en contradicción con *dicho,* pero ant. *bendicho, maldicho, F. Juzgo,* XII, 3, 1 y 15. *Rompido* es clásico; *veido* se usa en la lengua antigua y *vido* en la clásica, León, *Geórgicas,* I: no faltan otros ejemplos de regularización, *volvido, Alf.,* XI, 292, y muchos más en la lengua vulgar moderna, *escribido, envolvido, cubrido,* etc. Es excepcional el participio débil irregular *quesido,* Valdés, *Diálogo,* p. 66, de *quise.*

ADVERBIOS

67. Procedentes de adverbios latinos: ubi *obe* en las Glosas de Silos, ant. *o u;* ĭbī *i (i ha* mod. *hay),* cĭrca *cerca,* ŭnde *onde on,* ĭnde *ende end en,* foras ant. *fueras fuera,* intro ant. *entro* y *tro,* sūrsum *suso,* deōrsum *yuso,* con la *u* de *suso,* prope *prob,* hŏdie *hoy,* cras *cras,* ante ant. *ante antes,* antea ant. **anza anzes* en las Glosas de S. Millán y de Silos, con la terminación de *antes,* adhuc *aún,* post ant. *pues* y *pos,* quottidio *cotío,* iam *ya,* sic *si,* non *non no,*

q u o m o d o ant. *cuomo cuemo como*, s e c u n d u m *según,*
tantum *tanto*, m a g i s ant. *maes mais mes más,* m u l t o
muy, q u a s i *quasi casi*, m i n u s *menos*, p l u s ant. *plus*
en la Rioja y en las Glosas de Silos, v i x *veiza* en las
Glosas de S. Millán, si no es errata, como cree M. P.,
Oríg., 77. Procedentes de un nombre: l o c o *luego*, h o r a
ora 'enseguida' en las Glosas de Silos, 214, *redol* (de
redolar r o t u l a r e) *redor*. Procedentes de compuestos
del latín vulgar o del romance: d e u n d e *donde*, d e i n t r o
dentro, d e u b i *do*, d e t r a n s *detrás*, a l i u b i ant.
ajubre (aljodre en las Glosas de Silos, grafía de *allodre,*
según M. P., *Oríg.*, 77, como el prov. *alhondre),* a d
h i c ant. *adhi, ahí,* a d i l l i c *allí,* a d i l l a c *allá,*
e c c u(m) h i c *aquí,* e c c u h a c *acá,* e c c u i l l a c
acullá, e c c u i n d e *aquende,* e l l u(m) i n d e *allende,*
i n c y m a *encima,* a d r i p a m *arriba,* a d b a s s u m
abajo, i n f r o n t e *enfrente,* i n t u n c ant. *entón,* i n-
t u n c c e ant. *entonce entonzes entonces,* a d h e r i *ayer,*
i n a n t e ant. y vulg. *enantes,* d e i n a n t e ant. y vulg.
denantes, delante, d e p o s t ant. *después,* d e e x p o s t
después, i p s a h o r a ant. *essora,* h a n c h o r a m ant.
encara, a d h o r a m *ahora,* h a c h o r a *agora,* h o c
a n n u *hogaño,* a n t e a n n u *antaño,* i a m m a g i s *jamás,*
d u m i n t e r i m ant. *domientre demientre, mientre mientras,* t a m i n t e r i m *tamientre* en las Glosas de Silos,
ant. *tan amientra, tan amientre, tan demientras* en Santa
Teresa (M. P., *Oríg.*, 77) y vulgar *tan y mientras,* a d
v i x ant. *abés,* los compuestos nominales t o t a v i a
todavía 'siempre y aún', a d p r e s s u m ant. *aprés,* t a m
p a u c u *tampoco,* a d c a s u m *acaso,* a d s a t i e m *asaz,*
a d a v e r s a s ant. *ad abiesas,* y los verbales, q u i s a p i t
ant. *qui sabe, quisab quizá* y *quizás,* si q u a e r i t *siquier,*

si q u a e r a t *siquiera*, a l i d q u a e r a s *alquieras* en las
Glosas de S. Millán y de Silos. El castellano ha ido acu-
mulando por expresividad preposiciones a sus adverbios:
ant. *asuso, ayuso, demás, endenantes, adelante*, ant. *acerca.*
De los adverbios de modo latino se han conservado b e n e
bien, m a l e *mal*, r o m a n i c e *romance*, v a s c o n i c e
vascuence y el culto l a t i n e *latín*, y con valor de lugar
l o n g e *lueñe* y con valor de tiempo t a r d e *tarde;* a
éstos hay que añadir a l i q u a n t u l e ant. *alguandre*, si
no procede, como otros creen, de a l i q u a n d o. El
castellano formó adverbios con m e n t e *-miente, -mientre*
y *-mente, buenamente, buenamientre.* Frases adverbiales:
a d c a p u t *a cabo*, h o d i e d i e *hoy día.* La afirmación
con los demostrativos (como el fr. h o c i l l e *oil ui*) no
ha tenido difusión en España. El dialecto de Cuenca usa
ello sí 'sí' y la lengua corriente usa como equivalente de
sí la fórmula *esto es.* Por analogía los adverbios han propagado diversas terminaciones. La *a* de *nunca, cerca*, etc.
se aplicó a *mientre > mientra, así > asina.* La *n* de *non,
bien* y de las preposiciones *con, sin* se aplicó a **aú > aún,
así > asín.* La *s* de *tras, más, menos*, etc. se aplicó a
mientra > mientras, ante > antes, entonce > entonces, ant.
nunqua > nunquas. Fuertemientre añadió *s, z*, y *a* en las
Glosas de Silos *fuertemientreza.* La *s* de *fueras* se quitó
según la analogía de los nombres en *a, fuera.*

PREPOSICIONES

68. Preposiciones latinas: a d ant. *ad a*, a n t e *ante*,
c i r c a *cerca*, c o n t r a *contra*, ant. *cuentra*, c u m *con*,
d e *de*, i n *en*, i n t e r *entre*, p o s t *pues*, p e r ant. *per*
par por, s e c u n d u m ant. *segundo segund según*, s i n e

ant. *sine, sen sin,* s u b *so,* s u p e r *sobre,* t r a n s *tras.*
De e x t r a cita M. P., *Oríg.,* 78 *iestra* (escrito *giestra*
en las Glosas de Silos). Preposición griega: c a t a *cada.*
Preposición árabe: h a t t a, que dió con *tt* disilábica
adta azta asta y luego *hasta* con la *h* de *hacia;* y con *tt*
monosilábica el ant. *atta.* Rara vez se aceptó la aspiración
árabe *hata* y algunas veces se transcribió por *f, fasta.*
Compuestas: d e e x d e *desde,* d e e x ant. *des.* Formadas
de nombres: f a c i e a d *hacia, faz a* ant. *faza,* c a p u t
cabo cab cabe, vulgar *cara* «cara al monte». f r o n t e
frente. El latín tardío usaba p e r g i r u m 'alrededor',
Los documentos medievales usan l a t u s 'junto a': *latus el*
arroio. Tomadas de los adverbios: *denante delante, allende.*

CONJUNCIONES

69. Procedentes de conjunciones latinas: e t ant.
et e y, n e c ant. *nen,* n i c ant. *nin ni,* s i *si,* a u t *o,*
p r o i n d e *por ende por en,* q u i a causal ant. *ca,* q u a m
comparativa ant. *ca,* q u i a 'que' *ka* en las Glosas de
Silos, 315 «mandat ka nicuno non devemus». Procedentes
de otras palabras latinas: q u ĭ d ant. *qued que,* q u o —
m o d o *como,* m a g i s *mas,* p o s t *pues,* a d h u c *aun,*
t u n c influído por d u m ant. *doncas,* h o r a *ora.* Del
griego μαχάριε ant. *maguer.* Compuestos: *aunque, porque.*

DERIVACIÓN Y COMPOSICIÓN

70. Prefijos latinos.—A b, con las formas *ab, ab-*
solver, au, ausente, abs, abstenerse, es, esconder, a ,
amovible. A d, con las formas *ad, adherente, a, aplicar,*
denota proximidad o dirección: en la lengua vulgar hay

viva tendencia a prodigarla, *asentarse, ajuntar, alimpiar,
asosegar, anublarse.* A n t e , con las formas *ante, ante-
pecho, anti, antifaz.* C i r c u m , con las formas *circum,
circumpolar, circun, circunscribir, circu, circuito,* significa *alrededor.* Cis, como *cismontano, cispadano,* significa
del lado de acá. C i t r a , como *citramontano,* significa
del lado de acá. C o n t r a , como *contrapelo, contramina,*
denota oposición. C u m , con las formas *cum, cumplir,
com, componer, con, consentir, co, cooperar, cu, cubrir,*
significa unión. D e , como *derivar, derruir,* indica separación. D i s , con las formas *dis, dislocar, des, desigual,
di, divertir,* significa originalmente duplicidad, como
disecar 'cortar en dos', después separación o diversidad de
partes, como *disgregar, divertir,* y finalmente oposición,
como *desleal:* la lengua más vulgar ofrece *es* en muchos
casos en que la culta emplea *des;* unos son etimológicos,
como *espertar, espedir,* usados en la lengua antigua, *esga-
rrar, esgranar,* etc., frente a las innovaciones cultas *despertar, despedir,* etc.; otros son analógicos, como *eslucir,
esmerecer:* algunos vacilan en la lengua culta, como *escote
descote: desforme* en la lengua vulgar y *disforme* en la
culta es una formación analógica en vez de *deforme.* E x ,
con las formas *ex, explicar, es, esforzar, ens, ensugar, enj,
enjuagar, ej, ejemplo, e, evadirse, enorme.* La lengua culta
moderna lo aplica a nombres de empleos pasados, *exgo-
bernador, exsenador.* E x t r a , como *extraordinario,* significa *fuera de:* tiene cierta vitalidad en la lengua culta,
que ha formado *extrasensible, extraterreno,* etc. I n con
las formas *in, infiel, im, imponer, en, enviar, hen,
henchir, ir, irregular,* significa dirección, como *inducir,
impulsar,* quietud, como *imponer, enredar,* oposición,
como *inútil, enemigo:* con esta significación el castellano

sólo conoce ejemplos sueltos, que han olvidado la idea del
sufijo, como *enfermo, enemigo, entero, infante*. Infra,
como *infrascrito*, denota *abajo*. Inter con las formas
inter, interponer, inte, inteligencia, entre, entretejer; in-
tra, como *intramuros;* intro, como *introducir;* intu,
como *intuición*, significan *entre:* derivada de la idea de *en
medio* es la de *casi, a medias* en voces como *entrecano,
entrever*. Ne, como *necio;* ning(nec), como *ninguno,*
significan negación. Ob, con las formas *ob, obligar,
o, oponer,* significa *enfrente*. Per, con las formas *per,
pernoctar, por, porfía,* significa originalmente *a través,*
como *perforar, peregrino,* y secundariamente *por completo,
del todo,* como *perfecto:* tiene alguna vida este sufijo con
esta significación en algunos cultismos, *perilustre,* y con
la forma *peri* en varias formas vulgares, como *peripuesto.*
Post, con las formas *post, postdata, pos, posponer,
pest, pestorejo,* significa *detrás:* se utiliza en voces nuevas
cultas, *postescolar*. Prae, como *predecir, prefijo,* significa
delante: tiene algún uso en la lengua culta con valor
superlativo, *prepotente, preeminente*. Praeter, como
preternatural, significa *fuera de*. Pro, significa *delante,*
como *proponer, en vez de,* como *procónsul:* el vulgo admite
confusiones con *pre,* como *prenunciar*. Re, con las formas *re, reponer, red, redargüir:* vive en la lengua vulgar
con el mismo significado intensivo o de repetición,
reenganchar, releer, reviejo, remono. Retro, con las formas *retro, retrógrado, redo, redopelo, redro, redrosaca,*
significa *atrás*. Se, con las formas *se, separar, sed,
sedición,* denota alejamiento. *Sin* se utiliza en castellano
como prefijo de nombres, *sinsabor, sinrazón, sinvergüenza.*
Sub, con las formas *sub, subscribir, su, suponer, so,
soterrar, son, sonreír, sor, sorprender, sa, sahumar, za,*

zahondar, cha, chapodar, significa *debajo:* s u b se utiliza
en nombres cultos de cargos, *subdirector, subsecretario.*
S u p e r , con las formas *super, superfluo, sobre, sobre-
sueldo,* significa *encima: sobre* y *super* tienen cierta vitalidad respectivamente en la lengua vulgar y culta,
utilizándose para los superlativos, *sobresaliente, superfino.*
S u r s u m , con las formas *sus, susceptible, sos, sostener,
suso, susodicho,* denota *arriba.* S u b t e r , como *subterfu-
gio;* s u b t u s *soto, sota,* como *sotacola, sotoministro:* va
desusándose con nombres de cargos como sinónimo de
sub o *vice,* como *sotacómitre, sotocaballerizo.* T r a n s ,
con las formas *trans, transponer, tra, traducir, tras,
trasportar,* significa al otro lado. Ultra , como *ultramar,*
significa *más allá:* se aplica a voces nuevas, *ultratumba,
ultraterreno.*

   71. Pseudo-prefijos latinos.—Son formas nominales-
adverbiales. A m b i , con las formas *ambi, ambidextro,
amb, ambiguo, an, anfractuosidad,* significa *ambos.* B e n e ,
con las formas *bene, beneplácito, ben, bendecir, bien,
bienhechor,* significa *bien.* B i s , con las formas *bis,
bisagra, biz, bizcocho, bi, bisílabo, be, bevra* mod. *breva,
ba, balanza,* significa *dos. Equi* (a e q u i) , como *equidis-
tar, equivaler,* significa *igualmente.* M a l e , con las formas
male, maledicencia, mal, maldecir. M i n u s , como *menosprecio, menoscuenta.* S a t i s , como *satisfacer,* significa
bastante. Semi, como *semivivo, semivocal,* significa *la
mitad:* tiene vitalidad en palabras nuevas, *semineurasténico,
semidormido.* T r i , con las formas *tri, triángulo, tre,
trébede, trébol,* significa *tres.* V i c e , en formaciones
nuevas cultas para denominaciones de cargos, *vicecónsul,
vicedirector,* significa *en vez de, sustituto:* tiene la forma
viz en *vizconde.*

72. Prefijos árabes.—Sin valor alguno se conserva en muchas voces el artículo árabe, *albérchigo, adarga:* la lengua vulgar lo omite en varios casos, *rabal, cequia;* se halla en vez de otros prefijos en *almorzar,* vulgar *alvertir,* etcétera.

73. Prefijos griegos.—α (*a*) denota privación, como *ateo, amorfo, apatía, asistolia:* ἀμφί (*anfi*) denota duplicidad, alrededor, como *anfibología, anfibio, anfiteatro:* ἀν (*an*) indica privación, como *anarquía, anhidro:* ἀνά (*ana*) denota repetición, como *anabaptista, anáfora:* ἀντί (*anti*) indica oposición, como *antinomia, antítesis, antídoto, antífona:* ἀπό (*apo*) denota separación, como *apóstata,* posposición, como *apólogo,* superposición, como *apoteosis:* ἐν (*en*) equivale a *en,* como *endemia:* ἐπί (*epi*) significa *sobre,* como *epigastrio, epidemia:* κατά (*cata*) equivale a *sobre,* como *catástrofe, catálogo:* μετά (*meta*) significa *tras, con,* como *metáfora, metatarso, método:* παρά (*para*) equivale a *contra, sobre, según,* como *parábola, parásito:* περί (*peri*) significa *alrededor,* como *periostio, perífrasis:* σνν (*sin*) denota unión, como *sinfonía, sintaxis:* ὑπέρ (*hiper*) denota *más allá,* como *hipérbaton, hiperestesia, hipérmetro:* ὑπό (*hipo*) significa *debajo,* como *hipogástrico, hipócrita:* aunque de valor nominal, ha pasado a tener sentido de verdadero prefijo ἀρχός 'potestad' con las formas *arqui, arquitecto, arci, arcipreste, arz, arzobispo, archi, archidiácono:* con esta forma tiene cierta vitalidad para formar adjetivos superlativos, como *archidignísimo, archimillonario.*

74. Sufijos.—La sufijación rara vez es la composición de una palabra, *sabiamente,* al contrario de la flexión, en que los morfemas fueron en su origen palabras, *amaba, amaré,* y *amas, amamos.* La derivación es el procedi-

miento más fecundo de enriquecimiento de la lengua.
Cualquier hablante puede hacer un derivado nuevo. Las
lenguas románicas han compensado la pérdida de muchos
temas latinos con una rica derivación. El principal acti-
vador de la derivación es la uniformación de los sinónimos y correlativos. Según l i m p i d u s , s u c i d u s y
n i t i d u s se creó *m u n d i d u s , que produjo el cast.
móndida. Los sufijos van adquiriendo significaciones nuevas a partir del sentido de una palabra destacada o de un
grupo; p a l u m b i n u s era un adjetivo que se aplicaba a
p u l l u s y significaba 'de paloma'; pero, como *palomino*
era menor que paloma, se tomó como signo de minoridad
o de diminutivo, y se creó un gran grupo, *cebollino,*
pequeñina. Los sufijos en parte análogos se sustituyen con
frecuencia. En el latín español competían c u n í c u l u s
y c u n i c u l u s , s p e c u l u m y s p i c u l u m . El español *barbado* ha sido suplantado por *barbudo* según el
tipo de *cornudo.* Los sufijos unos son los mismos sufijos
originales latinos o prelatinos sometidos a las leyes fonéticas normales, como - a r i u - *ero.* Otros son sufijos
extranjeros que han adquirido cierta vitalidad, como el
provenzal o catalán *-aje* de - a t i c u , *portaje,* el germánico *ing* hecho *engo, realengo,* o *enco, mestenco mos-*
trenco. Otros proceden de la acumulación de varios sufijos.
Hay una derivación regresiva a veces en que se ha querido
buscar un primitivo a partir de un derivado, como *bosta*
de *bostar* b o s t a r e , m u g r e de m u c o r e n t u *mu-*
griento, payo de *payés* p a g e n s e . Son especialmente
frecuentes las regresiones en los diminutivos y aumentativos: a v i c e *auce* y a v i c a *oca* de a v i c e l l a , y
pobo de *p o p u (p o p u l u s); la regresión latina la
denuncian *pobeda* y *Povet* frente a *Poblet.* Todas las len-

guas conocen la regresión, con gran viveza, como el vasco *(larra* regresión de *larrain* farragine) o tímidamente, como el castellano.

75. Grupos de derivados.—Hay sustantivos derivados de sustantivos, como *carrera* de *carro*, *ebanista* de *ébano*, *corneta* de *cuerno*, *ventorro* de *venta:* de adjetivos calificativos, como *listeza* de *listo*, *negrura* de *negro*, *cortedad* de *corto:* de adjetivos determinativos, como *docena* de *doce:* de verbos, como *labranza* de *labrar*, *mirada* de *mirar*, *pique* de *picar*, *compra* de *comprar:* de partículas, como *ultraje* de *ultra:* de frases, como *pordiosero* de *por Dios*. Adjetivos derivados de sustantivos, como *mujeriego* de *mujer*, *sangriento* de *sangre:* de adjetivos calificativos, como *plenario* de *pleno*, *amarillento* de *amarillo:* de pronombres, como *egoísta* de *ego:* de verbos, como *amable* de *amar*, *abrasador* de *abrasar:* de partículas, como *cercano* de *cerca*, *tardío* de *tarde*. Verbos derivados de sustantivos, como *anochecer* de *noche*. Verbos derivados de adjetivos, como *cojear* de *cojo*, *oscurecer* de *oscuro:* de determinativos o pronombres, como *otrar* de *otro*, *tutear* de *tú:* de otros verbos, como *corretear* de *correr:* de partículas, como *acercar* de *cerca*.

76. Sufijos significativos y materiales.—Los primeros son los que pasaron como un simple elemento fónico sin significación especial: los segundos son los que conservan la movilidad y significación de sufijos. Han conservado el valor de sufijo los tónicos, aunque no todos, como *estío*, *aguja*, *martillo*, en los cuales la pérdida del primitivo impide que en *io*, *ja*, *illo* se vea el elemento diferencial, y *ovillo*, *corneta*, etc., en los cuales la derivación del significado ha hecho olvidar su relación con *globo*, *cuerno*, sin contar otros tónicos, como *aur-ora*,

sev-ero, *or-tiga*, que ya en latín habían perdido su fecundidad: algunos tónicos olvidados han recobrado cierta
vitalidad con el creciente progreso de los elementos cultos
en nuestra lengua, como *orden-ando*, además de las formas
cultas que ya tenían representantes vulgares, como *dormi-
torio*, *direc-triz*, *exclamat-ivo*. Los átonos no fueron considerados como sufijos, siendo reemplazados por tónicos,
como e u por o s u, o pasando como un elemento material: sólo en el caudal de los cultismos tienen cierta
vitalidad algunos, como *ico*, *angél-ico*.

77. **Grupos ideológicos de sufijos.**—1. Los diminu-
tivos son: *-ito*, *librito*, *-illo*, *novillo*, *-ico*, *borrico*, *-uelo*,
cazuelo, *-ete*, *boquete*, *-ino*, *cebollino*, *-in*, *botellín*, *-ezno*,
lobezno, *-ejo*, *librejo*. 2. Los aumentativos: *-ón*, *hombrón*,
-azo, *perrazo*. Los despreciativos: *-ote*, *pegote*, *-aco*, *libraco*,
-anco, *potranco*, *-acho*, *hilacha*, *-ucho*, *aguilucho*, *-arro*,
dulzarro, *-orro*, *abejorro*, *-astro*, *poetastro*, *-uza*, *gentuza*.
3. De lugar: *-edo*, *robledo*, *-al*, *arenal*, *-ar*, *pajar*, *-dero*,
comedero, *-or*, *cenador*, *-ia*, *alcaldía*. 4. De acción: *-miento*,
vencimiento, *-dura*, *mordedura*. 5. Abstractos: *-ia*, *alegría*,
-anza, *esperanza*, *-encia*, *prudencia*, *-eza*, *dureza*, *-ez*, *pequeñez*, *-icia*, *justicia*, *-ura*, *dulzura*, *-dad*, *bondad*, *-tud*,
virtud, *-or*, *amor*. 6. De agente: *-dor*, *creador*, *-triz*,
generatriz. 7. De golpe: *-azo*, *manotazo*, *-ada*, *estocada*,
-ón, *manotón*. 8. De oficio: *-ero*, *herrero*, *-ista*, *ebanista*,
-dor, *cardador*. 9. De instrumento: *-dor*, *calzador*, *-dero*,
podadera. 10. Colectivos: *-ada*, *vacada*, *-io*, *gentío*.

78. **Sufijos diminutivos.**—Los sufijos diminutivos generales son *-illo*, *-ito*: éstos presentan las formas *-illo* *-cillo*
-ecillo *-cecillo*, *-ito* *-cito* *-ecito* *-cecito*. El sufijo *-cecito*, *-ceci-
llo* y lo mismo *-cezuelo* se aplican a *pie*. *-Ecillo*, *-ecito* y lo
mismo *ezuelo* se aplican generalmente a los monosílabos

15

en consonante, a los disílabos terminados en *ia, io* y a los terminados en *a, o* con *ie, ue* en el tema, como *flor-ecilla, geni-ecillo, huert-ecillo*. -*Cillo*, -*cito*, -*zuelo* se aplica a los disílabos en *e* y a los polisílabos en *n, r*, como *nave-cilla, cañon-cito, mujer-zuela*. -*Illo*, -*ito*, -*uelo* se aplica a los demás, como *casilla, agüita, relojillo, vinagrillo, rapazuelo, pincelillo, paredita*. **-ello, -illo, -ollo, -ullo.** El sufijo -*illo* -*cillo* procede del latín -e l l u -c e l l u , por intermedio del antiguo -*iello*: se ha perdido la idea diminutiva en *martillo, tornillo, rodilla, tomillo, hebilla*, etc.: el latín -ĭ l l u fué generalmente sustituído por -e l l u , aunque no faltan casos en que se ha conservado, m a m m e l l a *marmella*, a r m i l l a *armilla, sello*: -*elo* -*ela* son cultismos, *libelo, rodela, tunicela*, o bien italianismos, *novela*: -*el* en importaciones del francés, *doncel*, y acaso *mantel, pincel, pastel, cartel*: -ŭ l l u sin idea diminutiva se descubre en *rampollo, cebolla, pimpollo, rebollo*: -ū l l u se descubre en *rebulla, cogulla, cagarrulla, grandullo, capullo*. **-ito.** En el latín imperial se halla en nombres femeninos de persona, Julitta, Atitta, y algo más tarde en masculinos, Salvitus, Atittus; algunos de cosa como *caprittu hay que remontarlos a época latina, si bien parecen de origen germánico. Parece ser que es el mismo sufijo -*eta* -i t t a con *i* analógica de -i n o -i c o , variante únicamente conocida en España: la generalización de este sufijo es moderna, pero hoy predomina sobre todos. Los demás son especiales: **-uelo, -ela, -ulo, -lo.** -*Uelo* del latín -*iolu*, -*eolu* fué un sufijo, si no general, de un uso más extendido que en la lengua moderna: ofrece las variantes -*uelo, pilluelo*, que tras vocal se escribe -*huelo, aldehuela, Lucihuela*, -*zuelo, jovenzuelo*, -*ezuelo, nietezuelo*: algunos sin idea de diminutivo, *abuelo, ciruela,* *viruela, orzuelo:* son latinas, dialectales o extranjeras las palabras en *-olo -ol, -ola,* como *gayola, pianola, camisola, banderola, carola, perinola, mamola, cabriola, vitriolo, farol, perol, crisol, variol-oso, rusiñol* mod. *ruiseñor, barcarola, cacerola, tercerola, verderol verderón:* -e l a sin valor de sufijo entra en *candela:* el sufijo diminutivo -u l u entra en *molde, rolde, espalda, almendra, píldora, sótano:* es voz culta o extraña *gárgola:* son voces cultas *rótula, cápsula, cánula.* **-ico.** De origen tal vez ibérico: se usa en España y Cerdeña: el latín africano ofrece algunos ejemplos, *Karica, Bodicca.* Fué muy extendido en la época clásica: hoy se usa en la lengua familiar en algunas palabras para dar una idea de ternura o cariño, como *lagrimica, viejecica:* sin idea diminutiva persiste en *Perico, abanico:* el aragonés conserva en toda su vitalidad este sufijo. **-ajo, -ejo, -ijo, -ojo, -ujo, -cho.** Del latín - c l u : hay algunas confusiones entre *-ejo -ijo: -ajo* en general ha tomado un sentido despectivo, *trapajo, comistrajo, pingajo, mondaraja, zancajo:* parece un extranjerismo *penacho: -ejo,* como *zagalejo, peralejo,* ordinariamente con olvido de su derivación, *conejo, viejo, pellejo, lenteja, oreja, vulpeja, piejo, molleja, corneja, abeja, oveja, cangrejo, comadreja: -ijo,* como *lagartija,* y sin idea de diminutivo en *sortija, llavija, vasija, vedija, harija, torrija:* es una voz tardía *vestiglo: -ojo,* sin idea de derivación en *piojo, verrojo, rastrojo, rampojo, manojo, hinojo, añojo, piojo, panoja,* y con valor diminutivo peyorativo en *matojo, ramojo: -ujo,* como diminutivo, o como despectivo, en *pequeñujo, chiquitujo, Maruja, blandujo, ramujo;* olvidado el sentido diminutivo en *aguja, burbuja, orujo:* tras consonante se hizo *-cho,* en *macho, cacho:* son latinismos *cálculo, artículo, película, molécula,* etc. **-ato, -eto, -ete,**

-ote, -uto. De origen germánico: suele conservarse el sentido diminutivo original, pero *-ote* ha pasado a aumentativo, y algunos sustantivos en *-eta* han olvidado la idea de derivación: *-ato*, como *lebrato*, *lobato*, en sustantivos abundanciales, *fogata*, y en adjetivos, *novato*, *cegato*, con sentido despectivo; *-eto* en italianismos, *soneto*, *libreto*, pero también en palabras propias, *muleto*, *paleto*; en algunos parece un nuevo masculino formado sobre el femenino *-eta*, *caseto*, *pobreto*, etc., como *sombrerete*, *caballete*, y en adjetivos, *pillete*, *pobrete;* el femenino en *-eta*, *corneta*, *luneta*, y en adjetivos, *moreneta*, etc. *-ote*, como *islote*, *virote*, pero generalmente con valor aumentativo o despectivo, *negrote*, *brutote*: *-uto*, como *cagarruta*, *canuto*, en algunos con sentido despectivo y en otros, como *viruta*, sin idea de derivación: *franchute* es un remedo jocoso de galicismo. **-ezno.** Parece derivarse de -i c i n u (- i n u de adjetivos unido a - i c u). Se halla en *lobezno*, *osezno:* antiguamente también *-esno*, *pavesno*. **-ino.** Del latín - i n u, que en latín vulgar ofrece algunos casos, como *collina*, *radicina*. En castellano es raro, *neblina*, *mantellina*, *cebollino*, *palomino*, *pollino:* con la forma en *-in*, *clarín*, *sillín*, *botiquín*, *polvorín*, *camarín*, algunos sobre las antiguas formas en *-ino*, *rocino*, *mastino*, *serpentino;* sobre adjetivos, *bobín*, *pillín:* *-iño* en palabras de origen gallego, *morriña*, *corpiño*, *rebociño*.

79. Sufijos aumentativos. -ón -nta. Del latín - o n e. El latín hacía adjetivos personales derivados de sustantivos de cosas, *capitone*, *Cicerone*, cuyo uso se conserva, *narigón*, *cabezón*, *verrugón;* hay derivación sustantiva, *hombrón*, adjetiva, *grandón*, verbal de agente, *buscón*, *burlón*, de instrumento, *aguijón*, o de acción, *apretón:* el sentido diminutivo del latín p i p i o n e persiste en *ratón*, *carretón, perdigón*, y acaso en *lirón:* recuerdo de este sentido son *pelón, rabón* (comp. *colín*).

80. **Sufijos despectivos.** -aco, -eco, -ieco, -ico, -oco, -ueco, -uco. De origen oscuro: *-aco,* como *libraco, verraco, tinaco; pajarraco* tiene un doble sufijo, **pajararraco:* en algún caso al menos hay que atribuirle origen ibérico, *Urraca:* -eco, como *muñeco: -ieco,* como *babieca: -ico,* como *marica,* como diminutivo: *-oco, carocas: -ueco, morueco: -uco, almendruco, hayuco,* y en adjetivos, *beatuco, pequeñuco.* **-acho, -echo, -icho, -ocho, -ucho:** *-acho,* como *hilacha, populacho,* y en adjetivos, *ricacho, vivaracho: -echo,* como *ventrecha: -icho* entra en *barquich-uelo,* etc.: *-ocho,* como *garrocha, pinocho,* vulgar *aguilocho: feroche* es un italianismo, como *fantoche: -ucho,* como *serrucho, casucha, tenducha,* y en adjetivos, *feúcho, paliducho.* **-ancho, -encho, -inche, -oncho.** Parece una fusión de *anco-acho,* etc.: *-ancho,* como *corpancho, garrancho,* entra como primer sufijo en *corpanch-ón, villanch-ón* y en *parlanch-in: -encho,* como *cardencha: -inche,* como *bolinche: -oncho,* como *rechoncho.* **-arro, -orro, -urro, -arrio, -orrio, -urrio.** Son de origen ibérico: *arro,* como *mocarro, cacharro:* es analógico *cigarra;* en adjetivo es poco frecuente, *dulzarro: -orro,* como *ventorro, abejorro;* con cierta libertad sobre adjetivos en la lengua familiar, como *anchorro, gordorro,* y sobre nombres propios *Peporra, Peporro: -urro,* como *ceburro, coscurro* 'cortezo de pan', y en adjetivos con doble sufijo, *mansurr-ón, santurr-ón: -orrio,* como *bodorrio, villorrio;* suele admitirse que *-orrio* es fusión de *-orro -orio: -urrio,* analógico en *bandurria,* entra en *andurri-ales.* **-asco, -esco, -isco, -usco.** De diversos orígenes: *-asco,* como *peñasco, hojarasca, chubasco: -isco,* como *pedrisco: -usco,* como *pedrusco, tamarusco.*

31. Sufijos de diversos significados. -a, -o, -e, postverbales de la 1.ª son abundantísimos, como *poda, alza, siega, cerca, mezcla, queja, quema, amparo, arrimo, adelanto, agasajo, adorno;* raros los adjetivos, como *amargo, prieto;* también se hallan sobre verbos en -*ear,* como *capea, floreo, toreo, blanqueo, sorteo:* los en *e* son abundantes, como *ataque, baile, afeite, envase, derrame, empalme, avance, corte, lance, pique, tizne,* y en adjetivo, *colme:* acaso haya que explicar así la *e* de *tilde: e* alterna a veces con *a, o,* como *coste costo costa, deje dejo, embarque embarco, cante canto;* la *e* puede perderse en alguno de objetos, como *envás* 'embudo', frente al postverbal *envase;* de la 2.ª, aparte de algunos de época latina, como *cierna* c e r n a , *duelo* d o l u , sólo se hallan casos sueltos, como *hienda, sorbo, socorro, contienda, carcoma* y vulgar *muerdo:* de la 3.ª se hallan pocos, *recibo, frunce.* **-eo.** La abundancia de formas en -*or* derivadas de verbos en -*ear* i d i a r e *(batear)* ha servido para crear un sufijo -*eo* que se aplica a verbos en -*ar,* como *esquileo* al lado del vulgar *esquilo:* sobre sustantivo es posible (en vista de la relación *toro torear toreo)* -*eo* sin verbo alguno, *cosquillas cosquilleo.* **-ía.** Del griego -*ía.* Etimológicamente en palabras griegas tradicionales, *filosofía, astronomía,* o modernas, *telegrafía;* pero este sufijo se propaga analógicamente, haciéndose un sufijo viviente; en virtud de la correlación *melancólico melancolía,* etc, se utiliza para la derivación adjetiva de nombres abstractos, *alegría, cortesía, villanía,* para la derivación sustantiva de abstractos, *hombría, señoría,* de cargos, *senaduría, alcaldía,* y, por metonimia de éstos, de lugar, *alcaldía, tesorería, vicaría,* extendido a otros nombres, *confitería, monjía; caballería* del nombre de cargo ha pasado al colectivo y de éste al individual; es rara la

derivación verbal, *valía; mejoría* sobre *mejor*, como *peoría*.
-io. Del latín -i u. Es raro que se conserve, *lluvia, labio;*
lo general es que se haya combinado con la consonante,
vergüenza, raza, ant. *feuza, congoja;* los cultismos lo mantienen, *fastidio, injuria, coloquio, infortunio, infamia, in-
cendio:* sobre adjetivos forma nombres abstractos desde el
latín, v e r e c u n d i a, i n v i d i a: suponen el sufijo - i a
fuerza, compaña, etc.: analógicamente se halla en vez del
griego *-ia, epidemia, negromancia.* **-io.** Del latín - e u .
En las formas actuales aparece *i* reducida o alterada,
queso, viña. **-eza, -icia, -ez, -uza.** Del latín - ĭ t i a proceden *dureza, pereza, tristeza,* cuyo sufijo entra en numerosas formaciones nuevas, *majeza, bajeza, lindeza, presteza,
entereza, terneza, simpleza, limpieza, delicadeza;* en voces
cultas se pronuncia *-icia, justicia (justeza), malicia (maleza), pigricia (pereza);* la confusión con el sufijo de adjetivos -ī c i a (frecuente en gallego, *lediza, perguiza, cobiza)*
es rara, *riquiza, Cid,* 481: del latín i t i e quedaron algunos casos, *durez;* este sufijo se propaga con gran vitalidad,
*candidez, sencillez, altivez, redondez, dejadez, pesadez, va-
lidez, tirantez;* sustituye a diversos casos de *-eza* en la
lengua antigua, *escasez, estrechez;* y alterna en diversos
simples y compuestos, *dureza madurez, rudeza testarudez:*
el sufijo - u t i a entra en el ant. *menuza.* **-anza, -encia.**
El latín - a n t i a produce *-anza, mudanza, confianza,
alabanza, tardanza, usanza, templanza, andanza, crianza,
holganza, libranza, ordenanza, adivinanza, matanza;* pero
el sufijo culto compite con este vulgar, *abundancia, obser-
vancia, vigilancia, vagancia, resonancia, ganancia, constancia:* de - e n t i a no persiste la forma dialectal *-enza,*
acusada en alguna forma antigua, *simienza,* sino sólo el
cultismo *-encia, herencia, creencia, audiencia;* en la lengua

vulgar se reduce por disimilación el diptongo *ie* en
pacencia, audencia, experencia, etc. **-dura.** Los tipos participiales en - t u r a , - s u r a , r u p t u r a , m e n s u r a ,
se conservaron: el primero con la forma *-dura* tras vocal,
moledura, mordedura, barredura, torcedura, picadura, tras
consonante con la forma *-tura; pintura, cintura, fritura,
calentura, rotura,* o bien con reducción fonética del grupo
de consonantes, *hechura, cochura, estrechura; otras* formas
en *-tura* son cultismos, *abreviatura, nunciatura, curvatura,
cuadratura;* en castellano, como en otras románicas, hay
propagación a temas nominales con sentido generalmente
colectivo, *botonadura, armadura;* -s u r a persiste en *basura, mesura* y en formas cultas, *incisura, tonsura, clausura.*
-ura. A semejanza de las formas postverbales participiales
en - t u r a , - s u r a , el latín vulgar tenía sobre algún
verbo sin participio -u r a , como f e r v u r a (conservado
en gall.), y acaso, en vista de formas romances, * a r -
d u r a , * c a l u r a : nuestra lengua hizo derivaciones del
nfinitivo, *holgura, premura,* y luego muy abundantes de
¹os adjetivos, *bravura, negrura, dulzura, hondura, gordura,
verdura, ternura, locura, finura, diablura.* **-miento.** En
nombres cultos *-mento:* del latín - m e n t u . Lo ordinario
ies que denote acción o efecto postverbal, *aturdimiento,
enterramiento, vencimiento, juramento, testamento,* siendo
raros los concretos postverbales, *pimiento, entendimiento,*
pero también hay derivación nominal de nombres concretos, generalmente de sentido colectivo, *faldamento:* del
plural neutro se forman colectivos, *herramienta, falda-
menta, vestimenta, osamenta.* **-én, -ín.** De - a g i n e proceden *herrén, llantén llantel:* de - i g i n e *hollín, herrín,
orín;* son cultos *virgen, margen, origen,* con sufijo vulgar
en vez de las formas clásicas *vírgine, orígine:* son nomi-

nativos los en -*go*, *vértigo*, *fárrago*, *impetigo*, *tusilago*.
-dad, -tad, -tud. Del latín -**t a t e**, de sustantivos abstractos derivados de sustantivos y adjetivos, procede el
sufijo -*dad*, en nombres derivados fonéticamente del latín,
bondad, verdad, ciudad, vecindad, pero sobre todo como
sufijo móvil aplicable a multitud de nombres, *parquedad,
sequedad, especialidad, generosidad, suciedad;* precedido
de consonante se hace -*tad*, *amistad*, *libertad;* del latín
-**t u t e** se deriva -*tud*, generalmente en voces cultas,
esclavitud, virtud: este sufijo se introduce en vez de -*tud o*
en *altitud, aptitud, magnitud, pulcritud, excelsitud*, etc.
-mbre. Del latín -**m e n**. Hay derivación verbal, *nombre*,
y nominal, *alambre:* suele tener sentido concreto, *legumbre, lumbre, estambre, cumbre, mimbre:* entra en nombres
de plantas, *vedegambre, acigüembre;* tiene sentido colectivo en *techumbre, raigambre, corambre, urdimbre, pe-
lambre, herrumbre*, que es connatural en *enjambre;* hay
derivación verbal en *quejumbre:* el plural -**m i n a** entra en
balumba: los en -*en* son cultos, *crimen, volumen, germen,
régimen*. Del latín -**t u m e n**, que ha reemplazado a -**t u d i n e**,
procede -*dumbre, podredumbre, muchedumbre, pesadumbre,
mansedumbre*, y -*tumbre* tras consonante agrupada antes
de la debilitación, *costumbre*. **-or.** Del latín -**o r e** de sustantivos abstractos: se halla en *calor, dolor, sabor, amor,
horror, hervor;* formaciones nuevas hay pocas, *loor, temblor,
amarillor*. **-dor, -driz, -sor.** El sufijo -**t o r e** de agente
se conserva con valor de agente, *creador*, de oficio, *pescador*, dignidad, *emperador*, de nombres de animales,
arador, de instrumento, *pasador, colador, tostador, calen-
tador, abrochador, destornillador, calzador, sembradora,
regadora*, de adjetivo, *enredador, hablador, trabajador;*
-*dor* se introduce en vez de -**t o r i u** para designar lugar,

mirador, fregador, obrador, comedor, mostrador; la forma
-tor se ha conservado por razones fonéticas, *escritor,* o
por ser voces cultas, *progenitor;* este sufijo sufre a veces
distintas reducciones, *hechor;* del nominativo -t o r proceden *sastre, chantre:* sobre participios en -s u es -s o r e:
ofensor, impresor: el femenino -t r i c e persistía en el
ant. *-driz, emperadriz, nodriz, pecadriz,* y hoy en algún
raro ejemplo en *-driza, nodriza:* abunda en voces cultas
con valor de femenino de dignidad o empleo: *emperatriz,
institutriz, actriz,* de nombres de cosas, *bisectriz, matriz,*
y como adjetivo, *generatriz, motriz.* **-ajo, -ejo, -ijo, cho.**
Del latín -c l u de instrumento: *-ajo* entra en *navaja,
sombrajo, badajo, sonaja, acertajo, estropajo;* es forma
extraña *gobernalle:* *-ejo,* como *vencejo:* *-ijo,* como *acertijo:*
-cho, como *sacho.* **-erio.** El latín -e r i u se halla en
algunos cultismos, *refrigerio, cementerio, vituperio, adul-
terio, improperio,* y a su imitación *cautiverio, gatuperio,
sahumerio.* **-esa.** Del griego *-ισσα:* en nombres femeninos de títulos, *abadesa, condesa, marquesa, princesa;* en
voces cultas tiene la forma *-isa, pitonisa, poetisa, profetisa.*
-ismo. Del griego *-ισμος.* Denota ordinariamente partido, secta o escuela, *anarquismo, imperialismo, carlismo,
deísmo, fatalismo, idealismo,* y también cualidad abstracta,
egoísmo; pasa a veces a tener sentido concreto, como las
voces gramaticales *galicismo, hebraísmo, helenismo.* **-ango,
-engo, -enco, -ongo, -ungo.** Suele aducirse como tipo
el germánico -i n g. Entra *-engo* en *abolengo, abadengo,
realengo, camarlengo, marengo;* con la forma *-engue* en el
gall. *arengue* y en la forma castellana *perendengue;* con la
forma *-enco* en *realenco, mostenco;* con la forma *-enque* en
arenque: entra *-ango* en *bojiganga, bullanga, morondanga,*
de sentido abstracto, y *zanguango, pendanga,* de sentido

adjetivo peyorativo: *-ongo* en *pindonga, candongo, pilongo,* de sentido adjetivo peyorativo, y en *mondongo, birlonga,* de valor sustantivo: *-unga* entra en *sandunga.* **-ardo.** Ya en sustantivos propios, *Bernardo, Lisardo, Abelardo,* ya en comunes, *espingarda, buhardilla,* ya en adjetivos, *bigardo, bastardo, gallardo:* por intermedio del francés *estandarte, baluarte, espadarte, cobarde:* son chocantes los derivados aumentativos despectivos castellanos *moscarda, billarda*: ha penetrado con palabras germánicas. **-edo, eda.** Del latín -e t u en nombres de lugar indicando abundancia de plantas; del singular proceden *haedo, robledo, salcedo, avellanedo;* del plural *arboleda, alameda, fresneda;* con cierto valor simplemente abundancial en *polvoreda;* el sufijo -t u unido inmediatamente entra en *helecho.* **-aga.** Del vasco -a g a. De sentido locativo, *cenaga,* y con atracción del acento por el simple, *ciénaga.* Hay sufijos adventicios átonos sin significación precisa, como *-aro, -alo, -ano, -ago; -aro,* como *gállara, cáscara, búcaro; -alo,* como *murciégalo; -ano,* como *murciégano; -ago,* como *luciérnaga, relámpago, murciélago.*

Sufijos adjetivos. -ado, -ido, -udo. El sufijo -a t u de participio ha dado origen a los participios en *-ado, amado, alcanzado,* que pueden adjetivarse, *pesado,* y sustantivarse, *pescado;* los sustantivos participiales son muy abundantes, *cernada, barnizado, rizado, planchado, cortada, colada, llegada, ojeada, cuajada;* tienen a veces sentido abundancial, *riada, nevada, granizada,* de cabida, *manada, calderada, cestada, haldada, hornada, cucharada, carretada,* colectivo, *estacada, torada, alambrada,* de acción propia de, *alcaldada, quijotada, hombrada,* de acción instrumental, *estocada, pinchada, navajada, patada, cabezada, pedrada, puñada, puñalada, puntada,* de lugar, *bajada,* *encrucijada, hondonada, quebrada,* de diverso significado, *lazada, soldada, yugada, horcajada;* son algunos de origi- nal valor sustantivo, *senado:* con la forma -*ato,* se halla en diversos cultismos indicando empleo, *canonicato, vica- riato, califato, deanato, generalato,* y por extensión lugar, *decanato;* parecen galicismos *avenate, abate;* parecen ita- lianismos *serenata, tocata, caminata;* otros como *pegata, cenata* parecen relacionados con el aumentativo *fogata:* -itu entra en los participios, *partido, vivido,* hoy también en los verbos en -*er, vencido, temido;* tienen valor adjetivo algunos, *torcido,* y muchos valor sustantivo, *bebida, tor- cida;* se forman derivaciones sustantivas, *dolorido;* hay cultismos de valor adjetivo, *fortuito,* o sustantivo, *introito:* -utu, original en algunos participios o participiales, *menudo,* y en algunos adjetivos derivados de sustantivos, *cornudo,* ha adquirido gran vitalidad para designar adje- tivos abundanciales de cualidad, ordinariamente despec- tivos, *cachazudo, forzudo, tripudo, barbudo, sesudo, concien- zudo, pistonudo, barrigudo, narigudo, cabezudo, talludo, fachudo;* hay algunos cultismos, *diminuto, astuto:* -tu combinado con el tema ha producido diversos tipos par- ticipiales, *derecho, contrato;* -su se conserva en *preso, falso, preciso,* etc. **-turo.** Del participio de futuro activo, se usan con valor adjetivo o sustantivo los cultismos *futuro, ventura.* **-ando, -endo.** Del latín -ndu de valor gerundial: -*ando* en voces cultas, como *ordenando, exami- nando, graduando, educando, sumando:* -*endo,* en cultis- mos, *tremendo, horrendo, dividendo, sustraendo, reverendo, estupendo,* o en voces sustantivadas insignificativas, *me- rienda, hacienda,* o de sentido verbal, *molienda, ofrenda.* **-bundo.** En cultismos, *tremebundo, moribundo, vagabundo, meditabundo, furibundo,* y en alguna voz popular, *hediondo,* *sabiondo;* con nombres de animales, *botionda, torionda, verrionda, cachonda.* -**cundo.** En cultismos, con derivación sustantiva, *iracundo,* adjetiva, *rubicundo,* o verbal, *fecundo, facundo.* -**ante, -iente.** Del latín - n t e de valor participial: conservan el valor sustantivo los que ya lo tenían en latín, *serpiente, diente,* pero aun los demás han tendido a perder su carácter verbal, haciéndose nombres, *brillante, pendiente.* -**iento, -liento.** A base del latín -l e n t u s, f a m u l e n t u s, s a n g u i n o l e n t u s, hechos con atracción de los primitivos *hambriento, sangriento,* se creó el sufijo -*iento, grasiento, avariento, amarillento, achaquiento, calenturiento, ceniciento, polvoriento,* con probable atracción de participios en - e n t e, *sediento;* -l e n t u persiste en algún vocablo, *soñoliento,* y desde luego en cultismos, *violento, turbulento, sanguinolento, corpulento.* -**io.** Del latín - i u . Se conserva en *propio, ebrio, vario, necio, sabio;* son de formación nueva *soberbio, novio;* ha sido sustituído por -*io, albedrío.* -**io.** Del latín - e u . Como en latín vulgar se conserva a veces, pronunciado -*io, vidrio, cirio, rubio;* otras veces se reduce, *ruyo, haya:* algunos se han hecho sustantivos: los en *eo* son cultismos, *pétreo, ácueo, férreo, ígneo;* en la lengua antigua y clásica podía acentuarse este sufijo, *corporéo, feminéo, pitagoréo,* etc. -**ío.** Del latín - i v u . Con valor adjetivo en *tardío, vacio, sombrío, bravío;* puede pasar a sustantivo, como *estio,* hacerse locativo, *baldío,* colectivo, *gentío, señorío, mujerío,* o abstracto, *amorío, poderío;* se ha hecho -*igo* en *bodigo;* son latinismos *nocivo, furtivo, afirmativo, genitivo,* con vitalidad suficiente para aplicarlo a otras voces, *llamativo.* -**co, -go, -ago, -igo, -ugo.** De origen latino. Persiste -*co* en *ronco, mosca, seco:* -c u con *i* temática ofrece la forma -*go* en *galgo, domingo, mielga,*

piezgo, manga, -ego en *ábrego, -igo* en *canónigo, -co* en
oca; -ico se usa en cultismos, pero goza de cierta vitalidad,
*angélico, bélico, colérico, heroico, mágico, platónico, dia-
bólico:* -a c u entra en *embriago, verdolaga, biznaga* y en
algún cultismo, *opaco:* -i c u entra en *amigo, mendigo,
ombligo, hormiga:* -u c u entra en *verruga, oruga, lechuga,
pedugo,* y en formaciones nuevas, *tarugo, tasugo, pechuga,
verdugo,* y acaso en *jaramugo,* en éstas con cierto sentido
diminutivo o peyorativo; se usa algún cultismo, *caduco.*
-aico. Del griego *-αικός.* Sólo en voces cultas, *algebraico,
prosaico, galaico;* sobre nombres en *-eo, pirenaico, judaico.*
-ego, -iego. De origen ibérico: *-ego* se encuentra en
gallego, manchego, borrego, cadañego; -iego en *pasiego,
pinariego, veraniego, mujeriego, nocherniego, andariego, so-
lariego, labriego, paniego, esperiego;* la idea más común es
la de procedencia, como en el -e k o vasco, pero forma
también calificativos y sustantivos. **-azgo, -aje.** De la
terminación -á t i c u de adjetivos postnominales y postverbales: la forma castellana *-azgo* entra en sustantivos
que designan acción, *hallazgo, hartazgo,* impuesto, *portazgo, pontazgo,* derecho, *mayorazgo,* cargo, *almirantazgo,* o
estado, *noviazgo;* es vulgar la forma *mayoralgo,* idéntica a
la leonesa: la forma francesa *-aje* envuelve los mismos
significados, *herraje, linaje, lenguaje, coraje, pasaje, viaje,
homenaje, ropaje, follaje, vasallaje, hospedaje, abordaje.*
-ro, -ero. Del latín -r u , -e r u, como *entero, hiedra;*
efecto de una disimilación es *escoplo.* **-es.** Del latín
-e n s e, indicando procedencia, ya de nombres comunes,
cortés, montañés, montés, ya de propios, *avilés, leonés,
cordobés:* *país* en vez de *paés es tenido por galicismo: en
voces cultas hay *-ense, emeritense, abulense, ateniense, cas-
trense, forense.* **-oso.** Del latín -o s u de adjetivos abun-

danciales: de los casos etimológicos, *arenoso, hermoso, ocioso,* se propaga a otros, *pegajoso, pitarroso, caballeroso:* hay derivación adjetiva, *verdoso,* y verbal, *resbaloso, cansoso.* **-azo, -ezo, -izo, -ozo, -uzo.** El latín -a c e u de materia, y también aumentativo y peyorativo, entra en diversas palabras: conserva cierto sentido de materia y procedencia en *cañamazo, gallinaza, hilaza,* pero ha olvidado la idea de derivación en *hogaza, hormazo, cedazo;* sirve para indicar una acción de instrumento, *alfilerazo, pistoletazo, pinchazo, mazazo, martillazo, linternazo, cabezazo, garrotazo, ladrillazo;* tiene valor aumentativo en *torazo, carnaza, perrazo, ojazos, manazas, osazo,* y en varios adjetivos, *bonazo, negrazo, golosazo;* sin modificación se conserva en voces cultas, *cretáceo, herbáceo, farináceo;* en algún caso aparece en voces vulgares reforzado hasta confundirse con *-acho hornacho, hornazo, capacho capazo,* y en *mostacho,* que acaso es un italianismo: el latín -i c e u entra en *cortezo,* y en algún cultismo, *silíceo:* -o c e u entra en *coroza* y en el italianismo *carroza:* -u c e u ha formado despectivos, *gentuza, caperuza, lechuza.* **-izo,** de -i c e u -i c i u, sobre participios, como *hechizo, postizo;* se emplea algún cultismo, como *ficticio, comendaticio, acomodaticio;* sobre verbos castellanos es frecuente, *arrojadizo, pasadizo;* sobre participios en *-ido* debía hacer *-idizo, perdidizo, escurridizo,* pero se cambia en *-edizo* por disimilación, *advenedizo,* y tal vez en otros casos por influencia del infinitivo, *corredizo, cogedizo;* sobre nombres lo usaba poco el latín, *panizo, novicio,* pero es frecuente en castellano, *enfermizo, castizo, rollizo, blanquizo, pajizo;* sobre nombres de oficio, *baquerizo, caballerizo, boyerizo, cabrerizo;* reemplaza frecuentemente a -i c e u, *pelliza;* parece un italianismo *capricho:* otras terminaciones análogas, -a c i a, -u c i a, han quedado petrificadas en algunas formas, *deshaucio*, ant. *fiuza*. **-no, -ano, -eno, -ino, -uno.** El latín -n u persiste sin valor de sufijo, en sustantivos, *luna*, y en adjetivos, *lleno, bueno, vano, eterno*, que pueden sustantivarse, *invierno, infierno:* el latín -a n u es frecuente en gentilicios, *gitano, africano, sevillano, jerezano, mejicano*, y ant. *asiano, galicano;* forma otros derivados de lugar común, *cortesano, villano, paisano, ciudadano;* de nombres propios, *cristiano, ciceroniano;* alguna importación, como *catalán*, y la analogía de nombres con esta terminación etimológica, *perillán, guardián, escribán*, han contribuído a extender este sufijo, *holgazán, cordobán*, haciendo olvidar formas antiguas, *capellano*, o alternando ambas, *galán galano;* otros adjetivos hay, como *humano, temprano, mediano, cercano, liviano;* la sustantivación que el latín hace en *fontana* se extiende a otros, *peana, ventana, verano, solana, sotana;* -a n u alterna con -a n e u en *montana montaña, abrigano abrigaño, perdigano perdigaño, peana peaña:* el latín -e n u persiste en *sereno, terreno, ajeno, avena, centeno;* se halla en voces nuevas, *moreno;* como gentilicio se usaba en latín, *obsceno*, y se halla a veces en castellano, *chileno:* el latín -ĭ n u *(no* con *i* temática) ha pasado en *pámpano, cuévano, dueño;* son cultismos *página, lámina;* véase *-ezno:* el latín -ī n u se conserva en *divino, vecino, marino, canino*, y con sustantivos, *gallina, reina, cocina, padrino, matino, encina, hacina, cantina, pretina, colina, salina;* está en vez del anterior en *cristino;* como hemos visto puede tener valor diminutivo: el latín -u n u de *oportuno, laguna* tiene gran extensión en castellano: forma derivados de nombres de animales, *vacuno, gatuno, ovejuno, perruno, cabruno, conejuno;* con cierto sentido despectivo también de personas, *hombruno, lacayuno, fraíluno;* es rara la derivación adjetiva, *bajuno;* también entra en algún sustantivo, *aceituna.* -año, -eño, -iño, -oño, -uño. El latín - a n e u entra en *extraño, entraña, huraño, carcaño, montaña, hazaña, patraña, aledaño, legaña, pestaña, redaño, picaño,* y en algún cultismo, *pedáneo, subterráneo;* tiene valor diminutivo en *perdigaño:* -eño de materia y procedencia, como *m a t e r i n e a *almadreña, sabadeño, vargueño, barreño, quijeño, zahareño, pedreño, lugareño, ribereño, madrileño, extremeño, aguileño, burreño, marfileño, pequeño,* de - ĭ n e u o analógico de otros; suele derivarse de - i g n u, pero en algún caso parece probable una extensión analógica de la terminación material, como en *cañam-eño, espart-eño* según *estameñ-a* s t a m i n - e a, y en otros la analogía de sufijos en -n e u: - ī n e u entra en alguna forma, como el ant. *torniño, Cid,* 3121: - o n e u entra en *ponzoña, madroño, carroño;* otras veces produce -ueño, *risueño, pedigüeño, halagüeño,* y -uño, *rasguño, terruño, artuña, redruña;* se halla en alguna voz culta, *erróneo, idóneo.* -esco, -isco, -usco. El griego -ισκος, que se halla en alguna voz latina de sentido gentilicio, *syriscus,* ha dado origen a las formas -esco, -isco: -esco, como *burlesco, caballeresco, soldadesco, villanesco, gitanesco;* en adjetivos gentilicios, *tudesco, turquesco, tobosesco;* tiene valor sustantivo colectivo en *soldadesca:* -isco, como *levantisco, arisco, arenisco, berberisco, morisco:* -usco, como *pardusco:* parecen meras variantes fonéticas -izco, *blanquizco,* y uzco, *blancuzco, negruzco, verduzco.* -ar. El sufijo - a r e sobre temas con *l* se conserva y se ha propagado: se halla en adjetivos, *albar,* y en sustantivos, *pulgar;* la sustantivación es frecuente con nombres de partes y prendas del cuerpo, *espaldar, ijar, calcañar,*

costillar; adquiere en castellano gran vitalidad la derivación en nombres de lugar, *encinar, espinar, palomar,
pinar, retamar, colmenar, hogar, paular,* con algunas vacilaciones con *-al, patatar patatal, titar tital, albañar
albañal, fangar fangal.* **-al, -el, -il, ul, l.** Del latín *-a l e*
proceden los en *-al, natural, mensual, mortal, igual, rival,
general, moral, cabal, clerical, celestial, arzobispal, asnal,
carnal, sensual, ducal, especial, fatal;* del plural neutro
-a l i a proceden *mortaja,* el ant. *presentaja, barbaja, tina-
ja,* etc.; es tardío, con inversión de consonante, *alimaña;*
este sustantivo tomó sentido peyorativo, como otros que
redujeron el sufijo a *-alla, gentualla, canalla, morralla,
antigualla;* son extranjeros, o tardíos como los anteriores,
medalla, muralla, etc. La sustantivación arranca del latín,
por intermedio de las formas neutras, *puñal, brazal;* merecen citarse en primer lugar los que designaban partes,
prendas o adornos del cuerpo, *brazal, pretal, cabezal,
dedal;* pasó a significar luego lugar con sentido abundancial, *barrizal, breñal, peñascal, arenal, patatal, manantial,*
conjuntos de árboles y arbustos, *cañaveral, parral, roble-
dal, nocedal;* por elisión del sustantivo *árbol,* ha podido
sustantivarse en *peral, nogal, jerbal;* ha habido una sustitución romance de sufijo en *lugar:* del latín *-e l e* proceden *fiel, cruel:* del latín *-ī l e* proceden *civil, sutil, senil,
gentil, servil, pastoril, estudiantil;* del plural neutro *-i l i a*
proceden *hornija, baratija;* como sustantivo designaba el
lugar de los animales, *bovil, cubil,* etc.; en castellano se
agrega alguno más, *brosquil* 'apartadero de los chivos';
designa partes o prendas del cuerpo, *rabacil, pernil, bracil,
cuadril, frontil, dedil;* otras ideas de lugar en *carril, pretil:*
del latín *-ĭ l e* proceden *ágil, útil, fácil, hábil, grácil,
símil, dócil, dúctil;* se ha reducido a *-le* en *mueble:* del

latín -ul se halla alguno como *curul.* **-ble.** Del latín
-bile: casi todos de derivación verbal, sobre verbos
castellanos, *temible, rompible, pasable,* sobre verbos de
forma latina, *asequible, horrible:* de derivación nominal
se hallan, más o menos autorizados, diversos derivados
de nombres de cargos, *ministrable, canonjible.* **-til.** El
latín -tile (-ile agregado al participio) se conserva
transformado y sin valor de sufijo en pocas palabras,
hojaldre: son cultismos *versátil, volátil, bursátil.* **-enco.**
De origen ibérico en nombres de procedencia, *podenco,*
(comp. el sardo *inku* de gentilicios). **-í.** Sufijo árabe de
adjetivos, *marroquí, carmesí, centí, alfonsí, aceituní, gua-
dalmecí, vacarí;* pueden sustantivarse, *jabalí, alhelí, maravedí;* el vulgo incurre en confusiones con *-in, jabalín,*
con el femenino *jabalina,* usados en la lengua antigua; la
analogía de otras formas árabes en *-il -ir* ha modificado
a veces este sufijo. **-ista.** Del griego ιστης. Denota oficio,
partido o escuela, y se aplica con gran libertad a nombres
propios, *carlista, orleanista,* a sustantivos comunes, *ren-
tista, fumista, ebanista, pancista,* a calificativos, *realista,
idealista,* a determinativos y pronombres, *altruista, egoísta,* a compuestos, *panteísta,* y aun a partículas, *ergotista.*
-ero. Del latín -ariu. Los diversos matices de significado se han aumentado aún en castellano: conserva el
significado original de adjetivo, *aventurero, manero, casa-
mentero, embustero, verdadero, postrero, zaguero,* generalmente con derivación sustantiva, pero también adjetiva,
altanero, bajero, certero, llenero, verbal, *sobrero,* y aun
adverbial, *delantero, trasero;* denota empleo, *herrero, co-
chero, librero, posadero, ventero,* lugar, *hormiguero, estero,
nevero, pedrera,* y otros significados diversos, *manera,
sordera, vidriera;* significando árboles no abunda como en

gallego, *higuera, noguera;* en algún caso -a r i u fué
sustituído por - a r e, *vivar;* son extranjerismos *lebrel,
laurel, verjel, mercader, canciller, sumiller; donaire* y *pe-
laire* son voces vulgares tardías: *-ario* se usa en cultismos,
*estacionario, contrario, literario, lapidario, necesario, pre-
cario, voluntario, temerario, valetudinario;* puede tener
valor sustantivo de oficio, *boticario, actuario, consiliario,
corsario, sagitario, vicario, depositario,* de lugar, *armario,
relicario, incensario, estuario:* suele admitirse que *-ario* ha
entrado en dobles derivaciones (Hanssen, *Gram.* p. 137):
hay que descontar algunos postverbales, *mondaraja, bai-
larín, cantarín,* en que es indudable el influjo del verbo;
en *pinariego, palomariego,* hay que pensar en la derivación de *-ar* y no de *-ario;* en *llamarada, lenguarada,
humareda, hojarasca, vivaracho* creo que se trata de una
epéntesis favorecida por la analogía, la cual desarrolla
un sufijo insignificativo como el *-aro* de *cáscara,* como
parece verse en *tatarabuelo *tetrabuelo* t r i t a v i o l u.
-dero, -sero. Del latín - t o r i u. Forma sustantivos de
lugar, *comedero, miradero, abrevadero, coladero, vertedero,
escupidera, paradero, lavadero, atolladero, despeñadero,
bañadera,* de instrumento, *podadera, regadera, vertedera,
despabiladeras, lanzadera, atadero,* de modo, *despachaderas, entendederas;* conserva a veces el valor adjetivo original, *duradero, venidero, valedero, casadera, pasadero,
hacedero, abridero;* la reducción a *-dero* de la antigua
forma *-duero* parece deberse a la atracción de *-ero;* tras
consonante ofrece la forma *-tero, cobertera;* en palabras
cultas se usa la forma *-torio:* indicando lugar, *observatorio,
escritorio, refectorio, oratorio, locutorio, purgatorio,* agente
material, *recordatorio, conmonitorio,* o bien con valor adjetivo, *laudatorio, transitorio, amatorio:* el sufijo -s o r i u
entra en *tisera* mod. *tijera.*

Agrupaciones de sufijos nominales.—Las más importantes son las de diminutivos, aumentativos y despectivos. 1. Son varias las agrupaciones de dos diminutivos, *-ete -illo, carretilla, paletilla, cajetilla; -ito -illo, cabritillo, chiquitillo; -illo -ito, ovillito; -uelo -ete, plazoleta, cazoleta; -illo -ín, faldellín; -illo -ete, martillete; -ete -ín, cafetín, casetín, calcetín; -ín -illo, patinillo; -ín -ete, tamborilete; -ito -ito, chiquitito; -ato -illo, lebratillo, jabatillo;* hay diminutivos yuxtapuestos a aumentativos, *-ón -cillo, quejoncillo, juguetoncillo, tragoncillo, mamoncillo, dormiloncillo; -ón -ito, saloncito, callejoncito; -azo -illo, ribacillo; -uzo -ito, caperucita;* diminutivos yuxtapuestos a despectivos, *-orro -illo, cachorrillo, ventorrillo, pitorrillo, zaborrillo; -irro -ín, chiquirrín; -usco -illo, pedrusquillo, corrusquillo; -icho -uelo, barquichuelo, habichuela; -acho -uelo, riachuelo, covachuela; -ucho -ín, perruchín, delgaduchín; -ucho -illo, delgaduchillo, larguiruchillo, maluchillo:* diminutivos yuxtapuestos a segundos diminutivos, *-ete -ín -ito, calcetinito; -uelo -ete -illo, cazoletilla, plazoletilla:* diminutivos yuxtapuestos a diminutivos-aumentativos, *-ete -ón -cillo, pobretoncillo, carretoncillo:* diminutivos yuxtapuestos a despectivos-diminutivos, *-icho -uelo -illo, barquichuelillo; -irro -ito -ín, chiquirritín.* 2. Hay dobles aumentativos, *-ón, -azo, picaronazo, hombronazo, mujeronaza, hambrentonazo, valentonazo, bellaconazo, machonazo; -azo -ón, corazón?:* aumentativos yuxtapuestos a diminutivos, *-ato -ón, lebratón; -ete -ón, pobretón, corretón, mocetón; -illo -ón, puntillón, escobillón:* aumentativos yuxtapuestos a despectivos, *-ejo -ón, torrejón, callejón; -ajo -ón, tinajón, zancajón; -acho, -ón, hombrachón, picachón, bonachón, corpachón, frescachona; -ancho -ón, villanchón, corpachón, camaranchón; -anco -ón, potrancón, boyancón;*

-*ullo* -*ón*, *grandullón*; -*arro* -*ón*, *cascarrón*, *zancarrón*, *bo-yarrón*, *vozarrona*, *dulzarrón*, *huesarrón*, *chaparrón*; -*orro* -*ón*, *coscorrón*, *pitorrón*; -*urro* -*ón*, *mansurrón*, *santurrón*. 3. Hay dobles despectivos, -*arro* -*aco*, *bicharraco*, **paja-rarraco pajarraco*; -*echo* -*ucho*, *avechucho*; -*ajo* -*ucho*, *tra-pajucho:* despectivos yuxtapuestos a diminutivos, -*ico* -*aco*, *monicaco*, -*ito* -*ujo*, *chiquitujo*; -*ete* -*ucho*, *casetucha*, 4. Hay derivaciones heterogéneas sobre aumentativos, diminu-tivos y despectivos, -*ugo* -*al*, *verdugal*; -*on* -*cio*, *migoncio*, *triponcio*, *soponcio*; -*on* -*ada*, *hondonada*; -*irro* -*ío*, *chi-quirrío*; -*ete* -*ero* -*ía*, *pobretería*; -*ajo* -*oso*, *pegajoso*, *pica-joso*; -*on* -*azo*, *estoconazo*; -*ote* -*azo*, *papirotazo*. 5. Hay otras diversas agrupaciones dobles de sufijos: doble sufijo de lugar, -*aga* -*al*, *cenagal*; -*edo* -*al*, *nocedal:* doble sufijo adjetivo de procedencia, -*és* -*ano*, *cortesano*, *artesano*; -*és* -*ino*, *campesino*. 6. Otras derivaciones segundas son tri-viales por considerarse para estos efectos el primer deri-vado como primitivo: -*ero* -*ía*, *peluquería*, *bobería*, *tontería*, *bellaquería*; -*ero* -*izo*, *boyerizo*, *caballerizo*; -*ero* -*oso*, *asque-roso*; -*ar* -*iego*, *pinariego*; -*azo* -*án* -*ero* -*ía*, *holgazanería*, etc., etc.

Sufijos verbales.—Salvo algún caso suelto, *balbucir*, no hay más sufijos en los verbos en -*er*, -*ir* que los incoativos en -*cer:* perdida casi del todo en la lengua moderna la vitalidad de este sufijo, no quedan más sufijos vivientes que los de la 1.ª. -*are*. Es la terminación gene-ral de los verbos de la 1.ª; a menudo va acompañada de composición, *acornar*, *enlodar*; la derivación puede en-volver una idea instrumental, *martillar* 'dar con martillo', una relación de complemento directo, *signar* 'hacer sig-nos', de predicado del sujeto, *sanar* 'ser sano', de predica-do del complemento, *endulzar* 'hacer algo dulce'; un caso

muy importante es la derivación participial: la del pretérito estaba sumamente avanzada en el latín, y es frecuente en castellano, *olvidar, usar, osar, ayudar,* y con
composición *apresar, acotar, atusar*; del presente hay
algunos casos, *sentar, levantar, quebrantar, acrecentar,
apacentar, asentar, calentar, ahuyentar, amamantar, apa-
rentar.* **-iare.** Sin valor de sufijo, persiste sólo en las
formas postnominales heredadas y con diversas modifica-
ciones fonéticas: el caso más frecuente es la derivación
participial, *captiare cazar, *indirectiare enderezar,
acutiare aguzar, punctiare punzar; es dudosa la
derivación verbal *ordiniare ordeñar*; no se trata de
este sufijo, sino del anterior, en dominiare domeñar,
vindemiare *vendimiar vendemar, variar,* etc. **-icare.**
De gran desarrollo en latín vulgar; es la más frecuente la
derivación nominal, *auctoricare otorgar, amari-
care amargar, communicare comulgar, caballicare
cabalgar, maturicare madrugar, *sessicare sosegar,
albicare *albegar, carricare cargar, *saporicare
ant. saborgar, morsicare muescar, *quassicare
cascar, *rasicare rascar*; hay algún caso de derivación
verbal, *volvicare volcar, empapigarse (empaparse)*;
este sufijo tiene escasa vitalidad en castellano; en *aungar*
es dudoso que sea la derivación romance, y en *rezongar*
es dudosa la derivación de *rezar*; la forma culta de *comu-
nicar, claudicar,* etc. se ha propagado a *enamoricar, aricar.*
El sufijo de los verbos *embelecar, besucar* no es sino *-eco,
-uco* de los nombres despectivos. **-idiare.** Es el sufijo
griego -ίζειν extendido en el latín popular imperial: correspondientes los sufijos *-ear -ejar* el primero a la zona
central de Burgos y Santander y el seguudo a zonas laterales, compiten *-ear -ejar;* este último, de gran vitalidad en

gallego-portugués, se encuentra sólo en casos aislados, *forcejar, manejar, festejar:* -*ear* es en cambio abundante y goza aún de fecundidad para producir nuevos verbos, *batear, blanquear, sestear, malear, ladear, taconear, zarandear, florear, torear, hermosear, campear, hojear, ojear, boquear, menudear, agujerear, lancear, espolear, portear, guerrear, falsear, sortear, hormiguear, serpear, alborear, saborear, clarear, gotear, juguetear, falsear, ventear, balancear, bandear, hombrear, plumear;* es frecuente la composición simultánea, *asaetear, acarrear;* también se halla este sufijo en segunda derivación simultánea con la primera, *manosear, besuquear, mangonear;* en *canturrear* ha sustituído a la terminación -*iar* de *canturriar,* postnominal de *canturia;* el vulgo hace esta sustitución en algunos verbos, *cambear, varear:* la forma culta -*izar* no sólo persiste en los casos etimológicos, sino que se propaga con libertad a otros, *cristalizar, martirizar, latinizar, legalizar, fecundizar, moralizar, solemnizar, idealizar, finalizar, puntualizar, generalizar, fertilizar, gargarizar, barbarizar, electrizar, profetizar, repentizar, palatalizar, vocalizar, escandalizar, militarizar, movilizar, capitalizar.* -*ilare,* -*ulare.* Sin valor de sufijos entran el primero en *semblar, silbar* y el segundo en *orlar, garlar, hablar, mezclar, cuajar, temblar.* -*inare.* Se conserva en *graznar,* y agrupado en -*icinare* en *lloviznar.* -*iculare,* -*uculare.* El último entra en *apretujar, tapujar, mamujar;* parece responder a la correlación nominal de los despectivos en -*ujo,* -*ullo* la correlación -*ujar,* -*ullar, patullar, mamullar, farfullar, mascullar;* -*ejar* de *cortejar, festejar, manejar* puede referirse a -*iculare* o a -*idiare.* -*itare.* Entra en *avistar, marchitar, balitar,* y acaso en *andar;* son cultismos *visitar, agitar, habitar, ejercitar, dormitar;* hay algunas derivaciones adjetivas cultas, *gravitar*, *imposibilitar*, *facilitar*, *habilitar*. -**ficare** de f a c e r e se conserva sin vida en algunos verbos, *santiguar*, *averiguar*, *amortiguar*, *atestiguar*, *apaciguar*: son voces cultas *santificar*, *verificar*, *mortificar*, *testificar*, *pacificar*, *edificar*, *significar*, cuyo sufijo se aplica en formaciones nuevas, *especificar*, *dulcificar*, *personificar*, *ramificar*, *diversificar*. -**igare** de a g e r e se conserva en los casos etimológicos, *lidiar*, *rumiar*, *humear*; son cultismos *castigar*, *mitigar*, *litigar*; *fumigar* es otro cultismo sin relación con *f u m i c a r e*; *navegar* en cambio es posible que se refiera a *n a v i c a r e*.

En relación con sufijos nominales, especialmente aumentativos, diminutivos y despectivos, se hallan varias terminaciones verbales: -**iscar**, -**uscar** están generalmente en relación con los nombres en -*isco*, -*usco*; con -*iscar* se encuentran *mordiscar*, *ventiscar*, *neviscar*, y sin relación con los nombres *oliscar*, *comiscar*, *lamiscar*; existe la variante -*izcar*, *pellizcar*: con -*uscar* se halla *zurruscar*, *chamuscar*; sustituye a -*uzar* en *chapuscar*, *chapuzar*: -**uzar**, relacionado con -*uzo*, existe en *espeluzar*, *empapuzar*: -**usar**, relacionado con -*usa (pelusa)*, entra en *engatusar*: -**uñar**, sobre el sufijo nominal -*uño*, entra en *rapuñar*, *refunfuñar*, *rasguñar*: -**arrar**, -**urrar**, sobre el sufijo despectivo -*arro*, -*urro*, entran en *despanzurrar*, *despatarrar*. -**ecere**, como *favorecer*, *anochecer*, *oscurecer*, *favorecer*: olvidándose la idea de derivación fueron eliminando éstos a sus antiguos primitivos en -*ir*, como *guarir*, *guarnir*, etc.

82. Composición.—1. **Composición perfecta e imperfecta.**—Es perfecta la que ha llegado a la unificación ideológica, prosódica y ortográfica. Es imperfecta la que, habiendo llegado a refundir en una idea los dos elemen-

tos, no ha llegado a unificarlos en el acento o en la escritura: son sólo compuestos *ideológicos*, pero no prosódicos
ni ortográficos, *casa refugio*, *cabeza de dragón*, o bien
casa-refugio, *trágico-cómico*, *jocoso-serio*: son compuestos
prosódicos, pero no ortográficos, multitud de nombres
propios, como *Juan Antonio*, *Ciudad Real*, *Sierra Morena*,
diversos compuestos recientes, como *mala cabeza*, *verde
esmeralda*, y algunas formas equivalentes a partículas,
como *mal de su grado*, *antes de anoche*: son compuestos
ortográficos, pero no prosódicos, los compuestos de toda
clase que por atracción del simple mantienen el acento,
como *tódavía* al lado de *todavía*, y excepcionalmente otros
compuestos, *guárdiacivíl*.

2. **Composición parasintética** es la que va acompañada de derivación simultánea, *ropavejero*, *cadañera*,
picapedrero, *capigorrón*, *sietemesino*: es frecuente la prefi-
jación parasintética verbal, *arruinar*, *acarrear*, *enmudecer*,
entibiar, *enlodar*, y nominal, *pordiosero*, *antediluviano*.

3. **Composición completa y elíptica.**—Es completa
la que no omite el elemento gramatical preciso para mar-
car la relación entre sus diversas partes. Es elíptica la
que ha omitido un elemento gramatical preciso para
indicar la relación de los componentes: *picomartillo*, *sor-
domudo*, *ganapierde*, han omitido la conjunción *y*; los
que tienen por segundo elemento un genitivo han sido
probablemente completos, llegando a hacerse elípticos
por elisión fonética de la preposición, *telaraña*, *hojalata*.

4. **Composición coordinativa y subordinativa.**—La
composición puede ser *coordinativa* y *subordinativa*: en la
primera los elementos se unen por concordancia o coor-
dinación, *camposanto*, *sopicaldo*, *vaivén*: en la segunda los
elementos se unen por régimen directo nominal o verbal,

cornicabra, sacacorchos, o por régimen circunstancial, *cortafrío.*

    5. **Grupos de coordinativos.**—1. De dos sustantivos; sobre el tipo rarísimo del latín vulgar **arcuballista** el castellano ha creado *picobarreno, picomartillo, zapapico, cañaherla* **canna ferula**, *puercoespín, salpimienta, cervicabra, ajoqueso, cerapez, malvavisco* **malva hibiscu**, *varapalo, arquimesa, casa-puerta*, más los imperfectos nuevos *tienda-asilo, buque-hospital, casa-cuna, madre-patria, falda-pantalón;* con *i* en el primer elemento *machihembra, carricoche, gallipavo, coliflor, baciyelmo, sopicaldo, ajipuerro, ajiaceite, tripicallos;* hay formaciones nuevas abundantes sobre voces griegas, *hipogrifo, zoófito.* 2. De sustantivo y adjetivo: *hilván (hilo vano), murciego* 'ratón ciego', *pimpollo, vinagre (vino agre),* ant. *autarda (avetarda* y con *u* propagada *avutarda), aguardiente, aguaverde, romero* **ros marinus**, *melcocha, guardiacivil, camposanto, bancarrota, tablarrasa, marisabidilla, marimorena;* en la toponimia es una formación fecunda, *Peñorada, Castilfrío, Villaverde, Montoto (alto), Fuencaliente, Torquemada, Valverde, Aldeanueva, Canredondo (campo), Riocavado.* 3. De adjetivo y sustantivo: *vanagloria, primavera (buenandanza* según *bienandante), malandanza, malaventuranza (bienaventuranza* según *bienaventurar), mediodía, ricohombre, gentilhombre, extremaunción, bajamar, malacuenda;* hay algún geográfico, *Bellavista;* compuestos imperfectos *buen-hombre, pobre-hombre;* de determinativos *usía (vuessa señoría), usted (vuestra merced).* 4. De dos adjetivos: *tieserguido, sordomudo, claroscuro, altibajo, tartamudo, verdinegro, agridulce.* 5. De dos o más verbos en imperativo; pueden ir sin conjunción, *ganapierde, duermevela, tiramira,* con conjunción *qui-*

taipón, vaivén, ciaboga, metisaca, y alternando, *correvedile correveidile, tiraafloja tiraiafloja.*

6. **Grupos de subordinativos.**—1. De dos sustantivos: esta composición en varios casos se remonta al latín culto por acusar la conservación de la flexión latina: a) De regente y regido: desde luego en los casos etimológicos, c o m i t e s t a b u l i *condestable*, a q u a m a n u s *aguamanos, mayordomo;* en las formaciones de origen castellano es típico este orden, *cornicabra, aguamiel, uñagata, telaraña, bocamanga, bocacalle, puntapié, maestrescuela;* en la toponimia es el procedimiento más fecundo, *Aldealpozo, Aldealcardo, Aldealseñor, Fuentelsaz, Fuensaúco, Fuentenebro, Navaleno, Navalcaballo, Navapalos, Villagonzalo, Villodrigo, Villaciervos, Tardelcuende (otero), Tardajos, Valdemoro, Valdeavellano, Peñalara, Peñalcázar, Torresandino, Torrearévalo, Quintanadueñas, Portelrubio;* con *val* y *tar* no ha podido perderse la preposición *de;* el artículo en otros demuestra que dicha preposición ha existido antes: dos sustantivos comunes pueden tener valor de adjetivo, *cuchillo cachicuerno* 'de cacha de cuerno' *hombre carivinagre* 'de cara de vinagre' (este último según la analogía del grupo 11); con estos compuestos pueden compararse las frases comparativas del tipo *cabeza de chorlito, boca de dragón*, de valor adjetivo aplicadas a personas, y sustantivo aplicadas a cosas. b) De regido y regente: en los casos etimológicos, a u r i p i g m e n t u *orpimiente*, p e d i s u n g u l a *pezuña*, a u r i f a b e r *orfebre*, J o v i s b a r b a *jusbarba*, a q u a e d u c t u *aguaducho*, y el cultismo *terremoto:* de los casos romances que suelen citarse hay pocos seguros: *pimpollo* y *pavipollo* son coordinativos; *casapuerta* es de origen dudoso; *zarzamora* y *zarzarrosa* son según M. Lübke, *Gram.*, II,

p. 635, compuestos coordinativos, pero más probablemente subordinativos de regente y regido; *aguaturma* y *gallo-
cresta*, si es que son vulgares, representan la composición
inversa, 2. De sustantivo complemento directo y adjetivo
verbal: este tipo, tan frecuente en el latín clásico, sólo ha
persistido en algún caso aislado, s a n g u i s u g a *sanguja;*
en la lengua culta abundan los latinismos, *frugífero, fruc-
tífero, alígero, belígero, carnívoro, frugívoro, ignívomo.* 3.
De sustantivo complemento circunstancial y adjetivo verbal, *mancebo* m a n c i p i u; del tipo de t e r r i g e n a,
n o c t i v a g u s, c o r n u p e t a se han creado algunos
cultismos, *sonámbulo, funámbulo, noctámbulo, plantígrado,
digitígrado.* 4. De verbo y sustantivo complemento directo: este tipo, sólo conocido en el latín vulgar en
algunos nombres propios, se desarrolla en los romances
con gran vitalidad: el modelo general debió ser el imperativo, que es indudable en otros tipos, *correvedile, tentemozo,* y que no está contradicho por ninguna forma
(detienebuey hoy en contradicción con *ten,* pero no con
el imperativo clásico *detiene, contiene);* la idea del imperativo sin embargo se ha olvidado y hoy tienen estos
compuestos el sentido de los latinos del número anterior,
carnívoro, o sea de una oración de relativo: es por su
riqueza el grupo más importante de compuestos apelativos: *abrojo, abrelatas, -puño, -ojos, adobasillas, afeitarre-
tablos, aferravelas, aguafiestas, ahorcaperros, ahuyentapas-
tores, alborotapueblos, alzacuellos, -paño, -pie, -puertas,
allanabarrancos, apagavelas, -luces, atizacandiles, atrope-
llaplatos; besamanos, botasilla, -fuego, buscapié, -ruidos,
-vidas; catavinos, -riberas, correcalles, cortaplumas, -bolsas,
-fuego, -mechas, -piés, cubrecorsé, -cama, cuelgacapas, cuen-
tagotas, -hilos, chotacabras; chupatintas, -mirto, deshonra-*

*buenos, descuernacabras, destripacuentos, -terrones, -mujeres,
desuellacabras, -caras, echacuernos, -pellas; engañapastores,
-bobos, escullaplatos, espantapájaros; guardacantón, -agu-
jas, -aguas, -almacén, -barrera, -bosque, -brazo, -costas,
-frenos, -papo, -polvo, -piés, -ropa, -vía; hincapié; lamepla-
tos, lanzacabos, -fuego, lavacaras, -manos, limpiadientes,
-botas, -barros, -plumas; lloramigas, -duelos; majagranzas,
matacán, -buey, -fuego, -sanos, -sarna, -ratas, -candil, -siete,
-sello, -hambre, -judíos, -moros, -lobos. -perros, -pulgas,
metemuertos, -sillas, mirasol, -flores, mondadientes, -orejas;
papahigo, -moscas, -huevos, -rabias; pasatiempo, -calle,
-mano, -pan, pelagatos, perdonavidas, pesalicor, picapinos,
-flor, -maderos, -pleitos, -poste, pinchamonas, -uvas, pisa-
uvas, -papel, portafusil, -bandera, -cartas, -guión, -mantas,
-monedas, -paz, -pliegos, -viandas: quebrantahuesos, -pie-
dras, -olas, quitamanchas, -meriendas, -sol, -pesares, -aguas;
rapabarbas, -polvo, -pies, rascatripas, rompeolas, -cabezas,
-esquinas; sacamuelas, -mantecas, -bocados, -corchos, -dine-
ros, -mantas, -sillas, -buche, -trapos, saltamontes, -bardales,
-barrancos, -charquillos, -ojos, sanalotodo, soplagaitas, su-
plefaltas; tardanaos, tiralíneas, -pie, -cuello, -botas, tornavoz,
trabacuenta, tragaluz, -hombres, -aldabas, -malla, -virotes,
trincapiñones; zampabollos, -bodigos, -tortas, -palo, -limos-
nas.* 5. De nombre complemento directo y verbo: hay
algún caso que remonta probablemente al latín, f a c i e m
f e r i r e *fazferir* mod. *zaherir, escamondar, pelechar;* con
valor sustantivo, *quehacer;* otros como *alicortar, perniquebrar, maniatar* son postnominales de *alicorto, perniquebrado, maniatado* (v. el n. 11). 6. De verbo y sustantivo
complemento circunstancial; son elípticos *cortafrío, tor-
nasol, girasol, andarrío, tornaboda, trotaconventos;* y completos *saltaembarca, saltaembanco,* y con remedo de italia-

nismo *saltimbanqui;* en presente de indicativo *metomentodo*.
7. De sustantivo complemento circunstancial y verbo:
algunos remontan al latín, *mantener, mamparar,* ant.
manlevar, mampuesta, mancornar; son cultismos *manumi-*
tir, etc. 8. De verbo y adverbio, *catalejo, botifuera* 'comida
con que se festeja el término de una obra', *bogavante,*
pasavante. 9. De adverbio y verbo: *bienmesabe*. 10. De
verbo en imperativo y vocativo, *tentemozo, tocamerroque,*
andaniño. 11. De sustantivo y adjetivo: el castellano ha
recibido esta forma por un doble procedimiento: el compuesto latino del tipo o r i p u t i d u s, b a r b i r a s u s
(relacionado con el grupo de complemento de parte y
adjetivo «os humerosque deo similis») sirvió de modelo a
esta formación; otro procedimiento ha sido la aplicación
por sinécdoque del nombre de parte, *colalarga, barbarroja,*
y el ant. *barba velida, barba ondrada, picocruzado, patas-*
tuertas, ojosverdes, carasucia, cabezadura; aquí hay tendencia general a concertar el adjetivo con el supuesto,
patituerto, testarudo; en la lengua antigua era frecuente
conservar íntegro el primer elemento, *cuello albo, boca-*
bierto, pero se terminó luego normalmente en *i* según el
tipo latino, *cuellalbo (cuelli alvo,* Hita, 1102); esta *i* según
el tipo general propagada a *cabizbajo* en vez del ant.
cabezbajo: en la mayoría de los casos es difícil asegurar
si se trata de la formación sobre el tipo elíptico latino
b a r b i r a s u s, o de la agrupación coordinativa completa
castellana *barbarroja; alicorto, -caído; barbilampiño, bo-*
quiabierto, -negro, -rubio, -ancho, -angosto, -duro, -fruncido,
-hendido, -rasgado, -roto, -tuerto; cabizbajo, carienjuto,
-ancho, -gordo, -harto, -lucio, -lleno, -negro, -parejo, -redon-
do, cejienjuto, -negro, cornigacho, -veleto, -abierto, -aguileño,
-apretado, cuellicorto, -erguido, -largo, -degollado, ant.

*culnegra; dentipostizo; hociquirromo; manilargo, -roto,
-abierto; ojizarco, -enjuto, -zaino, -negro, -alegre; patitieso,
-zambo, -abierto, -cojo, -blanco, -tuerto, -estevado, -hendido,
-difuso, pechiblanco, peliagudo, -corto, -blanco, -cano, -tieso,
-rubio, -largo, -rojo, perniquebrado, -tuerto, piquituerto,
puntiagudo; rabicorto, -largo, -cano, -horcado; trencicano.*
12. De adjetivo y sustantivo: sólo se halla en algún cultismo, *magnánimo, unánime.* 13. Hay algunos compuestos
de oraciones subordinativas, *hazmerreir, salsipuedes.*

7. Lo opuesto de la composición es el análisis.
E x a l b i c a r e ha dado *enjalbegar* y por análisis *jalbegar.*
Cobrar es por análisis de r e c u p e r a r e *recobrar,* como
s o s o de *ensoso* i n s u l s u. En gallego *d e f o l l i a r e
debullar 'quitar la cáscara' dió por análisis *bullar.* Hay
casos de falso análisis en que se ha creído ver un artículo:
El Achite, que era *Elachite* i l i c e t u. En *Los Arejos* se
ha descompuesto malamente su nombre antiguo *Losarejos,*
de *losar,* creyendo ver el artículo *los.* De l a b u r n u se
ha hecho por falso análisis *borne.* En parte de España
a r b u t u a r b u t r u ha dado *alborto* y *elborto.* En esta
última forma se ha creído ver el artículo y ha surgido en
Vitoria la forma *borto.* Creyendo que era el artículo i p s a
(e)sa, usado en una gran zona oriental de España, fué
sustituído *la* de *lagarto* en zonas de Aragón y Navarra,
sagartana por *lagartana.* El castellano del norte conoce
sagaterna y *saliterna.* Se ha creído que existía un compuesto con *san* en s a l t u n o v a l e *Saldnoval, Sandoval*
y s a l e m u r i a *Salmorales, San Morales.* En *malenco-
nía* de *melancolía* se creyó ver un compuesto de *mal* y se
formó *enconía.* En *malgranada* de *mala granada* 'poma
granada' la forma *mal,* relacionada falsamente con *male,*
choca por su incongruencia en un fruto abundante de
granos, y se elimina el elemento *mal.*

SINTAXIS

CONCORDANCIA

83. Yuxtaposición.–1. **Competencia de la yuxtaposición con el régimen.**–La yuxtaposición de un propio a un apelativo [1] sigue en general la suerte de las demás románicas, aunque con variantes dignas de atención. Con los nombres de ciudades y regiones ha prevalecido, como en las demás románicas, el giro del latín popular u r b s R o m a e : «La ciudad de Sevilla, la isla de Córcega, la provincia de Burgos»; merece notarse la aposición inversa, que en la antigua poesía narrativa se hacía acompañándose el apelativo de un determinativo: «A Burgos, essa çibdat» *Alf.*, XI, 1021, «Por Tarifa, esta billa» 1699, «De Mérida, esa ciudade» Rom. 157. Con nombres de personas es constante la aposición: «El emperador Carlos V, el poeta Homero»; con los sustantivos *nombre, apodo,* etc. se usa el régimen [2]: «Tenía el nombre de Gonzalo», contra el uso antiguo: «Nombre ovo Martín Ferrandez» *Alf.*, XI, 2180. Pero la yuxtaposición de ciertos adjetivos con un sustantivo propio o apelativo de persona puede sustituirse por el régimen [3]: «El bueno de Apolonio»

---

[1] Si el nombre ofrece valor adjetivo es en todo caso obligatoria la aposición: «Sierra Nevada, la laguna Estigia, el promontorio Miseno, el mar Mediterráneo, el golfo Pérsico».

[2] No aparece en régimen si va regido de otra palabra mediante una preposición; «Pusiéronle por nombre Gonzalo», «Se llamaba de apodo Bocanegra».

[3] V. Meyer-Lübke, *Gram.*, III, 273.

Apolonio, 96, «El lastimado de mi amo» *Lazarillo*, 3, «El pecador del ciego» 2, «La buena de Maritornes» *Quij.*, I, 1, «El apuñeado de D. Quijote» I, 2, «Aquel loco viejo del Marqués de Mantua» I, 10, «El bueno de Esplandián» I, 6, «El loco de su padre» «El necio del criado»; en exclamaciones es frecuente el régimen del pronombre: «Pobres de nosotros» «Infeliz de ti». Con nombres de montes hay generalmente yuxtaposición: «El monte Atlas, los montes Pirineos»; pero hay régimen si admite referencia a otro nombre: «Los montes de Toledo». Con sierra y cordillera se emplea régimen: «La sierra de Gredos, la cordillera de los Andes». Con nombres de ríos es constante la yuxtaposición: «El río Tajo»; pero en la antigua lengua era posible el régimen: «El río de Guadalquivir» [1]. Con los demás geográficos [2] se emplea el régimen: «El cabo de Creus, el mar de Azof, las lagunas de Ruidera, el golfo de Lepanto». Con los nombres de calles se usa como en latín el régimen: «La calle de Alcalá, la plaza de Atocha»; pero en la lengua antigua y vulgar [3] se hallan ejemplos con la yuxtaposición: «En la calle los Gomeles» Pérez de Hita, *Guerras*, 2. Con los de construcciones es exclusivo el régimen con nombres sustantivos: «La iglesia de S. José, la puerta de Alcalá, el puente de Malatos, el hotel de Europa» [4]. Entre los

---

[1] Meyer-Lübke, *Gram.*, III, 272.

[2] Recuérdese que éste era el giro del latín popular frente a la yuxtaposición clásica.

[3] Los ejemplos de la lengua popular «la calle Atocha», etc., parecen ser un simple caso de elisión fonética, como en los compuestos en que *de* va intervocálica: «Torre[de]lara» junto a «Tordesillas».

[4] Son galicismos «el hotel Oriente», etc.; sabido es que el francés y el italiano emplean la yuxtaposición con este grupo y con el anterior. V. Meyer-Lübke, *Gram.*, III, 154.

nombres de tiempo *día* y *mes* se encuentran con régimen:
«El día del sábado, el mes de Enero»; pero *día* con
numerales exige la yuxtaposición: «El día veinticinco»:
era solía construirse con régimen: «Era de mill e trezien-
tos»; pero también se usaba con yuxtaposición: «Era mill
e quatrozientos»; con *año* y *siglo* va yuxtapuesto el numeral: «Año 1842, el siglo xviii», pero con los millares es
posible el régimen: «El año de 1913». Con los adverbios
hoy, ayer, mañana la construcción varía: si precede *día*,
sólo se usa el régimen: «El día de hoy, en el día de
mañana»; siguiendo *día*, se yuxtapone, ya como nombre
absoluto «hoy día, mañana otro día», ya en ablativo
como adverbial «hoy en día».

    2. **Yuxtaposición del adjetivo.**—El adjetivo yuxta-
puesto a un sustantivo se asimila en todos los accidentes:
«*Su extremada* belleza»; el adjetivo yuxtapuesto, lo mismo
que el atributivo, puede en algún caso usarse como invariable por tomar cierto matiz adverbial: «Lo sabe *medio*
España» «En España *mismo*»; han llegado a tener forma
invariable y valor de partículas los participios de presente
mediante, durante, no obstante, no embargante, y los de
pretérito *salvo, excepto, incluso*: «Mediante algunas influencias» «Excepto los domingos» «Salvo contingencias
imprevistas»; todos ellos en época clásica conservaban a
veces su valor adjetivo [1]: «Eceptas las cinco vocales»
«Durantes aquellos meses» «No obstantes los ayunos». El
adjetivo en yuxtaposición con varios sustantivos concierta
con el más inmediato: «*Su extremada* hermosura y talento» «*Su* compasión y ternura *inagotable*», pudiendo repe-
tirlo con ambos si hay interés especial en indicar que se

---

[1] V. abundantes ejemplos en Cuervo, n. 143.

refiere a los dos: «*Su gran* fortuna y *su gran* talento le
han valido» [1]. Pero esta regla deja a veces de cumplirse:
1.º Si el adjetivo va con varios nombres de persona puede
a veces usarse el plural; si es calificativo, el plural es
frecuente: «Los *mencionados* Juan y Pedro» «El padre e
hijo *referidos*» «Los *gloriosos* Fernando e Isabel»; pero el
artículo o los determinativos solos suelen concertar con
el más inmediato, o bien usarse con ambos: «*El* padre y
hermano del muerto», aunque no faltan ejemplos con
plural en todas las épocas: «A *las* abadesa, priora et
monjas» *C. de Huelgas*, I, 548. El calificativo se puede
poner en plural concertado con ambos para indicar que
conviene a los dos; con más frecuencia si son singulares
del mismo género: «La hermosura y brillantez *deslumbra-
doras* del trono»; menos veces si son de distinto género [2]:
«Tenía talento y habilidad *extremados*». 2.º Con nombres
de cosas, si el adjetivo precede, sólo se encuentra el plural
en la lengua más afectada y pedantesca: «Sus *mayores*
comodidad y agrado» [3].

---

[1] Son exactamente los giros latinos: «*Omnes* terrae et maria» o
bien, si hay interés en evitar toda duda, «Omnes terrae omniaque
maria».

[2] Bello, *Gram.*, 844, preceptúa el plural con sujetos del mismo
género, con cuya regla la construcción tan corriente «la hermosura y
brillantez *deslumbradora*» habría que proscribirla. Con sujetos de distinto género reconoce que lo más frecuente es la concordancia con el
inmediato, aunque debe rechazarse por menos lógica y clara, debiendo
concordar en plural con los dos, como los adjetivos atributivos; mas
esta construcción tan *ilógica* es la tradicional, la única popular y la
continuación del giro latino «ab auro gazaque *regia*».

[3] V. Cuervo, n. 109. Responde esta tendencia a un falso rigorismo
gramatical sin fundamento histórico. Jamás nuestra lengua se ha apartado del tipo latino «*eumdem* vigorem vimque intueri».

El sustantivo en yuxtaposición con varios adjetivos singulares puede ponerse en singular y en plural [1]: «Las *lenguas* latina y griega» o «La *lengua* latina y griega».

Con un sustantivo pueden ir en yuxtaposición dos adjetivos; adjetivos determinativos de valor adverbial modificando a un calificativo se encuentran sólo en algunas frases de la antigua lengua popular [2]: «Toda medrosita» *Quij.*, I, 16; determinativos modificando a otros determinativos se emplean en pocos casos: «Llamándonos un día a *todos tres*» *Quij.*, I, 39; dos calificativos pueden en cambio aplicarse a los sustantivos, sobre todo en poesía: «Y los flacos aguiluchos cazadores» «Anillados gusarapos mortecinos».

3. **Yuxtaposición de partículas.** — Hay también yuxtaposición de palabras invariables: de dos preposiciones [3]: «*De por* vida, *por de* contado, *a por* recados, *por entre* las rejas»; especialmente con *de:* «*De entre* ellos, *de a* real, *de encima* de la mesa» «Cada uno *de por* sí» *Quij.*, I, 40, «Tuviera disculpa *para con* Dios» I, 33, «*Por entre* aquellos castaños» I, 20, «Esta gente va *de por* fuerza» I, 22, «*Por de* dentro» II, 55; de dos adverbios es corriente: «Muy bien».

4. **Yuxtaposición por repetición.** — Un caso especial de yuxtaposición es la repetición de un adjetivo o adver-

---

[1] Es el giro latino: «*Lingua* latina et graeca» o «*Linguae* latina et graeca».

[2] En Chile aún «la niña salió media desnuda», «quedaron medios muertos». Bello, *Gram.*, 371. Diversos ejemplos de otras románicas en Meyer-Lübke, *Gram.*, III, 162.

[3] Recuérdese la agrupación de origen latino *inante, de trans*, etc., origen de diversas partículas de nuestra lengua; la lengua popular tiende a estas yuxtaposiciones más que la culta.

bio para insistir en su idea [1]: «Es una cosa buena buena»
«Una cueva muy honda muy honda» «Un agua caliente
caliente» «Se puso pálido pálido» «Una música muy dulce
muy dulce» «Una pluma muy tiesa muy tiesa» «Entraron
muchos muchos» «En fin en fin mejor parece la hija
mal casada que bien abarraganada» *Quij.*, II, 5 «De la
que al fin al fin ha de ser mi hija» II, 47 «Ve muy poco
muy poco» «Vaya usted seguido seguido» «Resultó muy
bien muy bien» «Está arruinado del todo del todo» «Casi
casi no le he visto» «Ya nunca nunca le veremos» «Os
ruego que encaminéis luego luego esta carta» *Quij.*, I, 27.
Es frecuente repetir la interjección y las formas flexivas
interjeccionales (vocativo e imperativo): «¡Señor, señor!»
«¡Dios mío, Dios mío!»; también se halla la repetición
de una proposición de sentido generalmente admirativo:
«Rindióse Camila, Camila se rindió» *Quij.*, I, 34.

84. **Concordancia de nombres y pronombres.**—1.
Concordancia del sustantivo.—El sustantivo concierta
con el sustantivo en la idea de caso, y, si tiene diversidad
de terminaciones, concierta también en género y número:
«El sueño es la imagen de la muerte» concierta en caso y
número, «El temor de Dios es el principio de la sabiduría» concierta en caso, género y número.

2. **Concordancia del adjetivo.**—El adjetivo predicativo ha de ir en el mismo género y número que el sustantivo: «El quedó *satisfecho*» *Quij.*, I, 1. A veces el participio
y algunos adjetivos no conciertan con el sustantivo por

---

[1] La rareza de estas frases en la lengua escrita ha hecho creer que
sólo admite nuestro idioma tales giros en algún caso muy concreto,
cuando realmente la lengua familiar los emplea con gran frecuencia.
V. Meyer-Lübke, *Gram.*, 170.

considerarse como invariables, constituyendo un todo con
el verbo: el participio de pretérito es invariable con *haber*,
como «había *ganado* la batalla», en vez del antiguo «había
ganada la batalla»; el de presente es invariable en ciertas
frases: «*Ten presente* las mil contrariedades que pueden
ocurrir» [1]; y lo mismo algunos. adjetivos que constituyen
con el verbo una frase, como *es preciso*, etc.: «Le *es
necesario* la conversión y enmienda de la vida» [2] «*Es
preciso* grandes arranques».

Con dos o más sustantivos singulares el adjetivo va en
plural, y, si son de distinto género, en la terminación
masculina: «*Melancólicos* llegaron caballero y escudero»
Quij., II, 30, «Estando *asidos* de las manos Basilio y
Quiteria» II, 21; en todos los demás casos con sustantivos
de distinto género va el adjetivo en la terminación masculina: «Sus virtudes y su valor son *extraordinarios*» «Sus
alhajas y sus muebles son *preciosos*»; pero si va más cercano el femenino puede concertar en plural masculino o
femenino [3]: «Su valor y sus virtudes son *extraordinarios* o
extraordinarias» «Sus muebles y sus alhajas son *preciosos*
o *preciosas*». A veces con nombres de cosas se halla un
adjetivo aplicado a uno solo de varios sustantivos, desentendiéndose de los demás (*concordancia particular*): «Las

---

[1] Salvá, *Gram*., II, 1, encuentra inexplicable de todo punto este
ejemplo de Moratín: «*Haga presente* las mejoras, adelantamientos y
ahorros».

[2] Fidel Suárez, *Estudios*, 137, cita este ejemplo de Granada, bien
que sólo como un caso singular y para ejemplo de concordancia de un
adjetivo masculino con dos sustantivos femeninos, sin referirlo a la verdadera ley general.

[3] Salvá, *Gram*., II, 1, sólo admite el femenino; Bello, *Gram*., 847,
encuentra preferible el masculino.

figuras y tropos, que en su origen serían *toscas*» [las figuras], «Las penas y los gustos forman *mezcladas* la tela de la vida» [1].

3. **Concordancia de la forma neutra de los deter-minativos**. — Pueden ser reproducidos por el neutro: 1.º Todas las palabras de valor predicativo (sustantivo atri-buto, complemento equivalente a un atributo, calificativo, participio y adverbio que van como predicado de un verbo sustantivo o asimilado), como: «Yo haré que me *lo* llamen [Parapilla]» *Quij.*, I, 22, «Ya que no seamos *ca-paces* de conocernos, seámos*lo* de conocer a quien puede» Espinel, *Obregón*, I, 12, «Si esta aventura fuese *de fan-tasmas* como me *lo* va pareciendo» «Siendo pues esto *así* como *lo* es» [2] «Estaba *concluída* la casa, pero no *lo* estaba la huerta» «Dos *hermanas*, que no *lo* eran mías» *Quij.*, I, 22. 2.º Los determinativos de valor sustantivo, *que*, *poco*, *mucho*, etc., como «¿*Qué* quieres? — *Esto*», «*Poco* tengo, pero con *eso* me basta». 3.º Los infinitivos y ora-ciones, como «*El haberse arruinado* debe atribuir*lo* a su desidia», «Quería *marchar*, pero tuve que retrasar*lo*»; hoy, como en la lengua más antigua, puede usarse *lo* como complemento de *hacer* refiriéndose a una oración en que no entra este verbo: «Vosotros habéis comido y nosotros vamos a *hacerlo*» «Hid pora Medina quanto *lo* pudieredes *far*» *Cid*, 1466. 4.º Incidentalmente pueden reproducir los adjetivos y pronombres de forma neutra sustantivos de cosa de cualquier género [3]: «Traigo un poco

---

[1] V. Salvá, *Gram.*, II, 1 y Bello, *Gram.*, 847.

[2] V. Bello, *Gram.*, 295 a 301, quien tilda injustificadamente de incorrecta la sustitución del participio.

[3] A un nombre especial de cosa puede referirse el indeterminado *cosa* y por él sus representantes *esto*, *eso*, *aquello* y *ello*.

de *queso*, tan duro, que pueden descalabrar con *ello* a un gigante» *Quij.*, II, 13; es especialmente frecuente en la lengua popular el uso de *lo* con un adjetivo, como si fuese sustantivado, que se refiere a un sustantivo masculino [1]: «*El vino blanco* es más seco que *lo tinto*», y es no sólo de la popular sino de la más culta, si este adjetivo va como complemento partitivo: «Quiero un *paño de lo mejor* que tenga o *del mejor*» «Les daremos *pan de lo bueno* o *del bueno*»; en las frases adverbiales de modo con un sustantivo se usa *lo*: «Vestida *a lo moro*» *Quij.*, II, 26; la lengua antigua reproducía con el neutro algunos sustantivos que hoy requieren el género propio: «No lo tengo por uso averes tan granados meter*lo* a ventura a un echo de dados» *Alexandre*, 879. Con un predicado sustantivo de cosa puede usarse el determinativo neutro o el del género correspondiente [2]: «*Eso* es verdad o *esa* es la verdad» «*Esto* es un tumor o *este* es un tumor» «*Lo* que fué gran palacio era un montón de ruinas o *el* que».

4. **Concordancia del relativo.**—De los relativos *que*, siempre sin consiguiente, no concierta propiamente con el antecedente por ser invariable; *cual* concierta con el antecente y consiguiente en número; el vulgo tiende a la concordancia de género: *cuala*; *quien*, invariable en la lengua clásica, concierta con el antecedente en número,

---

[1] Es una especie de sustantivación analógica originada por las formas sustantivadas; sirviendo de norma los tipos «lo bueno a todos agrada» «lo barato es caro», se construyó con forma neutra, aun refiriéndose a un masculino: «El trigo malo y lo bueno» «Del paño caro y de lo barato». Aunque da una limitación falsa a este uso, véase Cuervo, n. 57, y Fidel Suárez, *Estudios*, p. 137.

[2] Recuérdese que es latina esta doble concordancia; «Nec sopor illud erat» Virgilio, *Aen.*, III, 178.

pero este relativo excluye al consiguiente; *cuyo* concierta
sólo con el consiguiente en todos sus accidentes.

85. Concordancia del verbo.—1. **Leyes generales.**—
El verbo concierta con el sujeto en número y persona:
«Dios creó el mundo». Si son distintas personas, se prefiere la primera a la segunda, y ésta a la tercera; «Obli-
gados *hemos* de quedar Dulcinea y yo» *Quij.*, I, 8.

2. **Concordancia especial del verbo sustantivo.**—El
verbo sustantivo entre dos sustantivos o sustantivados de
los cuales uno es plural suele ir en plural; ya sea plural
el sujeto: «Como si ellas *fueran* su Dios» *Quij.*, I, 13,
«Los trabajos *son* la herencia del hombre» «Estas habita-
ciones *son* una nevera»; ya sea plural el predicado: «La
demás chusma *son* moros y turcos» *Quij.*, II, 63; «Lo que
a ellos les parece mal *fuesen* lunares» II, 3, «La litera
eran andas» I, 19. Pero puede ir en singular: 1.º Cuando
el sujeto o predicado es una denominación que, aunque
objetivamente sea plural, como tal denominación tiene
cierto sentido singular: «Otra esmeralda la cual *es* buenas
costumbres» *Castigos,* 11, «Yo *soy*... todos los pares de
Francia» *Quij.*, I, 5. 2.º Cuando el sujeto singular es
todo, o va acompañado de *todo:* «Toda la venta *era* llantos» *Quij.*, I, 45, «Después acá todo *ha* sido palos y más
palos» I, 18, «Que todo aquello *sea* disparates y mentiras»
I, 32, «Todo esto *fuera* flores de cantueso» I, 5, «La visita
fué toda cumplimientos». 3.º Con el predicado *cosa* es
posible el verbo en singular: «Los madrugones *es* cosa
que no me molesta» «Las desgracias *es* cosa que nunca
falta». 4.º También es posible con algún predicado colectivo: «Todos los encamisados *era* gente medrosa» *Quij.*,
I, 19. 5.º Puede hallarse a veces un sujeto o predicado
abstracto en singular refiriéndose a un concreto plural:

«Su ilusión *era* o *eran* sus hijos» «La única esperanza *era* o *eran* tus recomendaciones».

3. **Concordancia con sujetos copulados.**—Varios sujetos unidos por la conjunción *y* llevan el verbo en plural: «El cura y el barbero se *despidieron*» *Quij.*, I, 47. Es posible el singular cuando el verbo precede a los sujetos [1]: «*Dixo* Rachel e Vidas» *Cid*, 136, «Lo cual *confirmó* Cardenio, D. Fernando y sus camaradas» [2]. «*Crecía* el número de los enemigos y la fatiga de los españoles» «Me *gustó* la comida y la cena» «*Salió* él y su mujer». Unidos por la conjunción *ni* llevan el verbo en singular y pocas veces en plural si son de tercera persona [3]: «Ni gigante ni caballero *parece* por todo esto» *Quij.*, I, 18, «No te *igualó* ni el hipógrifo de Astolfo ni el nombrado Frontino» I, 25; si interviene una primera o segunda persona, es obligatorio el plural cuando los sujetos preceden [4]: «Ni tú ni yo lo *hicimos*»; pero puede usarse el singular cuando los sujetos, ambos o uno, se posponen: «No lo *sabías* tú ni tu padre» «Ni tú lo *sabías* ni tu padre». Unidos por la conjunción *o* pueden llevar el verbo en singular o en plural cuando sean de tercera

---

[1] Es construcción latina; «*Dixit* hoc apud vos Zosippus et Ismenias»; es en parte un caso de la *concordancia particular*, pero que tiene vida y desarrollo distinto en nuestra lengua, ya que aquélla tiende a desecharse en la lengua actual y el caso este se conserva; aquí el verdadero sujeto es el primero; el segundo es un nombre adyecticio separado por una leve pausa. Es la concordancia que Clemencín encontraba inadmisible y que Bello admite sólo con nombres de cosas. V. *Gram.*, 832.

[2] Ejemplo censurado por Clemencín en su *Comentario*.

[3] Es la construcción latina: «Neque M. Crassus neque Cn. Pompeius *reliquit*».

[4] Lo mismo que en latín; «Hoc neque ego neque tu *fecimus*».

persona [1]: «*Saldrá* o *saldrán* el padre o el hijo»; si interviene una primera o segunda persona se observa la regla
de *ni:* «Tu padre o tú lo *sabéis*»; pero es posible el singular si uno o los dos sujetos se posponen: «Lo *sabes* tú o
tu padre» «Tú lo *sabes* o tu padre». Unidos por *como, así
como, lo mismo que, tanto... como* suelen llevar el verbo
en plural: «Tanto él como su esposa me *dieron* palabra»;
pero es frecuente el singular con los tres primeros cuando
la agrupación tiene cierto sentido de paréntesis: «El,
como sus hermanos, lo *sabía*». Unidos por la preposición
con llevan el verbo unas veces en singular y otras en
plural [2]: «El padre con las fijas *lloran*» *Cid*, 2632, «El
cielo con la tierra tal día *fué* formado» Berceo, *Loores*,
105; en la lengua moderna se usa el plural para insistir
en que la afirmación comprende a ambos sujetos: «El
padre con el hijo me la *han* de pagar»; pero en los demás
casos domina el singular: «*Murió* el padre con todos sus
hijos»; unidos por *entre* es de rigor el plural: «Le *mataron*
entre el padre y el hijo».

Con *uno y otro* el verbo puede ir en singular y en
plural [3]: «Y dí cómo uno y otro / *es* dios de gran poten-
cia» Villegas, *Eróticas*, mon. 57; igual construcción puede

---

[1] No se trata aquí de un uso preferente, sino de una diferencia
intencional, no siempre muy perceptible; «El padre o la madre le
autorizó» quiere decir 'uno de ellos'. «El padre o la madre le *autori-
zaron*» quiere decir 'por lo menos uno de ellos'; por eso en las frases
alternativas es de rigor el singular: «No sé si *ha* muerto el padre o el
hijo»; es sencillamente la alternativa latina: «Si Socrates aut Antisthe-
nes *diceret*» «Si Socrates aut Aristippus *fecerunt*».

[2] Es la concordancia latina: «Bocchus cum peditibus *invadunt*»
«Brutus cum Pomponio *venerat*».

[3] V. Meyer-Lübke, *Gram.*, III, 381.

tener *otro y otro:* «Otro y otro le *sucede»* *Quij.*, I, 38. Con *uno a otro,* o cualquier grupo semejante, y un verbo recíproco, este puede ir en plural [1]: «Amigo a amigo nos[e] pueden consolar» *Cid,* 1177, «Se miraban el uno al otro». Con *cada uno* el verbo puede construirse en ambos números: «Ques *tornasse* cada uno» *Cid,* 2112, «Cada uno por sí sos dones *avien* dado» 2259, «Cada uno de los que andan allí *proponen»* Guevara, *Menosprecio,* 8.

4. **Concordancia con los nombres en serie.**—En las enumeraciones el verbo puede ir en singular por sobre-entenderse un sujeto indefinido que comprende a los demás, o por referirse en especial al último: «Podrá ser que el poco ánimo que aquel tuvo, la falta de dineros deste, el poco favor del otro y finalmente el torcido juicio del juez *hubiese* sido causa de vuestra perdición» *Quij.*, I, 22, «La poca edad, la poca ciencia y la poca experiencia os *excusa* del yerro que habéis hecho» Guevara, *Epístolas,* I, 59. A este caso puede reducirse el del asíndeton; varios sujetos no unidos por conjunción suelen llevar el verbo en singular si hay alguna idea de sinonimia entre ellos y en plural cuando no la hay [2]: «Ninguna especie de ambición, ninguna mira de provecho personal le *excitaba»* Jovellanos [3], «La ambición, su situación desesperada, la facilidad de la empresa le *incitaban* a hacerlo»;

---

[1] La razón es porque, si aparece *uno* como sujeto, en virtud de la acción recíproca, los sujetos reales son *uno* y *otro:* por eso *uno a otro* sin verbo recíproco se construyen necesariamente con singular. V. Menéndez Pidal, *Cid,* I, p. 362.

[2] Esta es la ley general del asíndeton latino: «Bonitas, justitia funditus tollitur» Cicerón, «Quid ista coniunctio, quid ager Campanus, quid effussio pecuniae significant?» Cicerón.

[3] V. Salvá, *Gram.,* II, 1.

en las series es posible el singular sobreentendiéndose como sujeto inmediato *todo esto,* que resume a los demás: «La hora, el tiempo, la soledad, la voz, la destreza del que cantaba *causó* admiración en los dos oyentes» *Quij.,* I, 27.

5. **Concordancia con sujetos oracionales.**—Varios sujetos que sean oracionales personales llevan el verbo en singular [1]: «Que él haga eso y que tú lo toleres me *parece* increíble». Varios sujetos que sean oraciones infinitivas llevan también el verbo en singular [2]: «A mí me *corresponde* ayudarles y defenderles»; pero alguna vez cuando se sustantivan con el artículo pueden llevar el verbo en plural: «El madrugar y el trasnochar me *trastornan* o me *trastorna*».

6. **Concordancia con sujetos sinónimos.**—Con varios sujetos sinónimos el verbo puede ir en singular: «Orden y mandato *fué* éste» *Quij.,* I, 27, «No me *dió* lugar mi suspensión y arrobamiento» I, 27, «El buen paso, el regalo y el reposo allá se *inventó* para los blandos cortesanos» I, 13. La sinonimia basta que sea intencional: «A los que Dios y naturaleza *hizo* libres» *Quij.,* I, 22, «El calor y el día *era* de los del mes de Agosto», I, 27.

7. **Concordancia con sujetos colectivos.**—a) Un nombre colectivo o partitivo singular puede llevar normalmente el verbo en singular; pero lo puede llevar también en plural: 1.º Cuando el verbo está en primera o segunda

---

[1] Bello, *Gram.,* 830, admite, no sé con qué fundamento, la excepción de las que denotan reciprocidad; «Que el hombre sea libre y que haya de obedecer ciegamente *repugnan*».

[2] El plural con infinitivos de valor oracional no se emplea, aunque no faltan ejemplos en la lengua antigua: «A vos *pertenescen* guardarlos e defenderlos» *C. de Huelgas,* I, 554.

persona [1]: «Todo el pueblo lo *decimos*» «La ciudad entera lo *sabemos*»; uso frecuente en todos los períodos: *Oydme* toda la cort» *Cid*, 3255. 2.º Cuando se sobreentiende un complemento plural del partitivo [2]: «Parte se *salvaron* [de ellos]» «La mitad *perecieron*» «El resto *huyeron*». 3.º A veces hoy, pero con más frecuencia en la lengua primitiva, con los indefinidos partitivos *alguno, ninguno, cada uno* [3]: «*Abrid* alguno» [4]. «Ninguno *consiguieron* verle» «Cada uno por sí sos dones *avien* dado» *Cid*, 2259» «Cada uno por su parte a las tierras *salieron*» Berceo, *Loores*, 160, «Non *sabien* ninguno» *Crón. General*, p. 570. 4.º Con el colectivo *gente:* «Non *han* par esta gente refertera» *Alf.*, XI, 1005, «Esta gente, aunque los *llevan*, *van* de por fuerza» *Quij.*, I, 22, «Esta gente *andan* al acecho». 5.º Menos veces con el colectivo *mundo:* «No los *sacaran* de su paso todo el mundo» *Lazarillo*, 3. 6.º En la lengua primitiva con el colectivo *compaña:* «*Tórnansse* essa conpaña» *Cid*, 481, «*Salieron* consejarse la conpaña lazdrada» *Alexandre*, 1450, «La mar fonda *pasarán* de bestias muy grand conpanna» *Alf.*, XI, 1813. «Pensaron de comer la compañya» *Apolonio*, 462. 7.º También llevaba plural la fórmula colectiva con *mucho:* «Mucha duenna *andaban*» Berceo, *S. Millán*, 374, «*Vertieron* muchas lágrimas mucho varón rascado» *Apolonio*, 283, «*Vienen* derredor della balando mucha oveja» Hita, 1214, (pero «*Vino* a mí mucha dueña» 1306), «*Ivan* con estas parias mucha cavallería» *Alexandre*, 2360. No faltan ejemplos de plural con

---

[1] Compárese el «Non semel *dicemus* omnis civitas» de Horacio.
[2] Compárese el «Pars bestiis *obiecti sunt*» de Salustio.
[3] V. Menéndez Pidal, *Cid*, I, 362.
[4] Compárese el «*aperite* aliquis» de Terencio.

la fórmula colectiva con *tanto:* «¿Cómo así se *acabaron* y *perdieron* / tanto heroico valor en solo un día?» Herrera, *Canc.*, I. 8.º La lengua antigua usaba frecuentemente el plural con otros colectivos: «Por padre lo *catavan* essi sancto conçeio» Berceo, *S. Domingo,* 92. b) En otros casos el plural es posible cuando una separación entre el colectivo y el verbo ha hecho olvidar la idea de singularidad: cuando se interpone la pausa de una coma: *«Deteneos, esperad,* turba alegre y regocijada» *Quij.,* II, 11; cuando se interpone una oración secundaria: «El Santo Oficio, pretendiendo apartar la cizania del grano, *procedieron»* Granada, *Símbolo,* VI, 2, 21; por ser la separación la causa del plural, cuando hay dos verbos puede ir el más próximo en singular y el otro en plural: «Ques *tornasse* cada uno don salidos *son» Cid,* 2112, *«Entendió* el pueblo que *eran* engañados» *Alexandre,* 1058, «El linage que daquellos *descendió comenzaron* a fazer una torre» *Crón. General,* p. 4, «La chusma *izó* la entena con la misma priesa y ruido con que la *habian* amainado» *Quij.,* II, 63. c) Un colectivo o partitivo singular con un complemento genitivo plural puede llevar el verbo en singular: *«Quedaba* un gran número de prisioneros»; pero, sobre todo en la lengua clásica, suele llevarlo en plural concertado con el complemento, especialmente cuando precede el verbo o cuando el colectivo y el verbo no van inmediatos: *«Salieron* por ella una infinidad de grandísimos cuervos» *Quij.,* II, 22, «Ninguno de los que escuchándole estaban le *tuviesen* por loco» I, 37 [1], *«Pudieran* perjudicarles esta especie de transacciones» [2], Parte de los

---

[1] Compárese este ejemplo latino; «Neque quisquam nostrum sensimus» Plauto.

[2] Salvá, *Gram.,* II, 1, y Bello, *Gram.,* 819.

enemigos *picaron* nuestra retaguardia» «Que no *hubiesen* vuelto parte de aquellos», «Te *fueran* a prender una capitanía de mil hombres» Avila, *Audi filia,* II, 79. En casos distintos, hay traslación de concordancia, concertando el verbo, no con su verdadero sujeto, sino con el complemento de éste: «Si las nubes del polvo que levantaban no les *turbara* y *cegara* la vista» *Quij.,* I, 18 [el polvo]: esta concordancia es posible cuando el regente es un nombre de medida: «No le queda más espacio del que *concede* dos pies de tabla» *Quij.,* I, 38.

8. **Concordancia con el sujeto** *el que, aquel que, quien.* En las frases *yo soy el que, tú fuiste quien,* etc. el verbo puede referirse a la persona del pronombre cuando se insiste en la idea pronominal, y a la tercera con *el que, quien* cuando no se intenta precisar la persona [1]: «Yo soy el que lo *puse* o el que lo *puso*» «Tú fuiste quien *dijiste* o quien *dijo*» «Yo soy aquel que *vengó*» Santillana, p. 385, «¿No soy yo el que no *puede* tomar arma en un año?» *Quij.,* II, 45, «Yo soy, yo, el que *pensé* en tan dulce vida» Herrera, *Eleg. V,* «Yo soy el que me *hallé* presente» *Quij.,* I, 29, «Yo soy el que me *voy*» II, 1, «Yo fuí el que te *saqué* de tus casillas» II, 2, «Yo soy aquel que dicen que *tuve* por mi padre al diablo» II, 35.

---

[1] V. Bello, *Gram.,* 849 y la nota 110 de Cuervo. El primero afirma que debe preferirse siempre por más *lógica* la concordancia de la tercera persona; pero lo cierto es que lo lógico es aquí lo que la lengua hace, ya que en el conflicto de tener que concertar con una primera o segunda persona, *yo, tú* y con una tercera, *el que,* opta en cada caso por la que más interés ofrece, «¿Fuiste tú el que dijiste?» ofrece una atribución más directa a la persona, mientras «¿Fuiste tú el que dijo?» ofrece una atribución menos personal. Un caso análogo es éste de Cervantes: «Yo soy el desdichado Cardenio, a quien el mal término... *me* ha traído a que *me* veais». *Quij.,* I, 29.

9. **Concordancia de verbos impersonalizados.**—Un verbo impersonalizado en ciertos casos puede ir en singular precediendo a un sujeto plural: «Se le *vino* a la imaginación las encrucijadas» *Quij.*, I, 4, «Se *reservó* a la cámara o hacienda apostólica los espolios» Campomanes, *Regalía;* «Se vendía pan y otras provisiones» *Lazarillo*, 2. «Se *tuvo* noticias»; en la época clásica con más frecuencia que en la actual, y con verbos que hoy disonarían [1]: «Les *sucedió* cosas que a cosas llegan» *Quij.*, II, 3, «*Válgate* mil satanases» II, 40, «Hasta que *dió* las dos» *Lazarillo*, 2, «Les *sirvió* de peine unas manos» *Quij.*, I, 28. Al contrario, a veces un sujeto singular puede ir con el verbo plural cuando toma cierto sentido impersonal: «Ya yo he dicho, le *respondieron*, que yo no juzgo de deseos» [le respondió la cabeza] *Quij.*, II, 62.

10. **Concordancia particular** [2].—Por referirse especialmente se encuentra con frecuencia en la época clásica el verbo en singular con varios sustantivos (*concordancia particular*), aunque alguno de ellos esté en plural: «Esta maravillosa quietud, y los pensamientos que siempre traía, le *trujo* a la imaginación» *Quij.*, I, 16 [*la quietud*] «Pero a todo esto se *opone* mi honestidad y los consejos que mis padres me daban» I, 28 [*mi honestidad*] «El lenguaje no

---

[1] No hay que advertir que los gramáticos encuentran estas construcciones intolerables. V. Salvá, *Gram.*, II, 1, que censura construcciones como «se tuvo nuevas».

[2] V. Meyer-Lübke, *Gram.*, III, p. 380. Esta concordancia particular es conocidísima en latín: «Hoc mihi et Peripatetici et vetus Academia *concedit*» Cic. No obstante Bello, *Gram.*, 833, censura como una falta o como una licencia poética este ejemplo de Solís: «La obligación de redargüir a los primeros y el deseo de conciliar a los segundos nos *ha* detenido».

entendido de las señoras y el mal talle de nuestro caballero *acrecentaba* en ellas la risa» I, 2; por un absurdo
rigorismo los puristas censuran estas construcciones y
han logrado que sean muy raras en la lengua moderna.
Esta concordancia particular es unas veces un *olvido*, una
traslación mental hacia uno solo de los sujetos; otras se
explica porque, si gráficamente aparecen unidos los sujetos, en rigor uno de ellos es un añadido o paréntesis,
como en «Ordenó pues la suerte, y el diablo, que no todas
veces *duerme*» *Quij.*, I, 15. Por esta concordancia particular se puede faltar en apariencia a la concordancia de
persona [1]: «*Había* él y todos nosotros de tener libertad»
Quij., I, 40. Concertado el verbo en particular con un
solo sujeto, luego puede a veces ponerse un predicado
que comprenda a todos: «Con las cuales *quedó* Camacho
y los de su parcialidad *pacíficos*» *Quij.*, II, 21. «De lo
cual *quedó* Camacho y sus valedores tan *corridos*» II, 21.

   86.   **Silepsis.**—**Casos de oposición entre los nombres
y los supuestos.**—En la concordancia de géneros prevalece el del supuesto en los nombres de tratamiento: «Su
Magestad es *enérgico*»; con otros nombres de personas
(*criatura, persona*, etc.) sólo es posible la silepsis cuando
van separados por una pausa o por otras palabras: «¿Veis
esa repugnante criatura, *chato, pelón*...?» «Serían treinta
y seis personas, *todos* gallardos» *Quij.*, II, 63. Con nombres de tratamiento aplicados a segunda persona el verbo
va en tercera [2]: «Non *fuyan* las Vuestras Mercedes» *Quij.*,

---

   [1]   Compárese el «Tu quid ego et populus mecum *desideret* audi»
de Horacio.

   [2]   Todo sustantivo, aunque se aplique a la primera y segunda persona, es de tercera, y por eso concierta con él el verbo, desentendiéndose
de la persona que representa, al contrario de lo que sucede con el género, que se desentiende del sustantivo para atender a la persona.

I, 3. Con *nos, vos* prevalece en el verbo el plural del pronombre sobre el singular del supuesto: «Vos *pudisteis* evitarlo» «Cuando Nos lo *supimos*»; en el predicado prevalece el singular del supuesto: «Vois sois *prudente*»; sin embargo en primera persona se halla también el plural: «Cuando Nos fuimos *enterados*». La traslación de singular a plural por una traslación mental del individuo a los demás es frecuente: «Aconséjole que no compre *bestia* de gitano, porque aunque *parezcan* sanas» *Quij.*, «Me vengue de ningún *agravio*, porque sé tomar venganza cuando se me *hacen*»; también se halla la traslación de género: «Las gentes son todas negras et van *nudos*» [1] «Hay gentes que solo están *contentos* cuando otros sufren»; en estos ejemplos el supuesto es *hombres*.

---

[1] V. Hanssen, *Gram.*, p. 187.

PROPIEDAD

87. Alteraciones ideológicas de las palabras. – 1.
Los cambios internos de significado pueden ser: 1.º De
material a figurado, como *ánimo* 'soplo' y luego 'espíritu'.
Es la evolución más importante que las lenguas han
sufrido: el castellano la recibió muy adelantada, como
que la había casi cumplido el latín literario con relación
al latín arcaico y vulgar; nuestra lengua la ha extendido
sobre todo en el uso figurado de ocasión, en las frases
como *la raíz del mal, una fuente de ingresos, el hilo de la
vida, las riendas del gobierno*; en los verbos es más frecuente el sentido figurado que el material, como *refrenar
las pasiones, alegrarse el campo, cargar con la culpa, sembrar odios*. 2.º De general a limitado, como *venado* ant.
'caza' mod. 'ciervo'. Muchos casos remontan al latín,
como s e c a r e 'segar' en vez del clásico 'cortar'. 3.º De
limitado a general, como *dinero* 'el denario' y luego
'cualquier valor de moneda'. 4.º De un significado a
otro distinto *(metonimia y sinécdoque)* por sustitución de
una idea íntimamente relacionada, como *hogar* 'el fogón'
y luego 'la casa'. La sustitución puede ser del contenido,
como *ciudad* 'los habitantes' y luego 'los edificios'; del
continente, como *una casa desgraciada* por los 'habitantes'; de parte, como *barbavelida* 'el Cid'; de instrumento
o armas, como *un espada, un tambor*; de un objeto de
forma semejante, como *mano de almirez,* o de otro ser
con el que tenga alguna relación. En este grupo entran
gran número de palabras, algunas tan distantes de su

significado antiguo, que sólo históricamente puede descu-
brirse su relación, y otras tan desligadas de su etimología,
que pueden estar en contradicción con ella: de las primeras, como *pontífice* 'constructor de puentes'; de las segundas, como *cuarentena de diez días (cuarenta), herradura de
plata (hierro), embarcar en el tren (barco), cargar un fusil
(carro), cabalgar en un asno (caballo)*.

2.   **Los cambios de accidente** son: 1.º Sustantivos
singulares tomados como plurales, como *el español* por
los españoles. 2.º Sustantivos plurales tomados como singulares, como *arma, hoja, mora*, antiguos plurales neutros. 3.º Sustantivos que han cambiado de género, como
color, árbol.

3.   **Los cambios de clase** son: 1.º Propios tomados
como apelativos, como *china, quevedos*. El mayor grupo
lo forman los geográficos en vez de sus productos: de
vinos, como *jerez, montilla, málaga, madera, burdeos;* de
telas, como *holanda, damasco, ruán, cachemira;* de otros
productos, como *china, tafilete, bujía, pistola* (Pistoja,
Italia). Siguen en importancia los de personas, como
dalia (del botánico *Dahal*), *guarismo* (del matemático
Khauarizmi), *ros* (del general *Ros de Olano*), *arlequín* (de
Hernequin), *guillotina* (de *Guillotin*), y *moisés, quevedos,
lazarillo, simón, manuela, luis, napoleón*, etc. 2.º Apelativos tomados como propios, como *Monasterio*. Todos los
propios han sido primeramente apelativos. La idea del
apelativo no se ve en nuestros nombres de personas,
porque son en su mayoría nombres latinos, griegos o
germánicos, en cuyas lenguas se descubría el significado
apelativo; pero sí se descubre en los que son de origen
castellano, como la mayoría de los geográficos y apellidos,
Casas, Rincón, Herrero, etc. 3.º Abstractos tomados como

concretos, como «La juventud debe respetar a la vejez» [los jóvenes]. Se cuentan entre ellos varios de tratamiento, como *Majestad, Excelencia,* y otros diversos de personas o cosas, como *ciudad, caridad, amistades* [amigos], *dignidades, bellezas, eminencias, potestades.* 4.º Concretos tomados como abstractos, como «desde niño» [desde la niñez]. 5.º Derivados tomados como primitivos, como *otero* de *alto.* Lo son aquellos cuyo primitivo ha desaparecido, como *martillo, oveja,* y aquellos cuyo sufijo ha perdido su significación, como *sortija* de *suerte, lenteja* de *lente.* 6.º Compuestos tomados como simples, como *balanza* de b i - l a n c e 'doble plato'. Abundan mucho en castellano, porque los cambios fonéticos han hecho olvidar la idea de los dos elementos, como *entero* i n - t e g r u 'no tocado', *murciélago* m u r e - c a e c u 'ratón ciego', *trebedes* t r i - p e d e s 'tres pies', *enfermo* i n - f i r m u 'no fuerte', *hoy* h o - d i e 'en este día', *quizá* q u i - s a p i t 'quién sabe', *comer* c o m - e d e r e 'comer en reunión'. 7.º Gentilicios tomados como geográficos, como *los moros* por *Marruecos.* 8.º Geográficos tomados por sus gentilicios, como «*Roma* llegó a un grado admirable de ciencia» [los romanos].

4. **Los cambios de categoría gramatical** son: 1.º Sustantivos: a) Adjetivos tomados como sustantivos, como *romana, seguro, ochavo.* Constituyen principalmente este grupo: gentilicios por sus cosas, *vargueño* (*Vargas*), *galgo* (*de las Galias*), *acelga* (*de Sicilia*), *prisco* (*de Persia*), *avellana* (*de Abella*), *pergamino* (*de Pérgamo*), *campana* (*de Campania*), *amacena* (*de Damasco*), *cordobán* (*de Córdoba*), y *escocesa, romana, persiana, lombarda, manchega, ruso, americana, sevillanas, malagueñas;* los calificativos aplicados a los apellidos, como *Delgado, Recio, Bajo, Bueno,* o

como nombres de cosas, *frío, caldo, estío* (ant. *tiempo estío*), *novillo* (ant. *buey novillo*), *seguro, gruesa, nuevas, duro, sereno, alto, bajo, llana, alba, periódico, medias, claro, curva, mixto, baldío, verde.* Por último, cualquier califi-cativo tiene valor de sustantivo cuando, aplicándose a personas, se emplea sin nombre. De los determinativos se sustantivan especialmente los numerales, como *siesta, ochavo, décimo* y *diezmo, cuaresma, terna, centena,* etc.; y rara vez los demás, como el antiguo *algo* 'bienes'. La sustantivación del adjetivo es generalmente un caso de elipsis del sustantivo, en la cual, si para el que la emplea no hay confusión, asume el adjetivo la idea del sustantivo. b) Verbos tomados como sustantivos, como *deber, pagaré, considerando.* Desde luego por su condición nominal pasan a sustantivos: muchos participios de presente, como *cre-ciente, saliente, levante, corriente, entrante, brillante, escri-biente;* muchos de pretérito, como *tejido, criado, ganado, torcida, cosido, suelto, impreso, alumbrado, derecho, nu-blado, planchado, cercado, ida, entrada, subida, tuerto, renta,* etc.; algunos infinitivos que pierden su carácter verbal, como *amanecer, comer, pesar, haber, andar* [1] etc.; y algún gerundio, como *considerando, resultando.* De for-mas personales se sustantivan especialmente las que enca-bezan documentos y oraciones, como *pase, placet, accesit, deficit, superavit, salve, miserere,* etc.; y algunos otros casos, como *fallo, distingo, viva, muera.* c) Partículas tomadas como sustantivos, como *bien, sobre, lejos, mal,*

---

[1] Hoy pasan algunos al plural, *quereres, pesares, deberes, haberes, pareceres, dares* y *tomares,* pero más en la antigua lengua; *comeres, Cid,* 1019, *saberes, Partidas,* VII, 28, *foyres, Espéculo,* III, 5, 17, *comeres* y *beberes,* Granada, *Meditaciones,* jueves. V. Menéndez Pidal, *Cid,* I, p. 348.

si, no, sobre (ant. *sobreescristo*), *contra, pero, ay, porqué* (*con su porqué*) y accidentalmente *el más* y *el menos, en aquel entonces.* d) Frases tomadas como sustantivos, como *enhorabuena, un por si acaso, parabién* [1]. Entran en este grupo compuestos, como *besalamano, noramala, tentemozo, tenteempié, dimes y diretes;* y verdaderas frases, como *por un quítame allá esas pajas, un si es no es, el visto bueno, el tomé razón.*

2.º Adjetivos: a) Sustantivos tomados como adjetivos, como *perillán* (*Pero Illán*), *majadero.* Son los nombres de personas, animales o cosas cuya cualidad distintiva se aplica luego como adjetiva de personas, por ej. *loco, glauco* [2], *pánfilo, quijote, tenorio, satanás, judas,* ant. *pelayo; franco, ladino, gitano, cafre; lince, topo, ganso, zorro, cerdo, puerco; alcornoque, majadero, cerrojo.* Sólo hay casos sueltos de nombres de cosas, como *hondo, bermejo* 'gusano de la púrpura', *acedo* 'vinagre', con excepción de los de colores, *castaño, violeta, naranja.* b) Partículas tomadas como adjetivos, como el antiguo *lueñe* 'lejano' en vez de 'lejos'. c) Frases tomadas como adjetivos, como *metomentodo.*

3.º Partículas: a) Sustantivos tomados como partículas, como *ora, frente.* b) Adjetivos tomados como partículas, como *poco, pronto.* Multitud de calificativos pueden tener empleo adverbial, como *alto, bajo, fuerte, poco, mucho, temprano.* c) Grupos de preposición y nombre tomados como partículas, como *encima, acaso, despacio, arriba.*

---

[1] De la fórmula antigua *para bien sea hallado:* «Para bien sea hallado el espejo de la caballería» *Quij.*, I, 29.

[2] El necio que en el sitio de Troya cambió sus armas de oro por las de cobre de Diomedes.

88. Género.—Género neutro.—El sentido neutro lo adquieren los adjetivos con la anteposición de *lo;* en la lengua antigua y clásica conservaban este sentido diversos determinativos, como *uno, otro, que* relativo: «*Uno* piensa el vayo / e *otro* el que lo ensilla» [una cosa, otra cosa] Santillana, p. 255, «Si bien *otro* no vee que cielo y tierra» *Quij.*, I, 33, «Habéis menester para descabulliros *otro* que palabras» Valdés, *Diálogo*, p. 48, «Aunque esto decía, *otro* le quedaba» Pérez de Hita, *Guerras*, I, 1, «Se hace risa de la necesidad, con *que* se va pasando aquel espacio» Espinel, *Obregón*, I, 12 [con lo que], «Dióla en el espinazo, de *que* volvió con tal furia» I, 15 [de lo cual], «Iban a la feria, *que* a mi me dió gusto» I, 13 [cosa que].

89. Número.—1. Los números.—No siempre la forma del número concuerda con la significación, pues la forma del singular conviene no sólo a un ser (individual), «se subió al *árbol*», sino a un número indefinido de seres (particular), «hay *árbol* de veinte metros», y a toda la especie (genérico), «hay que fomentar el *árbol;* y el plural tiene valor de singular, «*nosotros* así lo creemos» [yo], de particular, «ya llegaron las truchas», y de general, «las truchas constituyen una riqueza». En virtud de esta equivalencia hay frecuentes alternativas de ambos números, como «al cantar el *gallo* o los *gallos*», «huye el ganado de la *mosca* o de las *moscas*». Los nombres apelativos de forma plural que convienen a un ser son considerados como plurales, por ej. «las tijeras están afiladas»; los plurales propios que no admiten el artículo plural se consideran como singular, por ej. «la hermosa Atenas», «Ciempozuelos está próximo»; los que admiten el artículo plural suelen usarse en singular refiriéndose a la forma,

como «Los Balbases distan o dista dos kilómetros» [1];
pero, si no sólo en la forma, sino en el significado hay
relación al plural por referirse a diversas partes, como en
los de cordilleras, entonces es de rigor la concordancia
en este número, como «Los Pirineos están nevados» «Las
Canarias tienen clima delicioso». Los complementos que
se refieren a cada uno de varios sujetos van en plural:
«Dadme las espadas»; pero en las frases fijas y en multitud de complementos van frecuentemente en singular,
como «dadme *palabra*» «Montamos a *caballo*» «Os lo
decimos de *corazón*» «Dos golpes de *lanza*»; si bien puede
decirse «habladurías de *mujeres* o de *mujer*» «Sufrieron
terribles *muertes* o *muerte*»; en la lengua primitiva en
casos en que hoy se suele usar el singular era muy frecuente el plural: «Ivanlos ferir de fuertes *coraçones*» *Cid*,
718, «Veriades... cavallos sin *dueños* salir a todas partes»
2405; de la frase «meted y *mientes Cid*, 3137, se propagó
luego el plural a los casos de sujeto singular, como «aparta
las *mientes* de tu injuria» *Quij.*, II, 42.

2. **Nombres de un solo número.**–Carecen de plural:
1.° Los propios, como *Antonio, Sevilla;* pero tienen plural
los de personas cuando se aplican a varios individuos,
como *los Escipiones;* cuando se toman en una acepción
apelativa, como *los Cicerones* [los elocuentes]; los propios
de cordilleras y los geográficos que implican diversidad de
partes, como *los Apeninos, las Américas, las Baleares, las
Castillas;* cualquier propio único que en hipótesis se con-
sidere múltiple, como «Si dos mil *Troyas* hubiera». 2.°
Los abstractos, como *la avaricia;* pero admiten el plural
casi todos indicando diversas modalidades o casos, como

---

[1] *La Gram. de la Acad.*, p. 28, admite sólo el singular.

*calenturas, tristezas, dolores, sinsabores, torturas, iras,
amores, odios, alegrías, parcialidades, ansiedades, esperanzas*, especialmente indicando *actos* reveladores de tal
cualidad, como *importunidades, desvergüenzas, impruden-
cias*, o acciones postverbales, como *quemaduras, abolla-
duras*, o bien cuando se convierten en concretos, como
hermosuras, beldades, eminencias. 3.º Los concretos de
materia, como *el oro, la lana;* pero se usa el plural para
indicar las variedades de una especie, las partes que
mentalmente se hacen o los objetos de tal materia, como
*los trigos, las arenas, los hierros, los azúcares, las sales, los
aires, los aceites, los salvados, las aguas, las nieves, los
rocíos, las lluvias, los hielos*, etc. 4.º Los de seres únicos,
como *la luna, el paraíso*, a menos que se usen en sentido
figurado o comparativo, como «sus ojos son *soles» Quij.*,
I, 13. Carecen de singular: 1.º Los de instrumentos,
prendas y demás objetos gemelos, que evocan por sus
varias partes idea de pluralidad, como *tijeras, tenazas,
alicates, pinzas, trébedes, angarillas, aguaderas, andas,
gafas, antiparras, pantalones, enaguas, zaragüelles, calzas,
calzoncillos;* el vulgo emplea libremente el singular, y aun
muestra preferencia por él, diciendo *un pantalón, un cal-
zoncillo, la enagua, la braga, la tijera (tigera, Cid*, 1241),
etc.; en la lengua corriente se usa el singular en multitud
de frases, como «echar la tenaza», «vestido de pantalón
largo», y aun en acepción concreta se hallan en todas las
épocas *enagua* y *calzón*. 2.º Multitud de nombres de sentido material o inmaterial que implican diversidad de
partes, como *afueras, alrededores, andurriales, modales,
víveres, ínfulas, albricias, creces, ambages, bártulos, enseres,
cachas, cosquillas, exequias, maitines, laudes, vísperas,
arras, nupcias, esponsales, anales, añicos, comicios, efeméri-*

*des, enseres, expensas, fauces, tinieblas, despachaderas,
tragaderas:* no deja de hallarse sin embargo *tiniebla* en los
clásicos: «I en vez de luz cercado de *tiniebla*» Herrera,
son. 14. 3.° Diversos nombres geográficos que resultan
de la agrupación de partes, como los de cordilleras y
archipiélagos, *los Alpes, los Andes, las Baleares, las Azores,*
pero *los Pirineos* o *el Pirineo, las Alpujarras* o la *Alpujarra.*
4.° Hay nombres que se usan generalmente en plural,
pero que también se emplean en singular, como *funerales,
credenciales, parrillas, utensilios, cónyuges, barbas, bigotes,
claustros, aires* 'aspecto', *corbas, entrepiernas, riñones, in-
testinos, entrañas, pulmones, bofes* (por analogía de la frase
«echar los bofes» el vulgo dice también «echar los híga-
dos»), *bodas* en lenguaje literario, pero en el común *boda.*

3. **El número y el significado.** — Aunque esencial-
mente el número no designa más diferencia que la de
uno a varios, con frecuencia comunica a los nombres
diversa acepción; así *las letras,* además de su significado
normal, denota 'la literatura', *grillos* 'las esposas', *rimas*
'poesías'.

90. **Caso.** — 1. **Nominativo.** — Salvo restos escasos del
nominativo latino, es el acusativo el que se emplea en
función de nominativo, para indicar el sujeto o atributo;
fuera de estos casos y considerado como una incorrec-
ción de régimen se halla el nominativo *anacoluto;* por la
frecuencia con que los sujetos, especialmente los pronominales, encabezan la frase, se pone muchas veces en la
lengua hablada, aunque pocas en la escrita [1], un nombre

---

[1] Sin embargo en la lengua antigua, por representarse más espon-
táneamente el habla usual, era más frecuente: el supremo maestro del
idioma, Cervantes, prodiga estas construcciones, que los gramáticos
tienen por incorrectas.

o pronombre absoluto o como sujeto del primer verbo, que por el régimen del verbo subsiguiente debía ser un complemento: «*Toda muger* que mucho otea o es rrysueña, dyl syn miedo tus deseos» Hita, 610 [a toda mujer], «Y *él* parecióle que era barata» Sta. Teresa, *Fund.*, 31 [y a él], «Y *sus deudos* les pareció» ib. [y a sus deudos], «*Este* atal dévenle atender» *Partidas*, VI, 17, 2 [a este], «Algunos huespedes que aquí la han leído les ha contentado mucho» *Quij.*, I, 32 [a algunos], «*Esta dádiva* no se le puede dar nombre de cohecho» II, 57 [a esta dádiva], «*El ventero*, que no conocía a don Quijote, tan admirado le tenían sus locuras como su liberalidad» II, 26 [al ventero]; el anacoluto del relativo es muy corriente: «*El que* se sale de alguna religión antes de profesar le quitan el hábito» *Quij.*, II, 24 [al que], «*Quien* a nosotras trasquiló las tijeras le quedaron en la mano» II, 37 [a quien], «*El que* se llegare le daré tal puñada que le deje el puño engastado en los cascos» II, 32 [al que], «*El cual*, como entró por aquellas montañas, se le alegró el corazón» *Quij.*, I. 23 [al cual]; giro común en los refranes: «Quien feo ama hermoso le parece» «Quien al cielo escupe en la cara le cae» «Quien no habla Dios no le oye».

2. **Genitivo.**—El genitivo latino, olvidado en el latín popular desde principios del siglo III, excepto en combinaciones fijas, pedis ungula, venía de antiguo siendo suplantado por el ablativo con *de* [1]; en la época antigua y clásica en complementos de materia figurada, «oratio de lege», materia transformada, «galerus de pelle», partitivos, «pauci de nostris, etc.; el latín posterior revela la sustitución popular «clerici de ipsa ecclesia». Todo sustantivo

---

[1] V. Grandgent, *Vulg. Latin*, 88.

puede regir este complemento con la preposición *de*:
Posesivo, como «el dueño de la finca»; *correspondiente*,
como «la puerta de la casa»; *relativo*, como «los discípulos
de Jesucristo, el padre de estos niños»; *destinativo*, como
«un perro de caza, un paño de mesa»; *efectivo*, como
«cosa de espanto»; *locativo de origen*, como «las frutas
de Valencia»; *de permanencia*, como «el alcalde de Zala-
mea», y *de proximidad*, como «Aranda de Duero»; *subjetivo*, como «las hazañas de D. Quijote, la huida de los
enemigos, la adoración de los Reyes»; *objetivo*, como «un
libro de matemáticas, un tratado de astronomía, la conquista de España, el temor de Dios, la ambición de los
honores»; *cualitativo*, como «un hombre de valor, un
asunto de importancia, un señor de venerable aspecto»;
instrumental, como «un golpe de lanza, un tiro de cañón»;
partitivo, como «un pedazo de pan»; *denominativo*, como
«la ciudad de Burgos»; *de semejanza*, como «una boca de
espuerta, unos ojos de ébano, una vida de perro»; *de
contenido*, como «una botella de vino, un libro de poesías»;
de materia, como «un vaso de cristal, una cadena de oro»;
de punto de vista, como «la superioridad del número, la
destreza de las armas». Los sustantivos verbales pueden
llevar el complemento general con *de* o el especial que
pida el verbo de que proceden [1]: «El amor a los padres,
la esperanza en Dios, la inclinación al vicio, la ida a
Madrid, la huida de casa». Los infinitivos sustantivados
pueden llevar como complemento genitivo el que era
sujeto o complemento directo: «Al cargar de las arcas»
Cid, 170, «Al asentar de la hueste» *Alf.*, XI, 2144, «Como

---

[1] El complemento con *de* puede ser equívoco: «El amor de los
hijos [el que ellos tienen o el que se les tiene].

al partir del sol» Garcilaso, *Egl.*, I, «Al tramontar del sol» ib. Rigen un complemento con *de* los adjetivos que indican *ciencia, ignorancia, memoria, deseo, participación, culpabilidad, capacidad, amistad, parentesco, dignidad, abundancia* y *escasez:* «Harto de disgustos» «Dotado de ingenio». El complemento partitivo con *de* se encuentra como complemento de sustantivos, de indefinidos, de numerales, de comparativos y a veces de calificativos posesivos: «Parte del botín, algunos de ellos, veinte de los soldados, los mejores de los alumnos, los buenos de ellos». El partitivo como régimen de determinativos partitivos alterna lo mismo que en latín con la concordancia; es sólo de advertir que, si la lengua actual rechaza el giro partitivo cuando tiene simple valor determinativo, empleándolo cuando es especialmente partitivo, la lengua antigua lo permitía con frecuencia [1]: «A muy poca de sazón» *Alf.*, XI, 1618, «A pocos de días» *Calila*, 4, «Del miedo tanto» Hita, 1134, «Muchas de cortesías» *Quij.*, II, 72, «Tantas de cosas» I, 32; aun con valor partitivo *poco, mucho* admiten la concordancia casi siempre cuando son adjetivos (no si se sustantivan, *un poco, un mucho*), chocando ya las antiguas construcciones «una poca de agua» «una poca de sal», que sólo se encuentran hoy en la lengua popular. El complemento partitivo con *de* como régimen de verbos se emplea sólo cuando se quiere particularizar este complemento: «Le dieron del pan» [del suyo], o con los verbos que expresan una idea clara de *elección:* «Buscaba de todas hierbas» *Quij.*, I, 41; pero casi siempre se expresa en vez del partitivo un nombre

---

[1]   V. Cuervo, n. 111, y Meyer-Lübke, *Gram.*, III, p. 278.

genérico como complemento directo [1]: «Le dieron pan», aunque en la lengua antigua era algo más frecuente que hoy el partitivo: «Dandos del agua» *Cid*, 2798, «Porque nol dé del pan» Hita, 93, «Darte he del pan e del vino» 965. El complemento objetivo con *de* es régimen: 1.º De los verbos de *memoria* y *olvido* [2]: «Me acordé de ellos» «No te olvides de nosotros». 2.º De los verbos *afectivos* [3]: «Me alegro de su dicha». 3.º De algunos verbos de *entendimiento* y *lengua* [4]: «Esto es lo que pienso de él» [juzgo], «Sabe de cocina» «Entiende de música» «Hablaremos de eso». 4.º De diversos verbos que significan *ocupación:* «De eso tratamos». Como en latín, *sobre* puede emplearse con el complemento objetivo; también puede emplearse *acerca de*, y en la lengua clásica *cerca:* «Me parece *cerca desto*» Avila, *Epistolario*, 1, «Los consejos *cerca de* las prevenciones» *Quij.*, I, 3, «Qué debo yo de hacer ahora *cerca de* lo que mi señora me manda» I, 31. El complemento de punto de vista puede ir regido de adjetivos y verbos; con adjetivos se construye con *de* y suele desig-

---

[1] La traslación del sentido partitivo al genérico es evidente: el partitivo se puede emplear *en todos los casos* cuando se quiere concretar especialmente el objeto de que se trata: «Le dieron del vino» [del que llevaban]; la idea del *partitivo* se confunde con la del *indefinido:* «Le dieron algo de vino o algún vino»; y por último el *indefinido* se confunde con el *genérico:* «Le dieron vino».

[2] No sólo porque *de* traduce el genitivo latino de *vivorum memini,* sino porque en latín vivía ya este ablativo de materia: «De palla memento» «Recordare de ceteris».

[3] Ya en latín al lado de «Meo facto delector» eran frecuentes las construcciones con *de:* «Omnes laetari de communi salute sentio».

[4] En latín era usual con los de *hablar, dudar, hacer mención:* «Non de armis dubitatur» «De illa ego dico tibi»; pero el castellano lo ha extendido a otros verbos, *entender, saber,* etc.

nar la parte del cuerpo, la facultad del espíritu, etc. a
que se concreta la afirmación, como «seco de rostro, corto
de vista, alto de talle, pobre de espíritu, romo de entendimiento» y con ambos nombres de cosas la parte a que
se refiere únicamente el sustantivo, como «bajo de techo,
ancho de base»; regido de un verbo se construye con *en:*
«No le ganas *en* valor».

3.   Dativo.—El llamado dativo *al libro* es un acusativo
con la preposición *ad;* en el latín clásico sustituye al
dativo con los verbos de movimiento: «scripsi ad te»;
desde el más antiguo latín popular el acusativo con *ad*
se emplea con los verbos de *dar* y *decir:* «Ad carnuficem
dabo» «ad me nuntiavit» [1]; ayudado por otros complementos de adjetivos, «accommodatus ad naturam», acabó
por suplantar universalmente al dativo; ha sustituído al
acusativo directo o al ablativo con *ab* con los verbos de
pedir y rogar: «Te ruego y te pido» («te oro, abs te peto»).
El dativo *para el libro* es un acusativo con las preposiciones p e r a d. Rigen un complemento con *a* o *para* y a
veces indistintamente los adjetivos que envuelven una
idea de *provecho* o *daño, aptitud* o *ineptitud,* etc.: «Favo-
rable a la salud o para la salud». También le rigen los
verbos transitivos de *dar:* «Le entregué el encargo» «Le
escribí una carta».

4.   **El acusativo** *el libro* es el verdadero acusativo
directo, reservado para nombres de cosas; coincide con
otros acusativos latinos, como el temporal de duración
«se detuvo dos días», el de medida «dista tres millas»,
etc. El doble acusativo latino de los verbos de *enseñar* y

---

[1]   En el latín español de la *Peregrinatio Silviae* es frecuente este
giro; ejemplos del último latín popular en Grangent, *Vulg. Latin,* 90.

pedir se usaba en la lengua primitiva, y a veces en la clásica, con los de *enseñar* y de *lengua:* «Estáva*los* hablando» *Cid*, 154, «Diz*íela* cada día» Berceo, *Milagros,* 272, «Mostró*lo* doña Luisa saludar a la Virgen» *Vida de S. Ildefonso,* 56; la lengua moderna asimila al llamado dativo el complemento de persona: «Le mostró la razón»; en las construcciones vulgares «lo hablaré», etc. puede tratarse del caso antiguo o bien de un caso de loísmo. Hoy los acusativos sustantivos de persona llevan la preposición *a:* pero en la lengua antigua se omitía ésta a veces: «Confonder cuydó otro» *F. González*, 647, «Dexemos Sancho Ordónnez» 734, «Prendió aquéllos» *Enxemplos*, 18, «Prenderé rey de Castiella» *Alf.*, XI, 1607, «Engañas todo el mundo» Hita, 320, «No terná que servir aposentadores» Guevara, *Menosprecio*, 12. Los verbos intransitivos llevan a veces acusativo: 1.º Los de afectos del alma; la persona o cosa que provoca en el sujeto estos afectos es objeto de ellos, y se toma por consiguiente como complemento [1]: «Rieron todos la agudeza» «Lamento tu desgracia» «Lloran su perdición» «Gozan universal renombre». 2.º Diversos verbos de movimiento; el complemento circunstancial de espacio o tiempo pasa a ser complemento directo [2]: «Corrió toda la casa» «Bajó la cuesta» «Pasar la tarde» «Dormir la siesta». 3.º Algunos intransitivos cuya acción es ocasionada por uno y ejecutada por otro; el que la ocasiona se emplea como sujeto y el que la ejecuta como complemento: «Nosotros

---

[1]   V. Meyer-Lübke, *Gram.*, III, p. 391.
[2]   Este es el origen de los complementos absolutos de lugar y tiempo, que, si no siempre tienen valor estricto de término directo, tienden a considerarse como tales: «Fueron otro día» «Fueron su vía».

volamos el puente» [Hicimos que volase] «Ellos entraron los caballos» «El niño sonó la campanilla» «Le hemos muerto» «Le subimos». El complemento interno o figura etimológica es una rareza en la lengua actual [1]: «He soñado un sueño muy gracioso»; pero en la antigua lengua hay más ejemplos [2]: «Esta petición que vos a mi pedides» *Apolonio*, 412, «Ganar tal ganancia» 583, «Sospiros dolorosos muy triste sospirando» Hita, 1139, «Pues me consejades consejo seguro e sano» Santillana, p. 354, «Las malas burlas que el ciego burlaba de mí» *Lazarillo*, 1.

5. **Ablativo.**—Es un acusativo con diversas preposiciones de ablativo. En el latín popular además de ser el acusativo el caso del complemento directo del verbo, era el caso ordinario de régimen de todas las preposiciones; conocidas ya en las inscripciones de Pompeya construcciones como «cum suos discentes», etc., el ablativo fué eliminándose y desapareció a fines del imperio [3]; solamente persistió en algunas fórmulas estereotipadas h o c a n n u *hogaño*, h a c h o r a *agora* [4]; parece que es ablativo *merced*, como complemento causal: «*Merced* a los muchos dijes y a los cabellos postizos» *Quij.*, I, 11; también pueden serlo las expresiones *una vez*, etc. También pasó a ser acusativo absoluto el ablativo absoluto: «Vistos los santos lugares, nos marchamos» [5]. Aun con relación

---

[1] Compárense en latín «Mirum somniavi somnium».

[2] Véanse más ejemplos en Meyer-Lübke, *Gram.*, III, p. 396.

[3] El latín español acusa la eliminación; en la *Peregrinatio Silviae* son triviales los tipos «de martyrium, a monazontes».

[4] Otros ejemplos en diversas románicas en Meyer-Lübke, *Gram.*, III, p. 50.

[5] «Profecti sumus, visa loca sancta omnia» *Peregrinatio*.

a la sintaxis latina no puede decirse que sean de ablativo las preposiciones castellanas; *con, de, desde, sin* son propiamente de ablativo; *en, por, sobre, so* expresan ya relaciones de ablativo, ya de acusativo; *tras*, considerada como de ablativo, traduce y expresa una relación de acusativo; y las demás preposiciones, *ante, contra, entre, hacia, hasta* y *según*, que no suelen incluirse en ningún caso en los paradigmas de las declinaciones, son por su origen y significación propias de acusativo. El complemento locativo con *en*, de permanencia o dirección, se encuentra: 1.º Con algunos verbos de *entendimiento* y *lengua (pensar, confiar, fiar, esperar, creer*, etc.) [1]: «Pienso en ello» «Creo en Dios» «En tí confío»; en la lengua antigua con alguna más: «Les hablaba en casamiento» Guevara, *Epístolas*, II, 8, «Hablando en la pasada aventura» *Quij.*, I, 8, «Enterar en la verdad» Cervantes, *Novelas*, 312, «En tan grand hecho fablar» Hita, 1133. 2.º Con algunos verbos *afectivos:* «En esto gozo» «Se deleita en su lectura».

91. Adjetivo calificativo.–1. **Comparativos y superlativos.**–Los comparativos inorgánicos se forman con el positivo y partículas; el de superioridad, con la fórmula *más... que*, el de inferioridad con *menos... que*, y el de igualdad con *tan... como, igual... que, igualmente... que*. El superlativo inorgánico absoluto se forma con el adverbio *muy, muy justo*, y en la lengua vulgar y en la primitiva con *mucho, mucho honrado, Enxemplos*, 18, vulgar *mucho bueno*; el relativo se expresa por la perífrasis *el más... de*. También puede expresarse la idea superlativa

---

[1] El tránsito a complemento de dirección se ve acusado en el latín eclesiástico «Credo in Deum». V. Meyer-Lübke, *Gram.*, III, p. 491.

por otros medios: 1.º Por el diminutivo; en los adjetivos
que indican pequeñez, como *bajito*, pero con frecuencia
en otros, *es una casa grandecita;* en algunos determinativos
indefinidos, *poquitos, solitos;* en algunos adverbios y palabras de sentido adverbial, *deprisita, despacito, prontito,
tardecito, cerquita, allí arribita, enseguidita,* y los gerundios, *callandito* 'en silencio' *corriendito* 'de prisa' *pegandito* 'junto'. 2.º Por el aumentantivo, *altón, guapetón.*
3.º Por diversos prefijos: *re, relimpio, reviejo, remono,
resabido, retepeinado, requetebien* [1]; ordinariamente con
muy, muy resabido, etc.; *archi, archimillonario, archisupe-
rior, archidignísimo,* Quij., II, 50; *extra, extrafino, extrasensible; per, perilustre, perínclito, peripuesto; pre, prepotente, preeminente; super, superfino, superabundante; sobre,
sobreabundante, sobresaliente.*

Son susceptibles de comparación y ponderación superlativa todas las palabras calificativas que admitan distintos
grados: 1.º Los adjetivos calificativos que no expresen
una idea ingraduable; éstos la admiten cuando alteran
su significación, como *enormísimo* 'muy grande', *singula-
rísimo, especialísimo* 'muy raro', *muy español* 'amante de
España' . 2.º Algunos sustantivos adjetivados, como *muy
hombre, muy torero* 'muy achulado'. 3.º Algunos determinativos de valor calificativo, como *muy suyo* 'muy
egoísta'; sin este valor algunos admiten formas y giros de
superlativo, no para ponderar, sino para insistir, como
«el mismísimo diablo» «es mío y muy mío». 4.º Diversos
adverbios y giros adverbiales; los adverbios de forma
adjetiva suelen admitir la terminación *-ísimo, prontísimo,*

---

[1] *Re-te* y *re-que-te* refuerzan la idea superlativa; *requetesalado,
retedormido, requetebueno.*

lejísimos, cerquísima; otros sólo admiten las fórmulas *más, muy,* etc., como *muy luego, muy acá, muy enhorabuena, muy de mañana,* y lo mismo los gerundios adverbiales, *muy corriendo, muy disimulando,* Pérez de Hita, *Guerras,* 1, 16.

2. **Acumulación de comparativos y superlativos.—** En la lengua hablada se usan con frecuencia, sobre todo con *tan,* comparativos de superlativos [1]: *«Tan hermosísimo* como el que más» «No es *tan malísimo* como aquél»; es vulgar «la mujer *más hermosísima* del mundo», pero es común «la cosa *más mínima».* Comparativos de comparativos [2] sólo se hallan en la lengua vulgar en *más mayor (más mayores, Quij.,* II, 52), pero son corrientes en la antigua lengua: *más mejor,* Berceo, *S. Domingo,* 31, *más mayor,* ib. 20, *de los más mejores,* Hita, 295; son frecuentes en la lengua descuidada con los semicomparativos *inferior, superior, posterior, anterior,* etc., como «su nombramiento fué posterior o más posterior». En la lengua hablada son frecuentes los superlativos de superlativos [3], como *muy hermosísimo, el más preciosísimo* [4]; superlativos de comparativo con *mucho* (clásico con *muy)* son frecuentes, como *mucho mejor, mucho mayor,* y en la lengua clásica *muy peores;* con los semicomparativos se usa *muy, muy anterior, muy inferior.*

---

[1] La Academia, *Gram.,* 41, proscribe estos giros, no sólo comunes en la lengua hablada, sino en la clásica.

[2] Recuérdese que estas acumulaciones arrancan del latín: *Magis stultius,* Plauto, *Stichus,* 699, *magis latior,* Pomponio Mela, 286, V. Stolz, p. 615.

[3] Giro condenado por la Academia, *Gram.,* 41, aunque tiene a su favor ejemplos clásicos: *muy sabrosísimo, Quij.,* I, 51.

[4] La lengua popular emplea a veces extremando la ponderación superlativos alargados, como *hermosísísimo.*

92. Determinativos.—1. Numerales.—En vez de la
fórmula sustantiva del tipo d u o m i l i a, nuestra lengua
adoptó la adverbial b i s m i l i a del latín poético y
vulgar, *dos vezes mill*, que persiste hasta la época clásica;
pero a la vez había utilizado una nueva fórmula adjetiva,
dos mil, que al fin prevaleció como construcción general.
El castellano usa los cardinales en expresiones de cómputo
del tiempo que en latín se construían con los ordinales:
a las seis de la mañana, el año mil doscientos diez; la fórmula *al tercer día, al segundo mes*, etc. alterna con la del
cardinal *a los tres días, a los dos meses;* la antigua *fasta
terçer día, Cid,* 1030, ha sido reemplazada por otros giros.
El sustantivo *millar* se usaba generalmente en la lengua
clásica con valor determinado: «Hay millares de ejemplos»
Quij., II, 6; hoy se usa también con valor de cardinal:
«cuatro millares de soldados»; *mil* como sustantivo es de
la lengua vulgar: «Un mil de naranjas»; en plural se usa
en la lengua común precedido de un indefinido: «Varios
miles de árboles, algunos miles de hombres, muchos
miles de duros». Los cardinales por los ordinales se usan
con gran frecuencia; sobre *diez* la sustitución es lo normal:
«León trece, lección catorce»; aun en números inferiores
es frecuente la sustitución: «Capítulo cinco o quinto».
Los cardinales por los indefinidos son frecuentes: «Cien
veces, doscientas tonterías, mil advertencias, un millón
de gracias». Han asumido valor ordinal los distributivos
noveno, etc. Los multiplicativos pueden sustituirse: *doble*
por la perífrasis *otro tanto;* los demás en la lengua antigua por el cardinal seguido de *tanto:* «Quebrantaba al
cuerpo más que solíe *diez tanto*» Berceo, *S. Domingo,*
614, «Con la sombra del agua *dos tantol* semejava» Hita,
226, «*Ciento tanto* más de lo que dejó» Granada *Guía,*

I, 11, 1, [1]. *Doble* es sustituído a veces por el participio *doblado:* «Sentimos *doblada* alegría»; los clásicos lo
construían con los cardinales: «Cuatro doblado». *Medio*
además de partitivo puede ser locativo: lo ordinario es
que sea adverbial: «En medio de los enemigos»; como
adjetivo se conservaba antes el tipo latino «in medios
hostes»: «En media la fornaz» Berceo, *Milagros,* 366;
pero hoy sólo en frases sueltas: «A media ladera».

2. **Demostrativos.**—A veces los demostrativos masculinos se hallan con nombres femeninos por atracción
de la forma *el,* análoga a la del masculino: *deste espada,*
Cid, 3655, *aquel ánima,* Granada, *Oración,* I, 3; en Burgos
se dice *este agua.* Los demostrativos en la lengua primitiva
tenían a veces valor de artículo: «Con *essa* yent chris-
tiana» Berceo, *Sto. Domingo,* 106 [con la]. Los adverbios
de lugar se usan a veces como demostrativos de personas:
«Aquí lo sabe» [éste], «allí lo vió» [aquél]. *Mismo* ha
asumido los valores de i p s e : «Ellas *mismas* lo oyeron»,
y de i d e m : «Al *mismo* tiempo».

3. **Relativos.**—Los relativos *cual, quien* pueden ser
indefinidos cuando se repiten en frases distributivas:
«Quienes con pan, quienes con dinero» «Cuales a caballo,
cuales a pie»; en la lengua antigua también *qui, que:*
«Todos li davan algo, qui media, qui çatico» Berceo,
Sto. Domingo, 105. El relativo, por absorber al antecedente, podía en la lengua clásica aparecer como complemento simultáneo de dos palabras de distinto régimen,
ya siguiendo a una ya a otra: «El ceño *de quien* la sangre
ensalza» León, *Poesías,* 6 [de aquel a quien], «Esperaban

---

[1] Más ejemplos en M. Pidal, *Cid,* I, p. 318, Cuervo, n. 43, y
M. Lübke, *Gram.,* III, p. 67.

a los que tú, Señor, eras escudo» Herrera, *Lepanto*, 112
[a aquellos de quienes], «Apenas se había sentado en la
silla *al que* se le había de afeitar» Liñán, *Guía*, n. 1.ª
[aquel a quien], «¿Qué mucho que esté recogida y temerosa *la que* no le dan ocasión para que se suelte?» *Quij.*,
I, 33 [aquella a quien]; la lengua actual tiende a expresar
el complemento que cada regente pide. *Que* puede tener
como en latín sentido final: «Quiero fer la passión del
sennor Sant Laurent / que la pueda saber toda la gent»
Berceo, *S. Lorenzo*, 1; en muchos casos aparece confundido con la conjunción. *Que* tiene a veces cierto
carácter de conjunción temporal: «El ventero, que vió a
don Quijote atravesado en el asno, preguntó a Sancho»
Quij., I, 16, «Sancho, que se vió acometer tan de impro-
viso, asió de la albarda» I, 44. En ciertas frases el relativo
con valor de conjunción parece expletivo: «Ellos en
aquesto estando, su marido que llegó» *Rom.*, 299. *Que*
conserva su valor etimológico q u i d con el valor de
neutro: «¿Qué haces?»; además ha asumido el valor adjetivo interrogativo y relativo del antiguo *qui* qui aplicado
a todos los sustantivos, ya masculinos, ya femeninos:
«¿Qué libro has traído?». Era frecuente en la lengua
clásica, y hoy en la familiar, emplear como absoluto el
relativo que por su régimen pedía una preposición [1].
«Para llegar al estado [en] que ahora estó» *Lazarillo*, 5
«Fué un fraile [al] que las mujercillas me encaminaron» 4,
«Hasta el desdichado tiempo [en] que se perdió España»

---

[1] Ha influído muchas veces el tratar de evitar la repetición: «Nos
vamos vestidos *con* los mesmos vestidos [con] que representamos *Quij.*,
I, 11; pero hay casos en que no se cumple esta condición, y deben
explicarse por la tendencia del relativo a adquirir un valor absoluto e
invariable en nuestra lengua.

Hita, *Guerras*, 1, «Vino a dar en el más extraño pensamiento [en] que jamás dió loco en el mundo» *Quij.*, I, 2, «Con todos aquellos adherentes [con] que semejantes castillos se pintan» I, 2, «Con aquellos [à los] que no les iba ningún interés» I, 51, «Entre los perros [entre los] que descargó la carga» II, 2, «En la casa [en] que has entrado». En la lengua actual *quien* se aplica únicamente a personas, pero en la antigua y clásica se usaba también para cosas: «Los escriptos en *quien* son puestos» *F. Juzgo*, II, 5, 1, «Vi aquellas cuatro columnas sobre *quien* estriba» Espinel, *Obregón*, I, 11, «Un libro de *quien* era aquélla muy aficionada» *Quij.*, I, 24, «Una alcuza de *quien* el ventero le hizo donación» I, 17. Con antecedente no puede usarse hoy sin preposición, pero sí en lo antiguo: «Daquel *quien* fizo el omezillio» *F. Juzgo*, VI, 5, 14, «Aquel *quien* quisiere escusar» VI, 5, 15. *Cual*, además de su acepción etimológica de cualidad, puede tener otros sentidos; se puede usar en vez del interrogativo indefinido *quien* cuando se interroga o duda de un sujeto en relación con otros [1]: «Sobre *cuál* había sido mejor caballero, Palmerín de Inglaterra, o Amadís de Gaula» *Quij.*, I, 1, «*Cuál* es más loco, el que lo es por no poder menos, o el que lo es por su voluntad» II, 15, «¿Cuál ha sido?» [interrogando sobre varios]; de aquí pasó a veces a ser simple interrogativo sin relación a otros sujetos: «¿Cuál hombre hay tan loco, que no huelgue de ser visitado» *Celestina*, 18. En la lengua primitiva se usaba en el caso del moderno *el... que* seguido de verbo: «Qual part vos semeiar» *Cid*, 2364, 'La parte que os pareciere'. En las contraposiciones se usaba con el valor *uno*, *otro*: «Tengo hasta seis docenas

---

[1] V. Meyer-Lübke, *Gram.*, III, 579.

de libros, *cuales* de romance y *cuales* de latín» *Quij.*,
II, 16, giro conservado en la frase «cual más, cual menos»;
derivada de su idea de cualidad se encuentra a veces en
la lengua literaria la de magnitud en las ponderaciones.
El relativo *cual* en una oración circunstancial que precede
a la principal, sin ser propiamente dependiente de otra
anterior, se encuentra algunas veces [1]: «El cual como
llegó con la duquesa a las puertas del castillo, al instante
salieron dél dos lacayos» *Quij.*, II, 31, «El cual si no
pudiere ser estorbado de mis razones, una daga llevo
escondida que podrá estorbar más determinadas fuerzas»
I, 27, «La cual pues la dejo en tus manos, tengo mi suerte
por venturosa» II, 60, «La cual verdad si tú la confiesas,
excusarás tu muerte» II, 64, «Al cual preguntándole qué
pintaba, respondió» II, 3; lo normal es emplear el demostrativo pospuesto a la conjunción; «Así que *éste* llegó a
las puertas del castillo salieron...» *Cuyo* se usa únicamente
como átono y acompañado del consiguiente; «La señora
en cuyo nombre se hizo» «Los hombres a cuya caballe-
rosidad apelo». En general este relativo posesivo equivale
a un genitivo regido del consiguiente que concertase con
el antecedente: «En un lugar de *cuyo* nombre no quiero
acordarme» *Quij.*, I, 1 [del nombre del cual lugar]. Sin
esta concordancia hipotética con el antecedente, con
valor de los demás relativos, se halla a veces en la lengua
clásica: «Con *cuyos* ingenios quedó vuestra patria enri-

---

[1] Clemencín encuentra mal construída esta frase y supone que ha
habido alguna omisión del impresor. V. Rodríguez Marín, *Quij.*, III,
p. 3 y VI, p. 234. Es el giro «A *quo* cum peterent opem» [como pidiesen
auxilio a *éste*], «*Quorum* vim cum rex sustinere non posset» [no pudiendo el rey resistir el empuje de *éstos*], tan trivial y conocido en
el latín.

quecida» Cervantes, *Galatea*, 6; aunque censurado por los gramáticos, este uso es hoy general: «Quisieron envenenarle; en *cuyo* intento intervino su hermano». *Cuyo* tónico con valor posesivo era corriente en la lengua clásica [1]: «El caballero, cúya era la casa» Sta. Teresa, *Fund*, 31, «El tal león cúya debe de ser la tal uña» *Quij.*, II, 17, «¿Cúyas son aquellas armas?» *Rom.*, 161, «¿Cúya es aquella lanza?» ib., «Injuria al santo cúyo es el día» Zabaleta, *Día de fiesta*, I, 18.

4. **Indefinidos.**—*Otro* se emplea por contraposición a un ser nombrado: «Uno y otro, aquel y el otro»; con valor de *alguno* se halla a veces por contaminación de frases: «Salimos sin otro mal» [sin mal alguno] [2]; es clásico el empleo de *otro* como calificativo 'diferente': «Quedó tan otro de lo que antes parecía» *Quij.*, I, 29, «Muy otro del Sancho» II, 59. *Tanto, cuanto* con un sustantivo singular individual constituyen una frase colectiva [3]: «¡Cuánta tontería dice!» «Nunca había visto tanta mujer» «Me aturde con tanta pregunta»; en la lengua primitiva eran frecuentes estas frases con *mucho*: «Mucha dueña andaban» Berceo, *S. Millán*, 374; desde luego *todo* conserva este sentido: «Todo hombre o mujer que tenga uso de razón». *Nado, nada* se halla en la lengua primitiva con sentido participial positivo: «Ca non me priso a ella fijo de mugier *nada*» *Cid*, 3285, «Non quiere ella casarse con otro ome *nado*» Hita, 798; por usarse en frases

---

[1] V. Bello, *Gram.*, 334.

[2] Han servido de base las frases del tipo «sin otro castigo que...» «Sin otro nuevo mal».

[3] Ejemplos de enumeraciones de la antigua poesía narrativa con *tanto* en M. Pidal, *Cid*, I, p. 336; este uso en las descripciones admirativas es también moderno.

negativas acabó por asumir ella sola el sentido negativo. *Hombre* en la lengua antigua y clásica ofrece el valor de adjetivo indefinido: «En las cosas que no son conocidas deve *omne* subtilizar por las conoscer» *F. Juzgo*, I, 1, 1, «Es prudencia saberse *hombre* aprovechar de lo que oye» Valdés, *Diálogo*, p. 55, «No cae *hombre* en ello hasta que ha perdido el tiempo» Avila, *Epistolario*, 1, «El remedio es dejar llegar la razón, mirando *hombre* que es siervo de la Virgen» Osuna, *Abecedario*, III, 20, 9, «Donde *hombre* no piensa salta la liebre» Refr. de Garay, «Si *hombre* en el mundo ha de ser bienaventurado, serás tú» *Lazarillo*, 1; sólo en casos aislados parece haber conservado cierto sentido determinativo: «Si hay *hombre* feliz, es él» «Tiene más suerte que *hombre* tenga en el mundo». *Cada* acabó por asumir todos los valores de *sendos:* «Cada hombre con su caballo»; con valor pronominal se encuentra en la lengua clásica y hoy en la familiar: «Fueron *cada* tres mil ducados» *Quij.*, I, 39 [cada parte], «Tres duros a cada» «A cada dos reales» [a cada uno]; con dos distributivos seguidos era frecuente usar *cada* pronominal con *sendos:* «Cada sendas peras» *Lazarillo*, 5 [cada uno], «No sea que nos hagan subir en cada sendos» *Pícara Justina*, II, 2, 4, 2 [a cada uno en uno]. *Uno* se omite con este adjetivo: «Cada día me falta una oveja» *Quij.*, I, 4; pero en la antigua lengua podía expresarse con algunos nombres: «En cada un año» *Ord. de Burgos*, 178. *Al* a l i d se conservaba en la lengua antigua con el valor neutro: «Por al» 'por otra cosa'. *Algún* singular tiene frecuentemente en todas las épocas sentido plural: «Rogad al Criador que vos biva *algún año*» *Cid*, 1754, «Pasamos con ellos *algún día*», «Ya ha disparado *algún tiro*». La lengua clásica permitía el plural de *ninguno:* «A *ningunos* vieron

tanto atormentar» Guevara, *Menosprecio*, prol. «*Ningunos*
ingenios pueden abrazallo todo» Herrera, *Comentario*, 72,
Ningunos [libros] le parecían tan bien». *Quij*., I, 1, «Por
do *ningunos* escapar pudieron» Herrera, *Canc.*, II.

5. **Posesivos.** — Los posesivos podían ir precedidos
en la lengua antigua del artículo: «De *los sos* oios» *Cid*, 1;
es un vulgarismo ya en el siglo XVI, conservado en el
castellano del norte; con los determinativos se usa aún
en ciertos casos, sobre todo en las narraciones: «Este su
criado, aquel su palacio». Los posesivos podían en lo
antiguo acumularse a algún complemento determinante:
«*Sus* herederos del personero» *F. Juzgo*, II, 3, 8, «En *su*
casa dellos» III, 4, 5, «Los *sus* paños deste rey» *Castigos*,
11, «*Su* mandato de aqueste mi señor» Hita, 92, «Llevan
los médicos por *sus* curas que hacen» Guevara, *Menosprecio*, 6, «No llega a *su* zapato de la que está delante» *Quij*.,
I, 33, «Dió el hábito a *su* hija de Catalina de Tolosa»
Sta. Teresa, *Fund.*, 31; hoy sólo con algún complemento
de tratamiento [1]: «Sus hijos de Usted», giro frecuente
siempre; «Su ayuda de vuestra merced» *Quij.*, I, 31.

6. **Artículos.** — Aunque el empleo del artículo definido
ofrece grandes anomalías, sin embargo lo general es que
se use: 1.º Con nombres de seres conocidos: «Llegó en
esto el escudero». 2.º Con nombres determinados por
un complemento o un adjetivo [2]: «El Dios de las aguas»
Quij., II, 1, «La felice Arabia» I, 18; además en lo antiguo
solía omitirse en nombres de parentesco ante un complemento denominativo propio, lo mismo con valor independiente que en régimen [3]: «Dexar avemos fijas del

---

[1] Para evitar la anfibología de las personas.
[2] A menos que formen un todo o tenga el adjetivo sentido oracional.
[3] V. Menéndez Pidal, *Cantar de Mío Cid*, I, p. 304.

Campeador» *Cid*, 2661, «Fyja del rrey Pelayo... ovyeron
la casada» *F. González*, 123. 3.º Con los epítetos y denominaciones adjetivas que acompañan al nombre [1]: «El
invictísimo Carlos Quinto» *Quij.*, I, 39, «Don Pedro el
Cruel»; y con los apodos adjetivos, sueltos o unidos al
nombre: «el Greco, el Divino». 4.º Con los nombres
separables de tratamiento «señor, papa, rey, marqués,
bachiller», etc., ante el propio; pero no con los insepa-
rables «don, san, fray, sor», etc.: «El caballero Fonseca»
Quij., I, 6, «El emperador Heraclio» I, 48; en la lengua
más antigua se usaba con los primeros generalmente el
artículo si llevaba segundo tratamiento [2]: «El buen rey
don Alfonsso» *Cid*, 3001, «El obispo don Ierónimo» 1289;
pero no si iba inmediatamente unido al propio: «Reyna
de León... era de castellanos enemiga mortal» *F. Gonz.*,
726, «De yfantes de Carrión» *Cid*, 2915. 5.º Con nombres de acepción colectiva: «Pues comenzamos en el
estudiante, veamos si es más rico el soldado» *Quij.*, I, 38;
éstos se usaban sin artículo en la primitiva lengua: «Nin
da consseio padre a fijo, nin fijo a padre, / nin amigo a
amigo nos pueden consolar» *Cid*, 1176; por este carácter
colectivo o indefinido se encuentran sin artículo los nombres todos en las antiguas fórmulas iniciales de las leyes:
«*Casa* o *lugar* en que fiziessen moneda falsa deve ser de
la cámara del Rey» *Partidas*, VII, 7, 10, «*Cavallero* que
estoviesse en corte bien se puede escusar» VI, 17, 3; y
hoy en frases sentenciosas de sentido general: «*Individuo*
que llega le saquean», y en los refranes: «*Pescador* de

---

[1] Son latinismos «Alejandro Magno y Carlomagno».

[2] Sin embargo no son raros los ejemplos en contrario: «Aquel día
de Señor San Miguel» *Ord. de Burgos*, 179.

anzuelo a su casa va con duelo» «*Ave* de cuchar nunca en
mi corral». 6.º Con los propios de montes y cordilleras;
pero se omite en «Monjuí, Sierra Nevada, Sierra Morena
(pero «la Sierra Morena» en el *Quij.*, II, 22), Gredos,
Urbión» y vacila en «Moncayo» [1] y otros: «de Parnaso»
Herrera, Canción IV de id. de 1619. 7.º Con los nombres
de tiempo; hoy es constante la omisión con los de meses
y con algunos de fiestas religiosas: «pentecostés», variando
con otros: «pascua, navidades, cuaresma, nochebuena»,
lo mismo que con los de estaciones: «el verano, para el
otoño», junto a «ya es primavera», y con los días de semana: «el martes», pero «jueves de todos» y ciertas frases:
«jueves le pelaron», siendo más frecuente la omisión en la
lengua antigua; «Miércoles la fué poblar» *Alf.*, XI, 2015;
en la lengua antigua los de meses llevaban el artículo: «el
março» *Cid*, 1619, «el janero» *Alexandre*, 78, «el setiembre» *S. Millán*, 380, de cuyo uso quedan rastros en los
poetas y prosistas clásicos: «del Julio, del Diciembre»
Gracián, «del Agosto, del Octubre» Argensola [2], «el
Octubre» Rivadeneyra, *S. Ignacio*, 5, «el enero» Lope,
Pastores de Belén, 1; con el genérico *año* se omitía no
sólo como hoy en las fórmulas absolutas de fecha, sino
también como complemento: «Murió año de mil y tre-
cientos y dos» Hita, *Guerras*, 1, «Acabó año» ib.; con *era*
se omitía igualmente: «En era 1258» *C. de Huelgas*, I,
p. 385. 8.º Con los nombres de ríos lo constante en la
lengua actual es el artículo; sin embargo en la lengua
primitiva se omitía casi siempre [3]: «Arlançón passava»

---

[1] V. Guervo, n. 114.
[2] V. Fidel Suárez, *Estudios Gramaticales*, p. 326.
[3] Así lo confirman los geográficos: «Aranda de Duero», etc.

Cid, 55, «de Xucar» 1228, «corre Salón» 555, «A Duero»
Alf., XI, 306; en la época clásica era frecuente la omisión,
no sólo en estilo poético: «en Pisuerga» *Quij.*, I, 18, «con
el oro de Tajo y de Pactolo» Argensola 2, «cuanto Ebro
y Tajo cerca» Herrera, Eleg. I, «Y la corriente de Eufrates
famoso» Ercilla, 27, sino en la prosa corriente: «la ribera
de Ebro». 9.º Con *todo* y un sustantivo se usa el artículo
ante éste cuando *todo* equivale a 'entero' (*totus*): «Toda
la venta era llantos» *Quij.*, I, 45; pero va el nombre sin
artículo cuando *todo* representa a 'todos los individuos'
(*omnis*): «Todo hombre debía saberlo». En plural ya se
use *todo* en la acepción de *totus*, que es poco frecuente
(*Quij.*, II, 10), ya en la de *omnis*, lleva artículo el nombre:
«todas las cosas», a no ser en frases fijas: «de todos
modos» [1] o en algunas aisladas: «de todas clases»; mas
en la lengua antigua y clásica se omitía con gran frecuencia el artículo: «De todas cosas quantas son de vianda»
Cid, 63, «Todas cosas caseras» Hita, 1175, «Todas mieses»
1292, «en todos hombres» Pulgar, Cartas, 2, «todas veces»
ib. 16, «Ante todas cosas» Guevara, *Menosprecio*, 3. Con
todo y un numeral varía el uso; aunque lo común es
suprimir el *todo*, se emplea a veces, ya con artículo en el
numeral ya sin él: «todos tres», como en *Cid*, 3589 y en
el *Quij.*, I, 39, o «todos los tres». 10.º Los numerales
ordinales, aun como casos oblicuos, con un sustantivo
llevan artículo en las construcciones móviles: «al segundo
golpe, al tercer día, a la segunda vez, del sexto lugar»,
pero no en las frases en cierto modo fijas: «de primera»

---

[1] Aun en éstos el uso vulgar tiende a generalizar el artículo: «de
todos los modos, de todas las maneras»; desde luego estas dos frases
con sentido móvil llevan siempre el artículo.

«intención», por primera providencia» «por primera vez» (y análogo «por segunda vez») «en primer término, en primer lugar» (y analógicos «en segundo término, en tercer lugar») [1]; pero en la lengua antigua podía omitirse el artículo con los ordinales delante de *día:* «A terçer día» *Cid.* Con *ambos* llevaba artículo el sustantivo en la lengua primitiva: «Amos los braços» *Cid,* 203, «Damas las partes» *F. González,* 728; a menos que llevase posesivo: «amas mis fijas» *Cid,* 1604», «amos sus hermanos» *F. González,* 501. Los cardinales son indiferentes llevando o no el artículo según el nombre sea determinado: «Llegaron los dos cabreros» «Por faltarme diez ducados» *Quij.,* I, 22. Con el grupo *uno* y *otro,* si van unidos, puede emplearse u omitirse el artículo en los dos, «el uno y el otro»; si van separados, son posibles cuatro combinaciones: «el uno... el otro, uno... otro, el uno... otro, uno... el otro».

Se omite generalmente el artícuto: 1.º con los nombres propios de persona y con los apellidos [2]; con los primeros se usa sólo en la lengua vulgar y forense; de los segundos pueden llevar por italianismo artículo «el Bembo, el Petrarca, el Ariosto», etc. Los clásicos fuera de estos casos ponían a veces artículo ante algunos nombres como autoridades de doctrina o personajes de una narración: «Censuraba el Catón» Gracián, *Criticón,* «Hallo el Cardona» Melo, *G. de Cataluña* [3], «el Anselmo, el

---

[1] Sin carácter de frase fija se dice «en el primer lugar», etc.

[2] Los convertidos en apelativos van, como es lógico, con artículo: «la Diana de Jorge de Montemayor, la Galatea, la Minerva», aunque a veces por anunciar el título textual se prescinde del artículo: «Rinconete y Cortadillo»; igualmente los plurales: «los Laras, los Mendozas».

[3] V. Fidel Suárez, *Estudios Gramaticales,* p. 327.

Lotario» *Quij.*, I, 33. 2.º Con los propios de continentes, naciones y ciudades; pero lo llevan «la India», el Brasil, el Perú, el Canadá, el Japón, la Habana, la Meca, el Cairo» y los plurales «las Españas»; varía en los de continentes: «la Europa» *Quij.*, I, 18, y en otros de naciones [1] y ciudades, como «Grecia, Arabia, Mesopotamia, Siria, Siberia, China, Coruña, Ferrol», etc. También es irregular el uso en los nombres de regiones: «el Bierzo, la Mancha [2], la Alcarria», pero «Extremadura, Andalucía (ant. el Andalucía). 3.º Con gentilicios plurales y demás nombres de colectividades se omitía en lo antiguo generalmente el artículo: «Venido es a moros, exido es de christianos» *Cid,* 566, «Pora moros» *F. Gonz.*, 457 (pero «Los moros, los almofares» 384), «A cristianos» 251, «Me han castellanos fecho» 331, «El rey de cordoveses» 721 (pero «El rey de los navarros» 736), «Xristianos plazer ovieron» *Alf.,* XI, 2070 [3], «Castellanos aguardando» 1550, «Vencidos fueron cristianos» 48, «Percebiéronse paganos» 2101; en la lengua clásica hay aún abundantes ejemplos en poesía: «El furor de Otomano» Herrera, son. 69. 4.º En la lengua antigua y clásica se omitía con frecuencia el artículo con ciertos nombres personificados [4]: «naturaleza, natura,

---

[1] Siguiendo esta incertidumbre Jovellanos escribía «la España, la Suecia, la Sajonia, la Prusia, la Suiza» V. Fidel Suárez, *Estudios Gramaticales,* p. 325.

[2] En Jovellanos sin artículo, ib.

[3] En *Alfonso XI* es evidente la alternativa; sin embargo el metro rechaza muchos casos de artículo: «Abogada de los cristianos» 1682, «De a los cristianos dar batalla» 2074, «En tí cobrarán los cristianos» 2321.

[4] No es de rigor la omisión: «Será enojar a la fortuna» *Quij.,* I, 20, y deja de cumplirse cuando no tiene sentido personal: «El desvariado amor» I, 13.

fortuna, amor»: «Ve el agravio que naturaleza hizo a un hombre» Espinel, *Obregón*, I, 23, «Por habérsela dado naturaleza» *Quij.*, I, 44, «Volvió fortuna su rueda» I, 34, «A quien tiene amor imposibilitado» I, 43, «¿Qu'espíritu encendido Amor envía» Herrera, son. 16. En este caso están en poesía los nombres de vientos *Favonio, Euro*, etc.: «Ni Euro espira, ni Austro suena ardiente» Herrera, son. 42, y algunos otros abstractos «ausencia, locura, mudanza, celos, desdenes» *Quij.*, I, 27. 5.º Sin este sentido en la lengua primitiva se encuentran abstractos en caso directo [1] sin artículo: «Movióla piedat» Berceo, *S. Domingo*, 593, «En los clérigos ovo envidia a nacer» *S. Millán*, 100, «Hace el temor lo que virtud no hizo» Ercilla, *Araucana*, 31, 6.º La elipsis del artículo con nombres de seres únicos [2] está hoy muy limitada: *Dios;* solo o con el determinativo, *Dios del cielo*, como en el *Cid*, 614, pero no con otro determinativo: «¿dónde el Dios destos está?» Herrera, *Lepanto*, 69; *palacio* con sentido antonomástico por 'palacio real' «en palacio» *Quij.*, II, 48; *gloria* en frases como «en gloria esté». Algunos otros ejemplos como *infierno, cielo, paraíso, mundo* en la lengua antigua: «El uno es en parayso» *Cid*, 350; «En cielo», *Milagros*, 85, «Este fué en infierno miso» *Reys d'Oriente*, 239. «Con Judas en infyerno yaga» *F. González*, 444; «En mundo» 55, «Por aquesto es quito d'infierno, mal lugar / pero

---

[1] Desde luego es corriente la elisión en los abstractos en régimen: «por ganar alegría cumplida» *San Domingo*, 61, «pusieron en su lengua virtut de prophecía» 260; como en todos los tiempos, el artículo se emplea con un abstracto individual *(este, su*, etc.) «le negó la amistad».
[2] V. Meyer-Lübke, *Gram.*, III, p. 180 y Menéndez Pidal, *Cid*, I, p. 302.

que a purgatorio lo va todo a purgar» Hita, 1140 [1]. 7.º La
elipsis del artículo en las comparaciones está hoy limitada [2] a las frases fijas: «como gato sobre ascuas» «oscuro
como boca de lobo» «como perros y gatos»; en lo antiguo
era frecuente en todas las frases sin verbo [3]: «Tal era
como plata» Berceo, _S. Domingo_, 44, «Cual piedra en el
profundo» Herrera, _Lepanto_, 9, «Como arista seca» «cual
león» 10; en las frases con verbo lo normal era expresar
el artículo: «Como la rueda, como la arista queda» _Le-
panto_, 122; siendo rara la elisión: «Commo faz buen
pastor», _S. Domingo_, 20, «Cual fuego abrasa selvas»
Lepanto, 126, «Cual Boreas... los otros vientos barre
impetuoso» _Cristiada_, IX. 8.º Hoy se omite el artículo
con el vocativo; pero en los romances era frecuente el
vocativo de los apelativos con artículo: «Vayades con
Dios, el Conde» 157, «Tiempo es, el caballero» 163; sobre
todo en el segundo, yendo repetido: «A osadas, niña, la
niña» 171, «Amores, los mis amores» 170, «Infantina, la
infantina» 167. El tipo primitivo es de aposición «¡Venides, Martín Antolínez, el mío fiel vassallo!» _Cid_, 204,
«Digadesme tú, el portero» _Rom._, 157; de donde luego
pasó a aquellos en que se omite el pronombre, como se
ve en algunas frases actuales: «¡Oh [tú] el amigo de mi
corazón!» «No te marches, [oh tú] la única esperanza!»
V. M. Lübke, _Gram._, III, p. 202. 9.º El predicado adjetivo suele carecer de artículo: «Se mostraba prudente»;

---

[1] «Del infierno» en Ducamín, que destruye el verso.
[2] Se entiende en la lengua usual, ya que entre literatos se encuentran arcaísmos como éste: «Y como oso que logró romper los hierros
de su reja...»
[3] Abundantes ejemplos en Meyer-Lübke, _Gram._, III, p. 226.

pero puede a veces llevarlo por sustantivación: «No te hagas el valiente»; el predicado sustantivo como predicado especificativo carece de artículo: «Es general»; pero como individualizador puede llevarlo: «Es el general de este ejército». 10.º Con un complemento no se usa artículo cuando aquél indica simplemente la naturaleza del ser (lo que es), sin referencia a su extensión particular ni genérica: «Llevaron sogas y maromas» *Quij.*, II, 55. Un caso particular de esta indiferencia de extensión se encuentra en las frases fijas: «Meted mientes» *Cid*, 3137 (frente a la construcción móvil «aparta las mientes» *Quij.*, II, 42), «Puso piernas al castillo de su buena mula» *Quij.*, I, 8 (frente a «por más que ponía las piernas al caballo» I, 20). 11.º En los nombres con preposiciones se omite ordinariamente el artículo, pero de un modo irregular; la omisión, sin ser constante, era más general en la lengua primitiva: «Echados somos de tierra» *Cid*, 14, «Exo pora mercado» Berceo, *S. Domingo*, 190, «Sacoles de tierra» *Castigos*, 10, «En real luego se echaron» *Alf.*, XI, 2242, «El segundo enbía a viñas» Hita, 1281. En la lengua clásica y moderna suele omitirse en las frases fijas o usuales: «Por mal de mis pecados» «andar a golpes» «ir en pelo» «montar en burro», si bien aun en algunas de estas se introduce a veces el artículo: «Por el amor o por amor de Dios».

El artículo con sustantivo oculto puede usarse a veces con la preposición *de:* «El de mi padre»; en la lengua antigua en otros casos: «Vos soys la por quien perdí» Santillana, p. 425. El artículo en genitivo después de un artículo en nominativo y antes de otro genitivo podía suprimirse: «Como [de los caballos] era más ligero el [del] de la Blanca Luna» *Quij.*, II, 64, «Llegóse el día de

la partida de don Antonio y el [de la] de don Quijote y
Sancho» II, 65. El artículo neutro *lo* con los calificativos
tiene la equivalencia de un sustantivo, «lo bueno»; también tiene este valor algunas veces el artículo masculino,
pero es que en este caso no es adjetivo el que le acompaña, sino sustantivo: «Todo impuesto debe salir *del*
superfluo y no *del necesario* de la fortuna de los contribu-
yentes» Jovellanos [1]; compárese la alternativa entre *el*
ridículo y *lo ridículo, los posibles* y *lo posible, el sobrante* y
lo sobrante, el particular y *lo particular, el desnudo* y *lo*
desnudo. Lo unido a un adjetivo como antecedente de
que ofrece a veces sentido adverbial ponderativo como
sinónimo de *qué, cuán,* y en este caso puede unirse al
plural [2]: «Me admira lo crecidos que están»; otras veces
equivale a *muy,* vaya o no seguido de la oración con
que: «Le gustarán por lo cariñosos [que son]».

El uso de *un, uno* como artículo indefinido es raro en
el latín clásico, pero frecuente en los escritores tardíos y
populares [3]; la indeterminación que expresa puede ser
equivalente a 'uno', como «cogí una piedra», a 'uno
cualquiera', como «dame un libro», a 'cierto', como «un
rey tenía dos hijas». Con un nombre propio son frecuentes las comparaciones y ponderaciones: «No vayas a creerte
un Cid» «¡Un Avellaneda competir con un Cervantes!».
Unos puede indicar la incertidumbre numérica: «Unos diez
años» «Unas seis mil almas», «Con unos quinze» *Cid,*
2019; de las fórmulas comparativas pasó al adjetivo: «Es

---

[1]   Bello, *Gram.,* 58 y Hanssen, *Gram.,* p. 183.
[2]   Sobre el tipo «me admira qué crecidos están» se introduce *lo*
como antecedente que anuncia una oración, y este antecedente hace
convertir el *qué* ponderativo en conjuntivo-relativo.
[3]   Grandgent, *Vulg. Latin,* 57.

un cobarde, es un indecente». A veces es calificativo, como *igual:* «No todos los tiempos son unos» *Quij.,* II, 58. Puede omitirse en algunos casos semejantes a los de *el:* «Acabo de recibir carta»; con *otro* es de rigor la omisión: «Iba con otro caballo», pero no lo era en la lengua antigua: «De un otro miraclo» Berceo, *Milagros,* 431.

93. **Pronombres.** — 1. **Nominativos y acusativos pronominales con las preposiciones** [1]. — Vacilan con *entre* las formas de nominativo y los dativos en funciones de acusativo de los pronombres. a) Si son sujetos a la vez, se ponen en nominativo [2]: «Entre *tú* y *yo* lo acabaremos»; parece un caso analógico «entre *yo* e mio Çid pésanos de coraçón» *Cid,* 2959. b) Si no son sujetos, la lengua antigua y clásica empleaba el acusativo para el pronombre, ya en el grupo de dos pronombres declinables: «Non veo carrera por do haya amor entre *mí* e *tí*» *Calila,* 9; ya entre un pronombre declinable y una forma común: «La diferencia que hay entre *mí* y ellos» *Quij.,* II, 58; ya entre una forma común y el pronombre declinable: «Serán medianeros entre vuesa merced y *mí*» *Quij.,* II, 25; en la lengua clásica se inicia el uso del nominativo del pronombre en el grupo de una forma común y un pronombre declinable: «Aplazado en efecto quedó el campo entre Fortunio y *yo*» Lope, *La campana de Aragón,* 3, uso que hoy es único: «Repartidlo entre ellos y *tú*»; en el grupo de dos pronombres declinables se ha sustituído en la lengua moderna el acusativo por el nominativo: «No haya

---

[1] Cuervo, n. 123. Hay que separar varios ejemplos en que los complementos son a la vez sujetos; de su magnífica nota tomamos los presentes ejemplos.

[2] Es el giro latino «nihil praeter salices cassaque canna fuit» Ovidio, *Fastos,* VI, 406. V. M. Lübke, *Gram.,* III, p. 48.

disentimientos entre *tú* y *yo*»; en el grupo de un pronombre declinable y una forma común la lengua culta conserva el acusativo: «Hay diferencia entre *mí* y ellos»; la lengua vulgar propende al nominativo: «Hay otro hermano entre *tú* y *él*», de lo cual hay también ejemplos literarios. En la lengua clásica como en la moderna puede repetirse en cualquier grupo la preposición *entre* [1], y entonces se usa siempre el acusativo: «Entre *mí* y entre *tí*, entre Dios y entre *tí*, entre *tí* y entre ellos». Con otras preposiciones y varios complementos se conserva el acusativo del pronombre cuando va en primer lugar: «Ante *tí* y ellos»; en el grupo de dos pronombres declinables hay que repetir la preposición: «De *tí* y de *mí*, hacia *tí* y hacia *mí*»; en el grupo de una forma común y un pronombre declinable se repite la preposición con el pronombre en acusativo «ante ellos y ante *tí*»; pero a veces se pone sin nueva preposición en nominativo «ante *él* y *yo*, hacia Antonio y *yo*, sobre *él* y *tú*». *Hasta* con un solo complemento pronominal sujeto lleva nominativo «hasta *yo* lo sabía», pero es que no tiene aquí valor de preposición. Es de rigor en cambio el nominativo con *según*, «según *tú*».

2. **Dativo de interés y posesivo.** —Nuestra lengua conoce el dativo pronominal de interés: «No *me* le deshagáis» Espinel, *Obregón*, I, 2, «Galera, la mi galera, / Dios te *me* guarde de mal» *Rom.*, 153; es frecuente el dativo posesivo: «Se *me* nubla la vista». El llamado dativo su-

---

[1] Cuervo, n. 123, tilda de inadmisible esta construcción por creer en virtud de un falso rigorismo que se introducen dos relaciones diferentes entre dos solos términos, cuando no hay sino una insistencia de reciprocidad, análoga a la indicada por la repetición de las demás preposiciones.

perfluo encierra también una idea de intimidad o interés:
«Tú *te* mereces más».

3. **Leísmo, loísmo y laísmo.**—En la lengua primitiva
persistía la distinción etimológica, usándose *le, les* como
dativo común y *lo* como acusativo masculino de personas
o cosas [1]. a) *Leísmo. Le, les* acusativo empieza sin embargo a acusarse, el primero por atracción de *me, te, se,*
y ambos además por la vacilación de régimen de los
verbos de *enseñar* y *decir* («Lo mostró, le mostró, los
habló, les habló, lo enseñó, le enseñó»), por analogía del
dativo de interés («Non *le* llorassen cristianos» *Cid,* 1295)
y por atracción de verbos y frases en que *le, les* eran
complemento indirecto («Abásta*les* de pan e de vino»
Cid, 62, «Conbidar *le* íen de grado» 21); a partir del
siglo XVI empieza a generalizarse entre los literatos cortesanos el uso de *le* como acusativo, hasta hacerse muy
pronto la forma casi universal en la lengua clásica
literaria [2]; sin embargo *lo* seguía dominando en otras
regiones, como lo prueban los escritores de ellas que se
sustrajeron a este influjo, y seguía y sigue dominando
actualmente en la lengua popular de Castilla; el uso actual
en la lengua culta es preferir *lo, los* cuando se refiere a
cosas [3]; refiriéndose a personas hay gran vacilación, pues

---

[1] M. Pidal, *Cid,* I, p. 321.

[2] La Academia en su Gramática de 1796 llegó a señalar *le* como
única forma de acusativo masculino.

[3] Las construcciones «los papeles me *les* dejé» «el sombrero *le*
llevaba en la mano» «El piano *le* toca admirablemente» se oyen con
frecuencia, pero parecen llevar un sello de afectación cultista, y son
desde luego más raras que las construcciones con *lo los.* Cuervo, n. 121,
afirma que las reglas de Clemencín y Salvá, semejantes a la nuestra,
son «una pura conciliación, que no tiene fundamento en el uso general»,
pero esta afirmación es gratuita.

usamos muchas veces *lo, los* guiados por nuestra lengua familiar, si bien guiados por la lengua más culta preferimos *le, les;* esta vacilación es producida también porque en los nombres de personas *(le, les)* hay a veces cierto sentido intelectual de cosa *(lo, los);* refiriéndose a animales suele aplicarse la construcción de cosas, pero también es frecuente aplicarles la de personas. b) *Loísmo* y *laísmo*. *Lo, los* como dativo masculino, tan frecuente en el leonés, es una rareza en castellano: «Sácanlos de las tiendas, caen*los* en alcaz» *Cid*, 2403; hoy la lengua vulgar usa casos que materialmente son dativos, pero en frases al parecer influídas por otras construcciones: «Dar*los* fuego» por «quemarlos o abrasarlos», «Dar*lo* de barniz» por «barnizarlo». *La, las* como dativo femenino era frecuente entre los literatos de los siglos xvii y xviii [1]; el evitar la anfibología, que era el argumento que en su abono aducían los gramáticos, es el que hoy suelen aducir para conservar algún caso como «estando ella con su marido me acerqué a dar*la* un encargo»; pero en términos generales el laísmo es una construcción vulgar; el vulgo en efecto dice generalmente «la escribí, la dije», etc.

4. *Le, lo* plural.—La forma *le* del pronombre con cierto sentido indeterminado se encuentra con frecuencia en la época antigua y clásica refiriéndose a un nombre en plural [2]: «Acaesce a los falcones que se les finchan los pies et *le* arden» Ayala, *Caza*, 27, «Del cual previlegio

---

[1] Cuervo, n. 121, observa que Iriarte censuraba «según el uso ya establecido en el día» el dativo femenino *le* del *Batilo* de Meléndez.

[2] Acaso se trate originalmente de un caso de reducción ante *s*, del tipo «Sírvanle sus heredades» [a las escuellas del Cid], *Cid*, 1364, como lo prueba la mayor frecuencia de este caso en todas las épocas, *le sobran, le salgan*, etc.

no gozan los que andan en la corte... a do cada día les faltan los dineros y *le* sobran los cuidados» Guevara, *Menosprecio*, VII, «Los manda al rey que los espera no para dar*le* tortas e pan pintado» Cibdarreal, *Centón*, 61, «Constreñir que se *le* de a los escribanos» Avila, *Epistolario*, XI, «Debían procurar de esforzar los que gobiernan aunque muy costosos *le* fuesen» ib. XV, «No es dado a los caballeros andantes quejarse, aunque se *le* salgan las tripas» *Quij.*, I, 8, «A los caballeros andantes... sólo *le* toca ayudarles como a menesterosos» I, 30, «A cuyas gracias no hay ningunas que se *le* igualen» II, 58, «El acabárse*le* el vino fué principio de un sueño que dió a todos» II, 54; en la lengua hablada actual este *le* es frecuente, pero rara vez trasciende a la escritura: «Es lo que *le* va a ocurrir también a algunos» «Aunque se *le* avise a todos» «Se *le* escapó a ellos el decirlo» «*Le* apretamos a los inquilinos», son ejemplos anotados de periódicos actuales. La traslación de un plural masculino o femenino al neutro singular es ideológica: «Y de aquí se complican dos mil destinos que no *lo* entienden los mismos que *lo* padecen» Villalobos, *Anfitrión*, IV, «Los cuales trabajos tienen paciencia para los sufrir y no cordura para *lo* dejar» Guevara, *Menosprecio*, 14.

5. **Usos del pronombre de 3.ª persona.** — *El* para segunda persona se encuentra a veces en la época clásica [1]: «Mocito, ¿*él* piensa que yo soy alguno de los siete de

---

[1] Es uno de los caracteres de la lengua del B.º Avila; este uso es una simple traslación por la atracción de los sustantivos de persona que intervienen (*Vuestra Merced, señor, amigo, mozo*, etc.), los cuales por ser sustantivos son siempre de tercera persona; se conserva en el actual gallego y en el leonés. V. mi *Gram. Gall.* y M. Pidal, *Rev. de Archivos*, Abril 1906.

Grecia?» *Pícara Justina*, I, 3, 2, «Haga cuenta Vuestra
Merced que entra *él* entre aquellos grandes» Avila, *Epistolario*, 6. *Ello e ello* se usaba en la lengua primitiva
significando 'el uno y el otro': «Avíen *ellos e ellos* la
la vergonça perdida» *Alexandre*, 1406, «*Della e della*
parte quantos que aquí son» *Cid*, 2079; otras veces se
usaba *dello* con sentido indefinido partitivo como 'uno de
ellos, alguno de ellos': «Non lo olvides en la alcándara,
ca se fazen truhanes, e *dellos* embravecen» Ayala, *Caza*, 5,
«*Dellas* faze de nuevo e *dellas* enxalvega» Hita, 1176;
dello con dello en la lengua clásica significaba 'una cosa
con otra' [1] y también 'lo justo, una cosa media': «No
apruebo la demasiada severidad y menos el mucho regalo;
dello con dello ha de haber» Francisco de Castro, *Refor-
mación Cristiana*, IV, 13. Las formas femeninas *la, las* se
usan sustantivamente en frases fijas refiriéndose a nombres desconocidos: «Me *la* pagarán» «A quien Dios se *la*
dé San Pedro se *la* bendiga» «Aquí fué *ella*» «No *las*
tiene todas consigo». Una proposición completiva puede
ser anunciada por el pronombre neutro *lo* [2]: «Bien *lo*
sabe Dios que no he podido» «Ya te *lo* anuncié que
habría de ocurrirte».

6. **Pronombres reflexivos.**—Los pronombres de primera y segunda persona no tienen forma especial para el
reflexivo: «Me alabo, te martirizas»; el de tercera, a pesar
de tener forma especial para el reflexivo, puede a veces
usarse con este valor: «Llevaba con *él a su* hijo» «Esta
casa la hizo para *él*». La forma reflexiva puede sustituir a

---

[1] Gonzalo Correas, *Voc. de refr.*, p. 28.
[2] Es mera superposición de las dos frases; «Bien lo sabe Dios» +
«Bien sabe Dios que no he podido».

la pasiva latina; desde luego en casos en que la pasiva latina conservaba el sentido de la voz media: «Comenzó a moverse la ciudad»; con cierto sentido indefinido o impersonal, siendo el verbo activo: «Se llamó al médico, se dice, se bailó»; con el mismo sentido, siendo el verbo pasivo: «Se vende vino, se dicen muchas tonterías», en cuyos ejemplos, no obstante expresarse el sujeto, el verbo no es perfectamente personal. La idea recíproca se expresa por el reflexivo: «Unos y otros se escribían»; a este giro puede a veces acumularse el giro latino i n t e r s e : «Se saludaron entre sí»; este último giro se propaga a frases no recíprocas: «Para distinguirles entre sí». La mayoría de los verbos intransitivos de movimiento y otros muchos admiten libremente el reflexivo; *marcharse, irse, caerse, morirse, dormirse, salirse, llegarse, pasearse, subirse, bajarse, estarse, quedarse;* y aun algunos que no suelen admitirlo se encuentran como tales en la lengua antigua y en la vulgar moderna [1]: «Paseando se anda Zaide» Pérez de Hita, *Guerras,* 6, «Estábase Don Reinaldos / en París, esa ciudad» *Rom.,* 235, «Asno se es» *Quij.,* I, Intr.; el reflexivo es obligatorio con *burlarse* y *reírse* con el sentido de *mofarse* (pero «Burlar de los tiranos» Granada, *Símbolo,* II, 16), *helarse* (pero «Yielo y ardo a un mismo punto en ellos» Herrera, Eleg. IV), *alzarse* (pero «Esta serena estrella alza al rosado cielo» Canc. IV), *dignarse* (pero «No se digna de venir conmigo.—Sí *digno*» *Quij.,* II, 7).

7. **Acumulación de pronombres.** — El pronombre átono como complemento de un verbo con la preposi-

---

[1] Es vulgarismo de uso regional muy limitado *vivirse; érase* en los cuentos es común. «Vadent se» ya en el latín de la *Peregrinatio.*

ción *a* puede ir solo: «Me dijeron»; pero el tónico va
acompañado del átono: «A mí me conviene» «Te avisaron
a tí» «A vosotros os servirá»; se encuentra frecuentemente
solo el tónico en la lengua antigua, menos veces en la
clásica moderna, para hacer resaltar la idea pronominal
en frases enfáticas [1]: «A tí adoro e creo» *Cid*, 362, análogo a «A tí solo la gloria, a tí damos la honra» Herrera,
Lepanto, 210, «A vos tiene por señor» *Cid*, 1339, y «A él
dizen señor», 1362, análogo a «A mí dicen que uno»
Enxemplos, 6, «A mí llaman Lázaro» *Lazarillo*, 1, «Oíd a
mí» *Cid*, 616, como «Oye a mí» León, *Job.*, XV; el tónico
con un átono de distinta persona es menos enfático y
violento: «A vos *los* pondrán delant» *Cid*, 166, análogo
al moderno: «Lo antepondrán a tí», «Si a vos *le* tolliés»
Cid, 3517, análogo a «Si *la* hubiese enviado a él», «De
la misma manera *lo* dice a nosotros» Avila, *Epistolario*,
XIX, «A él *lo* mandó», análogo a «A mí *lo* uvo mandado» *Cid*, 2231, y «Lo que a mí mandaron» *F. González*,
409; es corriente en todas las épocas como correlativo de
otro complemento nominal o pronominal que no requiera
el átono: «A ella y a sus hijas protege»; también se
encuentra a veces en ciertas contraposiciones, expresas o
implícitas: «A nadie más que a ellos conviene» «A ellos
perjudica» «A ellos avisó y a nosotros no», «A tí solo he
querido», como en ciertas fórmulas de *importar* y *tocar*:
«En lo que a mí toca» «A ellos corresponde» «A él pertenece»; en ciertas fórmulas imperativas: «Agradeced a él»,

---

[1] Bello, *Gram.*, § 919, dice que en prosa no sonaría bien «habló a
mí»; si esto no es exacto, es lo cierto que por predominar en poesía el
lenguaje enfático, es más frecuente que en la prosa el uso de los pronombres tónicos aislados.

como el ant. «E vos a él lo gradid» *Cid*, 2861, «No retéis a ellos», como el ant. «Non rebtedes a nos» *Cid*, 3566, «Dad a él esta carta»; y en la lengua primitiva en frases que hoy disonarían: «A mí mandaron» *F. González*, 409, «A mí duele el coraçón», *Cid*, 3031; las cuales van haciéndose menos frecuentes en la época clásica, si se exceptúan los escritores místicos, en los que, tal vez por influencia de los originales latinos, abundan estas formas: «A mí prendieron» Chaide, *Magdalena*, 44, «Dañaste a tí» Avila, *Epistolario*, 2. El pronombre átono puede añadirse a un sustantivo o determinativo que sea complemento indirecto del verbo: «La honra que a su señor aquellos príncipes *le* hacían»; la lengua de la conversación prodiga este pronombre mucho más que la escrita aun cuando sea directo el complemento: «Le castigó al hijo» «Le dijo a su padre».

94. **Verbo.**—1. **Uso de ser y estar.**—El uso de los verbos *ser* y *estar* obedece a esta ley: Se usa *ser* con un predicado sustantivo expreso o sobreentendido [1], y con los participios cuando forman la voz pasiva; en los demás casos se usa *estar*. Se usa ser: 1.º Cuando significa *suceder, verificarse,* y también *existir* sin idea de lugar: «*Eso será,* si no se tira con honda» *Quij.*, I, 21, «Pero que ese casamiento fuese con la licencia vuestra» Lope, *Mirad,* II, 15, «Unos *fueron* que ya no *son*» *Quij.*, I, 21; como sinónimo de *existir* es raro en todas las épocas de la

---

[1] Obsérvese cómo si se expresa un sustantivo, o se puede suplir alguno, es de rigor el verbo *ser:* «El *es* poeta» «Dios *es* [un ser] justo» «Su alegría *es* tanta [alegría]» «Lo que hacéis *es* [una acción] de cobardes» «Esta fruta *es* [fruta] americana» «Esta estatua *es* [una estatua] de mármol» «Su ayuda *es* [una ayuda] necesaria» «Su padre *era* [un señor] muy caritativo».

lengua: «Mientras que *sea* el pueblo de moros» *Cid,* 901, y hoy en frases aisladas, como «Mientras el mundo *sea*». 2.º Con atributo sustantivo: «Unos dicen que *eres* Juan Bautista» Quevedo, *Política,* I, 12, «Tu vestido *será* calza entera» *Quij.,* II, 43, «Caballero *soy* de la profesión que decís» II, 12. En la lengua primitiva podía usarse *estar:* «Non debie abbadessa *estar*» Berceo, *Milagros,* 548 [1]. 3.º Con atributo determinativo [2]: «Dos *son* los modos de obedecer y servir» Melo, *Guerra,* III, 72, «*Es* tanta la alegría que mi alma siente» Chaide, *Conversión,* I, 1, «Ea, buen ánimo, que todo *es* nada» *Quij.,* II, 41, «Yo le dí palabra de *ser* suya» II, 60; lo mismo que con los posesivos se emplea ser con los complementos de *propiedad:* «Preguntóle si *eran* de algún príncipe» *Quij.,* II, 50, «Yo os haré conocer *ser* de cobardes lo que estáis haciendo» I, 3. La indecisión de la primitiva lengua se manifiesta en numerosos ejemplos: «Facen cruz... ca tres deben *estar*» Berceo, *Sacrificio,* 46. b) Se usa *estar:* 1.º Con un complemento de lugar, real o figurado [3], a no ser que signifique *suceder* o *verificarse:* «El ventero que *estaba* a la puerta de la venta» *Quij.,* I, 36, «Aunque las flores de los jardines *estén* debajo de llave» Zárate, *Paciencia,* 3, «Seis ollas que alrededor de la hoguera *estaban*» *Quij.,* II, 20,

---

[1]   Más ejemplos en Menéndez Pidal, *Cid,* II, p. 673.

[2]   *Tal* y *cual* pueden construirse con *estar,* pero dejando de ser determinativos: «Aunque *estoy* tal que mi patria desamo» Lope, *La obediencia laureada,* II, 1, «¡Válgate Dios cuál estás!» Lope, *El hombre de bien,* I, 11.

[3]   Entendiendo esta idea de lugar en la acepción compleja de sitio, estado, actitud, posición, compañía, situación inmaterial, como «estar en ello, en paz, en duda, de pie, en pelo, en brasas, de espaldas, con un amigo, con dolores», etc.

«No *estaban* ya las cosas en estado de remedio» Melo, *Guerra*, III, 57. «Hasta que *estuviesen* junto de donde D. Quijote *estaba*» *Quij.*, I, 27. Significando *existir* se usaba a veces *ser* en lo antiguo y hoy en la lengua literaria: «Nunca tales caballeros *fueron* en el mundo» *Quij.*, l, 22, «Amadís no *fué* en el mundo» I, 49. Significando *hallarse* el uso es muy vario en la lengua primitiva; significando *hallarse habitualmente* una persona, o *residir*, se usaba como hoy, esto es, *estar*: «En el çielo *estás*» *Cid*, 330, y solamente *ser* en frases que son traducciones latinas: «Oy *serás* conmigo en el santo parayso» *Reyes de Oriente*, 231; significando *hallarse accidentalmente* una persona en tal lugar, situación, posición o compañía [1] se usaban ambos verbos, aunque predominaba *ser*: «Delant *sodes* amos» *Cid*, 2596, «Dellant *estando* vos» 3174, «Con ellos *son*» 3539, «Con ellas *están*» 385, «Quantos que y *son*» 742, «Dentro *es* su mugier» 2003, «¿O *eres* suyo sobrino?» 2618; significando *hallarse* en general una cosa en un lugar se usaba casi siempre *ser*: «Siloca, que *es* del otra part» *Cid*, 635, «El mío hospital, que *es* çerca del dicho monesterio» *C. de Huelgas*, I, 550, «Todas las casas nuevas que *son* en call Tenebregosa» 437, «Aqueste solar *es* en villa Oveto» 449, «Aquellas casas que *son* en las tenerías de Sancta Gadea» 472; pero en la lengua clásica es *ser* excepcional: «¿Dónde *son* por aquí los palacios de la sin par princesa?» *Quij.*, I, 9. 2.º Con un gerundio [2]: «Duerme el criado, y *está* velando el señor» *Quij.*, II, 20, «Vió en un arroyo *estar* lavando cantidad de mujeres» II, 50; en la lengua primitiva se encuentra el gerundio,

---

[1]   Hoy *ser* en la frase «*soy* contigo en seguida» [voy].

[2]   Lo mismo las frases análogas al gerundio, como «*está* de caza, de mudanza».

pero no propiamente con el verbo sustantivo, sino con las perífrasis de s e d e r e [1], que tenían el valor de 'andar diciendo': «Sediellos esperando» *Cid*, 2239, «Seise santiguando» 1840, «Catandol sedie» 2059. c) Se usa *ser* o *estar* con los participios y calificativos según su significado: 1.º Con los participios se usa el verbo *ser* para designar la voz pasiva, esto es, la acción *cumpliéndose* en un momento dado o en cualquier momento: «Cerca del mediodía *fué* terminada la capitulación» Rivas, *Sublevación*, I, 1, «*Fué* celebrada de los que la oyeron» Zárate, *Paciencia*, III, 1, «La figura esférica *es* tenida por la más perfecta» Chaide, *Conversión*, I, 1, «Aventura que *fué* acabada del famoso caballero» *Quij.*, I, 20; se usa *estar* para designar la acción *terminada* [2] o bien una idea adjetiva que designa la *manera* o *disposición* del sujeto; designan acción *terminada* estos ejemplos: «Cuya vida *está* escrita por estos pulgares» *Quij.*, I, 22, «Armas que luengos siglos había que *estaban* puestas» I, 1, «¿Cómo puede *estar* acabado el libro, si aún no *está* acabada mi vida?» I, 22; pero es mucho más frecuente designando la *manera* o *disposición*: «Es paso llano, porque *está* enlosado» León, *Nombres*, II, 5, «Los príncipes no *estén* atados con el nudo de la costumbre» Melo, *Política*, 1, «Sin *estar* sujetos a las impertinencias de los suegros» *Quij.*, II, 47, «Según *está* colmado de pastores y de apriscos» I, 51. Con un mismo participio según tenga uno u otro sentido se usa *ser* o

---

[1] Es caso distinto si antes va otro complemento: «Fuera *era* en el campo... escriviendo e contando» *Cid*, 1772.

[2] Es decir que la acción del participio es anterior al tiempo que representa el verbo auxiliar, razón por la cual no se usan con este sentido los tiempos de suyo anteriores, pluscuamperfectos y futuros perfectos.

estar; pero hay casos en que la diferencia, aun siendo cierta, es menos clara, y entonces resulta indiferente el emplear cualquiera de estos verbos: «La función *será* [voz pasiva] o *estará* [manera] amenizada por una música», «Los trabajos *serán* [voz pasiva] o *estarán* [manera] expuestos al público», «Este principio *es* [voz pasiva] o *está* [acción anterior] admitido por todos». Esta distinción no es tan rigurosa en todos los períodos, hallándose ejemplos en la lengua preclásica en oposición con el uso actual, especialmente designando manera o disposición: «Con oro *son* labrados» *Cid*, 1786, «La cena *es* adobada» 1531, «De yr *somos* guisados» 1060, «Aparejados me *sed*» 1123, «Cansados *son*» 2745, «Vestidos *son* de colores» 1990, «Tu *sey* apercibido» Berceo, *S. Domingo*, 723; en la lengua clásica sólo excepcionalmente se hallan ejemplos que difieran del uso moderno: «Su barba que *era* hecha de la cola de un buey» *Quij.*, I, 27. 2.º Con los calificativos y complementos equivalentes se usa el verbo *ser* cuando aquéllos expresan una cualidad que concebimos como *permanente*, pudiendo admitir la repetición del nombre, como «este duro es [un duro] falso»; se usa *estar* cuando expresan una cualidad que concebimos como *transitoria*, pudiendo admitir un adverbio temporal, *ahora*, *hoy*, *entonces*, como «el agua está [hoy] fría». Llevan *ser* por tanto los adjetivos cuya cualidad no está limitada a un momento por fundarse en una *relación* con la cual no puede existir el adjetivo, como ocurre con los de *procedencia*, como «americano, de España», de *materia*, como «férreo, de mármol», de *posesión*, como «mío, de todos», de *legitimidad*, como «falso, lícito, de ley», de *comparación*, como «mayor» y en general los derivados que se empleen no como simples calificativos, sino como tales

derivados de un nombre o verbo [1], como son la mayoría
de los derivados en *al, mortal; ario, necesario; az, veraz;
ble, increíble; dor, merecedor; ero, verdadero; esco, caballeresco; ico, angélico, aquático; iego, palaciego; ista, mate-
rialista; ivo, vengativo; izo, quebradizo; orio, ilusorio; oso,
ambicioso:* «Que pues no llega mi muerte, debo de *ser*
inmortal» Lope, *El hombre de bien*, II, 1, «Habilidades
y gracias que no *son* vendibles» *Quij.*, II. 20, «Ha de *ser*
mantenedor de la verdad» II, 18, «Yo no *soy* nada pala-
ciega» II, 50, «Ha de *ser* caritativo con los menesterosos»
II, 18, «La gente labradora, que de suyo es maliciosa»
I, 51. Llevan *estar* los adjetivos cuya cualidad se considera
limitada a un tiempo, como ocurre con los nombres que
se renuevan, de tiempo, de comida, etc., de cosas cuya
percepción es transitoria, y en general de cualidades que,
lo sean o no, nosotros consideramos como mudables; por
ejemplo la mayoría de las de enfermedades, y las cualidades que se suceden en los seres: «Cuando un hombre
principal *está* enfermo» Chaide, *Conversión*, 11, «*Estoy*
[ahora] sordo», «Este señor *está* [ahora, o con relación a
su edad] torpe», «Usted *está* [ahora] fuerte». En la lengua
primitiva se usa *ser* con algunos adjetivos que indican
cualidades temporales: «Todos *eran* alegres» *Cid*, 2066 [2].

    2. **Modos.**—a. **Infinitivo directo.**—El *infinitivo com-
pletivo* se emplea: 1.º En las oraciones completivas en

---

[1] Claro es que cuando no se empleen como tales derivados, sino
como meros calificativos, traslación que es posible en algunos, sobre
todo en la lengua familiar, entonces pueden admitir *estar*, si expresan
una idea temporal: «El criado *está* [ahora] servicial» «El camino *estaba*
[entonces] intransitable» «Altivo ahora *está* el español» Zorrilla, *La
Reina*, II, 2, «El niño *está* [ahora] caprichoso».

[2] Constantemente *ser* con este adjetivo en el *Cid*.

que son los mismos los sujetos, como «temo entrar», «deseo marchar»; sin embargo no suelen llevar infinitivo los de *decir* y *conocer (avisar, anunciar, saber, entender,* etc.), aunque puede decirse «declaro ser» «digo saberlo«; con algunos afectivos varía el régimen, como «gozo verlo, de verlo y en verlo». En la antigua lengua pueden llevar infinitivo con *de* los verbos que significan *pensar:* «Pienssan de aguijar» *Cid,* 10, «Pensó de fazer guerras» *Alf.,* XI, 265, «Yo lo cuido de poner» 1566, «Piensan los pobres de enriquescer» Guevara, *Menosprecio,* 12; y hoy en la lengua vulgar: «Piensan de salir», «Creen de llegar»; también podían llevarlo los de *resolución:* «Acordó de llevar a Camila a un monasterio» *Quij.,* I, 35; y los de *prometer:* «Prometió de enseñársele» *Quij.,* I, 29, «Y habiéndose ofrecido don Antonio de hacer lo que más le mandase» II, 65. 2.º En completivas de distintos sujetos se encuentra el simple infinitivo con los de *permitir, mandar* y *prohibir, (ordenar, mandar, permitir, dejar, impedir, prohibir)* y los de *sentir:* «Le hice bajar» «Le prohibí venir» «Le sentí acercarse»; con los de sentido no se usa hoy el infinitivo sustantivo, pero sí en la antigua lengua: «Vidiéronla seer desamparada»; junto a «permitir salir» se emplea «autorizar a ir»; en la lengua clásica llevan a veces algunos infinitivos con *de:* «El cielo le concede / *de besar* sacro el ramo glorioso» Herrera, *Canc.* III. Pero en la antigua era posible el infinitivo con distintos sujetos: a) Con algunos verbos de *entendimiento* y *lengua:* «He probado mi signo *ser* atal» Hita, 154, «A la hora que supe *estar* el condestable enfermo» Guevara, *Epístolas,* I, 26, «Había conocido *ser* aquel mismo» Cervantes, *Novelas,* 178, «Tesoro que pretendían *pertenecerles*» Quevedo, *S. Pablo,* Riv. p. 51, «El dulce sonido me certifica *ser* tú mi

señora Melibea» *Celestina,* XII, «Todavía se afirma vuesa
merced *ser* verdad esto?» *Quij.,* II, 50; de este uso queda
algún rastro en la lengua moderna, aunque con carácter
de cultismo: «Creo ser verdad esto» «Afirmó correspon-
derle algo» «Telegrafía participando haber llegado sin
novedad». b) Con verbos de acontecimiento: «Por muchas maneras acaesce los falcones haber menester de ser
purgados» Ayala, *Caza,* 12, «Acaesce cada día matar un
falcón una liebre de un golpe» 28. «Le aconteció a mi
señor tío estarse leyendo» *Quij.,* I, 5, «Acaece estar uno
peleando en las sierras de Armenia» I, 31; y hoy a veces
en algunas construcciones aisladas: «Les aconteció salir
de paseo y hablarle». c) El infinitivo directo regido de
una locución tiene escaso uso en nuestra lengua: «Tengo
por costumbre salir» «No está en mi mano impedir eso».
Infinitivo relativo. El infinitivo directo con valor de presente es construcción normal, siendo idénticas las personas, con el relativo tónico o subtónico *que:* «No sé qué
hacer» «Dió que hablar»; la construcción latina con el
subjuntivo puede emplearse con algunas frases de *duda:*
«Estoy pensando qué haga»; en la lengua antigua era
posible el subjuntivo junto al infinitivo: «Non podía aver
ninguna cosa que *comiese»* Lucanor, 34, «Pues ya no
tengo / fuerza con que *levante* mi esperanza» Herrera,
Eleg., V; aunque el uso normal es el subjuntivo, se encuentra alguna vez con *quien* en la lengua popular: «Ya
tienes quien favorecerte», pero sobre todo era frecuente en
la antigua poesía narrativa [1]: «No tiene quien lo vengar»
Rom.; también se usa con el adverbio relativo *donde* [2]:

[1] Véanse distintos ejemplos en Menéndez Pidal, *Cid,* I, p. 350.
[2] Ejemplos de este infinitivo en documentos latinos, v. en Cuervo,
p. 61, nota.

«No sabían dónde meterse» «No encontraréis dónde dormir»; pero aquí la lengua clásica construía con gran libertad, pudiendo emplear el subjuntivo: «Sin descubrir donde aquella noche se recogiese» *Quij.*, I, 19; y aun la moderna lo emplea con alguna frecuencia: «Como no había donde me cobijase» «Busca donde te coloques».

El *infinitivo final* tras un verbo de movimiento es común hasta el siglo xv, y posteriormente en los romances: «En Alcocer le van çercar» *Cid*, 655, «Ir gelo he yo demandar» 966, «Saliólos reçebir» 487, «Exíen lo ver» 16, «Fueron a Bil Forrado fazer otra alvergada» *F. González*, 655, «Enbió pagar» 734, «Fué buscar» Berceo, *S. Lorenzo*, 54, «Iva lidiar» Hita, 237, «A Vergilios vamos ver» *Rom.*, 151, «Ir su amiga visitar» 158, «Vo rasonar con ella» Hita, 652, «Enbía otro diablo en los asnos entrar» 1285; el indirecto con *a*, que ya alternaba en la lengua preclásica con el directo, es el único actual: «Vine a comprar un libro».

El *infinitivo imperativo* de sentido plural se usa constantemente en la lengua familiar: «Ir a por él» «Traerme aquí» «Llevar esto». En la lengua antigua [1]: «Si el levar vos quisiere, vos *seyer* su companyera» *Apolonio*, 257, «Desto *seyer* bien segura en vuestro coraçón» 214; en la lengua clásica y moderna se usa en frases exclamativas de animación, imposición o instigación [2], ya aisladas, como «estarse quietos», «descansar», ya junto a otra expresión sustantiva o verbal de carácter imperativo o exclamativo:

---

[1] Menéndez Pidal, *Cid*, I, p. 202, explica las formas *auello*, *prendellas* del poema del Cid, de sentido imperativo, como reducciones de *auedlo*, *prendedlas*.

[2] V. Meyer-Lübke, *Gram.*, III, p. 591, y Cuervo, n. 70, que cita abundantes ejemplos.

«Paciencia y escarmentar» *Quij.*, I, 23, «Perdón y proseguir» I, 24, «Esforçar, xristiandat» *Alf.*, XI, 1558; con sentido de imposición o instigación puede usarse el infinitivo con *a* [1]: «A callar» «Ahora, a estarse quietos» «Mucho ánimo y a divertirse».

Nuestra lengua conoce, como el latín [2], el *infinitivo exclamativo* [3]: «¡Tener yo que abandonarlo ahora!».

El *infinitivo interrogativo* sirve para formular una negación vehemente, explícita o implícita, ante la suposición extraña de que ha de ejecutarse tal acción: «¿Irme yo con él, dijo el muchacho, más? ¡mal año! no señor, ni por pienso» *Quij.*, 1, 4.

El *infinitivo narrativo* o descriptivo sólo abunda en expresiones vehementes de la lengua popular [4]: «Nos divertimos mucho, por la tarde *bailar*, por la noche *jugar*»; la literatura antigua ofrece algunos ejemplos [5]: «Reteñíen los yelmos, las espadas *quebrar*, feryén en los capyellos, las lorigas *falsar*» *F. Conçález*, 524.

El *infinitivo temporal* se emplea con otro infinitivo expresando acciones inmediatas [6]: «Salir tú y llegar nosotros» [en seguida de salir tú, llegamos nosotros]; también puede usarse un infinitivo oracional temporal

---

[1]   Es una propagación del infinitivo con idea de movimiento: «Acabad eso, y [vamos] a comer» «Ahora a pasear» «A descansar».

[2]   Comp. «¡Mene incepto *desistere* victam!» Virgilio, *Eneida*, I, 37.

[3]   V. Cuervo, n. 70; entre los ejemplos de infinitivo exclamativo cita el del *Quijote*, I, 4, que es interrogativo.

[4]   El infinitivo suele ir acompañado de otras palabras: «Lo pasamos bien; los unos *venga comer*, los otros bailar».

[5]   Algunos ejemplos antiguos en M. Pidal, *Rev. de Filología*, I, 81.

[6]   A esta forma se ha llegado acaso por distintos valores sustantivos del infinitivo en oraciones como «verme y echar a correr todo fué uno».

absoluto o con los adverbios *apenas, nada más* y como correlativa una personal: «Apenas almorzar saldremos» «Nada más vestirnos, marcharemos» «Comer y partimos en seguida».

b. **Infinitivo con preposición.**—El infinitivo con *a* puede ser *condicional:* «*A tenerla,* todo me parece que se me haría nada» Sta. Teresa, *Fund.*, 31, «*A ser* posible»; modal: «Todos hicieron algo, unos *a vigilar* y otros *a trabajar*»; tras un sustantivo indica una acción que falta de cumplir: «El camino a recorrer» «Un asunto a tratar», bien que parece se trata de un galicismo. Hay en la lengua hablada un infinitivo con *a* de sentido inceptivo, semejante al *infinitivo histórico* latino, y acaso emparentado con él, especialmente después de partículas temporales que denotan simultaneidad, inmediación o rapidez: «Apenas entró al salón, todo el mundo *a mirarle*» «Ya se sabe, en cuanto llega, *a decir* tonterías» [1] «Mientras todos lloraban, él *a reírse*». El infinitivo con *a* es régimen de verbos con movimiento para indicar el fin o dirección: «Irse a buscar las aventuras» *Quij.*, I, 1; de los que denotan *tendencia* o *estímulo* a la acción, como *aspirar, tender, impulsar, obligar, incitar, provocar, instar,* etc.; de los verbos que indican el *principio del movimiento,* como *empezar* (pero «Empezó fazer» Berceo, *S. Lorenzo,* 26, y «Empezol de besar» *S. Millán,* 150), *comenzar* (pero

---

[1] Es unánime la opinión de que estas fórmulas inceptivas no son supervivencia del infinitivo histórico latino; por de pronto hay que separar el infinitivo histórico distributivo de cierto sentido descriptivo, del de inmediación *(postquam, cum, interim,* etc.); no creo que estén lejos del giro castellano algunos de éstos: «Interea dum sedemus illic, intervenit adulescens quidam lacrumans: nos *mirarier*» Terencio, *Formión,* 92.

«Comienzan de cabalgare» *Rom.*, 207, «Comenzaron de lançar» *Castigos*, 10, «E comiença vozes dar» *Alf.*, XI, 2434), *principiar, tentar, ensayar*, etc.; de los reflexivos que indican *resolución*, como *determinarse* (pero «Nos determinamos de tratar de comprarla» Sta. Teresa, *Fund.*, 31), *resolverse;* de los que denotan *ofrecimiento*, como *prestarse, ofrecerse* (pero «Se ofreció hablar a mi padre» *Quij.*, I, 27); de los de *enseñar:* «Le enseñó a leer»; en la lengua antigua, y aun en la clásica, se halla aquí el infinitivo directo: «Mostrólo doña Luisa *saludar* a la Virgen» *Vida de S. Ildefonso*, 56, «Enseñan *amolar* navajas», Guevara, *Menosprecio*, 2, «Enseñe a los pajes *andar*» *Epístolas*, I, 25.

El infinitivo con la preposición *con* puede tener diversos sentidos: el de *modo* y *medio*, con más extensión en la lengua clásica que en la actual: «Templóse esta furia *con pensar* que... *Quij.*, I, 28, «Sólo *con verlo* sé lo que tiene»; también se encuentra con frecuencia en la lengua clásica, y alguna vez en la moderna, con una idea adversativa restrictiva, como *a pesar de* [1]: «*Con ser* de aquella generación gigantea, él solo era afable» *Quij.*, I, 1, «*Con habérnoslo* prometido, aún no ha hecho nada» «*Con ser* muy ocupado, lo hizo» Sta. Teresa, *Fund.*, 30.

Con *en* puede designar: un complemento de *punto de vista:* «Tenía en requerirlas el oio bien abierto» Berceo, *S. Domingo*, 22; puede equivaler a una *temporal:* «Renovóse la admiración en Sancho *en ver* que» *Quij.*, II, 34, «*En pensar* que tengo que salir no quepo de gozo»; del valor de acción simultánea pasó como los demás giros de

---

[1] El mismo sentido tenía *con que:* «No nos le quiso prestar, *con que* no había de ir en medio año a él» Sta. Teresa, *Fund*, 31.

esta idea al valor de acción inmediata [1]: «*En ver* mis tristes cuidados... todos serán ponzoñados» Lucas Fernández, p. 69, «*En escapar* de la corte, ha de pensar que escapa de una prisión generosa» Guevara, *Menosprecio*, 4, «*En verte* bien quisto y favorecido de tan gran rey, estimas tanto el favor de los otros reyes como sus privados estimarían el favor de sus acemileros» Villalobos, *Anfitrión*, 9; la lengua popular conserva aún este infinitivo de tiempo inmediato: «*En verle* nos salimos» [en cuanto le veamos]; podía tener idea causal: «Non vos maravilledes *en fazer* yo escribir» L. del Caballero, prol. El infinitivo con *en* es régimen de los verbos que indican *detención* o *aquietamiento;* de los de *duración* hoy se construye con *en tardar* (pero «Nose detardan de» *Cid*, 1700), frente a *durar*, que lleva infinitivo directo (pero «En ganar aquellas villas duró tres años» *Cid*, 1169); de los que denotan *vacilación (dudar, titubear, vacilar):* «Le hicieron titubear en su propósito» *Quij.*, I, 2, «No vaciles en hacerlo».

Con *de* puede ser: *condicional* con idea negativa para el pasado: «De haberlo sabido, hubiésemos ido» [no lo supimos]; y con idea de duda o eventualidad para el futuro: «De escribir, hazlo pronto» «De venir, será esta noche»; indica posibilidad, necesidad o fin después de sustantivos o verbos de existencia: «Es de envidiar su situación» «No es de despreciar» «Un yerro de enmendar». El infinitivo con *de* es régimen de diversos adjetivos, *digno, fácil, difícil, bueno,* etc., traduciendo el supino pasivo en *u* del latín: «Fácil de contentar» «Es sabroso

---

[1] Cuervo, n. 72, habla tímidamente de vislumbres de esta traslación de sentido, pero creo que los ejemplos que cito no dejan lugar a duda.

de oír»; también se usa con valor final transitivo o intransitivo: «Las mañanitas de Abril son buenas *de dormir»;* es también régimen de los sustantivos *tiempo, ora, ocasión, momento, lugar, modo, manera, arte, posibilidad,* etc.; y de los verbos que denotan la cesación del movimiento: *dejar, terminar, cesar* (pero «Non cessaré nunca gracias a ti render» Berceo, *Milagros,* 345), *cansarse, hartarse, aburrirse, acabar* (pero «Non avía acabado dezir» Hita, 1089 y «Acabar a en Burgos»).

El infinitivo con *por* puede designar la no ejecución de un acto: «Un caballo *por domar»* «La casa está *por barrer»;* en este sentido emplea también la lengua popular *de por:* «Eso está *de por ver;* con valor temporal de *en cuanto* se emplea en la lengua vulgar: «Nos dieron la noticia *por entrar»;* con el verbo *estar* denota la vacilación: «Estoy por dejarlo»; es régimen de los verbos que indican *esfuerzo (trabajar, esforzarse, pugnar, luchar, hacer):* «Hice por verlo» «Desvelábase por entenderlas» *Quij.,* I, 1.

Con las partículas *sobre, tras* tiene un sentido fundamentalmente temporal, y secundariamente un sentido ponderativo: *«Sobre cobrar* mi hacienda me quiere matar» *Quij.,* I, 44, *«Tras de perdonarle* aún se queja» [1].

c. **Gerundio.**—Por su oficio en la oración el gerundio puede ser: 1.º *Predicativo,* como «Todos estábamos *trabajando;* 2.º *Apositivo;* ya en aposición con valor infinitivo relativo-temporal con un complemento directo de un verbo de *sentido,* o bien de *dejar, hallar,* etc., como «Le vimos *descendiendo»* [descender, que descendía]; ya en

[1] El mismo sentido con nombres: «Sobre cuernos, penitencia» «Tras de cornudo, apaleado». V. Meyer-Lübke, *Gram.,* III, p. 568.

aposición con valor relativo con un nombre en cualquier caso, como «La noticia de la orden *destinándole*...» «En un lienzo *representando* la crucifixión»; ya en aposición con valor circunstancial, causal, modal, etc., con un sustantivo cualquiera de la oración principal, como «Nosotros, viendo esto, le dejamos»; 3.º *Absoluto*, sin concertar con un sustantivo de la principal, como «Oponiéndose ellos, no insistiremos»; basta para ser absoluto que no concierte con un sustantivo de la principal, aunque pueda referirse a él en distinto caso: «Estando ya *don Quijote* sano, *le* pareció que» *Quij.*, II, 52. En éstas puede ir expreso el sustantivo o pronombre sujeto, como en el ejemplo anterior; puede sobreenderse: «Le quitó la escopeta, con la cual *apuntando* al uno, y señalando al otro» *Quij.*, I, 22; puede ser impersonal el gerundio: «Ya se ha visto enterrar un desmayado, *creyendo* ser muerto» II, 39; y puede ser su sujeto una proposición: «No *pareciéndole* ser bien casarla con Basilio» II, 18. El gerundio desde el latín ha asumido las funciones del gerundio ablativo latino y las del participio de presente circunstancial [1]: «Suelo llorar *leyendo* a Platón» [temporal], «*Temiendo* Dionisio las navajas de afeitar, se socarraba el pelo con un carbón» [causal], «El alma, no *viéndose* a sí, ve a otros» [concesivo], «¿Quién hay que *tirando* todo el día, no da alguna vez en el blanco?» [condicional], «Veía a unos entrando, a otros saliendo» [infinitivo-relativo-temporal]; el gerundio en sustitución del participio

---

[1] «Illacrimare soleo Platonem *legens*» (temporal), «Cultros *metuens* tonsorios» (causal), «Animus se non *videns*, alia cernit» (concesivo), «¿Quis est qui totum diem *iaculans*, non aliquando collineet?» (condicional), «Videbat alios *intrantes*, alios *exeuntes*» (relativo-temporal).

relativo es poco frecuente [1]: «En un instante se coronaron todos los corredores del patio de criados y criadas de aquellos señores, *diciendo* a grandes voces» *Quij.*, II, 31. «Envió una caja *conteniendo* libros» «La religión es Dios mismo *hablando* y *moviéndose* en la humanidad» «Te haré entrega de un documento *acreditando* este derecho» «La carta *dando* esta noticia la recibí hoy» «Había un cuadro *representando* la cena». El gerundio *modal* es como en latín el más frecuente; puede indicar el modo de la principal: «Llegaron *gritando;* o bien una circunstancia de la principal: «Iba primero el carro, *guiándole* su dueño». El gerundio modal puede convertirse en *adverbial;* primero pasa a ser un adverbio de modo, como «salimos callando» [sin hacer ruido, *clanculum*], el cual por analogía de los adverbios sustantivos y adjetivos, *despacito, bajito,* puede admitir el diminutivo, *callandito;* este adverbio modal de las frases «salir corriendo, saltar volando» ha llegado a tener carácter temporal: *¡Corriendo!, ¡Volando!* [en seguida]; adverbio de lugar es el gerundio en la frase «está pegando, pegandito» [junto]. A veces expresa el *medio: «Trabajando* lo conseguiremos». Es raro, y prestado del verbo determinante, el sentido *final:* «Salir *buscando* aventuras» *Quij.*, I, 3. Puede ser *causal:* «*Llamándose* su reino Micomicón, claro está que ella se ha de llamar así» *Quij.*, I, 29, «Ordenó de casar a su hija con el rico Camacho, no *pareciéndole* ser bien casarla con Basilio» II, 19; este tiene casi siempre a la vez otros valores; temporal: *Pareciéndoles* estar bien adentro del

---

[1]   No es seguro que este gerundio se remonte al latín: los gramáticos, Cuervo, n. 72, suelen dar una limitación, excluyendo el que no sea explicativo del sujeto o exprese una acción del complemento directo.

bosque, en medio se pararon» *Galatea*, 4; condicional: «*Siendo* esto así, veamos ahora cuál de los dos trabaja más» *Quij.*, I, 37. El gerundio puede tener sentido *condicional* [1]; ya expresa una condición *normal: «Pudiendo*, lo haré» «Las tierras estériles *cultivándolas* vienen a dar buenos frutos» *Quij.*, II, 12; o bien una condición *mínima* lo mismo que *con tal que:* «No *hiriéndose*, que hagan lo que quieran». También se usa con valor *concesivo:* «Poco más de tres días has tardado, *habiendo* más de treinta leguas» *Quij.*, I, 31, «*Siendo* esto grave, es lo de menos»; frecuentemente se refuerza con *aun:* «Aun *sabiéndolo*, no lo diría». El gerundio *temporal* es frecuente [2]: 1.º El gerundo simple puede indicar: a) una acción instantánea *(cuando)* o continua *(mientras)* coexistente con la de la principal: «*Estándome* diciendo estas razones, se llegó a mí» *Quij.*, II, 23 [cuando], «*Viviendo* yo, tú no puedes tomar esposo» II, 21 [mientras], «Ellos en esto *estando*» *Cid*, 2311, «Por su deudor me tengo *durmiendo* e *velando*» Berceo, *Sta. Oria*, 73, «Le cogieron *hurtando*» «Napoleón *pasando* los Alpes». b) una acción que precede a la acción principal: «*Apartando* Ricote a Sancho, se sentaron al pie de una larga haya» *Quij.*, II, 54, «*Preguntando* quién llamaba, respondió Sancho», II, 6; este gerundio parece adquirir un valor de pretérito, pero es sólo en relación con el verbo principal; realmente conserva su valor de presente con relación a un momento del relato: «*Apartando* [entonces] Ricote a Sancho...»; por eso se usa generalmente en el interior de un período designando

---

[1] Corresponde al gerundio «percuntando, aliquid proficies».
[2] Nuestra lengua ha dado gran extensión al giro latino «Quis talia *fando?*» [cuando se dicen].

22

un momento coexistente, posterior a otra acción y anterior a la de la principal; el gerundio presente entre una
acción anterior y otra posterior se ve claro en frases como
ésta: «*Cerró* con esto el testamento, y *tomándole* un des-
mayo, se *tendió* en la cama» *Quij.*, II, 74. 2.º El gerundio
compuesto con *haber* o *ser* expresa una acción que precede a la acción principal: «*Habiéndosele roto* la espada,
desgajó de una encina un pesado ramo» *Quij.*, I, 8,
«*Siendo* ya casi *pasadas* tres horas de la noche, vimos un
bajel» I, 41; en el interior del período este gerundio
puede ser sustituído por el simple. El gerundio temporal
con *en* indicando tiempo simultáneo se usó hasta el siglo
xv: «Aunque faga el viento *en buscando*, no les empece»
Montería, 1, 7 [1]; de aquí pasó a expresar el tiempo
inmediato [2]: «*En cenando* don Quijote, se retiró en su
aposento» *Quij.*, II, 44; en la lengua clásica vulgar se
encuentra el modismo [3] «dijo en trayendo que lo trujese»
Quij., I, 26, «en hallando que halle» II, 4.

ch.   **El participio de presente** se ha sustantivado en
algunos nombres desde el latín, *serpiente*, y en otros en
nuestra lengua, *pendiente;* como adjetivo puede tener carácter nominal, *excelente*, o verbal, *saliente;* estos son
participios en la significación, pero no en el régimen;

---

[1]   Abundantes ejemplos en Galindo, *Progreso*, p. 136, 171 y 196 y
en Cuervo, n. 72; es el giro de las temporales latinas de simultaneidad
«in redeundo» «in deliberando».

[2]   Para ponderar la inmediación de un hecho se ha aplicado la
fórmula del tiempo simultáneo, como ha ocurrido con las partículas de
simultaneidad *cuando, como, en cuanto.*

[3]   Por yuxtaposición de los dos giros «dijo que en trayendo» y «dijo
que en que le trujese» hoy vulgar «en que le vea me salgo» [en cuanto
le vea], o bien de «en trayendo» y «así que le trujese».

con régimen verbal se hallan ejemplos hasta el siglo xv: «Temient a Dios» «Aguardantes a estos dos».

d. **El participio de futuro pasivo,** sólo materialmente conservado en alguna forma, *merienda,* aunque restaurado en parte en la lengua culta con valor oracional relativo, *graduando,* ha sido sustituído por diversas perífrasis; *para* con el participio pasado: «No es *para dicho* lo que allí ocurrió»; *de* con infinitivo: «Un yerro de *enmendar*» «Una cosa de *pensar*».

e. **Indicativo y subjuntivo.**—El castellano, como ya el latín vulgar, emplea el indicativo en oraciones de suceso: «Ocurrió que *necesitaron* los caballos»; en comparativas: «Es tan grande, que *supera a todos*», y en algunos otros casos. Con los verbos de *entendimiento* es más general el indicativo: «Creo que *vendrá* pronto»; y más raro el subjuntivo: «Creo que *venga* pronto». Con los de jurar, prometer, etc., hoy se usa el indicativo: «Ha jurado que se vengará»; pero en lo antiguo era posible el subjuntivo: «Jurara que nunca *oviesse* paz con los romanos» *Crón. General,* 17 a 2. Con sentido potencial se usa el subjuntivo; el subjuntivo potencial independiente suele llevar una partícula de duda: «Acaso venga, quizá llegue»; el potencial dependiente puede ir regido de verbos o frases que expresen duda, posibilidad o interrogación; pero las excepciones son numerosas y complicadas; con los de posibilidad son raras: «¿Cómo es posible que *pone* vuestra merced en duda el casarse?» *Quij.,* I, 30; se halla el potencial dependiente de un comparativo: «El hombre más valiente que jamás *haya* existido»; esta construcción, tildada de galicismo [1], se halla en todas las épocas y es

---

[1] V. Suárez, p. 356 y Hanssen, *Gram.*, p. 239.

trivial en la lengua moderna. Las condicionales *reales* se construyen con indicativo: «Si Dios *quiere*, no le faltarán a Sancho mil islas que gobernar» *Quij.*, II, 3, «Si a tí te *mantearon* una vez, a mí me han molido ciento» II, 2, «Si le *encantan* ¿qué aprovechará estar en campo abierto, o no? I, 19. Las condicionales *ideales* y las *implícitamente negativas* [1] se construyen con subjuntivo: «Si le *pareciese* que tenía juicio, le sacase» *Quij.*, II, 1 [ideal], «Si a los oídos de los príncipes *llegase* la verdad desnuda, otros siglos correrían» II, 2 [se supone que no llega a los oídos...], «Si *quisiera* ser albañil, supiera fabricar una casa» II, 6 [ideal], «Sí hiciera, si le *dejara* el temor» I, 20 [negativa]. En vez de dos condicionales ideales se combinan a veces una condicional ideal en el tiempo correspondiente y una potencial condicional en presente de subjuntivo: «Si es que no *pudiese*, o que no *quiera* hacerlo, avísame»; con más frecuencia en la lengua antigua: «Si a vos *ploguiere* e non vos *caya* en pesar» *Cid*, 1270. Las concesivas *reales* [2] se construyen con indicativo: «Aunque *soy* rústico, mis carnes tienen más de algodón que de esparto» *Quij.*, II, 36, «Por más que *ponía* las piernas al caballo, menos le podía mover» I, 20, «Aun cuando *ha llegado* bueno, se resiente de las fatigas del viaje» [3].

---

[1] En las ideales la suposición se enuncia como una simple idea, sin pensar que sea realizable, aun cuando objetivamente lo sea; en las implícitamente negativas la condición es contraria a la realidad, teniendo las positivas valor negativo y las negativas valor positivo: «Si yo *pudiese*, me escaparía» [no puedo], «si *no* le *pervirtiesen* las compañías, él sería bueno» [le pervierten].

[2] Son aquellas en que el que habla expresa su juicio; mientras que en las ideales el que habla admite algo sin asentir a ello.

[3] Cita Bello, *Gram.*, 1218, este ejemplo para censurarlo, pero sin motivo, pues el subjuntivo «aun cuando *haya llegado* bueno» tendría un sentido muy distinto, ya que sería una concesiva ideal.

Todos los tiempos de subjuntivo pueden usarse repetidos en fórmulas concesivas: «*Haga* lo que *haga,* no le castigan» «*Llevase* lo que *llevase* yo no me quiero meter en averiguallo» *Quij.,* I, 20», «*Haya hecho* lo que *haya hecho,* hay que perdonarle» «*Hubiese dicho* lo que *hubiese dicho,* ya no tiene remedio» «*Sea* lo que *fuere*». Se usan igualmente en las fórmulas disyuntivas con *que:* «Que quiera o no» «Que quisieran o no»; pero en lo antiguo era posible el indicativo: «Moros Benamexí dieron, que *quisieron* o que no» *Alf.,* XI, 1996. También se usa el subjuntivo en frases concesivas disyuntivas de distinto verbo: «*Llore* o *cante* Altisidora, que yo tengo de ser de Dulcinea» *Quij.,* II, 44. En las causales nuestra lengua no suele distinguir las reales de las irreales como el latín, empleando más frecuentemente para ambas el indicativo: parece un latinismo el subjuntivo con *como* causal: «Como *sean* niños hay que perdonarles» (c u m   s i n t); con *porque* sólo en ciertas frases tiene preferencia el subjuntivo: «No porque *sea* pobre me despreciéis».

3.   **Tiempos.**–a.   **Presente.**–Los principales sentidos de presente son: El de acción o estado *actual:* «Este que *viene* es Amadís de Grecia» *Quij.,* I, 6. El de acción o estado *persistente:* «En esta casa frontera *viven* el cura y el sacristán» *Quij.,* II, 9. El de *acción habitual:* «¿Tan malas obras te *hago,* Sancho?» *Quij.,* I, 17, «*Cuentan* los naturales que el armiño es un animalejo que tiene una piel blanquísima» *Quij.,* I, 33. El de *acción intentada:* «Si assí lo fiziéredes, *mando* al vestro altar buenas donas» *Cid,* 223, «Te *mando* el mejor despojo que ganare» *Quij.,* II, 10. De este sentido son las expresiones «vendo una casa» «Se marcha a América» «me caso». El de atribución *absoluta* sin idea temporal: «La virtud *es* amable» «El

hombre *consta* de alma y cuerpo» «Todos *nacemos* para morir». El de *perfecto histórico:* «*Llaman* luego un arzobispo, / ya la *desposan* con él» *Rom.*, 151, «Desque fuimos entrados, *quita* de sobre sí su capa» *Lazarillo*, 2. El de *futuro inmediato:* «En seguida *voy*». El de *imperativo*, sentido derivado del de futuro-imperativo expresado por el presente: «*Hydes* vos, Minaya, a Castiella la gentil» *Cid*, 829, «*Esperaisme* vos, señora, hasta mañana aquel día» *Rom.*, 159, «Tú *haces* lo que te manden» «Me *esperas*, que pronto voy». El de *sorpresa* en fórmulas de saludo en el *Cid* [1]: «¡Venides, Martín Antolínez, el mío fiel vassallo!» 204, «¡Venides, Albarfannez, una fardida lança!» 489, con el sentido exclamativo de *¡bienvenido!*

b. **Pretérito imperfecto.** — Los principales sentidos del pretérito imperfecto son: El de *copretérito*, para anunciar una acción simultánea: «Cuando entramos, *salía*»; no es precisa la simultaneidad con otra acción, sino con cualquier punto de referencia, con un tiempo o una época cualquiera *(entonces, antiguamente,* etc.), por indeterminada que sea: «En Florencia... *vivían* Anselmo y Lotario» *Quij.*, I, 33, «En la casa de los locos de Sevilla *estaba* un hombre» II, 1. El de *pretérito persistente*, para expresar una acción o un estado durable: «No ha mucho tiempo que *vivía*». El de *pretérito habitual*, para indicar una acción frecuente: «*Decía* él, y decía bien» *Quij.*, I, 33. El de *futuro inminente* regido de un pretérito con un determinante de entendimiento o sentido: «Veíamos que le *mataba*» *(que le iba a matar),* «Creí que le *castigaba*» *(que le iba a castigar);* sin determinante se emplea sólo algún verbo: «Se *moría*» *(se iba a morir).* El de *pretérito descrip-*

[1] Con el sentido exclamativo de *hola, bienvenido.*

tivo, para los detalles de lugar o de acción, junto a un pretérito perfecto narrativo, que enuncia la idea general: «Llegamos al valle; un arroyo *serpeaba*...» Con este carácter es frecuente en las oraciones relativas: «Llegaron en estas pláticas al pie de una montaña, que casi como peñón tajado *estaba* sola entre otras muchas que la *rodeaban*» *Quij.*, I, 25, «Don Quijote, que otra cosa no *deseaba,* se levantó» I, 13. A este pretérito se reduce en rigor el imperfecto de los verbos declarativos: «Se *llamaba* la Molinera» *Quij.*, I, 3, «Llorando *decía* así» *Rom.*, 158. El de *pretérito narrativo,* en la primitiva poesía épica y en los romances: «Cuando *sabíen* esto, pesóles de coraçón»; la gran frecuencia de éste en los episodios de la acción hace que llegue a emplearse para la acción misma. El de *presente narrativo* en el estilo directo de los primitivos poetas épicos y en los romances: «Commo a la mi alma yo tanto vos *quería*» *Cid,* 279, «Triste no sé donde voy / ni nadie me lo *decía*» *Rom.*, 157, «Que siete años *habiá,* siete / que no me desarmo, no» 161, «Esas palabras, la niña, / no *eran* sino traición» 161; es una traslación del estilo indirecto al directo; el narrador acostumbrado al imperfecto descriptivo, y que debía poner en imperfecto una acción subordinada a otro verbo, la pone aún con sentido independiente. El de *presente desiderativo,* con cuya forma el que habla expresa su deseo con cierta timidez [1] y como condicionalmente: «*Deseaba* pedirle un favor» «*Quería* saber»; cuya forma se propaga a veces a la misma interrogación: «¿Qué *deseaba* Usted?». El de

---

[1] Meyer-Lübke, *Gram.*, III, p. 128 estudia este presente de discreción, bien que cita para el castellano el v. 279 del *Cid,* «Commo a la mi alma yo tanto vos quería», que es un presente narrativo.

presente opinativo con el cual se atenúa el sentido absoluto afirmativo del presente, dándole un carácter de opinión: «Yo que esto vos gané bien *mereçía* calças» *Cid*,
190, «Sennor ya tienpo *era* que mudasses la rueda» *F.
González*, 179, «Este hombre *merecía* un premio» *‹Debía-
mos* pensarlo» «Ya *era* hora de que vinieses». El de *presente* o *futuro condicional* dependiente de una condicional
amase o bien de una condición implícita equivalente: «Si
sobre moras fuesse, *era* buena provada» *F. González*, 140,
«Si eso fuese verdad, eso *bastaba* para triunfar» Cervantes,
Numancia, 4, 2 «Si ahora me lo ofreciesen, lo *aceptaba*»
«Si algún día pudiese, lo *hacía*» «Ahora me *tomaba* yo un
refresco» [si lo tuviese] «Si ahora nos cogiese, no nos
perdonaba» «Si hiciese esto *era* seguro su triunfo». El de
presente condicional con los verbos *ser* y *estar* dependientes
de una condicional *hubiese amado:* «Si la Virgo gloriosa
nol aviesse valido, *era* el açedoso fiera mientre torçido»
Berceo, *Milagros*, 844, «Si le hubiese visto, *estaba* ya
tranquilo» «Si no lo hubieses hecho, todavía *estabas* enfermo» «Seguro *era* su triunfo, si él hubiese venido». En
ciertas oraciones condicionales de sentido negativo o al
menos en cuya verdad no cree el que las formula: «A ser
verdad que en las cortes *residían* los sabios» Guevara,
Menosprecio, 14, «¿Qué sería de tí, si ahora te *abandoná-
bamos?»; puede ir en la hipótesis y en la apódosis: «Si
ahora le *mataban* me *quedaba* tranquilo» «¿Qué *era* de
nosotros si ahora se *marchaba?*».

  c. **Pretérito perfecto.**—*Amé, he amado*. El primero
es el pretérito absoluto, el segundo un pretérito relacionado con el presente. 1.º Designando el tiempo *cuando*,
se usa *he amado* con el día actual: «Esta mañana le *he
visto*»; vacila con un sustantivo de tiempo anterior acom-

pañado de un adjetivo *este, último, pasado,* etc., que le relacione con el presente: «Este verano lo *hemos pasado* o lo *pasamos* bien»; se usa *amé* en los demás casos: «Anteanoche se *marchó.* 2.º Designando duración o tiempo indefinido, se usa *he amado* cuando la acción llega o se acerca al presente: «En ocho días no *he dormido»* «Mientras te *he dado* dinero has sido amigo»; se usa *amé* en otro caso: «En ocho días no *dormí»* «Mientras te *dí* dinero fuiste mi amigo». 3.º Designando simple afirmación sin idea temporal, se usa *he amado* si el sujeto es presente: «No *he visto* cosa igual» «Siempre *he oído* decir» «España *ha tenido* grandes héroes»; se usa *amé* si el sujeto es pasado: «Su padre nunca *montó* a caballo» «Colón *descubrió* América» «Roma se *hizo* señora del mundo» «Todo tiempo pasado *fué* mejor». *Hube amado* es un pluscuamperfecto inmediato, generalmente acompañado de *apenas, no bien,* etc.: «No *hubo andado* cien pasos, cuando volvió *Quij.,* I, 25, «Apenas *hubo oído* esto el moro, cuando se arrojó de cabeza en la mar» I, 41. A veces se encuentra en la lengua antigua con valor de pretérito absoluto *(amó)* [1]: «De todo conducho bien los *ovo bastidos» Cid,* 68, «En llegando a Montesinos / desta suerte le *hubo hablado» Rom.,* 238. Sólo persiste hoy *hube amado* como arcaísmo literario, habiendo sido reemplazado en la lengua común, ya por *amé,* ya por *había amado.*

ch.   **Pretérito pluscuamperfecto.**—La perífrasis *había amado* es el pretérito anterior, que compitió con el original *amara,* y al que suplantó al fin. Con valor de pretérito perfecto se encuentra en los romances: «Tiró un golpe a Oliveros / mas no le *había acertado» (acertó) Rom.*

---

[1]   Un ejemplo del s. xv en Cuervo, nota 93.

d.   **Futuro imperfecto.**—Los sentidos del futuro imperfecto son: El de *futuro independiente:* «Luego iré». El
futuro *dependiente* de un relativo o de una partícula condicional o temporal se halla en la lengua antigua: «A la
mañana, quando los gallos *cantarán*» *Cid*, 316 «Si *querrás*
serás querido» Santillana, p. 29 «Ca certas por vos dirán /
los que vos *conosçerán*» p. 448 «Cuanto le *placerá*» *Celestina*, XIV, «Pide lo que *querrás*» VI, «En este tiempo
podrá prevenirse de lo que *querrá*» *Quij.*, II, 62; dependiente de una partícula final se usa en lugar del futuro el
subjuntivo: «Para que *venga* pronto»; dependiente de un
verbo determinante se usa generalmente el futuro con
verbos de *entendimiento* y siempre con los de *dudar* e
interrogar con *si*: «Creo que *vendré*» «Espero que me
ayudes o me *ayudarás*» y puede usarse con los de *temor* [1]:
«Miedo han que y *verná*» *Cid*, 2897; pero con los demás
determinantes se emplea el subjuntivo: «Prohibo que
entre». El de *imperativo:* «*Amarás* a tu Dios». A esta clase
pertenece el imperativo de atención al comenzar los rela-
tos directos de la poesía narrativa [2]: «Quando esto ovo
fecho, *odredes* lo que fablava» *Cid*, 188 «Bien oiréis lo que
ha hablado» *Rom.*, 155 «Bien oiréis lo que decía» 152,
153, «Bien oiréis lo que habló» 159. El de *presente opinativo o dubitativo:* «Hacaneas *querrás* decir» *Quij.*, II,
10, «Una majada que *estará* como tres leguas» I, 23,

---

[1]   No es idéntico el sentido sin embargo en «temo que venga» y
«temo que vendrá», pues el futuro indica lo probable o inminente del
hecho y el subjuntivo lo posible o eventual: ni son enteramente libres
ambos giros en todos los casos, pues hoy se construye preferentemente
«tienen miedo de que venga».

[2]   El sentido intermedio de futuro e imperativo se ve en ciertos
casos: «Bien *oiréis* lo que diré» *Rom.*, 158.

«*Podrá* ser» II, 7 «Me acordé, y vos os *acordaréis*» Liñán, *Guía*, n. 1.ª.

e. **Presente de subjuntivo.**—En lo antiguo con valor de *imperativo atenuado* o cortés en las segundas personas [1]: «*Lieves* el mandado» *Cid*, 2903, «Apretad los cavallos e bistades las armas» 991; es sobre todo abundante en los romances: *Calles*, calles tú, Vergilios» *Rom.*, 151, «*Calledes*, padre, calledes» 174, «*Quieras* me tú, la donzella» 167, «Oye luego el mar *pasedes*» *Alf.*, XI, 1873; hoy persiste este imperativo suplicante en la lengua popular de Burgos: «Me *dejéis* sitio» «Me *dé* una limosna».

f. **Amara.**—*Amara* es exclusivamente *pluscuamperfecto* en el *Cid;* pero es de notar que su uso aparece limitado, siendo poco frecuente en oraciones absolutas [2]: «Tantos cavallos mio Çid se los *gañara*» 2010; el caso general es, como hoy, en oraciones subordinadas, y especialmente en las de relativo: «Fizo enbiar por la tienda que *dexara*» 624, «Ovístete de alabar que *mataras* al moro» 3324; el mismo uso se halla en Berceo: «Lo que les *prometiera* el padre verdadero» *S. Domingo*, 370; en monumentos posteriores en que *amara* adquiere otros valores persiste a la vez este pluscuamperfecto: «El que Gustio Gonçalez essas oras *matara*» *F. González*, 536, «Quebrantó el rey la jura que *feziera*» *Castigos*, 10; la lengua literaria lo usa en los mismos casos: «Entregó el arma con que le *hiriera*» «Este lo que les *prometiera* les entregó» «Te que-

---

[1] Parece originado por simple elisión del determinante, que otras veces va expreso: «Por Dios te ruego, caballero, / *llévesme* en tu compañía» *Rom.*, 159.

[2] Quiere decir simplemente que tendía a petrificarse en este valor, sin que dejen de hallarse ejemplos en oraciones absolutas: «El grand rrey africano *oyera* dezir» *F. González*, 537.

jabas porque no *hiciera* esto»; como pluscuamperfecto de
indicativo [1] se encuentra en el *Cid* en la apódosis de
condicionales de sentido negativo: «Si ellos le viessen,
non *escapara*» 2774, «Si yo non uviás, el moro te *jugara*
mal» 3319. Por medio de estas oraciones condicionales
de pluscuamperfecto de indicativo pasó a *potencial* subjuntivo pasado y también a simple potencial pasado o
futuro: «Podría acaescer cosa que *pesara* a ti et a mí»
Calila, 2. «¡Quantos en las cortes tienen oficios preemi-
nentes a los cuales en una aldea no los *hicieran* alcaldes»
Guevara, *Menosprecio*, 14, «También *pudieran* callarlos
por equidad» *Quij.*, II, 3. «*Amara condicional subjuntivo*,
ya pasado, ya futuro, con *amara* en la apódosis [2] no se
halla todavía en el *Cid* y en Berceo, pero sí en *Fernán
González* y *Alexandre* y luego con creciente frecuencia en
los posteriores: «Si essora *tornaran*, *fueran* bien ventura-
dos» *F. González*, 136, «Si *podiera*, *quisiéralo*» 537, «Sennor si *fuera* yo creído, non *fuérades* arrancando» *Alf.*,
XI, 1846; en los siglos xv y xvi es construcción corriente:
«Si de lo culto hablar te *pudiera*, no *fuera* necesario
altercar» *Celestina*, 8. *Amara* subjuntivo pasado en la
hipótesis con *amaría* en la apódosis se halla, aunque no
es frecuente, en la lengua antigua y clásica: «Si tan
buenos non *fueran*, oy *serien* olvidados» *F. González*, 353,
«Yo bien te *señalaría* salario, si *hubiera* en algunas de las
historias ejemplo» *Quij.*, II, 7; *amara* subjuntivo presente

---

[1] Indicativo, y no potencial subjuntivo, es *amara* en los ejemplos
antiguos y en los latinos que suelen aducirse: «Si non errasset, *fecerat
illa minus*» Marcial, I, 22 [había hecho]; este uso del indicativo «si esset,
debebas; si potuisset, impulerat» es trivial junto a una condición irreal.

[2] *Amara* en la hipótesis es una simple atracción de forma por el
amara potencial de la apódosis. V. Meyer-Lübke, *Gram.*, III, 767.

o futuro es moderno: «Si algún día *pudiera*, lo haría» «Si ahora le *dejara*, se escapaba». El sentido *optativo* se ha refundido con la significación en verbos de *querer:* «Más *quisiera* la su fin» *Alf.*, XI, 1691, «*Holgara* mucho saber qué tratarán ahora» *Quij.*, II, 2; el sentido exoptativo se halla especialmente en algunas exclamaciones: «*Pluguiera* a los altos cielos que el amor no me tuviera tan rendido» *Quij.*, I, 16. En la lengua antigua se encuentra en lugar del *perfecto narrativo:* «El romano dixo que era / uno e tres personas / e tal sennal *feziera*» Hita, 59; muy especialmente en los romances: «Puso la niña en las ancas / y *subiérase* en la silla» 152, «En una rama más alta / *viera* entrar una infantina» 159, «Con grand braveza *entrara*, / los de la vanda llamó» *Alf.*, XI, 1674, «El buen rey tornó su vía, / e a Sevilla *llegara*» 1004. En raras y mal definidas circunstancias se encuentra *amara* como *subordinado* en la lengua antigua y clásica: «Fallaron que vos non *pudiérades* tomar» *C. de Huelgas*, I, 544 (a. 1380), «Bien quisiera me *dexaras*» Santillana, p. 185; la extensión de este uso es de nuestros días: «Le mandó que *saliera*».

g. **Amase.**—*Amase* no conservó siempre como *amara* su valor de *pluscuamperfecto* en los primeros momentos de la lengua, sino que aparece ya con distintos valores; sin embargo su significado original persiste en todas las épocas: «Nunca erró cosa que *hiciese* por consejo ajeno» Guevara, *Menosprecio*, 12; hoy es especialmente frecuente en la lengua literaria: «Nunca le pedimos cuenta de lo que él *hiciese*». *Amase* (y no *amara)* como *subordinado* es construcción regular en todos los períodos de la lengua: «Que les *toviese* pro rogavan a Alvar Fañez» *Cid*, 1417, «Mandó que *soviesse*» 1787, «Dezíe que non *feziessen*»

Hita, 332, «La bolsa que les dió don Quijote para lo que se *ofreciese*» *Quij.*, I, 7, «La que él quería que *tuviese*» I, 33; en la lengua actual hay escritores que conservan con regular constancia la ley clásica; pero en general las gramáticas y el uso más corriente autorizan la sustitución *amara, amase:* «Dijo que se fuese o que se fuera» «Lo trajo para que lo viese o para que lo viera». *Amase condicional* con *amaría* en la apódosis es la construcción de las condicionales ideales en los primeros documentos [1] (que alterna luego con «si amara tuviera»): «Si vos *viesse* el Çid, todo *seríe* alegre» *Cid*, 1402, «Si muerta me *oviessen, avríanme* guarida» Berceo, *Duelo, 17,* «Si a los oídos de los príncipes *llegase* la verdad desnuda, otros siglos *correrían*» *Quij.*, II, 2; en la lengua moderna *amase* es reemplazado libremente por *amara*, si bien no faltan escritores que persisten en el uso clásico: «Si *pudiera, saldría*». Tiene valor *optativo* en ciertas frases; frente al presente de subjuntivo, de puro valor afirmativo optativo, se usa *amase* para expresar una optación en cierto modo condicional: «Agora *viesse*» *Alf.*, XI, 1556, «Agora se abriés la tierra» 1861, «Así lo matasen»; es propiamente subordinado con *ojalá* 'quiera Alá': «Ojalá parase en ellos lo que amenaza esta aventura» *Quij.*, II, 68. Aunque con poca frecuencia podía antes usarse con valor de *imperativo atenuado:* «*Fuéssedes* my huésped, si vos ploguiesse, señor» *Cid*, 2046, «Mas *llevásesme* estas cartas / ...*diéseslas* a Montesinos» *Rom.*, 259, «*Prestásesme* ora, Hernando, /

---

[1] Es el tipo más antiguo en las románicas, como que es de origen latino; en efecto al tipo clásico «si haberem, darem» había sustituído en el latín postclásico el giro «si habuissem, dare habebam». V. Meyer-Lübke, *Gram.*, III, p. 766, y Hanssen, *Gram.*, p. 242.

prestásesme tu puñale» 177; parece una propagación del estilo indirecto: «Llevásesme» por «Dijo que le llevase».

h. **Amaría.**—Conserva su equivalencia original de *había de amar*, como pretérito imperfecto de indicativo de la conjugación perifrástica; este sentido se ofrece en proposiciones absolutas: «Con la grama bien me *avendría* yo» *Quij.*, II, 3; ya en subordinadas: «Sabía que no se la *negaría*» II, 7. En ambos casos pasó a *potencial:* «La del alba *sería*» I, 4, «Podría ser» II, 9. Conservando su valor original, y a veces desviándose de él, se generalizó en la apódosis de las condicionales con *amase* en la hipótesis: «Si fuese menester, *podría* subir en un púlpito» *Quij.*, II, 6. En la lengua vulgar de algunas regiones, Burgos, etc., tiende a pasar a la misma hipótesis: «Si *tendría* valor, lo *haría*». Puede tener valor de *presente desiderativo* con verbos de este significado, para indicar un deseo tímido y como condicional: «De ti esto *querría;* | que me dés los tesoros de la tu Hispalía» Berceo, *S. Lorenzo, 36,* «Del pleito de Teófilo vos *querría* fablar» *Milagros,* 703, «*Querría* preguntar» «*Desearía* saber». A esta construcción se ha llegado por elipsis de la hipótesis: «[Si fuese posible] querría llegar» «Desearía saber [si V. no tiene inconveniente]»; el tipo de frase completa se encuentra con frecuencia: «*Querría,* si fuese posible, que vuestra merced me diese dos tragos de aquella bebida del feo Blas» *Quij.*, I, 15.

i. **Amare.**—La lengua antigua y clásica empleaba casi siempre este tiempo junto a un futuro imperfecto o un imperativo, en oraciones condicionales, temporales o relativas: «E si la lança *quebrar* | de los golpes que *fezieren,* | *sépanse* bien ayudar | de las espadas que *ovieren*» *Alf.*, XI, 1563, «Quien tal vieja *toviere guárdela* commo al alma»

Hita, 936. Desde luego podía usarse junto a otro verbo cuyo tiempo, sin ser futuro ni imperativo, fuese equivalente; con un presente de indicativo que indica *disposición*, o *resolución vehemente*: «El mundo está perdido / si le Dios non acorrier» *Alf.*, 2293. «Si vos *ploguiere*, myo Cid, / de yr somos guisados» *Cid*, 1060, «Y quien *dijere* lo contrario, miente» Cervantes, *son.* «Si alguna cosa *faltare*, aquí estoy yo» *Quij.* «Vengo para servirlas en todo lo que yo *pudiere*» Sta. Teresa. Sin éstas condiciones no es frecuente, aunque no faltan ejemplos en todas las épocas: «Y si de mí más *quisiere* / yo mucho más le daría» *Rom.*, 259, «Es previlegio del aldea que los que allí *moraren* puedan guardar más» Guevara, *Menosprecio*, 7; como hoy en la lengua literaria «Si *pudiere*, daría». En la lengua hablada sólo se usa en algunas frases sueltas: «Donde *fueres* haz lo que *vieres*»; y en un giro de sentido concesivo en el cual ya se repite el mismo verbo: «sea lo que fuere» «venga lo que viniere», ya se emplean dos distintos: «llame quien quisiere»; con esta misma estructura de imperativo mas futuro y el mismo sentido concesivo es clásico: «Salga lo que saliere» *Quij.*, II, 3, «Sea quien se quisiere» I, 59, «Lleguen por do llegaren» II, 60.

95. **Partículas y fórmulas equivalentes.** — 1. **Partículas negativas.** — *Sin* es la negación prepositiva, *no* la adverbial y *ni* la conjuntiva; diversos giros equivalen a la negación adverbial, «de ningún modo», etc. *Sin* expresado en un término puede omitirse en otro correlativo: «Sin intrincarlos y escurecerlos» *Quij.*, I, pról.; es propiamente un caso de elipsis de *sin* y no una sustitución de *ni* por *y*; por más que suela emplearse *ni*: «Sin intrincarlos ni escurecerlos». Las fórmulas de imposibilidad negativa han sustituído la segunda negación por *menos*;

las terciopersonales «non potest fieri quin» o «non potest quin» se expresan en la lengua antigua por *no es menos:* «Acordaron no ser el ratón, porque *no fuera menos* de haber caído alguna vez» *Lazarillo*, 2. [*No podía menos, no podía por menos* de haber caído], «Si desmayamos, *no es menos* sino que cada hora desesperemos» Guevara, *Epístolas*, II, 20 [No puede menos de suceder que desesperemos], «*No es menos* sino que algunas veces los parientes alteran» *Menosprecio*, 1 [No puede menos de suceder que nos alteren]; las fórmulas «facere non possum quin» o «non possum quin» se han expresado por «no puedo menos de»: «No puedo menos de sentirlo».

2. **Negaciones aparentemente expletivas.**—*No* después de un comparativo tenía valor *exclusivo:* «Más linda que *no* la flor» *Rom.*, 161, «Blanca sois, señora mía, / más que *no* el rayo del sol» 161, «Más amigo es de su enemigo, que *no* lo es de sí mismo» Guevara, *Menosprecio*, pról., «Dis que el papagayo / es más generoso que *non* gavilán» *Baena*, 453, «Más locos fueron que *no* él los cuadrilleros» *Quij.*, I, 45, «Más vale, algo que *no* nada» I, 21, construcción que aunque censurada por los puristas, es de uso corriente: «Más vale sudar que *no* estornudar» »Mejor es precaver que *no* curar» «Es mejor esto que *no* aquello». Sirvió de tipo la frase «quiero esto, y no aquello» o bien «éste es amigo, que no aquél». *No expletivo* se ofrece con otras palabras real o aparentemente negativas, *nadie, nada, ninguno, nullo, nunca, tampoco,* cuando éstas se anteponen al verbo, pero no cuando se posponen. *Nadie, nada* admiten la negación cuando van pospuestos al verbo: «No quiero nada» «No quiero ver a nadie»; pero la excluyen cuando van antepuestos: «Nada pido» «A nadie espero»; sin embargo, como estos pronombres son

originalmente positivos, la lengua antigua admitía aun
en este caso la negación: «Que nadi nol diessen posada»
Cid, 25, «Nada non ganaremos» 620, «Nada no veo»
Mena, *Laberinto*, 18, «Nadi non crea al» Berceo, *Signos*,
58, «Donde nada no nos deben buenos son cinco dineros».
Nada con adverbio ante un adjetivo admite hoy la negación: «No nada limpio», como en la lengua clásica, «No
nada apasionados» *Quij.*, I, 9, «No nada limpias» II, 35,
especialmente si no va inmediato: «No es nada agradable»,
como en lo antiguo, «No es nada melindrosa» *Quij.*,
I, 25. *Ninguno* igualmente exige la negación cuando va
pospuesto: «No me fío de ninguno»; pero cuando va
antepuesto la excluye: «De ninguno me fío»; la lengua
antigua admitía en este caso constantemente la negación:
«*Nengún* omne *non* asme» *F. Juzgo*, II, 1, 9, «*Ninguno
non* las guarda» *Cid*, 593, «*Ningund* home *non* lo podría
creer» Ayala, *Caza*, 28, «*Ninguno* de nosotros *no* entendía
el arábigo» *Quij.*, I, 40; con *sin* puede hallarse *ninguno*
antepuesto y pospuesto: «Sin ningún peligro» «Sin peligro
ninguno»; este uso parece fundado en el sentido *exclusivo*
etimológico n e c   u n u. La negación «No me fío de hombre alguno» se refuerza con el ponderativo y exclusivo
n e c   u n u: «No me fío de ninguno», esto es «ni de uno,
ni siquiera de uno». Véanse las frases «no vale un ochavo»
«no vale ni un ochavo». Después de la negación es raro
hoy usar *alguno*, pero no faltan ejemplos clásicos: «No
nos oye y escucha *alguno*» *Quij.*, II, 62. El antiguo *nullo*,
aun antes del verbo, iba acompañado de la negación:
«Nulla cosa nol sope dezir» *Cid*, 2202. No es expletivo
sino etimológico el *no* de «No lo veremos jamás» [ya
más], aunque precediendo *jamás* ha adquirido sentido
negativo y rechaza el *no*: «Jamás lo veremos»; el sentido

positivo era frecuente en la lengua preclásica: «Tal canción debe cantar *jamás*» Santillana, p. 402 [siempre], «Mi vida será *jamás* amargosa» «So e seré *jamás* en tristura» Baena, 231; valor conservado en algunas frases: «Por siempre *jamás*» *Quij.*, I, 46; la negación, cuando va antepuesto al verbo, se halla a veces en la antigua lengua: «*Jamás* tan avariento ni mezquino hombre no ví» *Lazarillo*, 1; al contrario se encuentra a veces pospuesto sin negación, asumiendo él el valor negativo: «Do se vió *jamás* que entrase» Herrera, *Egl. venatoria*, 147. Con *tampoco* precediendo al verbo se citan algunos ejemplos con *no* de los siglos xv y xvi: «*Tampoco* no es eternal» de las *Coplas* de Jorge Manrique, y «*Tampoco* esto *no* se puede averiguar» de la *Historia* de Mariana [1]; pero es preciso advertir que este giro no ha desaparecido del todo en la lengua actual, en la que se dice a veces «*Tampoco no* lo creo» «*Tampoco no* me conviene». *No* con subjuntivo regido de verbos de *temor* o *peligro* tiene el valor del *ne* latino [2]: «Yo hube miedo *no* me topase con la llave» *Lazarillo*, 2, «Temía *no* viniese algún desmán» Sta. Teresa, *Fundaciones*, 31, «Temía *no* le cogiese su amo a palabras» *Quij.*, I, 31, «Temerosa de que Luscinda *no* la oyese» I, 43 [3]. «Temeroso de que el gobernador *no* ejecu-

---

[1] V. Fidel Suárez, *Estudios Gramaticales*. No se olvide que *tampoco* (*tan poco*) es originalmente positivo, un simple ponderativo de pequeñez, como la otra forma *tan poco*, y que ha adquirido valor negativo por traslación de la idea mínima a la idea de cero, o negativa, al igual de otros nombres despectivos: «Me importa un bledo» = «Me importa tan poco como un bledo» = «No me importa».

[2] El que habla expresa un afecto, *temo*, y un deseo de que no ocurra tal cosa, *no me descubra*, cuyas ideas reunidas originan esta construcción al parecer absurda.

[3] Hoy se usa con valor afirmativo *temer no*, pero en la lengua clásica también se usaba con este sentido *temer que no:* «Temerosa de que no pensase que Lotario había visto en ella alguna desenvoltura» *Quij.*, I, 34.

tase su cólera» II, 47, «Corre peligro Rocinante *no* le
trueque» I, 18, «Con el miedo de *no* ser hallados» I, 28;
hoy se omite *no* cuando se enuncia *que:* «Temía que
viniese»; si éste se omite, puede emplearse *no* y a veces
omitirse: «Temía no viniese o temía viniese».

Después de un verbo de dudar negativo o interrogativo
de carácter negativo se halla a veces en la antigua lengua
que no en correspondencia con el *quin* latino [1]: «¿Pues
hay quien dude *que no* son falsas las tales historias?»
Quij., II, 16. Después de un verbo de *impedir, prohibir,
abstenerse,* etc., podía en lo antiguo emplearse *no* [2]:
«Viédote que *non* cantes» [3] Berceo, *Milagros,* 225, «Guár-
date de *non* fazer pesar a Dios» *Castigos,* 19, «Que te
guardases de *non* pecar» 20, «Absténgome de *no* lo juzgar»
Avila, *Epistolario,* 3. Un *no* expletivo después de *no* o *ni*
al principio de la frase era posible cuando se intercalaba
alguna palabra: «*Ni* nos *non* pudiemos más» *Cid,* 1177,
«*Nin* amigo a amigo *no* se pueden consolar» 1177, «*Ni*
un pelo *non* avrié tajado» 1241, «*Nin* el leal amigo *non*
es en toda plaça» Hita, 94, «*Nin* punto *non* dormieron»
1098, «*No* niego que en las cortes *no* se salven muchos,
ni niego que fuera dellas *no* se condenen» Guevara, *Menosprecio,* 12, «*Ni* porque en la corte hay aparejo para

---

[1]   Compárese «Quis dubitet *quin* in virtute divitiae sint?» Cicerón,
Parad., 6, 2, 48.

[2]   Corresponde al *ne* latino de *guardarse* e *impedir:* «Plura *ne* scribam
dolore impedior» Cicerón, *ad Atticum,* XI, 13, 5, «Cavebis *ne* me
attingas» Plauto, *Asinaria,* 373, «Pythagoricis interdictum putaṫur *ne*
faba vescerentur» Cicerón, *De divinatione,* I, 30, 62.

[3]   *Vetare ne,* desconocido en la prosa clásica, se halla en los poetas:
«*Ne* quis humasse velit Aiacem, Atrida, vetas cur?» Horacio, *Sátiras,*
II, 2, 187.

todos los vicios *no* se sigue que» 11, «*Ni* Virgilio *no* escribió en griego» *Quij.*, II, 16, «No comía don Quijote *ni* Sancho *no* osaba tocar a los manjares» II, 59. Después de *no* pueden usarse con valor *ponderativo exclusivo* las partículas *ni, ni siquiera, ni tampoco* en un complemento positivo: «No vale ni, ni siquiera, ni tampoco un ochavo» «No obedece ni a sus padres»; así a las frases antiguas del tipo «no vale una nuez» la lengua actual puede dar el mismo giro «no vale un comino» o bien el exclusivo «no vale ni, ni siquiera, ni tampoco un comino».

3. **Positivos hechos negativos.**—Los positivos más próximos a la negación, como son los individuales y los que envuelven una idea de pequeñez o desprecio, pasan fácilmente por ponderación a negativos, ya junto a otros negativos para reforzarlos, ya en sustitución de ellos. *No* se ha elidido por haber propagado su valor negativo a determinativos o complementos que le acompañaban [1]: *nadie, nada* 'nacido' por ocurrir en frases como «nadi nol dize» *Cid*, 2117, adquirió el sentido negativo y excluyó el *no*, produciendo «nadie le dice»; *jamás* por ir en frases negativas como «no le verás jamás» absorbió el valor negativo cuando precedía al verbo, creando la frase «jamás le verás»; accidentalmente los complementos locativos acompañados explícita o implícitamente de *todo, alguno* pueden recoger el sentido negativo cuando preceden al verbo: «En parte *alguna* lo verás» «En mi vida lo he visto» «En *toda* la cumbre verás un árbol» «En *todos* los días de mi vida había visto tan hermosa criatura» *Quij.*, I, 29. Junto a una negación que afecta al verbo un sustantivo positivo individual (una cosa), recibiendo la

---

[1] V. Suárez, *Estudios Gramaticales*, p. 278.

negación verbal, por medio de la acepción exclusiva (ni una cosa) se puede convertir en negativo general (ninguna cosa [1]: «*Cosa* no sé que fazer» *Alf.*, XI, 1883, «Con *cosa* non le alcança» Hita, 1287, «No respondió D. Quijote *palabra*» *Quij.*, II, 61 «No me ha de quedar *médico* en toda la ínsula» II, 47, «No he visto *hombre* como él».

Entre los sustantivos que sustituyen o refuerzan la negación se encuentran diversos sustantivos, generalmente de frutos o de monedas de valor despectivo [2], como *nuez, grano, haba, pera, higo, arveja, piñón, punto, paja, cabello, pan, dinero, meaja, maravedí, blanca, ardite*: «No lo preçio un *figo*» *Cid.*, 77, «Non prendré de vos quanto un *dinero* malo» 503, «El rey non preció un *clavo*» *Alf.*, XI, 1898, «Que valient una *paja*» Berceo, *S. Millán*, 202, «Non valdrié una *pera*» *S. Millán*, 407, «Un *pan* non gelas preçiava» *Loores*, 161, «Non vos miento un *grano*» *S. Domingo*, 262, «Non valién sendos *rabos* de malos gavilanes» *Duelo*, 197, «Non gelo preció don ximio quanto vale una *nues*» Hita, 368, «Su dicho non val un *figo*» 359, «Y no se le diera un *ardite*» *Quij.*, I, 23, «No traía *blanca*» I, 3, «No sé leer *migaja*» II, 50; en la lengua actual *pepino, comino, bledo, pimiento, rábano, un grano de anís*, y de monedas *miaja, ochavo, céntimo*, etc.: «Le importa un bledo» «No vale un pimiento»; estas frases se usan también con *ni;* son de notar las frases con *dos:* «Non los preçiemos *dos nuozes*» *Alf.*, XI 1680, «Menos los preçia

----

[1] Para este fenómeno en las románicas véase Meyer-Lübke, *Gram.*, III, p. 241. Las tres fases se hallan en diversos ejemplos: «No dejó *rastro alguno*» «No dejó *ni un rastro*» «No dejó *rastro* — No dejó *ningún rastro*».

[2] Meyer-Lübke, *Gram.*, III, p. 774. Generalmente es un refuerzo de *no*, pero hay frases en la lengua actual en las que sustituye a la negación: «Me importa un rábano».

todos que a *dos* viles *sarmientos*» Hita, 599, «Non valen *dos arvejas*» 338, «Non los preçio *dos piñones*» 664, «No vale *dos maravedises*» *Quij.*, I, 7, «No se le da a ella *dos maravedises*» I, 23; en la lengua actual *dos pepinos*. Sustituye la negación un sustantivo con el adjetivo *maldito:* «La cual yo de tal manera ponía, que *maldita la gota* se perdía» *Lazarillo*, 1, «*Maldita la mentira* cuento en eso» Pineda, *Agricultura*, 22, 35, «*Maldita la gracia* que me haría» «Me haría *maldita gracia*» «*Maldito el interés* que tiene»; pero puede ser un refuerzo de la negación cuando se pospone al verbo: «No tendrá *maldita la gracia*».

4. **Negativos hechos positivos.**—Las palabras secundarias u originalmente negativas, *nadie, nada, ninguno, nunca, jamás,* pueden tener valor positivo después de una *comparación,* después de una *negación,* o en *interrogaciones oratorias* que equivalen a una negativa: «¿Has visto *nunca* cosa semejante?» [alguna vez] «Está más joven que *nunca*» «No le hallarás *nunca* en casa» «¿Quién *jamás* se portó así?» «No digas *jamás* eso» «No sabe *nada*» «Tiene mejor salud que *nadie*» «¿Has oído que *nadie* haga tal cosa?» «No vimos a *ninguno*» «Es más alto que *ninguno*» «¿Puede *ninguno* sufrir esto?». Las negativas determinativas *nadie, nada, ninguno* y el ant. *nullo* podían tener sentido positivo en oraciones de sentido *condicional* seguidas de otra de sentido *negativo, prohibitivo* o *punitivo:* «*Nengún* omne que crebantar casa de vecino, pierde quanto ovire» [1]: «*Ningún* omne ques le non spidiés, tomássenle el aver» *Cid*, 1252, «Si él supiese que yo estoy ahora aquí hablando con *nadie,* no será más mi vida» [2];

---

[1] En Menéndez Pidal, *Cid,* I, p. 375, donde se citan abundantes ejemplos.

[2] V. Bello, *Gram.*, 1142.

giros que petrificados en ciertas frases viven en la lengua hablada: «Como te vea con *ninguno*, te mato». Probablemente han pasado a la equivalencia de alguno por el sentido *exclusivo* etimológico, n e c u n u, por exclusión de los particulares determinados; en esta frase «como hables con *ninguno*, no sales» el que la formula hace la exclusión implícita de *éste* o *aquél:* «Como hables [no con éste o aquél, sino] con ninguno, no sales»; ahora bien, *alguno* como indefinido es opuesto también en cuanto a la determinación a *éste* o *aquél,* y en esto viene a convenir en parte con *ninguno,* pudiendo ser sustituído por él.

5. **Partículas afirmativas.**—La afirmativa general es *sí:* afirmativas especiales son *cierto, efectivamente, verdaderamente* y las frases *así es, sí por cierto, en verdad, en efecto,* etc. La afirmación enfática suele expresarse con la fórmula «ya lo creo» y en la lengua clásica con «y cómo que» «y cómo sí»: «Y *cómo que* dices bien, hija» *Quij.,* II, 50, «Y *cómo sí* lo son» II, 58. La respuesta por la simple repetición del verbo interrogativo, giro latino que persiste en el gallego, es rara en nuestra lengua. La repetición es frecuente cuando va acompañada del adverbio afirmativo: «¿Promete el autor segunda parte?—Sí promete» *Quij.,* II, 4.

6. **Afirmativas confirmativas:**—A veces *sí* es confirmativo o de insistencia: «Yo sí llegué tarde»; propiamente estas frases son contraposiciones de otras de sentido negativo o dubitativo expresas o tácitas: «En su persona se notaba poco esmero, pero en el traje *sí* se descubría el cuidado» «No sé el tiempo que hay; lo que *sí* sé» [1]. Diversas fórmulas con *verdad* se emplean en este sentido:

---

[1] V. M. Lübke, *Gram.,* III, p. 587.

«Acaesce pocas veces *en la verdad*» Ávila, *Epistolario*, 1,
«Los cuales *en la verdad* siempre están mirando» Granada,
Guía, II, 6, 1, «Son *en verdad* hermosas» «*A la verdad* no
se portaron bien». Sirven para reforzar o sustituir la afirmación diversas fórmulas exclamativas: «Sí *a fe*, dijo él»
Lazarillo, 2 [sí en verdad], «Pues *a fe* que ha de parar
presto en el corral» *Quij.*, I, 6, «Pues *a fe mía* que no sé
leer» I, 31, «*A la fe*, señor» II, 17, «*Mía fe*, señor Bachiller» II, 19.

7. **Fórmulas de juramento.**—La fórmula usual de
juramento lleva la preposición *por:* «Por los clavos de
Cristo»; en la lengua primitiva se usaba *par:* «Par Sant
Esidre» *Cid*, 3140, «Par aquesta barba» 3186, «Par la
cabeça mía»; en la lengua posterior se halla *para* y *por:*
«Para el padre verdadero» Hita, 963, «Para la muerte que
a Dios debo» *Celestina*, 7, «Para esta casa de mulata, que
se ha de acordar» *Alfarache*, II, 3, 7, «Para mi santiguada,
que yo los queme ahora» *Quij.*, I, 5, «Para el juramento
que hago» II, 45.

8. **Partículas indefinidas.**—En vez de v i x se admitió
el compuesto a d v i x *abés:* «Abés lieva» *Cid*, 582, «Abés
podió» Berceo, *Milagros*, 476, «Abez so escapado» *Apolonio*, 129; junto a él se usaba *adur, aduro:* «Adur abría
los ojos» *Alexandre*, 2404; el clásico *a pena*, frecuente en
Herrera, ha tomado la *s* analógica de otras partículas. La
lengua actual emplea la forma *mucho* ante *más* y ante el
comparativo, siempre que no sea un simple adjetivo,
«muy mayor»; mas en lo antiguo podía usarse *muy* con
los comparativos: «Anda muy más loçano» Hita, 1289.
«Muy peores» Espinel, *Obregón*, I, 2, «Muy mejor» Ayora,
Cartas, 1, «Muy mayor es ésta» S. Teresa, *Conceptos*, 4,
«Muy mejor» *Rom.*, 167; también se usaba con *más:* «Muy

más fuerte» Avila, *Epistolario*, 1, «Muy más que el claro
día» León, *Poesías*, Oda 2, «Muy más excelente» Osuna,
Tercer abecedario, XIII, 3, «Muy más malo» Granada,
Oración, I, 9, «Muy más temeroso» ib.; con los adjetivos
y adverbios positivos es hoy sólo de uso vulgar *mucho*,
pero era frecuente en lo antiguo [1]: «Mucho fría» *Baena*,
452, «Mucho fieramente» *Enxemplos*, 10, «Mucho rudo»
Hita, 1135, «Mucho orgullosos» *Cid*, 1938, «Mucho alegres» 1975; la lengua usual emplea *muy* en los adjetivos
positivos, con los adverbios y con las frases adverbiales:
«Muy cierto» «Muy lentamente» «Muy a gusto» «Muy por
encima». Sinónimo de *muy* era en la lengua antigua
fuerte: «Fuerte encendidos» *Alexandre*, 658. Con verbos
podía suplirse el adverbio indefinido repitiendo en infinitivo el verbo con *a más:* «Tomaba a más tomar» *Lazarillo*, 5. Hoy persiste la fórmula *a más y mejor; Qué de* con
el valor de *cuántos:* «¡Qué de habilidades hay perdidas
por ahí! ¡Qué de virtudes menospreciadas! *Quij.*, II, 62.
De los adverbios p l u s, m a g i s se aceptó el segundo con
las formas *maes, mais, más,* hallándose el primero en el
antiguo gallego, *chus*, y en el *Alexandre:* «Plus claro que
espeio» 1307. *Más* y *menos* pueden tener a veces valor
adjetivo: «Las menos veces, las más veces»; pueden usarse
con régimen partitivo: «Los menos de ellos, las más de
las veces». A s a t i s ha sustituído el participio *bastante*
y a veces *algo;* su sinónimo *ya cuanto* es una fórmula
algo frecuente en la lengua antigua: «Somoviólo *ya cuanto*
e bien lo adeliñó» Hita, 918, «Y con esto se allanaron *ya
cuanto*» Pineda, *Agricultura*. *Tantoque* y *cuantoque* por
'algo' se hallan en la antigua lengua: «Sin echar *tantoque*

---

[1]   Véanse pormenores de este uso en Menéndez Pidal, *Cid*, I, p. 238.

vino» Horozco, *Cancionero*, p. 103, «Estaba ya *cuantoque* alegre» *Lazarillo*, 2; probablemente acompañado de un gesto para ponderar la pequeñez, como en las frases actuales: «No me dió ni tanto así», etc. *Como* se usa indicando *duda* o *incertidumbre:* «Habiendo andado *como* dos millas» *Quij.*, I, 4. La aproximación con numerales se podía expresar en la lengua antigua y hoy en la vulgar con *al pie:* «Le da en veces *al pie* de una carga de trigo» *Lazarillo*, 6, «Habrá *al pie* de seis meses» *Quij*, I, 23. Otro giro para indicar esta aproximación es la expresión locativa de origen y término con *de... a:* «De veinte a veinticinco años, de seis a siete pesetas». *Unos* da también la indicación de incertidumbre: «Unos quince días, unos ocho duros».

9. **Partículas. Modales.**—Es bastante libre el uso adverbial de los adjetivos calificativos: «Leyéndolo *alto*, porque Sancho lo oyese» *Quij.*, I, 23. *Así* puede usarse en la lengua familiar como predicado en sustitución de un adjetivo calificativo conocido: «Soy tan *así*» *Quij.*, II, 7 [tan dócil]. *Así* repetido tiene el valor de 'medianamente': «Eso fuera *así que así*» *Lazarillo*, 1, «Me ha resultado *así, así*»; generalmente con un movimiento que indica la vacilación, la incertidumbre entre lo bueno y lo malo. *Como* con sentido modal, a la vez adverbial y conjuntivo, es frecuente en la lengua antigua y clásica con verbos de *entendimiento* y *lengua:* «Conosçió en las armas *commo* eran cristianos» *F. González*, 670, «Estaba persuadiendo el cura a los cuadrilleros *como* don Quijote era falto de juicio» I, 46 «Olvidábaseme decir *como* Crisóstomo fué grande hombre» I, 12 «Habíale dicho *como* iba proveído» I, 42 «Supo también *como* aquella doncella»; aunque con menos libertad, la lengua actual conserva esta construc-

ción: «Ya verás *como* es cierto» «Te convencerás *como* yo
tenía razón» *En como* era frecuente en lo antiguo con
estos verbos: «Fablaré *en como* fué conquerida» *Alf.*, XI,
1929 «Quiérote contar *en como* fué» *Castigos*, 10, «Díxole
en como estaba en grand cuita» *Enxemplos*, 2, «Bien
sabedes *en como*» Hita, 1194, «Para que veáis *en como* no
se engañó» Guevara, *Epístolas*, I, 26, «El día que supiere
en como rondáis la puerta» I, 30, «Hemos sabido *en como*
salieron» I, 3; es simplemente yuxtaposición de dos construcciones: «Enterar *en la verdad*» y «Supo *como* aquella
doncella». *De como* era frecuente con verbos de noticia:
«Oyeron *de como* los condes eran muertos» *Ultramar*,
I, 108, «Notar el entrada me manda temprano, / *de como*
era grande» Mena, *Sab.*, 27, «Según la palabra *de como*
está puesta» Baena, 454, «Es notorio *de como* renunció el
imperio» Guevara, *Menosprecio*, I. Un sustantivo repetido
con una preposición, generalmente *a*, constituye una
fórmula adverbial de modo que ha adquirido notable
extensión en todas las románicas; unas veces indica la
posición, como «cara a cara, frente a frente, mano a
mano», pero más ordinariamente denota la sucesión,
como «uno a uno, día por día, paso a paso». Algunos
adjetivos se refuerzan agregándoles como complemento
un sustantivo etimológico: «Es imposible de toda imposibilidad» *Quij.*, II, 26, «Es necesario de toda necesidad».
Los verbos se ponderan añadiéndoles, además del adverbio, un participio etimológico: «Si no me quita muy bien
quitado el bonete» *Lazarillo*, 3, «Dicen que se los dió y
muy bien dados» *Quij.*, II, 26, «Le dijo muy bien dicho»
«Le dejó y bien dejado». Hay alguna fórmula repitiendo
el verbo en gerundio: «*Juga jugando* dize el omne grand
mansilla» Hita, 922, y hoy en la frase «burla burlando».

10. **Partículas locativas.**—a. **Grupos de complementos.**—Los complementos de lugar pueden ser: de origen, *desde;* de dirección de, *de;* de quietud, *en;* de dirección a, *hacia;* de término, *hasta;* y de medio, *por*. Con pequeñas diferencias los de lugar y tiempo tienen la misma construcción, por considerarse casi como idénticas ambas relaciones. El lugar se entiende como real o figurado; así tiene igual construcción «en casa» que «en los infortunios», «va a la calle» que «va a la compra», «acudieron a casa» que «acudieron al ruido». El complemento de *origen* se construye con *desde*. La *dirección de* se construye con *de*. La *dirección a* se expresa con distintas preposiciones: 1.º La *simple dirección* se expresa generalmente con *hacia:* «Guió a Rocinante hacia su aldea» *Quij.*, I, 4; *para* indica dirección o destino: «Se fué para D. Quijote» I, 8; *contra* es sólo usual con sentido de hostilidad: «El vizcaíno que así le vió venir contra él» I. 8, pero *contra* y *escontra* en lo antiguo conservaban también la idea pura de dirección: «La vide venir escontra el río» Baena, 234; lo mismo el antiguo *cara*, hoy vulgar: «Cara la parte del siniestro lado» Padilla, *Riv.*, p. 301; *sobre* en todas las épocas con idea de hostilidad: «Cuantas espías vinieron sobre mí y sobre mi ínsula» *Quij.*, II, 47. 2.º La *dirección con relación al término* se expresa con *a, para;* por esta vaguedad *a* puede expresar la dirección: «Volvió a la carretera» *Quij.*, II, 11; la proximidad o distancia: «Arrimarse a un árbol» II, 60, «A dos palmos se hallaba agua» I, 39, y la de término: «Cuando llegó a este verso» I, 5. Con idea de *dirección a* se suele usar *en* con los verbos de *entrar* [1]: «Se iban a entrar en la venta» *Quij.*,

---

[1] Pero si el complemento es de persona es de rigor *a:* «Entró a su

I, 2, junto a «Al castiello entrava» *Cid*, 98; puede usarse
con los de *arrojar:* «Echando la gente en la tierra» I, 39,
«Nuestra misma casa nos ha echado en la calle» Espinel,
Obregón, I, 12 [hoy mejor «a la calle»]; vacila con los de
subir, aunque predomina *a:* «Subieron en lo alto», y con
traducir: «Traducido en castellano o al castellano; pero
en lo antiguo se empleaba a veces con otros verbos con
propios de lugar mayor [1]: «Cuando vienen en Flandes»
Ayala, *Caza*, 161, «Dellos traen en España» ib., «Después
que el duque de Alencastre llegó en Galicia» *Crón. de los
reyes de Cast.*, II, 323. «En Nabarra tornemos» *F. González*, 735, «Van en Ultramar» Berceo, *Sacrificio*, 296,
«En la Espanna aportaran» *Alf.*, XI, 1820; con apelativos
de lugar mayor la lengua antigua y clásica parece emplear
en en fórmulas petrificadas [2]: «Vaya uno en tierra de
cristianos» *Quij.*, I, 40; hoy en la lengua vulgar en la
fórmula «ir en casa de». En las fórmulas en que se indica
el espacio desde el punto de origen hasta el de término
son posibles los giros *de... a, desde... a, de... hasta* (raro),
desde... hasta: «De la zeca a la meca, desde los pies a la
cabeza, de un punto hacia el otro, desde aquí hasta allí».
Con sentido de lugar figurado se indica también la tran-

---

amo» *Quij.*, I, 37, «La metió a la reina, a la dueña» Amadís, IV, 40,
en la lengua moderna gana terreno la conjunción *donde:* «Entró donde
su amo»; con complemento de cosa es hoy más raro *a* que en la lengua
clásica.

[1] V. Meyer-Lübke, *Gram.*, III, p. 497. Un propio de lugar menor
en «Arribó en Toledo», Berceo, *S. Domingo*, 728, pero es que el verbo
arribar pide esta construcción: «En los puertos arribaron» *Alf.*, XI, 997.

[2] No debe confundirse el caso en que al verbo de movimiento
acompaña otro de quietud: «Ellos vinieron a la noch en Segorve posar»
Cid, 644, idéntico al moderno «Vamos a descansar en casa».

sición con *de...* *en* cuando tiene carácter de frase fija:
«De zeca en meca, de mano en mano, de casa en casa, de
puerta en puerta».

   b.   **Cambios históricos de significado.**—Los adverbios
demostrativos *aquí, ahí,* etc., expresan a la vez la permanencia y la dirección: «Estar aquí, venir aquí». *He aquí,
he ahí* se emplea con nombres y verbos: «He aquí un
hombre» «He aquí que se entera». En lo antiguo *ahé* solía
ir acompañado de pronombre de invocación [1]: *«Ahé vos,
a do viene muy ligero el çiervo»* Hita, 1089; también *he*
solía llevar el pronombre: *‹Helos do vuelven luego»* *Lazarillo,* 3, *‹Helo, helo por do viene»* Rom., 159, 545. El
adverbio *o, u* u b i ‘en donde’ conserva su valor etimológico: «En Casteión *o* el Campeador estava» *Cid,* 485,
«¿O eres, mío sobrino?›* 2618. *Onde* u n d e ‘de donde’
unas veces se encuentra con su valor etimológico, pero
desde los orígenes asumió otros valores locativos: «Allá
onde elle está» *Cid,* 1398 [en donde], *‹Ond* nunca bien
oviestes» *F. González,* 630 [en donde]. Sus compuestos
do, donde presentan promiscuamente desde la lengua primitiva diversos valores locativos: «*Don* ixo í es tornado»
Cid, 936 [de donde], «Por la tierra *do* va» 548 [por donde],
«Do yo vos enbiase» 490 [a donde], «En los lugares *do*
habían de presentar la brilla» *Lazarillo,* 5 [en donde],
«Do que vía asnos» *Quij.,* I, 30 [en donde], «La causa *do*
naciste» I, 13 [de donde], «*¿Do* están agora aquellos claros
ojos?» Garcilaso, Egl. 1.ª. En la lengua actual *donde* sólo
tiene los valores ‘en donde, a donde’: «¿Dónde está?»
«¿Dónde va?»; *do* es un arcaísmo poético que conserva los

---

[1] Compárese con el antiguo gallego *aqué, aqué me, aqué a, aqué
vos,* de *aquí e.*

valores 'en donde, a donde'; confusiones que se trataron de salvar añadiendo a *do* las preposiciones *de, a, por*, para las tres relaciones de procedencia, dirección y medio, nunca para la de permanencia: «*Por do* podiessen» F. González, 458, «*De do* viene el temor» Garcilaso, Egl. 1.ª; *donde* admite en cualquier valor la preposición: «En donde-donde, a donde-donde, por donde, etc.»; *adonde* con valor de u b i es de la lengua clásica y hoy de la vulgar: «¿Adónde están?» Garcilaso, Egl. 1.ª, «Adonde me toparon mis pecados» *Lazarillo*, 2, «Sin tener adonde comprar» *Quij.*, I, 22, «¿Adónde estamos?»; con el mismo sentido usaban *a do* nuestros clásicos: «¿A dó [está] el favor?» Herrera, Eleg. V. Del valor locativo relativo que frecuentemente presentaban estos adverbios se pasó al relativo sin idea esencial de lugar [1]. «Sufrió un susto *de donde* le vino una enfermedad»; con antecedente oracional: «I venció esta batalla, *por o* ondró su barba» *Cid*, 1011, «El se fué en seguida; *de donde* deduje que estaba enfadado». El antiguo i i b i , conservado materialmente en *ha-y*, ha sido olvidado. Con idea de proximidad se usan, como en latín, las partículas *a* a d, *prob* p r o p e, *cerca* c i r c a ; la idea de proximidad se ve clara en algunos ejemplos de la lengua primitiva: «Dos pedaços de tierra *al quijar* de Ferrando» C. de Huelgas, I, 472, «Otra tierra *a la ponteçiella* de Savita» 393; de aquí, y por su frecuente uso con nombres propios, pasó a significar el punto incluído en un barrio, parroquia o lugar, uso que es frecuente aún en la época clásica: «Posaré *a S. Serván*»,

---

[2]   La frecuencia de las frases relativas con antecedente, como «pora San Pero, o las dueñas están» hizo que insensiblemente estos adverbios de lugar sustituyesen en muchos casos al relativo.

Cid, 3047, «Anselmo, que vivía *a S. Juan*» *Quij*., I, 35, «Mora *a la Merced*» Lope, *Lucinda*, 2; en la lengua clásica y moderna *a* indicando proximidad se emplea en las frases que además denotan modo o posición: «Estaban *a la puerta* dos mujeres» *Quij*., I, 2, «Vió a su huésped *a sus pies*» I, 3, «Está *a* su derecha mano», I, 18; y también el lugar mismo expresado por puntos extremos (principio, medio, fin, etc.): «Lo que dije *al principio* de mi cuento» *Quij*., I, 30, «Vive *al principio* de la calle» «Está *a mitad* del camino» «Está *al fin* de la senda» «Se halla *a la salida* del pueblo». *Cerca* con la preposición *de* es la más usual: «Aunque vivía tan *cerca del* Toboso» *Quij*., I, 13; al lado de ella se usaba en la antigua lengua *acerca:* «Acerca de Murviedro» *Cid*, 1101, «Acerca del ostal» Berceo, *S. Domingo*, 272; sin preposición se encuentra frecuentemente en la lengua primitiva: «Çerca Valençia» *Cid*, 3316, «Çerca la vuestra viña» *C. de Huelgas*, I, 381 y raras veces en la lengua clásica [1]. La nueva formación *cabo*, *cab*, *cabe* se halla en la antigua lengua, ya sola, ya con preposición antes o después de ella: «*Cabo* Burgos» *Cid*, 56, «*Cab* una sierra» *Alexandre*, 1150, «Ivalos ferir *a cabo del* albergada» *Cid*, 2384, «*En cabo* de mi tierra» 1358; en la lengua clásica subsiste, aunque sin gran uso: «Usaba poner *cabe* sí un jarrillo de vino» *Lazarillo*, 1, «Sentóse *cabo* della» 2, «Teniéndole *cabo* el ojo» Orozco, *Cancionero*, p. 104; en la lengua moderna se halla como un arcaísmo poético, y en la vulgar en algún refrán, como «el asno lerdo cabe casa aguija». Los adjetivos verbales

---

[1] V. Menéndez Pidal, *Cid*, I, p. 389. La actual construcción vulgar «cerca su casa» «cerca el río» parece ser una simple reducción fonética sintáctica.

junto y *prieto* tienen el valor adverbial de las partículas anteriores; *prieto* se encuentra en antiguos ejemplos: «*prieto* está la sabiduría» «*prieto* del mar» [1] y con la forma *perto* se conserva en alguna región de castilla en la frase «ir al perto» [2] [junto]. *Par* en la época clásica tiene igual significado: «Lo blanco se echa de ver mejor *par* de lo negro» Rivadeneyra, «Tenía la cabeza *par* de la piedra» *Lazarillo*, 1, «Vivían *par* de nosotros», 3; y en todas las épocas *a par:* «Otro *a par* dél non cavalga» Hita, 1219, «Venía luego *a par* del lecho» *Lazarillo*, 3, «Sentado *a par* de un emperador» *Quij.*, I, 11. El adverbio l o n g e persistió en la forma *lueñe, Alexandre,* 1271, que adquirió valor de adjetivo en la fórmula «lueñes tierras» y «lueñas tierras» *Quij.*, I, 29; pero acabó por reemplazarle *lejos* l a x u s. La preposición *tras* tiene el sentido original de t r a n s 'al otro lado': «En cada calle y *tras* cada esquina» *Quij.*, I, 14; pero ordinariamente tiene el valor de p o s t: «Andar *tras* el arado y los bueyes» I, 23, lo mismo que el adverbio compuesto *detrás:* «Iba caminando *detrás de* su amo» I, 8, y *atrás:* «No volviera el pie *atrás*» I, 3, que sólo en la lengua vulgar admite *de: «Atrás de* todos»; con el mismo significado se usaba *aprés: «Aprés de* uerta» *Cid,* 1225, «*Aprés de* la eglesia» Berceo, *Milagros,* 114. Con *pos* se forma el antiguo adverbio, aún usual en la lengua literaria, *empós:* «Los niños *empós* elli clamando salvación» Berceo, *Loores,* 54, «Quando yo *empós* él salgo» Hita, 999, *«Empós de* aquella pastora» *Quij.*, I, 12, *«En*

---

[1]   Con valor adjetivo en el *Cid:* «Por la mañana prieta» 1687 'cercano el amanecer'; y con valor adjetivo adverbial se usa en Burgos en la frase «de noche prietas» 'cerca del anochecer'.

[2]   En Vinuesa (Soria).

pos de la dicha» «Iban *en pos* los escuderos»; y el antiguo
depós: «De pos dellos los paganos» *Alf.*, XI, 1673. E x t r a
ha sido eliminado por f o r i s *fuera* como en las demás
románicas. I n f r a ha sido sustituído como en otras lenguas por d e o r s u m *yuso;* éste ha sido sustituído, aun
en los nombres geográficos, por *abajo. Encima* podía tener
en la lengua clásica valor de preposición: «Puso la cruz
encima la lumbre» *Lazarillo,* 5. *Deyuso* literalmente 'de
abajo' significó 'arriba': «Según *deyuso* está escripto»
Lazarillo, 2. Con el valor de i n t r a e i n t r o se ha
adoptado el compuesto d e i n t r o *dentro;* en la lengua
primitiva es corriente el régimen *dentro en:* «Dentro en
Burgos» *Cid,* 62, y raro *dentro de;* en la lengua clásica es
normal el régimen *dentro de,* aunque no faltan ejemplos
con *en:* «Reina dentro en mi pecho» Herrera, *Eleg.,* IV,
«No está dentro en su seno» León, *Poesías,* I, or. IX; es
excepcional el régimen *dentro a:* «Bien *dentro a* la mar
descubrió seis velas latinas» Cervantes, *Novelas,* 56; la
forma *entro* i n t r o se encuentra algunas veces en la
antigua lengua: «Entrar entro» Berceo, *Milagros,* 168. *En*
como el i n latino conserva a veces la equivalencia de
i n t e r : «Pero en tantos triunfos y vitorias / lo que más
te sublima y esclarece» Herrera, *Canc.,* V. *Ante* persiste
en diferentes compuestos. *Delante,* con valor de adverbio
en la actualidad, era preposición también en la lengua
clásica: «Ponía yo al señor siempre delante mis ojos»
Granada, *Orac.* Martes; en la lengua vulgar «delante el
juez» es dudoso si se trata de una construcción original o
de la reducción fonética «delante (de) el juez»; la frase
temporal: *antes de* se aplica también al lugar: A c i t r a
ha sustituído e c c - i n d e *aquende.* A u l t r a ha reemplazado ad illic i n d e *allende.* A c i r c u m reemplazaron

diversas perífrasis: «Al rededor de la mesa no había persona humana» II, 62, «Esparció olor suave en torno el cielo» Herrera, *Canc.* IV. Los adverbios a l i u b i y a l i cubi persistieron con las formas antiguas *alubre, algures.* A v e r s u s sustituyó *hacia faza* f a c i e a d, y en la lengua popular *cara:* «Cara la parte del siniestro lado» Padilla, N.ª B.ª *Riv.*, 29, 301. C o n t r a *contra* ofrece en la lengua antigua la significación de 'hacia': «Contra la sierra» *Cid*, 558, y lo mismo su compuesto *escontra:* «La vide venir escontra el río» *Baena*, 234. T e n u s se conservó en el compuesto a d t e n u s *atanes* (gall. *atá, até, atees);* pero predominó la preposición árabe h a t t a *hata hasta,* la cual se acompañaba de *en* en la lengua antigua: «Fata en Valencia» *Cid*, 1556 [hasta Valencia], «Fasta en su posada todos con él vinieron» *F. González*, 566. A las preposiciones de origen y procedencia a b, e x ha sustituído *de* y la compuesta *desde* d e e x d e.

11.   **Partículas temporales.** — El complemento de tiempo de *origen* se construye con la preposición *desde:* «Desde mis tiernos años» *Quij.*, I, 24. El complemento de *quietud* o *tiempo en que* se construye con gran variedad; con un nombre genérico de tiempo (edad, siglo, mes, hora, etc.) se emplea la preposición *en:* «Eran en aquella edad» *Quij.*, I, 11, «En aquel momento»; con un nombre genérico acompañado de un complemento determinativo puede usarse o suprimirse *en:* «El mes de Enero» «En el mes de Enero» «El año 43» o «En el año 43», siendo lo más frecuente suprimirlo en el cómputo de días: «El día 1.º» y raro «En el día 1.º»; pero con los numerales solos expresando las horas únicamente se emplea la preposición *a:* «A las cuatro»; en los antiguos el cómputo de días podía usarse con el participio oracional *andados;*

«Diez días andados del mes de deziembre». Indicando puntos extremos se usa *a:* «A mediados de mes» «A principios de otoño» «Al mediodía» «Vinieron a la noche» *Cid,* 644, «A los mediados gallos pienssan de cavalgar» 324, «Cras a la mañana» 547, y más frecuentemente *por* con nombres de partes del día: «Por la mañana» «Por la noche». Para hacer resaltar la indeterminación se emplean *hacia* o *por:* «Ocurrió hacia el año 43» «Llovió por aquellos días» «Fué por esta época»; otras fórmulas de indeterminación con *sobre, a eso* (con horas): «Fué sobre el año 45» «Ocurrió a eso de las cuatro»; *de* se emplea sólo en fórmulas modales de tiempo: «Salió de madrugada» «Llegamos de día». El tiempo q u a n d u d u m se expresaba con una perífrasis con el verbo *haber:* «No ha mucho tiempo» *Quij.,* I, 1; de este giro ha resultado por sinalefa el vulgar «ahora [ha] un año»; *haber* se conserva en la lengua literaria, pero en la común ha sido sustituído por *hacer:* «Hacía algún tiempo». La duración puede expresarse por complementos absolutos: «Toda aquella noche no durmió» *Quij.,* I, 8; especialmente por complemento oracional con el participio invariable *durante:* «Durante varios días»; a veces por complementos con *en, de, a, por, entre:* «Andamos buscando aventuras *de noche* y *de día, en invierno* y *en verano*» *Quij.,* I, 17, «Lo cual debe hacer cuantas veces *entre día* y noche pudiere» Granada, *Memorial,* IV, 3, 1. Para denotar el espacio desde un momento hasta el presente se utilizan diversas fórmulas; *después acá* se halla en la lengua clásica y hoy en la vulgar: «Yo he sentido en mí después acá que no todas veces le tengo cabal» *Quij.,* I, 27, «Después acá han ocurrido muchas cosas»; *desde entonces acá* es de uso común. Para denotar el espacio desde el presente hasta un momento futuro se

utilizan diversas fórmulas: «De oy siete días» *Cid*, 1076;
frente a la fórmula común «dentro de ocho días»; también
se expresa con las preposiciones *a,*˜*dentro de:* «Podría ser
que a quince días de gobernador me comiese las manos
tras el oficio» *Quij.*, II, 33, «Volvió a los cuatro días»;
dentro de en estilo directo no se usa con tiempo pasado,
pero sí podía usarse en la lengua clásica: «Murió dentro
de ocho días de las heridas». La lengua antigua conoce
diversas fórmulas para indicar el espacio pasado de un
momento a otro: «El caballero *dende a un rato* volvió»
Boscán, *Cortesano*, 228, «Pienso que me sintió y *dende en
adelante* mudó propósito» *Lazarillo*, 1, «*Desde a cuatro
días* vi llevar una procesión», 3, «*Desde a ocho días* vino
la nueva» Sta. Teresa, *Vida*, 27, «*Desde a poco* le descubrió el Señor» *Fundaciones*, 8. El término se expresa
con la preposición *hasta:* «Vuestro hasta la muerte»
Quij., I, 25.

El valor temporal de u b i 'cuando' se conservó en el
antiguo *o, u* y en su compuesto *do* y aun se propagó a
donde [1]: «*Dont* a ojo lo ha» *Cid*, 1517, «*Dos* fallan con los
moros, cometiénlos» 1676, «Ayer *do* me ferrava» Hita,
300. Se ha interpretado como partícula temporal, de
a l i q u a n d o, pero es indefinida, de a l i q u a n t u l e, el ant.
alguandre: «Que nunqua vido alguandre» *Cid*, 352. *Antes*
a n t e es la única forma conservada en la lengua común,
pero persisten en la vulgar las formas *enantes, denantes,
endenantes*, y se hallan en la antigua lengua *de antes,
enantes* y *denantes:* «Metió en paria a Daroca *enantes*»
Cid, 866, «*Enantes* que venga Sant Juan de Floresta»

---

[1] V. Meyer-Lübke, *Gram.*, III, p. 673 y Menéndez Pidal, *Cid*, I,
p. 345, 370.

Baena, 459, «¿Qué diablo es esto que después que conmigo estás no me dan sino medias blancas y *de antes* una
blanca me pagaban?» *Lazarillo*, 1, «Tan bien barbado y
tan sano como *de antes*» *Quij.*, I. 29, «Aunque *denantes*
dije» *Quij.*, I, 19. P o s t se conservó en el primitivo
castellano: «*Pues* fincó los ynoios» *Alexandre*, 432; con
valor de conjunción se halla ya sola, ya más comúnmente
con *que:* «*Pues* esto an fablado, piénssanse de adobar»
Cid, 1283, «Ella misma se quema *pues que* es mediada»
Alexandre, 2311, «*Pues que* fuere fallado, reciba muerte»
F. Juzgo, II, 1, 6. *Después* va siempre acompañada por
de: pero podía ser preposición en la lengua antigua:
«*Después* jueves». *Tras* ofrece valor temporal: «Quién
dijera que *tras* de aquellas cuchilladas» *Quij.*, I, 15.
Sobre tenía en la lengua clásica el valor temporal del
s u p e r latino: «*Sobre* esto, el señor comisario tomó un
lanzón» *Lazarillo*, 5, «Y *sobre* esto oigan misa» Avila,
Epistolario, 1, «Y querría que *sobre* la cena no hablase» 5,
«Y *sobre* esto mira a Cristo con todos sus trabajos» Granada, *Guía*, II, 17, 2.

Diversos giros de tiempo simultáneo se aplican para
designar tiempo inmediato; del antiguo «*en* defendién-
dose» 'al defenderse' *Ord. de Alcalá*, 22, 2, se originó
«*en* viéndola, se apearon Sancho y don Quijote» *Quij.*,
II, 22; de «*en* verle» 'al verle' se originó el antiguo y hoy
vulgar «*en* verlas llegar, huía» Polo, *Diana*, 3, «*en* verle
me saldré»; de «le vimos *como* salía» se derivó a «*como*
Sancho vió a la novia, dijo» *Quij.*, II, 21; de «*cuando*
llegamos amanecía» se originó «*cuando* le vió, rióse»;
de «no ha de durar este alzamiento más de *en cuanto*
anduviéremos por estas sierras» *Quij.*, I, 25, se originó
«*en cuanto* nos vieron, escaparon». Con *así* se formaron

las perífrasis *así como*, *así que;* la primera era frecuente
en la lengua antigua y clásica: «*Así commo* llegó a la
puerta, fallóla bien çerrada» *Cid*, 32, «*Así como* entró en
la venta, conoció a D. Quijote» *Quij*., II, 27, «*Así como*
llegué a ponerme debajo de la caña, la dejaron caer»
I, 40; *así que* sólo raramente se encuentra en la lengua
clásica, pero es la forma corriente en la lengua actual.
En cuanto con valor de 'mientras' es clásico: «*En cuanto*
en este mundo vivimos, todo lo deseamos» Guevara,
Menosprecio, II. *Por* con infinitivo es un modismo del
castellano vulgar del norte: «*Por llegar a* casa empezó a
llorar». *Ya que* conserva el sentido derivado causal, pero
no el primitivo temporal: «*Ya que* estuvieron los dos a
caballo, llamó al ventero» *Quij*., I. 17. Es hoy frecuente
el empleo de *apenas;* en la lengua clásica puede reforzarse
con *aún:* «*Aún apenas* lo había acabado de decir, cuando
se abalanza el pobre ciego» *Lazarillo*, 1, «Y *aún* él *apenas*
le hubo visto, cuando se volvió a Sancho» *Quij*. I, 21.
No bien puede expresar la misma inmediación de tiempo:
«No hubo bien oído D. Quijote nombrar libro de caba-
llerías, cuando dijo» *Quij*., I, 24; también se expresaba a
veces con *no:* «Y *no* espiraba l'aura mansa y fría, cuando
Betis la frente triste alzaba» Herrera, *Eleg*., 8, ed. de
1619. *De que* es usual en la lengua familiar clásica: «*De*
que salió de su casa» *Lazarillo*, 2, «*De que* vi que con
su venida mejoraba el comer, fuíle queriendo bien» 1,
«*De que* no haya en mí que deprender, comenzaré a
reprender» Guevara, *Menosprecio*, pról., «*De que* nos viese
tan pobres, no nos querría ayudar» Sta. Teresa, *Funda-*
ciones, 15, «*De que* vi que era imposible ir» *Vida*, 1, y
hoy en la lengua vulgar: «*De que* amanezca iremos». *Des-*
que se usa con el mismo valor en la lengua antigua:

«*Desque* fuimos entrados, quita de sobre sí su capa» *La-zarillo*, 2. A i l i c o, e x t e m p l o, etc. han reempla-zado *luego, presto,* y las fórmulas *enseguida, aprisa, al instante,* etc. *Cada que* tiene el valor de 'siempre que' en la lengua antigua y clásica [1]: «Cada que lo entendiere» Hita, 680; el mismo valor tenía *cada y cuando* [2]: «Cada y cuando que dél quisiéremos gozar» Avila, *Epistolario,* 18, «Cada y cuando que se me antojaba» *Quij.*, II, 27, «En esto de regalarse cada y cuando se le ofrecía» II, 31. A s e r o ha sustituído *tarde* del adverbio modal t a r d e y el ant. *atarde,* Santillana, p. 113. A d h u c ha persistido en la forma *aún* con el mismo valor de presente, si bien ha asumido nuestro adverbio el significado de pretérito del t u m, e t i a m t u m latino: «*Aún* estaba aturdido el arriero» *Quij.*, I, 3; la idea de persistencia se refuerza con los adverbios *hoy, ahora, todavía, al presente,* etc.: «Aún todavía traigo entre los ojos las desaforadas narices» *Quij.*, II, 16, «Aún hasta ahora yace encantado» I, 29; y para el pretérito con *entonces, todavía,* etc.: «Yacía dando aún voces todavía» *Quij.*, I, 29. *Todavía* en la lengua pre-clásica se encuentra en la acepción de 'siempre, de todos modos': «Firmes y estables por todavía» *F. Juzgo,* II, 5, 1. *Aquí, allí, acá, allá* tienen con frecuencia valor temporal en todas las épocas: «Las renuncio para desde aquí al fin del mundo» *Quij.*, I, 11, «Que no caminase de allí adelante» I, 3; *allí* además se halla en la antigua

---

[1] «*Cada que* por *siempre* dicen algunos; pero no lo tengo por bueno» Valdés, *Diálogo,* p. 84.

[2] «*Cada y cuando*, siempre que, *quotiescumque*» Covarrubias, *Tesoro,* I, 116. Es la fusión de *cada que* y *cuando;* y como la primera usa *que* y no la segunda, podían usarse ambos giros: «Cada y cuando se le ofrecía» o «Cada y cuando *que* se le ofrecía».

lengua aun sin preposición: «Allí dijo el Rufino» *Castigos*,
10. *Ya* se usa con los tres valores temporales de presente
«ya estoy», de pretérito «ya había salido» y de futuro
«ya vendrá»; en la lengua clásica se empleaba con valor
de pretérico en contraposición al presente, donde hoy
suele usarse *antes:* «Y en este mismo valle, donde agora /
me entristesco y me canso, en el reposo / estuve *ya* contento y descansado» Garcilaso, *Egl.*, I; con *más* podía
tener el sentido de su gemelo *jamás:* «No sufra el cielo
que *ya más* perdido / pueda yo ser en tanto desvarío»
Herrera, *Eleg.*, IV. *Mañana* tomó como en otras románicas
del sentido de 'la mañana' el de 'el día siguiente'; *anoche*
tomó también (lo mismo que el gall. *onte* ad noctem [1])
el sentido de 'el día anterior' en la lengua primitiva *(Cid*,
2048), pero este valor fué luego olvidado. Sustituyendo a
p r i d i e nuestra lengua emplea *la víspera, el día antes, el
día de antes* y en lo antiguo *ante día* y *antes de la noche*,
Cid, 23. Diversos adverbios temporales se reforzaban en
la lengua antigua y clásica con sustantivos acompañados
de un demostrativo: *hoy*, acompañado de *este*, y *ayer*,
mañana, acompañados de *aquel* [2]: «Oy en este día» *Cid*,
754, «Mañana en aquel día» *Quij.*, 1, 3, «Ayer naquel
día» Torres Naharro, *Calamita*, 5. A p o s t r i d i e reemplazaron distintas fórmulas; *otro día:* «Otro día me puse
en mi lugar» *Quij.*, 1, 27 y hoy *al otro día* o *al día
siguiente*.

---

[1] V. Cornu, *Romania*, XI, p. 91, que se apoya en las formas his-
tóricas portuguesas *oontem, oóytem;* con el mismo sentido el ast. *anueiti*,
Menéndez Pidal, *Cid*, I, p. 293.
[2] Comp. el gall. *arastora (ahora a esta hora)* y el ant. fr. *oi cest
iour.* Meyer-Lübke, *Gram.*, III, p. 273.

12. **Partículas comparativas.**—El sustantivo término de la comparación de un sustantivo, un adjetivo o un verbo se expresa con *como:* «Duerme como un lirón»; y en la lengua antigua con *bien como:* «Bramando bien commo toro» *Alf.*, XI, 2115, «Bien commo de primero» Hita, 1297. Cuando el segundo miembro es condicional verbal se enuncia con *como si:* «Iba tan contento *como si* fuese a bodas»; cuando es condicional relativo lleva *como quien, como el que:* «Nos oyó tan distraído *como quien* oye llover». Como correlativa de *tan* se usa *como* cuando el segundo miembro es nominal: «Es *tan* fuerte *como* un roble»; se usa *que* cuando el segundo miembro es oracional: «Es *tan* fuerte *que* nunca se cansa». Es frecuente la suspensión del segundo miembro, tomando a veces el primero sentido admirativo suspensivo: «¡Se ponen tan pesados!»; de aquí la antigua traslación de *tan* al sentido admirativo no suspensivo: «¡Dios, *tan* gran alegría!» Berceo, *Duelo*, 196, «¡Pesar *atan* fuerte!» Hita, 1054; tiene *tan* la equivalencia de *muy* en las frases «y todos *tan* contentos», sentido corriente en la primitiva lengua: «Firiénse en los escudos unos *tan* grandes golpes» *Cid*, 3673. *Como* puede usarse sin partícula correlativa subsiguiente: «E como el falcón que mira... yo començé mi jornada» Santillana, p. 376; puede llevar diversos correlativos; *así... como:* «*Así* lloraba *como* si fuese un niño», pero con más frecuencia en la lengua antigua: «*Assís* parten unos d'otros *commo* la uña de la carne» *Cid*, 375. Puede ir *commo* en el primer miembro: «*Como* un gamo *así* corrían ellos» «*Como* me lo mandaron *así* lo hice»; en este caso va con frecuencia acompañado de *así como*, y en la lengua antigua de otras formas, *bien como... así:* «E *bien como* el que por yerro... *así* ficó mi virtud» San-

tillana, p. 392; *bien como... por semejante:* «E *bien como*
la saeta... *por semejante* fazía» Santillana, p. 380; *bien
como... de tal guisa:* «E *bien como* Ganimedes.., *de tal
guisa* fuí robado» Santillana, p. 399. Tras los comparativos es general la conjunción *que:* «Es más alto que yo»;
alterna con *de* cuando el complemento es una oración:
«Es peor que lo que se cree o de lo que se cree»; en la
lengua antigua podía llevar *de* con un complemento simple: «Otros de tí mejores» Berceo, *S. Millán*, 315, «Es de
la ley vieja la nueva más complida» *Sacrificio*, 106. Las
fórmulas de superlativos relativos se construyen con *de:*
«De todos es éste el mejor»; puede sustituirse por *entre:*
«La más hermosa entre todas». Diversos indefinidos adquieren sentido comparativo en las frases de comparación;
cada... que, especialmente en la lengua familiar: «Hay
cada montaña *que* asusta»; *tal... que* y ant. *atal... que:*
«Hay *tales* peligros *que* no escaparás» *«Atales* cosas fed
que en plazer caya a nos» *Cid,* 2629, *uno... que:* «Dicen
unas cosas *que* avergüenzan»; *tanto... que:* «Había *tanta*
gente que no cabíamos». Se da frecuentemente, lo mismo
que con *tan,* el sentido admirativo con suspensión del
segundo miembro: «¡Tenéis cada ocurrencia...!» «¡Dicen
unas cosas...!» «¡Costunbres avedes tales...!» *Cid,* 3309,
«¡Hay tanta miseria...!». *Que* conjuntivo sin partícula
antecedente correlativa se halla algunas veces: «Habló
que no hay más que pedir»; pero era más frecuente en la
lengua clásica: «Mi amo estaba en el púlpito, transportado
en la divina esencia, *que* el planto y ruido no eran parte
para apartalle» *Lazarillo,* 5; en todas las épocas después
de un sustitutivo o adjetivo, por analogía del relativo:
«Yo te los faré llanos, / *que* non avrás embargo» Berceo,
Sta. Oria, 106, «Hizo una cabriola *que* se levantó dos

varas» *Quij.*, II, 23; especialmente con *modo:* «Estaba de
modo *que* no se le veía»; *como* sin partícula antecedente
se usa en los mismos casos de *que:* «Está llano *como* la
palma de la mano».

13. **Partículas interrogativas.**— *Si* conserva el valor
alternativo que en la interrogación indirecta simple ofrecía el latín popular [1]: «Le preguntaron *si* quería comer»
Quij., I, 2. *Si* en la interrogación directa se halla a veces
en la lengua clásica: «¿*Si* es amasado de manos limpias?»
Lazarillo, 2, «¡Ay Dios!» «¿*Si* será posible que he ya
hallado lugar?» *Quij.*, I, 28, «¿*Si* se combaten aquellos?»
Cerv. *La casa de los celos*, 1. Los adverbios dubitativos-
interrogativos *acaso, por caso, por ventura, por casualidad,*
suelen acompañar a la frase interrogativa, lo mismo directa que indirecta: «Mirando si *acaso* estaba allí Sancho»
Quij., I, 32. Pero generalmente la interrogación directa
se expresa sin partícula: «¿Estoy yo obligado a distinguir
los sones?» *Quij.*, 20.

14. **Partículas copulativas.**— Perdidas las conjunciones latinas q u e , a c , a t q u e , quedó e t *y* como copulativa general; ésta une oraciones, pero también términos
de igual naturaleza: «Aquí y allí, éste y aquél, elocuente
y persuasivo» o bien equivalentes: «Aquí y en todas partes,
conversación agradable y de provecho»; puede sin embargo haber copulación ponderativa entre indefinidos y
calificativos, como «eran pocos y malos, muchos y buenos
regalos»; la frase original completa fué «eran pocos, y

---

[1] Al lado del *num* o *ne* clásico el latín hablado empleaba este giro,
que se encuentra a veces hasta en el mismo Cicerón: «*Si* quid sumi
possit videri oportebit» *De inventione*, II, 29, 87 'Convendrá ver *si*
puede tomarse algo'.

éstos eran malos». Se halla en la lengua clásica la copulación de una palabra con otra sobreentendida: «Acabas
[tú] y tu dura tiranía» Herrera, *Son.*, 67. La copulación
ponderativa de dos palabras idénticas se expresa con *que:*
«Mis esperanzas muertas *que* muertas, y sus mandamientos
vivos *que* vivos» *Quij.*, I, 14, «Terne que terne» «Firme
que firme» o bien con *más que:* «Infame, más que infame»
Encina, 2, 872, ed. de Gallardo. La copulación ponderativa de dos palabras idénticas cuando la segunda va reforzada con un adjetivo, un adverbio o un complemento se
expresa con *y;* este refuerzo puede ser un inciso circunstancial de sentido ponderativo: «Dábame todos los
huesos roídos, *y dábamelos* en el plato» *Lazarillo,* 2, «Es
mío, y muy mío» «Todos estábamos, y todos sin acordar-
nos»; *y* puede ser un elemento oracional repetido para
indicar abundancia o persistencia: «No hacía sino llorar
y llorar». La palabra que debía repetirse se omite con
gran frecuencia; ya es un sustantivo acompañado de un
adjetivo: «Vergüenza, y grande, sería»; ya es otro caso
distinto: «Solamente había una horca de cebollas, y tras
llave» *Lazarillo,* 2. Se emplea *y* al comienzo de expresiones interrogativas o admirativas: «¡Oh, *y* cuánto sufrió!» «¡*Y* dejas, pastor santo, / tu grey en este valle
hondo, oscuro!» León, *Oda,* 17; en otras expresiones interrogativas se halla al principio de frase, pero cuando ésta
va intercalada a modo de interrupción: «¿*Y* es hermosa
la dama a quien se la diste?» *Quij.*, I, 41. En la lengua
antigua era lo regular la conjunción entre todos los
miembros: «Reçiben a Minaya, e a las dueñas, e a las
niñas e a las otras conpañas» *Cid,* 1568; en la lengua
clásica tiende a ahorrarse, aunque a veces persiste el uso
antiguo: «La causa fué su grande hermosura y fertilidad y

riqueza, pareciéndoles demasiado bien su riqueza y asiento y fundación» Hita, *Guerras*, 1. La polisíndeton en series de oraciones tiende a dar carácter de rapidez a la sucesión de hechos: «Vuelven luego y toman la llave y llámanme y llaman testigos y abren la puerta y entran a embargar» *Lazarilllo*, 3. La forma *e* se emplea hoy ante *i*, como «padres e hijos», y se emplea *y* en todos los demás casos; en la lengua clásica era frecuente *y* ante *i;* desde luego se usaba ante *hi* cuando la *h* era aspirada, como «padres y hijos». En la lengua más antigua se halla *e* generalmente, y menos veces *y,* en condiciones no muy bien definidas; originalmente *ie, y* debió formarse cuando era semitónica, cuando por agregársele gráfica o fonéticamente otro proclítico se reforzaba con un acento secundario [1]: «Ie los reys» [iélos reys] «I le puso» [íle puso] «Hi don Bela» [hídon Bela]; pero desde los primeros documentos son ya frecuentes las confusiones, y prevalecen más bien los motivos fonéticos, usándose sobre todo *y* ante *e* [2].

Hay partículas que sustituyen a *y;* la preposición *entre:* «Reúnen mil *entre* toros *y* vacas»; la preposición *con:* «La mujer *con* el marido han convenido»; *como:* «Los reyes *como* los súbditos»; *así... como: «Así* en la paz *como* en la guerra»; *tanto... como: «Tanto* los hijos *como* los padres; *lo mismo que*: «Los pobres *lo mismo que* los ricos». La copulación de una afirmativa y negativa, que en latín se expresaba con n e c, se expresa por *y no:* «Le busqué *y no* pude hallarle»; la copulación de dos negativas se expresa con

---

[1] Que en el grupo de proclíticos había refuerzo del primero lo prueba la apócope frecuente del segundo, como si fuera verdadero enclítico: *ym (y me), yl (y le).*

[2] V. Cuervo, n. 149, y Menéndez Pidal, *Cid,* I, p. 297.

ni, pudiendo llevar la primera *ni* o *no:* «*No* pude *ni* quise verle»; el primer miembro adquiere sentido negativo con *sin:* «*Sin* que la compres *ni* me sirvas en nada» *Quij.*, I, 21; por propagación de frases como «*no* se ha visto *ni* verá» puede entrar *ni* en alguna expresión no negativa: «Los más famosos hechos que se han visto *ni* verán» *Quij.*, I, 5. La copulativa subordinativa es *que:* «Mandóme que le acompañase» *Quij.*, I, 24. *Que* se repite en algunos casos; en la lengua primitiva después del sujeto de la subordinada: «Mando *que* vos *quel* rescibades» *Partidas*, III, 18, 7, «Desque vi *que* la mi bolśa *que* se parava mal» Hita, 973; en la primitiva y clásica y hoy en la lengua familiar después de una pausa producida por la inserción de una oración circunstancial o de varias palabras: «*Que* si non la quebrantás, *que* non gela abriese nadi» *Cid*, 34, «Dirían *que*, pues Dios lo fiziera, *que* aquello era mejor» *Enxemplos*, 18, «Pues a fe *que* si me conociese *que* me ayunase» *Quij.*, I, 25, «Dile *que*, si puede, *que* vaya». De estas frases se propagó *que* a otras negativas, en que se omite en el primer miembro, o en que el régimen no pedía tal partícula, como la moderna *que no* y las clásicas *no que, ni que:* «Esta es tórtola *que no* paloma» (formada sobre el tipo «te advierto que...»)» «Entendió era de algún cabrón, *no* que de cabrito» *Quij.*, II, 13, «Los alguaciles cohechan, los servicios no se agradecen *ni que* los buenos se conoscen» Guevara, *Menosprecio*, 12. *No que* también era frecuente significando *y con más razón, cuanto más:* «Os ha de dar un reino, *no que* una ínsula» *Quij.*, II, 44, 4, «Ni aun una mosca entre en su estancia, *no que* una doncella» II, 44, «Bastantes a enamorar una estatua de mármol, *no que* un corazón de carne» I, 33.

Pueden reforzar la copulación positiva diversas partículas; *además (demás* en la lengua primitiva), *más:* «Murieron doce alcaides y *más* murieron ochocientos moros» Pérez de Hita, *Guerras,* I, 2; *aun:* «De ese parecer soy yo; y *aun* yo, añadió la sobrina» *Quij.,* I, 6. La copulación negativa se refuerza también con las partículas *tampoco, aun. Tras* del sentido locativo pasó al copulativo ponderativo: «*Tras que* tenían mala gana de tomalla, con aquello del todo la aborrescieron» *Lazarillo,* 5; la misma explicación tiene *después:* «*Después de* perdonarle, aún se queja». *Desí* en la lengua antigua corresponde a *además:* «Et *desí* toma un ungüento» Ayala, *Caza,* 27. *Allende* tiene en la época clásica este mismo sentido: «*Allende* desto, tenía otras mil formas de sacar dinero» *Lazarillo,* 1. Después de una proposición temporal, modal, etc., se usaba a veces *e* en lo antiguo a la cabeza de la principal para unirlas, a veces con un valor semejante a e t i a m o s i c e t i a m [1]: «Como los neblís son blancos, *e* son los baharís entre bermejos e amariellos» Juan Manuel, *Caza,* 13. *Pero* reforzando *ni* se halla en la lengua clásica con el valor de *tampoco:* «Jamás me ha pasado por el pensamiento casarme con aquel gigante, *pero ni* con otro alguno» *Quij.,* I, 30.

15. **Partículas disyuntivas.**—La disyuntiva *o* a u t ha tomado los valores de a u t, v e l, a n; indica la disyunción opositiva (a u t): «Hay que vencer o morir»; la disyunción alternativa (v e l): «Pregunta qué quiere o qué desea»; y la disyunción interrogativa (a n): «¿Está o se ha ido?»; *o* podía hallarse en los dos miembros de la disyunción: «Porque esperan vencerse o tarde o cedo»

---

[1] Más ejemplos en Meyer-Lübke, *Gram.,* III, p. 728.

Herrera, *Eleg.*, V. La disyunción condicional repetida,
expresada en latín por sive... sive, se expresa en
castellano de varios modos; en la lengua antigua, y hoy
como arcaísmo literario, se usa *quier... quier.* «*Quier* a
sus parroquianos, *quier* a otros culpados» Hita, 1144;
suele usarse el subjuntivo de *ser:* «*Sea* verdad, *sea* mentira»; éste mismo precedido en el primer miembro de
bien: «*Bien sea* suyo, *bien sea* nuestro»; el adverbio *ya...*
ya del valor temporal pasó al disyuntivo; este puede ir
con el subjuntivo de *ser:* «*Ya sea* lícito, *ya sea* ilícito»;
ora... ora del valor temporal «tomando *ora* la espada, *ora*
la pluma» pasó como *ya* al simplemente disyuntivo: «No
los desprecies, *ora* sean pocos, *ora* muchos»; esta disyuntiva, de uso puramente literario, suele emplearse más frecuentemente con la forma *ahora;* en los clásicos alternaban
ambas formas. Son frecuentes otras fórmulas disyuntivas
temporales; la antigua expresión *a las vezes,* muy usada
en los siglos xiv y xv, y la moderna *a veces; cuándo...*
cuándo: «Se entretiene *cuándo* leyendo y *cuándo* pintan-
do»; otras fórmulas disyuntivas distributivas son *parte...*
parte, en parte... en parte, mitad... mitad, lo uno... lo otro
y el antiguo *lo uno... lo al;* fórmulas disyuntivas demos-
trativas: *quiénes... quiénes:* «Subieron *quiénes* en asnos,
quiénes a caballo»; el antiguo *dellos... dellos:* «*Dellos* hay
rubios et *dellos* más pretos» Ayala, *Caza,* 5; *unos... otros;*
puede expresarse otra partícula en el primer miembro,
expresando *o* en el segundo: «*Sea* justo *o* injusto»; puede
omitirse la partícula del primer miembro: «Verdad *o*
mentira, él lo dijo». Es raro que se represente con *o... o:*
«No ilustra el giro ecelso alguna estrella / *o* corone a la
esposa de Perseo / *o* quien de ti, Teseo, se querella»
Herrera, *Eleg.*, IX, ed. de 1619. Es antiguo y hoy vulgar

el giro con *si* de una disyuntiva condicional opinativa: «Si la enfichizó, o si le dió atincar, / o si le dió raynela, o si le dió mohalinar, / mucho ayna la sopo de su seso sacar» Hita, 941.

16. **Partículas adversativas.**—1.º Cuando a una proposición negativa se opone una segunda afirmativa, ésta se construye con *sino*: «No por culpa mía, *sino* de mi caballo» *Quij.*, I, 4; también se emplean las perífrasis *antes bien, al contrario;* en la lengua primitiva se construía con *ca*: «Non viene a la puent, *ca* por el agua a passado» *Cid*, 150. *Mas* podía en lo antiguo tener sentido adversativo *(sino)* después de una negación: «Si vieres que non le finchen los pies, *mas* que le arden» Ayala, *Caza*, 27, y hoy como arcaísmo en la oración del Padrenuestro, «*mas* líbranos de mal». Igualmente en la lengua clásica *pero*: «Que no son diferentes / en la terrena masa los mortales, / *pero* en ser ecelentes» Herrera, *Canc.*, II, «No sólo no me ablandava, *pero* me endurecía» *Quij.*, I, 28. 2.º Cuando una proposición afirmativa se opone a una segunda negativa, ésta se construye con *que no*: «Más nos preçiamos, sabet, *que* menos *no*» *Cid*, 3300, «A pie va, *que no* a caballo» *Rom.*, 208, en cuyo sentido la lengua primitiva usaba generalmente *ca no* q u i a n o n : «Besad las manos, *ca* los pies *no*» *Cid*, 2028; en la lengua moderna suelen reducirse a copulativas: «Le tiraba a herir *y no* a matar».

17. **Partículas correctivas y exceptivas.**—La compatibilidad de dos ideas en cierto modo opuestas se expresa con diversas partículas; *pero* es la de uso más general: «Era pobre, *pero* muy a propósito» *Quij.*, I, 3; *mas* es la adversativa atenuada separada por una pausa de la principal: «No tenían celada; mas a esto suplió su

industria» I, 1. Con sentido correctivo se halla *con*:
«Cuando vea que salgo ahora, *con* todos mis años a cues-
tas» *Quij.*, I, 1 [a pesar de]. El sentido correctivo puede
expresarse por las perífrasis, *con todo, con todo eso, a
pesar de.*

Se puede expresar también por los participios de presente *obstante* y *embargante* hechos invariables, los cuales
se usaban como variables en la antigua lengua: «Non
obstantes estos impedimentos» Alcalá, *Arte*, Pról. [1]; estas
fórmulas *no obstante, no embargante,* por analogía de *sin
embargo, a pesar* se hallan a veces con *de*: «No obstante de
haberle avisado». Hay acumulaciones de partículas y perífrasis; *pero sin embargo, mas a pesar de eso, mas con todo
eso*: «Mas con todo eso, sube a tu jumento» *Quij.*, I, 18.

Praeter fué reemplazado por *foras*: «*Fueras* ende»
Partidas, VI, 9, 29 [excepto]; en la lengua clásica se halla
fuera que: «*Fuera que* aquello» *Quij.*, I, 13; y *fuera de,*
que es la que ha prevalecido: «No nos escucha nadie
fuera de los circunstantes» II, 33. Con este valor se usa
menos: «Llegó todo *menos* eso». También se usa *excepto,*
que no es sino un participio hecho invariable: «No pen-
saba dejar persona viva en el castillo, *excepto* aquellas
que él mandase» *Quij.*, I, 3, el cual puede usarse a la vez
como variable aún en el siglo XVII: «*Exceptos* los casos»
Fajardo, *Política*, 5; el mismo sentido tiene *salvo*: «Todos,
salvo uno». Es actual la perífrasis *mas que;* en la lengua
antigua se halla *mas de*: «No puede errar *mas de* para sola
su persona» Guevara, *Menosprecio*, 12. En la lengua clásica podía usarse *sino*: «Todos reían, *sino* el ventero»
Quij., I, 35; también tenía en lo antiguo el sentido del

---

[1] V. Cuervo, n. 143.

moderno 'a no ser por' 'si no es por': «Mal lo pasaran françeses, *si non* por los castellanos» *Alf.*, XI, 2285. La antigua frase «no es posible sino que» nació de la elipsis del predicado «no es posible [otra cosa] sino que»: «No es posible *sino que* estas yerbas dan testimonio» *Quij.*, I, 20, «No es posible *sino que* aquel caballero es el maestre de Calatrava», como «no puede ocurrir otra cosa sino que»: «No es menos sino que» y la moderna «no puede ser por menos sino que» han nacido de un modo parecido por la analogía de frases como «no puede ocurrir otra cosa sino que»: «No es menos *sino que* algunas veces los parientes y amigos nos alteran» Guevara, *Menosprecio*, 1 [no pueden menos de alterarnos]. El origen de la antigua fórmula, tan repetida en los clásicos, «quien duda sino que» es análogo; generalmente no va seguido de otra negación: «¿Quién duda *sino que,* si se ofreciese, sería obligado?» Avila, *Epistolario*, 11, pero a veces llevaba después una negación: «¿Quién duda *sino que* en los venideros tiempos el sabio que los escribiere *no* ponga?» *Quij.*, I, 2. Hoy se usan, aunque raras veces, fórmulas análogas a la primera: «¿Qué duda cabe *sino que* ha de venir?; más frecuentes son con *mas que*: «¿Quién duda *más que?*».

18. **Partículas concesivas.** – Como en latín, *si* puede tener valor concesivo [1]: «*Si* le acometieran todos los arrieros del mundo, no volviera pie atrás» *Quij.*, I, 3; en la lengua clásica podía seguir la concesiva: «No dijera

---

[1] «*Si* esset ista cognitio iuris magna atque difficilis, tamen utilitatis magnitudo deberet homines ad suscipiendum discendi laborem impellere» Cicerón, *De oratore*, I, 41, 185. 'Aunque fuese pesado y difícil el estudio del derecho, debiera su gran utilidad animar a los hombres a su adquisición'.

él una mentira, *si* le asaetearan» II, 24, pero en la lengua moderna se ha sustituído en este caso el *si* por *así*: «No cede *así* le maten». *Cuando*, lo mismo que en las demás románicas, ha pasado del sentido temporal causal al sentido concesivo: «*Cuando* yo quisiere olvidarme de los garrotazos, no lo consentirán los cardenales» II, 3; en la lengua moderna hablada se emplea *aun cuando*. Diversas combinaciones con *que, aun, mas, si, cuando, bien, mal, con, sin,* etc. han dado origen a numerosas fórmulas concesivas: *aún,* del sentido temporal: «*aún* estaba aturdido el arriero» *Quij.,* I, 3, pasó al ponderativo: «aun con la mitad» I, 30, y luego al concesivo en el gerundio: «aun diciéndoselo, no lo creía»; *que* era muy usada en la lengua primitiva: «*Que* nos queramos ir de noch, no nos lo consintrán» *Cid,* 668, sentido conservado en fórmulas disyuntivas en la lengua moderna: «Que llamemos o no, es inútil»; de la fusión de ambas partículas resultó la concesiva de más uso *aunque:* «Por loco se libraría, *aunque* los matase a todos» *Quij.,* I, 3; reforzada con *más*: «Sois el verdadero dueño, *aunque más* lo impida la contraria suerte» *Quij.,* I, 36; *aun cuando* es muy usado en la lengua moderna: «No lo haré *aun cuando* pudiera»; *mas que* es clásico y hoy vulgar: «*Mas que* lo fuesen, ¿qué me va a mí? *Quij.,* I, 25, y en su lugar emplea la lengua moderna *por más que*: «Se les conoce *por más que* lo disimulen», giros análogos a *por... que, por mucho que*: «Entremeterse en otra aventura *por* urgente *que* sea» *Quij.,* I, 3; *pero* podía pasar a ser concesivo por el valor adversativo de las concesivas: «E dormí, *pero* con pena» Santillana, *Infierno,* 11, «Facía tiempo muy fuerte, *pero* era verano» Hita, 996; y lo mismo la antigua fórmula *pero que*: «Ninguno te espante / *pero que* te diga que muyto perdiste»

Baena, 107; por el valor condicional de las concesivas podían tener este sentido las fórmulas participiales hipotéticas *puesto caso que, puesto que*: «*Puesto que* sea así, quiero que calles y vengas» *Quij.*, II, 20; por el valor restrictivo que estas partículas tienen para indicar oposición sin plena incompatibilidad, como *no obstante*, pueden sustituirse por la preposición conmitativa *con*: ‹*Con* ser duquesa, me llama amiga» *Quij.*, II, 50; y en las negaciones, por *sin*: «Dios ha sido servido, *sin* yo merecerlo» II, 1; con *bien*, confirmativa, de sentido condicional, se forman las frases *bien que, a bien que*: «No hizo mucho, *bien que* no podía hacer más» «*Bien que* fueron el cura y el canónigo, mas no les fué posible» *Quij.*, I, 52, giro éste último ya anticuado, «*A bien que* a mí no me importa»; en la lengua clásica se usaban además *si bien, aun bien que*: «Yo le cobraré *si bien* se encerrase en los más hondos calabozos del infierno» II, 11, «*Aun bien que* yo casi no he hablado palabra» II, 1. *Maguer, maguera* o *maguer que* es frecuente en la lengua antigua, pero raro ya en la época clásica; en el Quijote es vulgar y petrificado en ciertas frases: «Maguer que tonto» I, 27.

19. **Partículas optativas.**—Como en otras románicas, *sí* presenta el valor optativo en las fórmulas de juramento: «*Sí* m[e] salve Dios» *Cid*, 2990, «*Sí* vivades» Berceo, *Milagros*, 606. Presentándose en latín los dos casos «*si* te di ament» y «*sic* te diva potens Cypri regat», y hallándose en las románicas formas que proceden de ambas partículas, es aventurado reducir a un solo origen estas formas; sin embargo por la mayor extensión de s i c parece preferible esta etimología, caso de reducirlas a una sola. V. Menéndez Pidal, *Cid*, I, p. 372, y Meyer-Lübke, *Gram.*, III. p. 720. Por lo que hace al castellano, la alternativa *si,*

así parece inclinar a la etimología del adverbio modal,
pero pudiese ocurrir que *así* no fuese sino una propagación de *si,* como lo es en las frases concesivas, cuyo tipo
original «ni las entendiera Aristóteles *si* resucitara» *Quij.,*
I, 1, se ha convertido en «no dirá una palabra *así* le
maten». Junto a *sí* se usaba la forma *así*: «Así Dios me
vala» *Alexandre,* 140, que es la que emplea la lengua
moderna, generalmente en las fórmulas de maldición:
«*Así* lo maten»; en este mismo sentido se emplea la condicional *siquiera:* «*Siquiera* se mate». Nace este del sentido
concesivo, de fórmulas en que aseguramos realizarse un
hecho, aunque sobrevengan diversos males: «Hágame
marqués, y luego *siquiera* se lo lleve el diablo todo» *Quij.,*
I, 30. Se emplean también las perífrasis *ojalá* 'quiera Alá',
quiera Dios, etc.

20. **Partículas finales.**—Podía usarse en lo antiguo
que final: «Tenía coffya en la cabeça *quel* cabello nol
salga» Hita, 1219. La lengua moderna usa la perífrasis
para que, a fin de que, etc.

21. **Partículas causales.**—Q u i a *ca* se usó en la antigua lengua con el valor causal tenue de n a m , e n i m :
«Inchámoslas d'arena, *ca* bien serán pesadas» *Cid,* 86,
«*Ca* en pocos días y noches pusimos la pobre despensa»
Lazarillo, 2. El sentido causal de q u a n d o persistió en
el castellano: «Esto gradesco al Padre Criador, *quando*
he la graçia de Alfons mío señor» *Cid,* 2044. «No será
injusto, *cuando* todos lo aprueban». *Que* q u i d se emplea
como conjunción causal en todas las épocas: «Y no me
repliquéis palabra, *que* os arrancaré el alma» *Quij.,* I,
35; a veces, aun siendo interrogativa: «¿*Qué* tardas? ¿por
qué ingrata te detienes?» Herrera, *Eleg.,* VIII, ed. de 1619.
Nuestra lengua conserva diversas fórmulas relativas con

antecedente, análogas a las latinas e o q u o d , i d e o q u i a , etc.: «*Por esso* es luenga, *que* a deliçio fué criada» *Cid*, 3282, «*Por lo mismo que* me lo exigieron no lo hice»; o bien rigiendo el demostrativo con la preposición *de*: «Lo hice *por eso de que no* digan»; a veces se expresa el antecedente con *por,* y luego se enuncia la causal con *porque*: «*Por eso* lo sabemos, *porque* nos lo han escrito». *Pues* es la causal atenuada, separada con una pausa de la principal: «Tú, lector, *pues* eres prudente, juzga lo que te pareciere» *Quij.*, II, 7; *pues* pospuesta tiene el valor continuativo de e n i m : «Limpias *pues* sus armas» *Quij.*, I, 1. *Pues que* se encuentra en todas las épocas: «Daquí quito Castiella, *pues que* el Rey he en ira» *Cid*, 219, «*Pues que* todos lo dicen, creámoslo»; solo en la lengua primitiva se encuentra alguna vez *después que*: «Mas *después que* de moros fué, prendo esta presentaia» *Cid*, 884 [puesto que]. En la lengua clásica se halla *para* en ciertas expresiones familiares: «Si no, enviaros han *para* simple» Sta. Teresa, *Camino*, II, 22, «Dijo el asno al mulo, anda, *para* orejudo».

22. **Partículas condicionales.**—Una oración copulativa en la forma puede tener sentido condicional: «Pierden a las vegadas los omes algunas cosas e van a los astronomeros» *Partidas*, VI, 9, 17 [si pierden, cuando pierden], «Ahora le haces caso y algún día te arrepentirás». La condicional elíptica con *si* era conocida en la lengua primitiva [1]: «Metióla en plazo, *si* les viniessen huviar» *Cid*, 1208; la lengua posterior emplea la fórmula *por si* con elipsis del

---

[1] Es simplemente la proposición condicional elíptica del latín: «Epistulam Caesaris misi, *si* minus legisses» Cicerón, *Ad Atticum*, XIII, 22, 5 'por si no la habías leído', en la cual se elide una final previa.

verbo final: «Te he llamado la atención *por* [enterarte] *si* no te habías enterado», sustituyéndose *por si* por la final *a ver si* con los verbos de *intentar* o *esperar* [1]: «Prueba *a ver si* sabes»; el valor condicional elíptico se observa en algunas frases de la lengua actual: «*Si no* lo sabía, ya se lo he dicho». Hay condicionales seguidas de otra negativa con valor de una oración adversativa, en las que se sustituye su apódosis aprobativa por una pausa; este uso está hoy limitado a los casos en que la segunda tiene sentido correctivo: «Créame que si pudiese favorecerle... pero no puedo»; especialmente con cierto tono exclamatorio, ya exoptativo ya de lamentación: «¡Oh, si conocieses tu verdadera felicidad..., mas no puedes ahora comprenderla!» «Aun si dijesen los historiadores..., pero que escriban a secas» *Quij.*, II, 40. Sin sentido exclamativo y con una segunda condicional negativa es rara la elisión de la primera apódosis: «Si puedes hacerme este favor..., si no, yo buscaré quien lo haga»; este caso era muy frecuente en la lengua primitiva [2]: «Si vos la aduxier dallá; si non, contalda sobre las arcas» *Cid*, 181; pero en la moderna lo general es expresar la apódosis repitiendo el verbo de la condicional o sustituyéndolo por un adverbio: «Y si él quisiere hacerlo, *que lo haga, bien, perfectamente;* si no, yo lo haré». A la única conjunción condicional *si* se han añadido diversas conjunciones y fórmulas. De sentido

---

[1] Este era el caso más frecuente de la condicional elíptica latina: «Illi vadum fluminis Sicoris tentare, *si* transire possent» César, *Fragmentos*, 145, 6 'se metían en el vado del río *a ver si* podían pasar'; el valor de incertidumbre que *si* adquirió con verbos de *dudar* se ha aplicado a estos verbos de *intentar,* en los cuales la acción se inicia con la duda de cumplirse.

[2] Véanse las fórmulas de juramento «*si* Dios me vala» «*así* sucumba».

temporal *como, cuando,* y de sentido temporal primero, luego de condición tolerable, *ya que*: «Ninguna es mala, *como* sea verdadera» *Quij.*, I, 9. De sentido *locativo,* la fórmula *donde no,* tan frecuente en los clásicos: «Yo le dejaré libre y desembarazado; *donde no,* aquí morirás, traidor» *Quij.*, II, 60; además, con sentido de lugar figurado, las fórmulas con *caso* y análogos, *en el caso de que, en caso de que.* Diversas fórmulas participiales absolutas con *dar, poner* o *suponer,* como *dado que, puesto caso que, puesto que, supuesto caso que,* y con elipsis del participio *caso que*: «Y *puesto caso que* dormiese y no despertase, en vano sería mi canto» *Quij.*, II, 44. Con valor de condición mínima *(dummŏdo)* se han utilizado para partículas condicionales diversas fórmulas modales precedidas de *con,* como *con condición que, con que, con tal que, con tal de, con solo que*: «Lícito es al poeta escribir contra la envidia, *con que* no fuese contra el prójimo» *Quij.*, II, 20, «Que te adornes con el hábito que tu oficio requiere, *con tal que* sea limpio» II, 51, «Les pagaría el barco, *con condición que* le diesen libre» II, 29, «Yo te perdono *con solo que* me prometas» Cervantes, *Novelas,* 171. Esta condición mínima puede expresarse con *solo que*: «Sólo que le dejasen hablarle, él le convencería»; con este valor se encuentra en la lengua primitiva *que*: «Soltariemos la ganançia, *que* nos diesse el cabdal» *Cid,* 1434 [1]. Con *a* se forman las frases *a condición de, a condición que, a trueco de, a trueque de, a* con infinitivo, *a no ser que, a menos que*: «*A trueco de* decir una malicia, se pondrán a peligro que los destierren» *Quij.*, II, 16, «*A escribir* de otra suerte,

---

[1] V. Menéndez Pidal, *Cid,* I, p. 398.

no fuera escribir verdades, sino mentiras» I, 3. *Si* reforzado con otras palabras origina las fórmulas *si bien, si
bien que, si ya, si es que*: «*Si ya no es que* está mal ferido»
Quij., I, 7, «Non te la vaya a otorgare, / *si no bien que* tú
quisieres / en amores me pagare» *Rom.*, 167.

CONSTRUCCIÓN

96. Construcción de las frases.—En la frase normal o enunciativa, si hay tres o más elementos se coloca generalmente el verbo intercalado, y de los otros precede uno, el que tenga más interés, colocándose los demás al fin. El verbo final, aunque frecuente en los clásicos, es un latinismo [1] buscado para lograr un efecto de énfasis: «Que en casa del comendador no *entrase,* ni al lastimado Zaide en la suya *acogiese» Lazarillo,* 1. En la frase imperativa va igualmente el verbo al principio: «Disponed vos de mí a toda vuestra guisa» *Quij.,* I, 46; y sólo en poesía o en estilo oratorio puede ir pospuesto: «A este soberbio mira» Herrera, *Lepanto,* 64. En la frase interrogativa precede el elemento interrogante; en la verbal, el verbo: «¿Estoy yo obligado a distinguir los sones?» *Quij.,* I, 5; en la adverbial, el adverbio: «¿Dónde estás, señora mía?» I, 5; en la pronominal, el pronombre: «¿Qué rumor es ése, Sancho», I, 20. En la frase narrativa, en que el relato se hace con cierta viveza [2], va al principio el verbo: «Sintió

---

[1] «No pongáis el verbo al fin de la cláusula cuando suyo no se cae, como hacen los que quieren imitar a los que escriben mal latín» Valdés, *Diálogo,* p. 118. Ya Valdés, p. 133, observó este giro del Amadís: «Pone el verbo al fin de la cláusula, lo cual hace muchas veces, como aquí»: *Tiene una puerta que a la güerta sale.*

[2] No es la índole de simple relato lo que da carácter a la verdadera frase narrativa, sino la viveza de la narración; véase la diferencia en estos dos ejemplos del *Quijote,* I, 43: «Su padre llegó corriendo adonde estábamos» «Llegó un moro corriendo».

mucho esta pérdida el Gran Turco» *Quij.*, I, 39. En la frase sustantiva se colocan generalmente primero el sujeto, luego el verbo y el predicado al fin: «Yo soy tan venturoso» *Quij.*, I, 18. Puede preceder el predicado cuando haya especial interés en insistir sobre él: «Extraño espectáculo fué este» *Quij.*, I, 36; fuera de este caso la anteposición es enfática, y sólo frecuente en el estilo literario.

97. **Nombres y adjetivos.**—El vocativo va al principio únicamente cuando tiene por objeto llamar la atención; pero cuando suponemos la atención del que escucha, se coloca intercalado en la frase: «Esta es, señores, la verdadera historia de mi tragedia» *Quij.*, I, 29; en las invocaciones vehementes, apóstrofes y frases admirativas el vocativo va donde quiera que la invocación ocurra.

El calificativo restrictivo se pospone al nombre: «Los hombres cobardes»; sin embargo le precede cuando tiene más carácter de ponderativo que de restrictivo: «El buen ingenio» *Quij.*, I, 22. El calificativo no restrictivo, sino meramente explicativo, precede al nombre; tal es el adjetivo epíteto, el calificativo característico del sustantivo: «La dulce miel», y muchos adjetivos que sin ser característicos del nombre se emplean, sobre todo en lenguaje poético, para insistir en la idea de cualidad, sin intención de restringir la extensión del nombre: «Las claras fuentes» I, 11. El participio de los complementos oracionales precede al sujeto: «Hechas pues estas prevenciones» *Quij.*, I, 1; a veces se pospone al demostrativo *esto:* «Esto sabido»; en la lengua antigua y clásica la posposición era libre: «La mañana venida» [1].

---

[1] Hanssen, *Gram.*, p. 258.

El artículo se antepone inmediatamente al sustantivo.
Los determinativos preceden generalmente al sustantivo.
Ambos en la lengua más antigua podía ir pospuesto: «Las
manos amas» *Cid*, 879. Los posesivos preceden al sustantivo cuando éste no va acompañado de un artículo o
determinativo: «Mi buen amigo»; se posponen cuando
tienen el valor de una oración de relativo: «Le dí alhajas
mías» [que eran mías]; en los vocativos es hoy más común
la posposición: «Dios mío» «Señora mía», pero en la
lengua clásica solía preceder en las apelaciones normales
y posponerse en las exclamaciones o invocaciones más
vehementes: «Por tu amor, mi Valdovinos» *Rom.*, 217.
Si al sustantivo precede un artículo o un determinativo,
el posesivo se pone al fin [1]: «Aquellas entrincadas razones
suyas» *Quij.*, I, 1; el posesivo entre el artículo o determinativo o el nombre era en lo antiguo de uso corriente:
«De los sos oios» *Cid.*, 1, «las mis barbas» *Rom.*, 151:
aun en la época clásica, aunque vulgar, era frecuente:
«La su mula» *Quij.*, II, 1; hoy es un rarísimo arcaísmo
«el tu reino», y del castellano del norte.

98. Pronombres.—1.º En los grupos de pronombres
tónicos unidos por una conjunción copulativa se coloca
por modestia el último el de primera persona: «Tú y yo,
él y yo»; entre el de segunda y tercera suele anteponerse
aquél por consideración: «Tú y él, vosotros y ellos»; no
siempre, sin embargo, ha prevalecido este orden en cuanto
a la primera persona, que solía preceder: «Yo y ellas»,
Cid, 2087, «Yo e vuestras fijas» 269, y siempre puede
alterarse este orden cuando el que habla se refiere con
vehemencia o énfasis a sí mismo.

---

[1] Es raro que vaya detrás del posesivo un calificativo: «Con los
brazos suyos graves» Herrera, *Lepanto*, 16.

400 Gramática Histórica Española

2.° En los grupos de pronombres átonos hay la siguiente prelación: *se* precede a todo pronombre: «Se me olvidó, se os dijo, se nos advirtió, se les quedó»; pero en la lengua vulgar puede seguir al de primera y segunda persona en singular: «Me se fué, te se manchó» (no en plural «se nos fué, se os marchó»). El pronombre de primera o segunda persona precede en todas las épocas al de tercera: «No me lo quite nadie» *Quij.*, II, 47. El pronombre de primera persona con el de segunda se coloca con variedad; en la época clásica la construcción dominante es que el de segunda preceda «te me, te nos, os me, os nos»; pero en la lengua antigua el tercer caso se construía «me os»: «Sueltas me vos ha» *Cid*, 1400, cuya construcción se encuentra en algunos autores, siendo el único que la lengua actual conoce: «No me os marchéis».

3.° Los pronombres tónicos o átonos se construyen entre sí con sujeción a estas leyes. Normalmente precede el átono como enclítico o proclítico del verbo, y se coloca al fin el tónico: «Así *me* ha parecido *a mí*» *Quij.*, I, 26. Para hacer resaltar la idea de la persona se coloca primero el tónico, y luego como enclítico o proclítico el átono: «*A mí me* parece».

4.° Los pronombres átonos con todas las formas verbales de indicativo y subjuntivo se usan siempre como proclíticos en la lengua hablada usual, aun la más culta, y sólo por arcaísmo se emplean como enclíticos en la lengua literaria. En ésta se conserva sumamente borrosa la distinción que hacía la lengua clásica, hallándose frases como éstas: «De todas estas cosas alegráronse» «Y todos aplaudiéronle». En la lengua antigua y clásica la enclisis o proclisis dependía del ritmo de la frase; el pronombre era generalmente enclítico en principio de toda frase rítmica (casi siempre en principio de oración, sólo alguna vez después de pausa); y era generalmente proclítico en el interior de dicha frase: «Pidiéron*le* que se dejase desnudar» *Quij.*, II, 31. El principio de oración se entiende aunque al verbo precedan las conjunciones *y*, *mas* [1]: «E somió*se* el cavallero» *F. González*, 254, «Mas fizlo» *L. del Caballero*, pról.; también se entiende el principio de la oración aunqne antes vaya otra: «Como es muy de coléricos la piedad, túvo*la* mi amo» Espinel, *Obregón*, I, 3. La pausa puede ser: la cesura de hemistiquio en los versos: «Tras una viga lagar / metiós con grant pauor» *Cid*, 2290; la pausa secundaria anafórica tras los demostrativos o nombres de los personajes o cosas de la narración: «El rey / dió*les* fieles por dezir el derecho» *Cid*, 3593, «El lacayo / púso*la* en razón» Espinel, *Obregón*, I, 3; otras pausas anafóricas secundarias: «Otro día / moviós myo Çid el de Bivar» *Cid*, 550, «En estas ocasiones / ha*se* de advertir el peligro» Espinel, *Obregón*, I, 13; y las pausas enfáticas: «Los sábados / cómen*se* en esta tierra cabezas de carnero» *Lazarillo*, I, 2, «En la república de los sículos / háce*se* justicia» Guevara, *Menosprecio*, 13.

5.º Van enclíticos en la lengua usual, siempre y únicamente, los pronombres tras el imperativo y tras el infinitivo y gerundio independientes, como *mirarle*, *mírale*, *mirándole*. La lengua antigua podía excepcionalmente usar como proclítico el pronombre ante el imperativo, sobre todo si precedía ya otra palabra: «Las manos le besad» *Cid*, 1443, «Padre, tú nos ayuda» Berceo, *S. Domingo*, 766, de cuyo uso se encuentran abundantes ejemplos en

---

[1] Ejemplos con *pues* del Amadís, en Meyer-Lübke, *Gram.*, III, p. 801; también se hallan con alguna otra conjunción.

la época clásica: «Nos decid» Valdés, *Diálogo*, p. 65. Las formas de subjuntivo con valor de imperativo tienen la misma construcción: «Llévenle»; hoy sólo se halla como un vulgarismo en alguna región la proclisis «me dé una limosna». Del mismo modo podía ser proclítico del gerundio independiente: «En estas nuevas todos se alegrando» *Cid*, 1287, «Muy fuerte se quexando» F. *González*, 736; de cuyo uso hay también algunos ejemplos clásicos, y en el *Quijote* con los auxiliares: «No lo siendo» «No lo estando».

6.º En una oración con verbo regente la colocación de los pronombres respecto al infinitivo directo y al gerundio es muy varia; de las ocho combinaciones posibles:

1	Lo quiero ver	Lo estaba viendo
2	quiérolo ver	estábalo viendo
3	*quiero / lo ver*	*estaba / lo viendo*
4	quiero verlo	*lo viendo estaba*
5	*lo ver quiero*	estaba viéndolo
6	verlo quiero	viéndolo estaba
7	ver / lo quiero	viendo / lo estaba
8	*ver quiérolo*	*viendo estábalo*

son desconocidas la 3, 5 y 8. En la lengua antigua y en la moderna más espontánea [1] el pronombre va como enclítico o proclítico del verbo personal cuando éste precede (1, 2): «Veemos los cansar» F. *González*, 341, «Nos dexa folgar» 339; pero la lengua cultista y gramatical tiende a posponerlo al infinitivo: «Quise decirle». Si el verbo personal va pospuesto, en todas las épocas va el

---

[1] Es dudoso con qué verbo va en muchos casos: «Dezir vos quiero nuevas» *Cid*, 1620, «Nunca dar le quisieron» F. *González*, 698.

pronombre como enclítico del infinitivo y gerundio (6): «Comprándolo está», si bien en ciertos casos de énfasis, sobre todo en el verso, o en prosa en algunos verbos, puede ir el pronombre como proclítico del verbo personal (7) [1]: «Decir os quiero un secreto». Con el infinitivo regido de un relativo o de una preposición es posible la construcción 3; regida del relativo, la proclisis era la normal en la lengua primitiva: «Non sabent qués far» *Cid,* 1174, cuyo uso aún perduraba en los romances.

7.º Entre la preposición y el infinitivo se puede colocar un adverbio y a veces un pronombre tónico: «Para mejor verlo, por tú tolerarlo»; se podía colocar en la antigua lengua un pronombre proclítico, un complemento o bien un grupo de pronombre y complementos; esta construcción es frecuente hasta el clasicismo, conservando aún gran desarrollo en la primera mitad del siglo xvi, para decaer en seguida: «Sin me tocar la mano» Valbuena, *Bernardo,* IX; algunos ejemplos modernos son puros arcaísmos tradicionales: «Por nos redimir».

8.º El pronombre proclítico podía en lo antiguo ir separado del verbo; por un adverbio, especialmente *non:* «Ques le non spidiés» *Cid,* 1252; por un pronombre tónico: «Si les yo visquier» *Cid,* 825, «Pues vos yo tengo» Hita, 989; por un infinitivo: «Quien vos lo toller quisiere» *Cid,* 3520; y a veces por otras palabras: «Si le Dios non acorrier» *Alf.,* XI, 561, «Aquel que te el negro haze» *Castigos,* 12; este uso, muy extendido en el siglo xiii, decae en el xv, siendo censurado como una falta a principios del xvi [2].

---

[1] M. Pidal, *Cid,* I, p. 350.

[2] «Digo que os debéis guardar siempre de hablar como algunos desta manera: «Siempre te bien quise y nunca te bien hice» Valdés, *Diálogo,* 119.

9.º En las antiguas perífrasis *amaré, amaría* el pronombre átono se ponía según el ritmo de la frase; en principio de frase o pausa el pronombre se coloca después del infinitivo, antes del auxiliar, ya como enclítico de aquél, ya como proclítico de éste: «Atorgar nos hedes esto» *Cid*, 198, giro aún frecuente en el siglo XVII; pero en el principio de frase el infinitivo y el auxiliar formaban un todo inseparable, y el pronombre iba al principio: «Que vos ayudarán» *Cid*, 640, rara vez al fin.

10.º En la conjugación con auxiliares varía el uso. En los tiempos compuestos con *haber* y *ser* se pone proclítico o enclítico del auxiliar, en las mismas condiciones que con los verbos simples: «Le había dicho» o «habíale dicho»; en los compuestos con *haber* se encuentra a veces enclítico del participio cuando se elide el auxiliar por haberse expresado en otra oración: «El uno se había hecho, el otro venídose de fuera» Sta. Teresa, *Fund.*, 31, «Después de haber visitado el arriero a su recua y dádole el segundo pienso» *Quij.*, I, 16, «Habiendo primero tomado las riendas de Rocinante y acomodádolas» II, 60, «Habían descubierto al caballero y díchoselo al visorrey» II, 60, «Apenas se había sentado en la silla, puéstole el paño y bañádole las quijadas» Liñán, *Guía*, n. 1.ª, pero no deja de hallarse aun en una primera oración: «Habían dádole entonces el arzobispado» Sta. Teresa, *Fund.*, 31, «No hubiese de una de ellas abiértole la cabeza» Liñán, *Guía*, n. 3.ª.

99. Verbos.—En la perífrasis *amaré, amaría*, el orden general, lo mismo que en las demás románicas, es que el verbo auxiliar vaya al fin; sólo ejemplos aislados de la lengua primitiva demuestran que el auxiliar podía preceder: «Oy á seer el día» *Alexandre*, 1526, «A seer el tu

manto» Berceo, *S. Lorenzo*, 70. En la perífrasis de *haber de* con el infinitivo precede también el auxiliar, y sólo se halla al fin en la antigua poesía narrativa: «Si de vender has el paño» *Rom.*, 167, «De servir te he leale» 167.

100. Partículas.—De las frases del tipo «sé a qué blanco tiras» se ha propagado el orden a otras en que el relativo lleva antecedente, el cual se intercala entre la proposición y el relativo: «Sé al blanco que tiras» *Quij.*, II, 7; no es, como parece, una simple inversión, ni es el antecedente, sino toda la oración el complemento del determinante, pues no concierta con el antecedente cuando es participio: «*Dicho* ya de la manera en que nos hemos de aparejar» Granada, *Memorial*, 3, 8 [Dicho de qué manera]. Las conjunciones son prepositivas; sin embargo *pues* cuando es continuativa va pospuesta: «Limpias pues sus armas» *Quij.*, I, 1; y el antiguo *empero* podía ir antepuesto o pospuesto: «Empero esta condesa» *Quij.*, II, 48, «Las armas empero» II, 18. *Pero* iba a veces pospuesta en lo antiguo: «Guardando *pero* las leyes de la caballería» *Quij.*, I, 52.

101. Trajectio.—La *trajectio* o interposición de una palabra entre dos ideológicamente enlazadas es frecuente en poesía. El verbo entre el sustantivo y el adjetivo: «El fuego y hasta *temblará* sangrienta» Herrera, *Lepanto*, 151. El verbo entre el sustantivo regente y el regido, o entre el regido y el regente: «En la llanura *venció* del mar» Herrera, *Lepanto*, 1. En la poesía clásica, muy especialmente en Herrera, es frecuente poner al fin con el sustantivo intercalado un segundo adjetivo correlativo *(adjetivo adyecticio):* «A la pesada vida y enojosa» Garcilaso, *Egl.*, I, 55, «Con inmortales versos y sagrados» Herrera, *Eleg.*, I, 97. También es frecuente colocar al fin un segundo sustantivo correlativo *(sustantivo adyecticio):* «Nuestros niños prender y las doncellas» *Lepanto*, 98.

102. Tmesis. — Como en latín se conoce en la antigua lengua la *tmesis* de los indefinidos compuestos: «Qual obispo quier» *F. Juzgo*, XII, 3, 24, «En qual manera quier» XII, 3, 9.

INDICE DE PALABRAS

Los números indican la página

dulz 53.
duño 132.
durazno 112.
durmió 126.
Duruelo 127.
duz 54, 91.

ecebra 49.
echa 45.
echar 86.
eguar 72, 105,
ejambrar 49.
eje 89.
ejemplo 89.
él 177.
el 168,
ela 168.
elcina 115.
elegíaco 63.
eleiso 88, 170.
(e)mellar 48.
(e)mellizo 49.
empecer 59, 73.
empellón 79.
empenta 96.
empesgar 112.
emplir 96.
empolla 144.
empreñar 95.
emprío 73.
en 77.
enaguas 13.
enantar 49.
encara 216.
encebra 144.
encella 48, 79, 94, 144.
enceñar 137.
encetar 87.
encía 73, 94.
encina 115, 137, 144.
encolía 76.
encono 76.
ende 215.
eneldo 107.
enero 67, 106.
enés 170.
engendrar 109.
engurrar 132.

enjabio 72.
enjambre 48, 89.
enjiemplo 144.
enjuagar 131.
enjubiar 68.
enjuague 55.
enjulio 138.
enjullo 84.
enjundia 97, 144.
enjutar 87.
enjuto 86.
enmendar 144.
enojo 47, 101, 125.
ensambre 89.
ensayar 144.
ensayo 103.
ensemble 77.
ensobear 68.
ensoso 91.
ensubiar 68.
ensucho 87.
ensuto 86.
entecarse 144.
entero 85, 124.
entre 77.
entregar 85.
entrego 195.
entrizar 104.
entro 215.
envas(e) 55.
era 100.
ercer 92.
erial 73.
erizo 103.
ero 85.
errain 49.
esambre 89.
esborregar 127.
escalla 97.
escama 105.
escamondar 107, 112.
escamujar 82, 112.
escanciar 11, 23.
escanda 97.
escanillo 130.
escanlla 97.
escaña 97.
escaño 81, 93.

escarchar 104.
escarmiento 119.
escarzar 104, 130.
escollo 84.
escomar 17, 91.
escombrar 108.
esconder 144.
escondo 46.
escondrijo 133.
escopeta 12.
escorzo 12.
escribir 129.
escripia 124.
escriso 88, 212.
escuchar 90, 144.
escudriñar 131.
escuela 11.
escuerzo 104.
escullar 72
escupir 130.
escuro 144.
ese 88, 169.
esgrimir 11.
esmeralda 165.
esmucir 91.
espalda 107, 132.
esparavel 11.
España 100.
esparcir 92.
espárr(a)go 51.
especia 165.
especie 157.
espejo 83.
espiar 11.
espíritu 157.
esplego 25.
espliego 107.
espligo 25.
esponja 97.
esponza 97, 103.
esposajas 99.
espuela 11.
espuncia 97.
espundia 97.
espunlla 97.
espuña 97, 126.
esquerdar 110.
esso 41.

INDICE DE MATERIAS